MAYSA

Lira Neto

Maysa

Só numa multidão de amores

10ª reimpressão

EDITORA GLOBO

Preparação: Beatriz de Freitas Moreira
Revisão: Maria Sylvia Corrêa
Índice onomástico: Luciano Marchiori
Capa: Estúdio Darshan/Eduardo Campos
Fotos de capa e contracapa: Jorge Butsuem/Editora Abril

1ª edição, 2007
10ª reimpressão, 2009

cip-brasil. catalogação-na-fonte
sindicato nacional dos editores de livro, rj

L745m
Lira Neto, 1963-
Maysa: só numa multidão de amores / Lira Neto; São Paulo: Globo, 2007.

Apêndice
Inclui bibliografia
isbn 978-85-250-4303-0

1. Maysa, 1936-1977. 2. Cantoras – Brasil – Biografia. 3. Compositoras – Brasil – Biografia i. Título.

07-0448 cdd-927.8042
cdd-929:78.067.36

Direitos de edição em língua portuguesa para o Brasil
adquiridos por Editora Globo s.a.
Av. Jaguaré, 1485 – 05346-902 – São Paulo sp
www.globolivros.com.br

Sumário

Maysa

Só numa multidão de amores

Para Dri

Só digo o que penso
Só faço o que gosto
E aquilo que creio.

E se alguém não quiser entender
E falar pois que fale.
Eu não vou me importar com a maldade
De quem nada sabe.

MAYSA
(Trecho da canção "Resposta")

1. É PRECISO DIZER ADEUS (1958)

Sei que devo partir.
Só me resta dizer adeus.
(Vinicius de Moraes e Tom Jobim,
gravação de Maysa em 1958)

NAQUELA MADRUGADA EM COPACABANA, de vestido branco sem alças e usando um colar de pérolas autênticas que dava seis voltas no pescoço, ela cantara como nunca. *Ninguém pode calar dentro em mim esta chama que não vai passar. É mais forte que eu e não quero dela me afastar*. Estava alguns quilos acima do peso. O início de um queixo duplo e as maçãs rechonchudas do rosto arredondavam-lhe as expressões. Mas os olhos, delineados com lápis preto e capricho, tinham o mesmo verde e o ar imperativo de sempre.

Como de costume, cantava de nariz empinado, com atitude superior, como se fulminasse a platéia com o olhar. *Só digo o que penso, só faço o que gosto e aquilo que creio*. Ao fim da última canção, imóvel no centro do palco sob a luz prateada do refletor, foi aplaudida de pé durante cerca de cinco minutos. Antes de desaparecer por trás da cortina de veludo escuro, nem sequer agradeceu às palmas que vinham das mesas imersas na penumbra e enevoadas pela fumaça dos muitos cigarros. Os que a viram pela última vez naquela noite dizem que bebeu uma dose de vodca nos camarins e partiu sozinha em direção ao seu apartamento, localizado ali perto, na rua Inhangá, 45, nas imediações do Copacabana Palace.

Aos 22 anos, a jovem Maysa era uma das estrelas mais bem pagas da música brasileira. A estréia da temporada na boate La Bohème, que lhe renderia um cachê de 140 mil cruzeiros por semana, cerca de 30 mil reais (valor considerado astronômico para os padrões da época), havia sido um sucesso. Era rica, famosa e cortejada por homens que dariam tudo para dividir um drinque com ela naquele abafado fim de noite do verão carioca. Mas, ao contrário do que sempre fizera depois de cada um dos shows, Maysa não aceitou o convite dos amigos para esticar a madrugada, para pular de bar em bar, esquecer o relógio e bater perna pela constelação de boates e restaurantes que compunham a paisagem boêmia do bairro. Enquanto os garçons ainda serviam doses generosas de cuba-libre, hi-fi e uísque aos clientes da La Bohème — e quando estes não haviam se refeito do vendaval emocional provocado por mais uma apresentação de Maysa —, ela chegou em casa, tirou a roupa e abriu a torneira da banheira. Era 11 de fevereiro de 1958, uma terça-feira. Ninguém pode dizer exatamente o que houve entre aquelas quatro paredes ladrilhadas de branco. Só se sabe que os vizinhos foram acordados por um grito de mulher no meio da noite. Nos dias seguintes, a notícia estava no rádio e nos jornais. Maysa tentara se matar, cortando o pulso esquerdo com gilete.

* * *

A imprensa não pôde deixar de explorar uma trágica coincidência: no dia anterior, 10 de fevereiro, o compositor Assis Valente, autor de clássicos como "E o mundo não se acabou" e "Uva de caminhão" — imortalizados na voz de Carmen Miranda —, cometera suicídio, ingerindo uma mistura fatal de guaraná com formicida. Maysa, contudo, negou com veemência que houvesse atentado contra a própria vida. Fez questão de receber os jornalistas em casa e, com o braço enfaixado, apoiado em uma tipóia improvisada com um finíssimo lenço de seda, disse que tudo não passara de um pequeno acidente doméstico. "Eu tentava abrir a porta do meu quarto quando minha mão resvalou, partindo o vidro", explicou aos repórteres, exibindo os cacos da vidraça ao clique dos fotógrafos. "Imediatamente procurei um médico conhecido, que me fez os curativos", afirmou. Ninguém acreditou em história tão prosaica. Não era a primeira vez que Maysa, a deusa das canções de dor-de-cotovelo, a rainha absoluta da música de fossa, aparecia com um curativo no pulso, alegando ter sofrido um reles acidente caseiro.

Um mês antes, em janeiro, ela adentrara às 5h45 da manhã no setor de emergência do Miguel Couto, um dos mais movimentados hospitais do Rio de Janeiro, com uma hemorragia no pulso esquerdo provocada por um ferimento com objeto cortante. Como da segunda vez, garantira aos jornalistas que não tentara o suicídio. "Vocês vieram saber se eu morri?", indagou-lhes à queima-roupa, com o estilo habitualmente despachado. "Como estão vendo, estou mais viva do que nunca, muito embora esteja amolada com esses boatos que correm a meu respeito", prosseguiu, no mesmo diapasão.

Um detalhe não passou despercebido ao jornal *Diário Carioca*, que no início da década de 1950 modernizara o estilo dos textos na imprensa brasileira: "Maysa trazia uma grossa pulseira que lhe escondia o pulso esquerdo e, apesar do calor, usava uma blusa de mangas compridas". Poucas horas antes daquela entrevista, a secretária particular da cantora, Zoraide Aun, mandara embora outro grupo de repórteres, negando qualquer tentativa de suicídio por parte de Maysa. Como prova, exibiu aos jornalistas um aparelhinho que era uma das novidades tecnológicas recém-chegadas ao Brasil, junto com o radinho de pilha, a televisão e a lambreta: o barbeador elétrico.

"Nesta casa não se usa gilete", assegurou Zoraide.

Pela versão da secretária, Maysa escorregara na hora do banho ao pisar no sabonete. Caíra e machucara o braço. Mas a redação de *O Jornal* revelaria aos leitores um suposto boletim surrupiado dos prontuários do Miguel Couto, em que se lia a seguinte anotação:

> Maysa Matarazzo, brasileira, branca, 22 anos, residente na rua Inhangá, 45, apartamento 704. Etilismo agudo, excitação psicomotora e escoriações na região do pulso esquerdo em conseqüência de tentativa de suicídio.

Ainda assim, Maysa continuou negando o episódio e disse que o tal boletim era falso como uma cédula de três cruzeiros. E, mais uma vez, pediu à imprensa para deixá-la em paz. "Olhem, tenho um filho de um ano e oito meses, uma carreira pela frente e um grande futuro. Vocês acham que eu pensaria em me matar, eu, que consegui tudo isso com apenas 22 anos?", interrogou, de forma dramática, ao *Diário Carioca*. Os apelos de Maysa foram em vão. O comportamento pouco ortodoxo fazia dela um alvo fácil para o apetite da mídia. As especulações sobre os exatos motivos das duas prováveis tentativas de suicídio eram as mais variadas, mas todas apontavam para causas passionais. Os jornais que bisbilhotavam a vida da cantora afirmavam que ela estava arrasada porque, dias antes, brigara feio e pusera para fora de casa aos pontapés um dos muitos namorados dessa época, o playboy Marco Túlio Galvão Bueno, conhecido nas rodas noturnas do Rio como "Marquinho, o bom".

As revistas de fofoca preferiram ventilar a hipótese de que o caso até então secreto de Maysa com Cesar Thedin — arquiteto, empresário e boêmio que pouco mais tarde casaria com a atriz Tônia Carrero, considerada à época a mulher mais bonita do Brasil — havia sido descoberto pela namorada oficial do galã, a também cantora Elizeth Cardoso. A revelação daquele triângulo amoroso teria provocado um sério atrito entre as duas colegas de ofício (e amigas de longa data), o que deixara Maysa mortificada. Mas houve quem nunca apostasse uma estampa de sabonete Eucalol em tal versão. "Lembro que tempos depois tanto Maysa como Elizeth me contaram essa história da primeira roubar o namorado da segunda entre gargalhadas", garantiria o compositor, produtor musical, escritor e poeta Hermínio Bello de Carvalho, amigo de ambas.

O que se sabe com certeza é que, naquela mesma semana em que teria tentado o suicídio pela primeira vez, Maysa deixara a ver navios a platéia da boate em que se apresentaria, o Club 36, na rua Carvalho de Mendonça, em Copacabana. Desaparecera poucos minutos antes do horário previsto para subir ao palco e, sem avisar ninguém, fora assistir ao show de Elizeth Cardoso a duas quadras distantes dali, em uma das mesas do Au Bon Gourmet — "o lugar onde melhor se come no Rio à noite", dizia-se. Quando Elizeth viu a amiga, cumprimentou-a do palco, efusivamente. Maysa levantou-se e gritou a frase que ficaria célebre: "Meu maior desejo era ser homem, preto, pianista e bêbado. Como vocês sabem, não consegui ser homem, negro, nem pianista", o público riu e Maysa continuou: "porém ainda tenho um sonho: ser Elizeth Cardoso".

Casos como aquele estampavam as páginas dos jornais logo no dia seguinte e ajudavam a fazer de Maysa o assunto predileto das colunas que viviam de chafurdar a vida alheia. Apesar de reclamar do assédio da imprensa, o fato é que ela mesma se divertia com as manchetes e notinhas maldosas que pipocavam a seu respeito. Colecionava com desvelo cada recorte de jornal ou de revista que trouxesse seu nome, ainda que em boa parte deles fosse descrita como uma mulher atormentada pela bebida e acossada pelas desilusões amorosas. "Vi Maysa tomando uísque por um canudinho de refresco", noticiava a maliciosa coluna "Mexericos da Candinha", na popularíssima *Revista do Rádio*, publicação que podia ser comprada em qualquer banca de revista por quinze cruzeiros — o preço de dois maços de cigarro Continental sem filtro — e que vendia cerca de 300 mil exemplares semanais. O colunista e compositor Nestor de Holanda, no *Diário Carioca*, tripudiava: "Maysa está cortando tanto os pulsos que vai acabar uma Vênus de Milo".

Ela tinha consciência de que a causa de seu êxito estrondoso como artista — além da voz indiscutivelmente singular, meio rouca, meio aveludada — residia também na imagem pública que construíra como musa imbatível — e sofisticada — do desencanto e da melancolia. Era uma espécie de Edith Piaf dos trópicos, uma Julie London em versão nacional. Para a estréia na La Bohème, por exemplo, exigira traje de gala à platéia, o que provocara protestos do jornalista e compositor Antônio Maria: "Não fui, porque o meu smoking está na base do *engole ele paletó*", reclamou o velho Maria, amigo e fã assumido da cantora, em sua coluna publicada no jornal *O Globo*. Mas a decantada elegância de Maysa — que afirmou para uma revista ter no guarda-roupa dezenas de vestidos assinados por Balenciaga, Chanel, Dener e Dior, e que só usara cada um deles uma única vez — era devidamente temperada com uma atitude de aberta transgressão.

Recém-desquitada, em um tempo em que as mulheres separadas eram estigmatizadas como prostitutas, Maysa mandara para os ares o casamento com o milionário paulista André Matarazzo e, para duplo escândalo da alta sociedade de São Paulo, abraçara a vida igualmente duvidosa de cantora de rádio. Para os meios mais ilustrados, era considerada uma espécie de diva existencialista em pleno luar de Copacabana. Bráulio Pedroso, que viria a ser um bem-sucedido autor de telenovelas, assinou naquele ano de 1958 uma resenha na *Gazeta Esportiva* sobre o livro *O garden-party*, da contista neozelandesa Katherine Mansfield. "Resumindo, diria que as histórias de Mansfield têm um quê da nostálgica voz de Maysa", escreveu Pedroso, ao final do artigo. "Há gritos incríveis dentro de mim, que me povoam da mais imensa solidão", anotou por essa época a própria Maysa em seu diário particular.

* * *

Em pouco mais de um ano de carreira, ela atingira o topo do sucesso. Gravara até ali dois álbuns de dez polegadas (com oito músicas cada) e quatro discos de 78 rpm (com duas canções cada um). Foi o suficiente para ganhar o disputado troféu Roquette Pinto — a mais importante premiação do rádio e da televisão brasileira à época — na categoria de cantora revelação de 1957. A *Radiolândia*, revista especializada em música, e o Clube dos Cronistas de Discos concederam-lhe, separadamente, o mesmo título de "maior cantora do ano". E no instante em que a televisão brasileira apenas engatinhava, Maysa estrelava dois programas só seus, transmitidos um no Rio de Janeiro, pela TV Rio, às quintas-feiras, outro em São Paulo, pela TV Record, às quartas, com patrocínio da Bombril e dos biscoitos Piraquê.

Em março de 1958, depois de também ser declarada pela *Revista do Rádio* "a maior revelação feminina da televisão carioca em 1957", ela renovaria o contrato com as duas emissoras por mais 24 meses, passando a receber a quantia total de 2,4 milhões de cruzeiros — valor duas vezes e meia superior ao prêmio milionário oferecido ao arquiteto Lucio Costa pelo primeiro lugar no concurso que escolheu o projeto-piloto de Brasília, a nova capital que seria inaugurada dali a dois anos. O nome de Maysa era uma verdadeira fábrica de fazer dinheiro. Seus discos vendiam tanto quanto a gemada em pó Kibon e os coloridos bambolês, outras duas coqueluches que tomaram conta do país naquele ano. A cada semestre, a conta bancária engordava cerca de meio milhão de cruzeiros só em direitos autorais, o suficiente para pagar quase um ano de salário do craque Didi, ídolo do Botafogo e da seleção que conquistaria a primeira Copa do Mundo para o Brasil, dali a três meses, nos gramados da Suécia.

A despeito de ela ter a imagem devassada pela imprensa sensacionalista, os patrocinadores disputavam Maysa a peso de ouro. Os fabricantes do esmalte e batom Fetiche aproveitaram uma entrevista que ela concedeu ao programa *Discomania*, da Rádio Record, para presenteá-la no ar com uma coleção completa de cosméticos da marca, "em quantidade suficiente para o uso de um ano". Maysa posou para as fotos — com o braço esquerdo ainda enfaixado — e faturou mais uma bolada.

Em anúncios de página inteira na *Radiolândia*, lá estava ela emprestando o rosto para a propaganda da embalagem "tamanho gigante" do sabonete Cinta-Azul, produzido pela fábrica do empresário e compositor Fernando César — de quem Maysa gravara em seu segundo disco a canção "Segredo" —, e que conforme o texto da publicidade deixava "uma sensação de frescor e vitalidade na cútis". Além de tudo isso, Maysa provocou uma maré inflacionária nos cachês pagos aos artistas nacionais pelas casas noturnas do Rio e São Paulo. Antes dela, apenas atrações internacionais faturavam mais de 20 mil cruzeiros por apresentação no Brasil. Ao final daquele ano, passaria a exigir 50 mil por noite para soltar a voz.

Maysa não colecionava apenas desaforos em letra de forma. "Na história dos nossos meios artísticos, ela constitui um verdadeiro recorde de ascensão ao estrelato", diria o jornal *O Globo*. "Ouvi e vi Maysa cantando na tevê. Seu talento e sua voz são coisas que já nem se discutem. Mas seus olhos são qualquer coisa de maravilhoso. Refletem toda a beleza e grandiosidade interior que há em Maysa", registraria a coluna assinada pela atriz Odete Lara, no jornal *Última Hora*. Os olhos verdes de Maysa consistiam em uma atração à parte. No programa de televisão, eram explorados em closes fechados que, para suspiro dos corações masculinos, enchiam a tela em preto-e-branco dos aparelhos Standard Eletric de 21 polegadas e gabinete em imbuia, os mais vendidos à época.

Se para o olhar felino de Maysa recaíam todos os elogios, o mesmo não se podia dizer dos cabelos, propositadamente despenteados, em um tempo em que as mulheres costumavam torrar pequenas fortunas em perucas, laquês e *mise-en-plis*. Os cabelos sempre desarrumados — na verdade, desalinhados com capricho — ajudavam a compor a imagem de rebelde e a produzir apelidos jocosos na imprensa, a exemplo de Maysa-Perdi-Meu-Pente, como a ela se referia o jornalista Mattos Pacheco, titular da coluna "Ronda", no *Diário da Noite*. "É uma cantora agradável. Desagradável nela são aqueles cabelos abandonados sobre sua cabecinha, que é um tanto quanto vazia, segundo dizem por aí", espinafrava Maurício de Almeida nas páginas do jornal *Imprensa Popular*.

A tarde em que Maysa foi flagrada por um fotógrafo em um salão de beleza, sentada na cadeira de um cabeleireiro, virou matéria de primeira página: "O impossível aconteceu!", alardeou aos quatro ventos o escandaloso *Diário da Noite*, assim mesmo, com exclamação e tudo, em uma das manchetes da edição do dia seguinte. Mais uma vez, Maysa ria das críticas e tratava de alimentá-las um pouco. Quando a coluna "Mexericos da Candinha" insinuou que talvez ela penteasse os cabelos com o auxílio de um ventilador, não teve dúvidas: chamou a *Revista do Rádio* e posou para uma fotografia que virou pôster central, publicada em cores, em uma edição de agosto de 1958. Na foto, Maysa finge que usa um ventilador portátil em vez do pente. "A última moda. Experimentem a receita de Maysa", dizia o texto ao pé da página.

"Não tomo conhecimento do que dizem de mim. Gosto da vida que levo e não a troco por nada neste mundo", desabafou Maysa nessa época à repórter Yvonne Felman, da *Última Hora*.

* * *

Uma das regras do mercado fonográfico da época era fomentar supostas rivalidades entre artistas populares. Atiçava-se com vara curta a histeria dos respectivos fãs-clubes, que levavam a sério as contendas e se encarregavam de transformar em guerra declarada o que era mero marketing das gravadoras, arquitetado em aberta cumplicidade com a imprensa especializada. Nem só de gritinhos e desmaios viviam tais altercações. Em programas de auditório transmitidos pelo rádio, muitas vezes os partidários desse ou daquele ídolo chegaram às vias de fato, depois de se ameaçarem mutuamente com pedaços de pau e bandas de gilete. Quanto mais acirradas eram as diferenças entre os admiradores, mais caminhões de discos eram vendidos de lado a lado.

Pois naquele ano de 1958 os jornais e revistas ensaiaram reeditar a histórica polêmica da década anterior, protagonizada entre as cantoras Emilinha Borba e Marlene, uma espécie de Fla-Flu musical, em que a primeira fazia o papel de boa moça e a outra assumia a imagem de mulher rebelde. Dessa vez, imaginaram os produtores, a personalidade controvertida de Maysa talvez fosse o ingrediente perfeito para encarnar a mais autêntica e sofisticada das *bad girls* de todos os tempos. Primeiro tentaram indispor os fãs de Elizeth Cardoso com os de Maysa e vice-versa. "Vou exemplificar a fronteira entre as duas: é a mesma diferença que há entre o *foie gras* (Maysa) e o salame (Elizeth)", diria o cáustico Jorge Ribeiro, que assinava com o pseudônimo de Cagliostro a coluna "Ciranda", no *Diário da Noite*. Não deu certo. Embora alguns acreditassem que a relação entre as duas cantoras estivesse azedada depois do episódio envolvendo a disputa pelos afagos do bonitão Cesar Thedin, os fãs não embarcaram naquela evidente arapuca.

Depois foi a vez da *Revista do Rádio* tentar promover um bafafá entre Maysa e Ângela Maria. Ângela, apelidada de Sapoti pelo então presidente Getúlio Vargas por causa da brejeira morenice, fora eleita a "Rainha do Rádio" em 1954, vencedora do Roquette Pinto de 1957 como melhor cantora e campeã de vendas de discos em todo o país. "Maysa e Ângela continuam odiando-se cordialmente", provocou Candinha, em mais um de seus mordazes mexericos. A mesma revista logo tratou de indagar às duas cantoras, por escrito, quais as opiniões que uma tinha a respeito da outra. O resultado foi editado em página dupla, sob o título "Ângela julga Maysa e Maysa julga Ângela", em letras garrafais. Ao lado de fotos que iam de cima a baixo em cada página, nas quais as artistas apareciam igualmente com a mão no queixo em pose de enfado e desafio, liam-se as seguintes arengas: "Sou sincera: acho que Maysa não é elegante. Elegância exige bom gosto e ela não mostra isso na escolha de seus vestidos", atirava uma. "Ângela fica melhor de roupa escura. Achei-a horrível com aquele vestido amarelo, moda saco, que usou outro dia", ferroava a outra. Iam por aí afora até o duplo nocaute técnico: "Entendo que Maysa ficaria mais bonitinha penteada do que com aqueles cabelos assanhados". "Acho bonito o narizinho de Ângela, embora ele seja um pouco atrevidinho."

A fanfarra não seguiu adiante. O fato é que nem Ângela Maria nem Maysa precisavam posar de "amigas-da-onça" — para usar uma expressão que estava na moda por causa do irreverente personagem criado pelo cartunista Péricles, o Amigo-da-Onça, nas páginas da revista *O Cruzeiro*. Tanto uma como a outra já dispunham de publicidade suficiente e os fãs mais fiéis — especialmente os de Maysa — não se encaixavam no estereótipo das chamadas "macacas-de-auditório", como as moças histéricas que se rasgavam por seus ídolos nos programas de rádio haviam sido apelidadas, de forma depreciativa, pelo jornalista Nestor de Holanda. "Acho esse termo de muito mau gosto", diria Maysa em entrevista. "Penso que nesta classificação existe uma total falta de respeito humano, embora eu não tenha nada contra os macacos em geral. Tem alguns que são muito amigos meus, e outros que até trabalham comigo", completaria, com a acidez que lhe era peculiar.

* * *

Quem se debruçar sobre a coleção de jornais do Rio de Janeiro e de São Paulo naquele ano de 1958 vai chegar a uma assombrosa constatação: entre 1º de janeiro e 31 de dezembro não houve um único dia — e isso, acredite-se, não é força de expressão — em que Maysa não tenha sido notícia em pelo menos um órgão da imprensa carioca ou paulista. Quando não estava sendo incensada nas páginas de crítica musical ou torpedeada nas colunas de fofocas, a onipresente Maysa rendia assunto quente até para o noticiário político. Diante da enorme popularidade que desfrutava, surgiram rumores de que ela havia sido sondada pelo diretório do Partido Trabalhista Brasileiro (PTB), no Rio, sobre uma possível candidatura a deputada federal. A idéia teria partido de ninguém menos que João Goulart, o Jango, vice do presidente Juscelino Kubitscheck. Enquanto isso, em São Paulo, informações de bastidores davam conta de que o prefeito Adhemar de Barros havia convidado a cantora para disputar uma cadeira de vereadora pelo Partido Social Progressista (PSP), na Câmara Municipal paulistana. "Jango e Adhemar convidaram Maysa Matarazzo", trombeteou a *Última Hora*. Ao ler aquilo, Maysa tratou de convocar uma entrevista coletiva para desmontar a central de boatos: "Não serei candidata nem sou mais Matarazzo", esbravejou.

Ela não concorreu mesmo às eleições e, coincidência ou não, à falta de outro candidato que empolgasse o eleitorado naquele ano, o rinoceronte Cacareco acabaria recebendo cerca de 100 mil votos para vereador em São Paulo. Despedindo-se das páginas de política, Maysa retornaria às seções musicais, não sem antes deixar de fazer uma ou outra aterrissagem pelo noticiário policial. Além das manchetes sobre as duas tentativas de suicídio, a imprensa publicara no começo do ano, em 21 de janeiro, uma foto dela a bordo de um jipe da PM carioca, quando fora prestar depoimento no Segundo Distrito, na rua Hilário de Gouveia, em Copacabana. "Maysa pensou que ia ser vítima de chantagem e mandou prender os fãs", noticiou *O Jornal*. A confusão começou quando a cantora recebera um telefonema de alguém que se identificara como irmão do deputado Nelson Carneiro, do Partido Libertador (PL), dizendo ter um assunto urgente, de natureza política, a tratar com ela. Maysa convocou o interlocutor para uma reunião em seu apartamento, mas imediatamente depois ligou para o gabinete de Nelson Carneiro e constatou que quem lhe telefonara usara falsa identidade e um pretexto esfarrapado. Precavida, chamou a polícia. Midiática, convocou a imprensa.

Quando o irmão postiço de Nelson Carneiro tocou a campainha do apartamento da rua Inhangá, em companhia de outros dois homens, policiais e fotógrafos caíram em cima deles. Os três foram em cana e, para a festa dos repórteres à cata de escândalos, Maysa foi convidada a seguir com o trio para a delegacia, a fim de lavrar o devido boletim de ocorrência. Diante do delegado, a pinimba foi esclarecida. Os três rapazes — o comerciário Cid Ribeiro, o bancário Juarez Jacinto Serpes e o operário Astoril de Souza — eram fãs incondicionais de Maysa e armaram a história para conseguir um encontro com ela, com o objetivo de lhe pedir para gravar um samba-canção composto por Astoril. "Maysa está em plena maré publicitária", não perdoou a imprensa, acusando-a de forjar aquele mal-entendido.

Enquanto os jornalistas brasileiros fuçavam a vida de Maysa em busca de novas manchetes explosivas, os periódicos uruguaios e argentinos começavam a render-se à sua voz. Em janeiro, ela fizera a primeira viagem internacional como cantora, apresentando-se no suntuoso hotel-cassino San Rafael, em Punta del Este, Uruguai. O final da turnê coincidira com uma tragédia para Maysa, em particular, e para a música brasileira, em geral. Cinco dias depois de retornar ao Brasil, ela soube que o amigo e ex-namorado Almir Ribeiro, um jovem e promissor cantor em início de carreira, dono de um vozeirão que arrancara elogios derramados de Vinicius de Moraes — de quem Almir fora um dos primeiros a gravar a antológica "Se todos fossem iguais a você" —, acabara de morrer afogado, aos 22 anos, em uma praia de Punta del Este, onde estava se apresentando junto com um grupo de artistas brasileiros comandados pelo "Rei da Noite", Carlos Machado.

"Almir era para mim como um irmão", lamentou Maysa. "Era em minha casa que ele ensaiava no começo de carreira. No início não tinha muita confiança em si próprio, tendo eu muitas vezes o aconselhado. Mas ultimamente já tinha mais segurança de seu talento e de sua voz, que de fato era belíssima", disse ela à *Folha da Noite*. "Entre todos os presentes ao velório de Almir Ribeiro, Maysa foi uma das últimas pessoas a estar com ele, no Uruguai, onde o encontrara cheio de vida e alegria", informou o jornal. Não faltou quem insinuasse, com doses cavalares de maledicência, que a melancólica Maysa não era companhia de bom agouro. Pela primeira vez na vida, ela não achou nenhuma graça na piada, de explícito mau gosto. Os recortes com tais notinhas ficaram fora de sua minuciosa coleção.

Seis meses depois daquele drama, Maysa rumava para a Argentina, onde cumpriria breve e badalada agenda no elegante King's Club, localizado na rua Córdoba, 937, em Buenos Aires. A imprensa portenha, que a tratou o tempo todo como "*la hermosa* Maysa", não cansou de lhe elogiar os "olhos de gata" e a voz "cálida e sensual como costumam ser as noites cariocas", conforme definiu o jornal *El Nacional*. A futura escritora Susana Guzner, então uma garotinha de apenas treze anos de idade, recordaria quase cinco décadas mais tarde, radicada na Espanha, o impacto que lhe produziu a imagem de Maysa, vestida de negro, cantando no Canal 7, a televisão pública argentina: "Era tarde da noite e eu devia já estar dormindo, mas ouvi aquela voz e me postei ao lado do televisor. Não havia apresentador nem mais nada. Era apenas Maysa e a câmera, sobre um fundo escuro. Lembro como se fosse hoje dos *closes* em seus belos olhos, que já supus de um verde profundo a despeito da imagem ser em preto-e-branco".

No Brasil, a edição de setembro da *Mundo Ilustrado*, a primeira revista impressa em rotativa no país, dirigida pelo jornalista e escritor Joel Silveira, repercutia em duas páginas o sucesso de Maysa na Argentina em um texto assinado pelo correspondente Newton Freitas:

> Cantando com graça e malícia, Maysa está em Buenos Aires arrancando aplausos, comovendo o público tão blasé e tão farto de celebridades mundiais como é o caso do portenho que freqüenta o King's. Maysa, com o seu jeito tão pessoal, está em grande resplandecência. A menina grande que é perturba mesmo os mais prevenidos e os mais céticos. Maysa não canta tango, porém, já é dona da noite em Buenos Aires.

* * *

Quando retornou ao Brasil, os jornais noticiaram que ela estava disposta a montar a própria boate, o Maysa Club. "Maysa quer ser dona de seu nariz", anunciou um dos mais célebres colunistas dos chamados "Anos Dourados" no Rio de Janeiro, Jacinto de Thormes, pseudônimo que o jornalista Maneco Muller tomara emprestado ao protagonista do romance *A cidade e as serras*, do escritor português Eça de Queiroz. "Maysa já entrou em entendimentos com o francês Henri, proprietário do Club 36. Ofereceu 1,2 milhão de cruzeiros", escreveu o sempre bem informado Maneco Muller, ou melhor, Jacinto de Thormes, que aparecia na foto de sua coluna "Sociedade e Adjacências", na *Última Hora*, com cabelos brilhantinados com glostora e fumando num longo cachimbo inglês.

A notícia procedia. Segundo deixou registrado nos diários, Maysa pensou realmente em comprar uma casa noturna. No entanto, os entendimentos com o Club 36 naufragaram, assim como as negociações com os donos da La Bohème, a quem também fez oferta semelhante. De acordo com suas anotações, as dívidas que tanto uma boate como a outra haviam acumulado tornavam qualquer negócio contraproducente. Assim, a carreira de empresária da noite terminou antes de começar. "Continuarei cantando, que ainda é a melhor coisa que sei fazer", explicou Maysa à imprensa. E, nisso, ela tinha toda a razão.

Tanto que o ano terminaria com duas grandes temporadas de Maysa na boate Meia-Noite, do luxuoso Copacabana Palace, em cujos salões já haviam desfilado estrelas internacionais como Marlene Dietrich, Yves Montand, Ella Fitzgerald, Edith Piaf, Nat King Cole e Sammy Davis Jr. A primeira temporada, em setembro, arrancou adjetivos entusiasmados de toda a imprensa. "No Rio, sábado, fui ver de perto o sucesso de Maysa no Copacabana Palace Hotel. Sucesso absoluto, com Maysa em sua melhor fase", garantia Mattos Pacheco no *Diário da Noite*. "Nunca Maysa cantou tão bem, interpretando tão bem. A melhor Maysa de todos os tempos. Ao final do show, teve que voltar três vezes, cantar quase mais uma hora seguida. Sucesso, sucesso, sucesso", proclamava Pacheco. Antônio Maria, na coluna "Mesa de Pista" no *O Globo*, também exultava: "Maysa, como eu já esperava, está levando muita gente ao Copacabana".

As más línguas garantiam que uma das exigências do contrato com o Copa era a de que ela se apresentasse com os cabelos domados. "Ela está se apresentando muito bem. E penteada", espetou Pedro Muller em seu "Giro em Sociedade", na *Tribuna da Imprensa*. Jacinto de Thormes, na *Última Hora*, destoava do coro geral: "Maysa penteada não é a mesma coisa". Para aquele mesmo jornal, a cantora faria o desabafo: "Acredito que estejam tentando um complô contra a minha pessoa, inexplicavelmente. Espero que certos cronistas se informem melhor, antes de divulgarem notícias que digam respeito não só à minha vida pessoal como artística. Que deixem o julgamento para o melhor juiz, o público".

E o público deu o veredicto. O sucesso foi tão grande que, três meses depois, em dezembro, Maysa iniciava nova e vitoriosa temporada no Copacabana Palace, com shows de terça a domingo, depois de cantar por dez noites no *café-society* Fred's, na praia do Leme, com idêntica consagração. Todos queriam vê-la e ouvi-la. Os ingressos, postos à venda, esgotavam-se em poucas horas. "Impressionante o sucesso que vem obtendo Maysa no Fred's. Na noite de sábado último tiveram que mandar subir as mesas da sorveteria que fica na parte térrea da boate para abrigar a todos", noticiou Mister Eco, outro famoso personagem da crônica jornalística e radiofônica do Rio de Janeiro daquela época. Ninguém duvidava de que Maysa se tornara a maior e mais famosa cantora brasileira.

A *Radiolândia* a elegera a melhor de todas pelo segundo ano consecutivo. O jornal *O Globo*, que em 1957 havia conferido a ela o Disco de Ouro de cantora revelação, agora também lhe premiaria como a principal voz feminina do país. Seriam de Maysa também o troféu Chico Viola para o melhor disco daquele ano e o segundo Roquette Pinto, que a confirmava agora como a "melhor cantora do Brasil". Para completar, o *Diário de Notícias* a incluiu na galeria das "mulheres do ano", ao lado da atriz Cacilda Becker, da pianista erudita Guiomar Novaes, da tenista campeã mundial Maria Esther Bueno e da escritora Rachel de Queiroz, que havia ganho o Prêmio Machado de Assis, concedido pela Academia Brasileira de Letras.

Naquele ano, Maysa gravara mais três discos de grande repercussão. Em vez dos tradicionais dez polegadas, seriam três *long-plays*, o bolachão no formato clássico de doze polegadas que marcaria época e só viria a ser substituído quase quatro décadas depois pelos CDs. "Agora são doze músicas, seis de cada lado: mais música em sua vida", anunciavam as gravadoras em 1958. Nas telas de cinema, Maysa aparecera em quatro filmes: *Matemática zero, amor dez*, de Carlos Hugo Christensen; *O cantor e o milionário*, de José Carlos Burle; *O batedor de carteiras*, de Aloísio Tide de Carvalho; e *O camelô da rua larga*, da dupla Hélio Barroso e Eurípides Ramos. Em cada um deles, seguindo uma fórmula da época, sua aparição restringia-se a cantar um número musical. "O filme é ruim. Se tem diretor, então desconhecemos o que sejam as funções de direção. Salva-se apenas a música 'Ouça', cantada por Maysa", foi a avaliação que *O camelô da rua larga* recebeu na página de cinema da *Última Hora*, em crítica assinada pelo jovem jornalista — e futuro romancista — Ignácio de Loyola Brandão.

Mas como a tevê era uma novidade para poucos, as participações de cantores e cantoras nas chanchadas eram praticamente a única chance que o grande público — que não possuía dinheiro para pagar ingressos em casas noturnas — tinha para ver os ídolos do rádio em atuação. "A gente dava um jeito de incluir na trama uma cena que se passava em uma boate só para colocar uma atração musical. Uma mão lavava a outra. Isso fazia os artistas venderem mais discos e, por outro lado, nos ajudava a levar mais gente para o cinema", recordaria o diretor Aloísio de Carvalho, que convidou Maysa para uma aparição em seu *O batedor de carteiras*, estrelado pelo comediante Zé Trindade, cujo personagem era um punguista que se passava por colunista social. "Marcamos a gravação com Maysa para um final de tarde, mas ela só chegou ao estúdio no meio da madrugada, quase de manhã. Eu havia preparado um cenário com colunas gregas e feito uma marcação de luz para que ela andasse em cena enquanto cantava. Porém, Maysa já chegou um pouco alta e ainda mandou o contra-regra comprar um litro de vodca para ela", relembraria Aloísio. "A marcação original foi pras cucuias", diria ele, entre sorrisos.

"Ô, Aloísio, me deixa encostada aqui nessa coluna", pediu Maysa, tão logo ouviu os primeiros acordes da canção "Meu mundo caiu", tocando em *playback*.

O filme foi um dos maiores sucessos de bilheteria do ano. E Maysa continuava a gerar notícias, particularmente quando recusou a proposta de casamento feita pelo cineasta e colunista de *O Cruzeiro*, Fernando de Barros, que anos mais tarde seria editor de moda da *Playboy* brasileira e escreveria dois best-sellers sobre o assunto: *Elegância: como o homem deve se vestir* e *O homem casual*. Diretor de filmes como *Apassionata* e *Quando a noite acaba*, Fernando era um *gentleman* que se casaria oito vezes ao longo da vida, sempre com mulheres cobiçadas, a exemplo de Tônia Carrero, Odete Lara e Maria Della Costa.

Segundo Jacinto de Thormes, Maysa também esnobara as atenções do industrial Baby Pignatari, primo do ex-marido e um dos homens mais invejados do Brasil, fosse pela bem fornida conta bancária ou pelo currículo amoroso que incluiria estrelas de Hollywood do porte de Zsa Zsa Gábor e

Linda Christian. Maysa resistiu ao duplo assédio e foi cair nos braços do novo namorado, Paulo Tavares, um exímio pé-de-valsa, que se apresentava como "relações públicas" e era mais conhecido na noite carioca pelo apelido de "Paulinho Pouca Roupa". Na verdade, Paulinho vivia de brisa, sob a sombra de uma tia rica, e não era muito chegado ao batente. Bem relacionado, em 1955 chegou a receber uma tentadora oferta de emprego do ministro do Trabalho do governo Café Filho, Napoleão de Alencastro Guimarães. Ganharia um dinheiro fácil, só precisando de vez em quando dar o ar de sua graça na sede do ministério. Acabou por recusar o convite. "Eu teria que atravessar o túnel e ir até o centro da cidade", justificou Pouca Roupa, que se orgulhava de nunca ter posto os pés em outro lugar do Rio de Janeiro que não Copacabana.

Naqueles últimos meses de 1958, além dos muitos casos amorosos de Maysa, os jornais passaram a noticiar que ela assinara mais um polpudo contrato, dessa vez para estrelar um programa semanal na carioca Rádio Mayrink Veiga, a PRA-9, que iria ao ar todas as sextas-feiras, às 22 horas, com patrocínio exclusivo do Mate Leão. E segundo informações publicadas pela imprensa, o produtor e diretor Abílio Pereira de Almeida, que se destacaria pelo viés polêmico com que retrataria a aristocracia paulistana em peças como *Santa Marta Fabril*, tinha planos de levar a vida de Maysa para o palco, em um espetáculo inspirado na vida dela. "Essa peça valerá trezentos cruzeiros [quase vinte vezes uma entrada de cinema] a poltrona. O público ficará horrorizado", prometeu Abílio ao colunista Carlos Machado no *Diário da Noite*. Na ponta do lápis, o ano havia rendido a Maysa cerca de 10 milhões de cruzeiros — algo em torno de 1,5 milhão de reais —, incluindo cachês, contratos com rádio e televisão, comerciais e direitos autorais. Tudo indicava que ela iria ainda mais longe e que ninguém poderia atrapalhar a arrebatadora carreira. A não ser ela própria.

* * *

Antes do final de 1958, o nome de Maysa voltou a render manchetes tão escandalosas quanto trágicas. "Maysa ferida: jogou seu carro contra um caminhão", estampou a *Última Hora* na primeira página. Era madrugada, por volta das 3h30, quando Maysa dirigia seu Volkswagen verde-claro, de fabricação alemã — o Fusca só viria a ser um automóvel popular por estas bandas quando passou a ser fabricado no Brasil, no ano seguinte, 1959. Horas antes de bater o carro, ela havia saído dos estúdios da TV Rio, onde apresentara o programa semanal na emissora, passara em casa e saíra sozinha, depois da meia-noite. O porteiro do prédio em que morava — ela mudara da rua Inhangá para um apartamento na rua Miguel Lemos, 123, também em Copacabana — chegou a lhe recomendar que ficasse em casa, ao vê-la cambaleando em direção ao automóvel com as chaves na mão.

Naquela madrugada, os moradores do prédio ouviram os gritos de um homem que, da calçada, insistia para que Maysa autorizasse o porteiro a deixá-lo entrar. Nunca se soube quem foi aquele visitante indesejado que, às altas horas da noite, identificou-se na portaria como "o marido de Maysa". Foi logo depois de ele ir embora que Maysa resolveu sair, visivelmente abalada. "Não tenho marido", comentou com o porteiro. Cerca de três horas depois, seu carro esborrachou-se na traseira de um caminhão que estava estacionado sem nenhuma sinalização junto ao meio-fio da avenida Atlântica, a principal via de Copacabana.

Maysa sofreu cortes profundos e teve escoriações generalizadas pelo corpo. Precisou de uma sutura de oito pontos no queixo, além de curativos no supercílio esquerdo, que se abrira e ensangüentara todo o rosto. À altura do abdome, o choque com o volante do carro provocou uma lesão considerada de alta gravidade pelos médicos. "Bêbada e com ferimentos, Maysa foi atendida no pronto-socorro", informou a *Folha da Noite*.

O assunto venderia jornais por dias a fio. "Maysa deixará de cantar", foi a matéria da *Última Hora* que pautou toda a imprensa carioca e paulista. Ao que parecia, o fim precoce de uma carreira tão promissora não era apenas mais uma fofoca envolvendo Maysa naquele turbulento ano de 1958. Até um colunista bem próximo a ela, Denis Brean — de quem Maysa havia gravado duas composições, "Franqueza" e "Conselho" —, informou aos leitores da *Gazeta Esportiva* que ninguém poderia afirmar, com segurança, qual o futuro da jovem cantora. Se é que ela teria algum futuro como cantora, lamentava o mesmo Denis Brean: "Maysa recebeu ordens de seu médico para recolher-se a um repouso absoluto, procurando inclusive falar o menos possível", revelou. "E enquanto a intérprete e compositora se restabelece, circulam os boatos que deixará de cantar, diante da cicatriz que ficará em seu lindo rosto." Como na letra da canção, era hora de partir. Era preciso dizer adeus.

2. Sentimental journey (1936-1953)

Vou fazer uma viagem sentimental
para renovar velhas memórias.
(Les Brown, Bud Green e Ben Homer, livre
tradução de trecho da música entoada ao violão
por Maysa, em um final de tarde de 1951)

Quando, pouco antes das sete da manhã, o ônibus escolar parou na esquina da avenida Rebouças com a rua Cônego Eugênio Leite, então um dos cruzamentos mais chiques de São Paulo, as mocinhas que estudavam no tradicional Externato Ofélia Fonseca não podiam acreditar no que viam: ao som da buzina fanhosa do veículo, a colega do segundo ano ginasial apareceu no portão de casa produzida da cabeça aos pés. Em vez do uniforme bem-comportado — saia plissada azul-marinho, camisa branca e gravatinha bordada com bolinhas azuis e vermelhas — a amiga de quinze anos estava vestida para matar.

A blusa era de seda, cor da pele e muito justa. Apenas um broche de cada lado impedia que a saia negra acima dos joelhos, aberta nas laterais, deixasse as pernas completamente à mostra. Nos pés, no lugar dos característicos sapatinhos pretos colegiais, um par de sandálias de saltos altíssimos. A boca estava pintada com batom cor de fogo e os olhos verdes, realçados com delineador. Na face esquerda, uma falsa pintinha feita a lápis arrematava a maquiagem.

Foi assim que naquele dia, equilibrando-se nos saltos estratosféricos, a jovem Maysa cumprimentou o motorista e subiu no ônibus que a levaria à escola, enquanto as amigas se dividiam em duas alas distintas: as que continuavam boquiabertas, com ar incrédulo, e as que fizeram uma imensa festa diante da entrada triunfal. Daquela vez a colega se superara. E, logo veriam, ainda não era tudo. Sentada no último banco, Maysa abriu a bolsa e, à vista de todos, puxou um cigarro. Suprema ousadia.

O atrevimento rendeu-lhe uma advertência por escrito da parte da direção da escola. Além de ser barrada na entrada, ela foi comunicada que só poderia retornar no dia seguinte, devidamente uniformizada, com a assinatura dos pais na caderneta de aluna. Por causa disso, passou três dias sem ir à aula. Não porque hesitasse em dizer à família que fora mais uma vez repreendida, e sim pelo simples fato de que não conseguira encontrar o pai ou a mãe desde o início daquela semana. Dono de uma vida social agitada, o casal quase nunca estava em casa quando Maysa retornava do Ofélia Fonseca. Do mesmo modo, de manhã bem cedo, antes de ela seguir para as aulas, os dois ainda estavam dormindo.

A filha não parecia se incomodar em nada com o estilo de viver do sr. Alcebíades Guaraná Monjardim, o popular Monja, e da sra. Inah Figueira Monjardim. Muito pelo contrário, dizia admirar aquela total ausência de convencionalismo com que fora criada. Monja, aliás, gostava de brincar e dizer que "Guaraná, só no sobrenome". Era um boêmio de mão-cheia, amigo de meio mundo artístico do Rio de Janeiro e de São Paulo. Promovia noitadas homéricas em casa, regadas a uísque e muita música, nas quais artistas como Silvio Caldas e Elizeth Cardoso eram presenças quase obrigatórias. "Estudei piano clássico como toda mocinha bem-nascida, mas aprendi a tirar os primeiros acordes de violão com Silvio Caldas", gabava-se Maysa às amigas de escola, em um tempo em que o instrumento era associado à marginalidade e à vagabundagem.

* * *

Monja era um hedonista em um clã que se orgulhava da ascendência histórica e nobre. Originários da Itália, os Mongiardino adaptaram o sobrenome para Monjardino quando desembarcaram em Lisboa, no século XVIII. O primeiro membro da estirpe a dar com os costados no Brasil foi o oficial da marinha portuguesa Ignácio João Monjardino, que em 1782 chegou ao país para governar a então capitania do Espírito Santo. Os filhos dele, que viriam a adotar o nome definitivo de Monjardim, dariam origem a uma respeitável linhagem de militares e políticos — incluindo vereadores, deputados, prefeitos, senadores e governadores — que dominaram a administração capixaba por muitas décadas. O mais famoso entre eles seria um dos netos do pioneiro Ignácio João, o coronel Alpheu Adelpho Monjardim de Andrade e Almeida, o bisavô de Maysa, que recebeu o título de barão das mãos de dom Pedro II, já nos estertores do Império, em 1889. Monja, pai de Maysa, formou-se em direito e chegou a exercer o cargo de deputado estadual no Espírito Santo, mas sua vocação era sabidamente outra.

Quando jovem, jogou futebol amador e, de acordo com o que se conta até hoje em Vitória, muitas vezes tomava chá de sumiço antes de entrar em campo. Enquanto os companheiros de time suavam a camisa diante dos adversários, por mais de uma vez foram encontrá-lo em algum bar da cidade. Depois de forçado a tomar um bom banho gelado e a engolir algumas xícaras de café amargo e forte, era levado direto para o gramado e, segundo juraria um sobrinho, Sérgio Sarkis, Monja quase sempre deixava a marca de artilheiro nas redes do oponente, apesar de toda a carraspana.

Ainda corre em Vitória a história do dia em que o pai de Maysa mobilizou a cidade para tirar o grupo Gente do Morro da cadeia. Em 1934, o famoso conjunto — com um time de batutas no qual figuravam os nomes de Noel Rosa, Benedito Lacerda, Canhoto e Russo do Pandeiro — fazia uma excursão que se iniciara pelo norte do Rio de Janeiro, chegara ao Espírito Santo e deveria prosseguir até o Nordeste. Mas a turnê acabou mais cedo. A apresentação em Vitória já se revelou um malogro. A platéia do cineteatro Politheama ficou às moscas, uma vez que a tradicional família capixaba torceu o nariz para aquele bando exótico que tocava "música de pretos". Diante do fiasco de bilheteria, instalados na Pensão São Luís, os músicos ficaram sem ter como pagar a conta. Decidiram escapulir da capital capixaba à sorrelfa. No entanto, acabaram presos na estação ferroviária local, enquanto tentavam embarcar de volta para o Rio com os pandeiros e violões debaixo dos braços.

Quando soube daquela notícia, o deputado Monja tratou de organizar imediatamente uma grande festa no Hotel Imperial, um dos mais importantes da cidade, na qual os componentes do Gente do Morro fariam uma grande apresentação e ficariam com toda a renda dos ingressos, cobrados bem acima do preço normal. Com o devido aval de um Monjardim, o show foi um sucesso. Só assim Noel Rosa, Benedito Lacerda e sua turma puderam pegar o primeiro trem do dia seguinte e dar por encerrada a excursão, com dinheiro de sobra nos bolsos. Os biógrafos de Noel — João Máximo e Carlos Didier — confirmam a veracidade do episódio, embora em Vitória muito mais gente já tenha reivindicado para si a paternidade da idéia da festa que tirou o grupo carioca do xilindró.

Seja como for, a fama de Monja era mesmo a de um sujeito amigo do samba e da noite. O cartaz de mulherengo e de bom copo não agradou ao distinto sr. Jayme Fernandes Figueira, pai da jovem Inah, uma bela moça de olhos claros que já havia sido coroada Miss Vitória e para quem Monja decidira arrastar as asas. Inah correspondeu aos flertes, mas o casamento precisou ser feito longe dali, em 1933, no Rio de Janeiro, afastado dos olhos e da censura da família da noiva. Só depois do fato consumado é que o pai da moça rendeu-se às circunstâncias e conformou-se com a idéia de ter um boêmio de marca maior feito Monja como genro.

A família Figueira também é quase uma instituição na sociedade do Espírito Santo. Carioca de nascimento, o arquiteto Jayme Fernandes Figueira, antes de se transferir para Vitória e por ali fincar raízes, havia montado os pavilhões brasileiros na Exposição Internacional de Turim, na Itália, em 1909. Foi lá que, no ano seguinte, nascera Inah, a filha mais velha do segundo casamento, com a portuguesa Laurinda Borges. Inah, portanto, filha de mãe lusitana e pai brasileiro, era italiana por acaso, embora gostasse de realçar aos amigos, com indisfarçado orgulho, o fato de ter nascido na Europa.

Quando solteiro, Monja morava em uma das chácaras do avô, o barão de Monjardim, que entre outras propriedades era dono também do vetusto Solar Monjardim, uma construção de estilo colonial com mais de quatrocentos metros quadrados, datada do final do século XVIII — e que após receber hóspedes ilustres como o naturalista francês Auguste de Saint-

Hilaire e o próprio imperador Pedro II, seria mais tarde transformada em um dos principais museus do Espírito Santo. Depois do casamento, segundo o jornalista capixaba José Roberto Santos Neves, Monja e Inah foram morar em uma casa no sofisticado Parque Moscoso, localizado em um dos primeiros dos muitos aterros a recompor a paisagem urbana da ilha de Vitória. O casal desde então possuía uma das residências mais freqüentadas da cidade, recebendo convidados especiais para noitadas em que se ouvia música ao vivo de boa qualidade e em que a mesa da sala se transformava em uma espécie de cassino doméstico, no qual se apostavam pequenas fortunas em mãos de pôquer e biriba.

Três anos após o casamento nasceu Maysa, a primeira filha de Monja e Inah — o nome escolhido para o bebê, que à época soava bem singular, era uma homenagem: a mãe mesclara os dois primeiros nomes de uma grande amiga, chamada Maria Luysa. O parto foi feito no Rio de Janeiro, porque era lá que residia o ex-senador Manoel Silvino Monjardim, pai de Monja, um próspero e conceituado médico com consultório estabelecido na então capital federal. Foi assim que a pequena Maysa Figueira Monjardim veio ao mundo na casa do avô paterno, quando faltavam dez minutos para o meio-dia de 6 de junho de 1936, na ensolarada mansão situada no número 102 da rua Visconde e Silva, no bairro do Botafogo. "Eu era uma criança de cabeça grande, de olhos enormes e corpo pequetitinho. Um monstro", diria ela, contradizendo as fotos de infância que mostram uma Maysa de rosto tão bonitinho quanto sapeca.

Embora os pais tenham voltado poucas semanas depois a Vitória, retornariam de visita ao Rio por várias vezes. Seriam daquela casa em Botafogo, que tinha o privilégio de contar com a vista do Cristo Redentor bem lá distante, ao fundo, no quintal, as primeiras lembranças de Maysa. "Havia uma mangueira que me servia de despertador", recordaria ela. "De manhã cedo, as mangas maduras caíam e eu acordava com o barulho. Levantava e, antes do café, ia escolher as que tivessem marcas de mordidas de morcego, pois sabia que aquelas eram as mais doces." Existia também uma goiabeira, em cujos galhos a pequenina Maysa gostava de se balançar, mas que um dia alguém resolveu cortar rente ao tronco. A menina nunca esqueceu a cena da goiabeira vindo ao chão. "Foi a primeira dor de minha infância", relembraria, em tom trágico, décadas depois.

* * *

"Meus pais levavam vida de cigano", dizia Maysa. Monja e Inah mudavam de casa com freqüência. Depois dos primeiros anos em Vitória, o casal se transferiria para o interior paulista, em 1937, por motivos políticos. Maysa era apenas um bebê quando o Estado Novo, a ditadura instaurada naquele ano pelo então presidente Getúlio Vargas, fechou o Legislativo e Monja perdeu o mandato de deputado. Getulista convicto, ele recebeu como prêmio de consolação o cargo de fiscal do imposto de consumo em Bauru, a 345 quilômetros da cidade de São Paulo. Logo depois, usando de sua notória influência, cavou uma transferência para a capital paulista, onde por algum tempo moraria em uma casa espaçosa localizada na avenida Rebouças, 1981. "Vivi minha infância em meio ao encaixotar e desencaixotar de coisas, nas muitas mudanças da família, sempre de lá para cá", lembraria Maysa.

Mesmo tendo se fixado em São Paulo, Monja continuaria a trocar de endereço o tempo todo. "Papai jogava muito. E jogava com a vida também. Em um determinado momento estávamos muito bem e morávamos em uma bela casa. No momento seguinte ele comprava um cavalo de corrida e dava com os burros n'água. Então íamos para uma casa não tão bela assim. Dali a pouco as coisas melhoravam e voltávamos a morar bem. Foi assim a vida toda", revelaria Maysa.

Pouco depois de completar seis anos, Maysa ganhou o único irmão, que receberia o nome do pai, Alcebíades, mas seria conhecido para o resto da vida pelo apelido familiar de Cibidinho. Não demoraria muito e era chegada a hora de Maysa ir para a escola. Os pais decidiram matriculá-la no tradicional Colégio Assunção e, logo em seguida, em regime de internato, no Sacre Coeur de Marie — duas instituições dirigidas por freiras francesas e onde imperava uma rígida disciplina religiosa e moral. "No colégio interno, as freiras diziam que tínhamos de dormir sem pecado, pois do contrário o diabo viria puxar nossos pés durante a noite. Nunca me libertei daquele terror estúpido, mesmo depois de crescida. Até o último dos meus dias sei que vou dormir de perna encolhida", confidenciaria Maysa. "O internato foi a pior coisa que aconteceu na minha vida", diria ela, ao recordar que sempre pedia para Inah lhe levar um vidrinho com seu perfume, que derramava no travesseiro para dormir sentindo o cheiro da mãe todas as noites.

A opção pelo ensino religioso não decorria do fato de Monja e Inah quererem fazer da filha uma pequena carola. O Assunção e o Sacre Coeur eram o destino natural das "meninas de boa família" daquela época. Nessas escolas, nas quais o idioma francês era norma — dizia-se *bon jour* em vez de "bom dia", *merci* no lugar de "obrigada" —, recebia-se uma educação esmerada, com lições curriculares de tarefas manuais, etiqueta e bons modos. Nada mais distante do espírito da irrequieta Maysa, que tinha como único divertimento no colégio a organização de corridas com os leitões criados nos fundos da escola. "Papai apostava no Jockey e eu apostava com minhas amiguinhas em corridas de porcos, que afinal de contas eram os únicos ali de quem não se cobrava bom comportamento", tripudiaria depois.

Nas poucas folgas da escola, adorava jogar futebol no meio da rua com os moleques do bairro. "Às vezes eu entrava em brigas feias, batia até neles", contaria. Nunca foi boa aluna. Com a chegada da adolescência, o problema se agravou. Tanto que, em 1949, o baixo rendimento na primeira série ginasial levou os pais a reconsiderarem a idéia do internato e a continuação dos estudos no Sacre Coeur. Naquele ano, a maior nota que Maysa obtivera na escola fora um burocrático 6,5 em francês. Em matemática, o boletim estampava uma sofrível média anual de 4,3. Também tivera baixo rendimento nas demais disciplinas — português, latim, matemática, história, geografia e desenho —, com alguma oscilação para cima apenas nas aulas de canto orfeônico, que mesmo assim não lhe renderam nada além de um encabulado 6,1. Maysa queixava-se aos pais de que o internato, com os rigores católicos, a estava deixando maluca. Assim, em 1950, aos treze anos, ela seria matriculada no Externato Ofélia Fonseca, na rua Bahia, 892, um prédio sombreado pela copa de jacarandás e com fachada de tijolinhos pintados, em estilo inglês, no sofisticado bairro do Pacaembu, considerado à época uma espécie de Beverly Hills paulistana.

Apesar de ser também uma escola tradicional e rigorosa, freqüentada pelos filhos da classe alta da cidade, o Ofélia Fonseca tinha para Maysa a vantagem do regime de externato e do ensino leigo, o que lhe soava como uma dádiva de liberdade após anos imersos em um ambiente de quase clausura. Basta uma olhadela nas fichas de matrícula daquela época — recheadas de sobrenomes pomposos como Carneiro da Cunha, Lara Campos, Sampaio Ferreira, Reale, Scarpa, Mesquita, Gasparian e Cochrane, entre outros — para constatar que a nata da sociedade paulistana confiava a educação dos rebentos à dileta educadora que fundara e dera nome à escola, dona Ofélia Fonseca de Almeida, filha de um ex-fazendeiro que se tornou coletor de impostos após a derrocada do ciclo do café. Entre os ex-alunos que envergaram o uniforme do Ofélia Fonseca, por exemplo, estão os irmãos João, Rui, Rodrigo e Fernão, filhos de Ruy Mesquita, diretor do jornal *O Estado de S. Paulo*. Sylvia Lutfala, que viria a casar com o futuro governador Paulo Maluf, também estudou lá e foi colega de turma de Maysa.

Mas, na sala de aula, sentada na última fila de carteiras duplas de madeira escura e envernizada, a jovem Maysa Figueira Monjardim, com o uniforme sempre em desalinho, continuaria um caso clássico de fracasso escolar. Ao final daquele ano, seria reprovada na segunda série ginasial, depois de bater um recorde histórico de 65 faltas e obter um festival de notas vermelhas, entre as quais pontificavam as médias anuais de 2,0 em latim, 2,9 em geografia, 3,1 em inglês e 3,3 em matemática. "Era uma menina bonita e esperta, mas muito maluquinha", recordaria Josefina Costa, inicialmente secretária do Ofélia Fonseca e, após 1947, uma das proprietárias da escola.

* * *

Maysa não se mostrou muito amargurada depois de levar bomba. Nas férias do final de ano, como sempre fazia, rumou despreocupada para Vitória, onde ficava hospedada na casa da tia Selika Figueira, irmã de dona Inah. Segundo consta, aos catorze anos, em cerca de dois meses, a moça já havia namorado muitos rapazinhos da cidade. Um dos primos mais chegados, Jayme Figueira, recordaria que o pai, Nestor Figueira, também irmão de dona Inah, não permitia que a filha, Taís, andasse acompanhada de Maysa, pois a julgava uma garota "muito avançadinha" para os padrões capixabas. "Ela, já naquela idade, era um pequeno pedaço de mau caminho. E namorava mesmo todo mundo", confirmaria outro primo, Sérgio Sarkis, filho de Selika.

O comportamento de Maysa surpreendeu os jovens mancebos de Vitória, cuja maior diversão era, aos domingos, reunir-se na praça Costa Pereira, tida então como o "coração da cidade". Os trilhos do bonde circulavam a pracinha e era sobre eles que os rapazes caminhavam, enquanto as mocinhas andavam pela calçada, em sentido contrário, o que possibilitava a paquera e a troca de olhares a cada volta. Alheia àquilo, Maysa preferia vestir o maiô Catalina e cair no mar. "Ali, o oceano era meu quintal", diria. "Ela era linda e arrasava corações", suspiraria Sérgio Sarkis, ao recordar a imagem da prima saindo da água, como se fosse uma sereia de olhos grandes e verdes, nas praias de Vitória.

Contudo, datam dessa época os primeiros desentendimentos de Maysa com a balança. Os resultados dos exames médicos escolares, realizados no início de cada semestre letivo, atestam que ela já apresentava a incômoda capacidade de ganhar indesejáveis quilinhos extras da noite para o dia — fenômeno que amargaria pela vida afora. A sorte era que, naquele tempo, o padrão de beleza feminino exigia uma silhueta mais curvilínea e até um tanto quanto "cheinha", palavra aliás com a qual uma colega de turma do Externato Ofélia Fonseca, Maria Helena Vieira de Barros, viria a descrever a amiga tempos depois. "Maysa era mais para gordinha", preferiria definir com mais precisão outra companheira de escola, Leda Demasi.

No segundo semestre de 1950, com catorze anos, Maysa media 1,62 metro e pesava 66 quilos, quase sete a mais que no semestre anterior. Para efeito comparativo, basta dizer que dali a dois anos, quando o cronista Sérgio Porto, com o pseudônimo Stanislaw Ponte Preta, iniciasse a escolha anual das célebres "certinhas do Lalau" — as dez mais "boazudas" do país —, todas as eleitas estariam na faixa dos sessenta quilos. Mesmo quando o ponteiro da balança apontava para as alturas, Maysa tinha uma arma infalível para fisgar os pobres e juvenis corações masculinos: os olhos irresistivelmente verdes. "Ninguém podia com eles", entregaria Cariê Lindenberg, futuro empresário de comunicação, filho do então governador do estado — Carlos Lindenberg — e um dos amigos da turma dessa época no Espírito Santo. "Eu era uma assanhadinha dessas que não têm explicação", confessaria a própria Maysa.

Foi também nesse período que Maysa passou a cultivar um hábito que nunca abandonaria: o de manter diários íntimos, cadernos com anotações pessoais nos quais deitava confissões que jamais ousaria revelar nem aos amigos mais próximos. Naquele ano de 1950, ela inauguraria o primeiro da série. Na verdade, tratava-se ainda de um simples e ingênuo caderninho típico de adolescente, em que Maysa colava fotos de jornais e revistas, especialmente modelos de vestidos tirados das páginas de corte e costura — e a partir dos quais imaginava-se no papel de crítica de moda, lançando mão das gírias da época. "Dora estava uma xuca na festa. Muito alinhada. Francamente, não imaginei que aquele broto tivesse gosto tão apurado", lê-se, por exemplo, ao lado de um desses recortes. "Em compensação, queridos, Lúcia estava um bucho lá na quermesse. Um vestido marrom de linho, cheio de botões, um bolerinho horroroso", ela escreveu na página seguinte.

Ao meio do caderno, já nas páginas relativas ao ano de 1951, Maysa listaria com caligrafia redondinha os filmes a que assistira nos últimos meses. A relação completa, com mais de cinqüenta títulos, revela uma jovem cinéfila de gosto eclético. Do aventuresco *As minas do rei Salomão*, com Deborah Kerr e Stewart Granger — "assisti a este seis vezes", escreveu ela —, ao faroeste *Duelo ao sol*, com Gregory Peck e Jennifer Jones, passando pelo capa e espada *Os três mosqueteiros* — adaptação do romance de Alexandre Dumas com Lana Turner e Gene Kelly — e pela produção nacional *O comprador de fazendas*, filme com Procópio Ferreira baseado no conto homônimo de Monteiro Lobato, ela parecia ter fôlego para não perder uma única fita posta em cartaz.

Logo após as anotações cinematográficas, por oito páginas seguidas, vinha uma série de novos recortes de jornais e revistas, agora imagens de casais beijando-se apaixonadamente, junto à transcrição da letra de "My foolish heart", um clássico da música popular norte-americana que fora gravado em 1950 pela orquestra de Gordon Jenkins e que viria a ser eternizado na voz de Frank Sinatra. Em mais uma demonstração de ecletismo estético, Maysa copiou em seguida a letra de "Feitio de oração", uma das obras-primas de Noel Rosa. Abaixo de cada imagem de beijo tórrido, escreveu as iniciais M.M. e J.F. As primeiras letras, estava claro, eram de Maysa Monjardim. As demais pertenceriam ao primo Jayme Figueira? Ele próprio ficaria surpreso com tal hipótese. "Fui um dos muitos namoradinhos de Maysa, mas ficamos apenas nos passeios de mãos dadas e nos beijinhos inocentes", diria ele, sem contudo conseguir dissimular a satisfação de, quem sabe, ter sido a primeira grande paixão da prima, coisa que Maysa não confessaria nem para o diário secreto de adolescente.

* * *

Depois das férias de final de ano em Vitória, Maysa retornou no início de 1951 às aulas no Ofélia Fonseca em São Paulo. Como repetira a segunda série ginasial, teria outras companheiras de classe, mais novas que ela. Tal circunstância não constrangeu a moça. Ao contrário, se antes já era uma espécie de líder natural da turma, o convívio com coleguinhas mais jovens fez dela a dona absoluta do pedaço. A colega Leda Demasi lembraria de Maysa empunhando o violão em festinhas na casa de amigas, cantando com desenvoltura, enquanto as demais se esforçavam para disfarçar o misto de admiração e inveja em relação àquela garota despachada, que tinha fama de namoradeira e cujos pais a deixavam tocar outro instrumento que não o piano clássico — ao qual se dedicara ao longo de oito anos de rigoroso estudo com uma tia. "Escapei de ser pianista porque, em cada concerto que ia participar, minha avó fazia aquele vestido cor-de-rosa e eu caía doente, com sarampo ou catapora", diria.

Aos quinze anos, Maysa sabia do fascínio que exercia nos rapazes quando puxava o violão e entoava, com a voz já singular, alguma balada romântica. Isso, para infelicidade própria, Leda Demasi logo constataria. Ela e Maysa disputavam as atenções de um jovem vizinho de bairro, Ciro Cayres, que viria a ser piloto de corrida de automóveis e, nessa época, menor de idade, dirigia sem carteira de motorista. Quando Ciro apontava na rua em seu carango envenenado e com descarga alterada, todos os brotinhos suspiravam fundo.

Leda havia organizado com algumas amigas o Candy Club, um clubinho informal que promovia reuniões semanais e pelo menos uma festa por mês — ao som de vitrola, regada a Coca-Cola — na casa de uma das integrantes do grupo. Quando soube que Ciro Cayres adorava a canção "Sentimental journey", um grande sucesso norte-americano dos anos 1940 na voz da bela e sardenta Doris Day, Maysa não teve dúvida. Na primeira oportunidade que teve, dedilhou diante dele as cordas do violão e começou a cantar, imitando Doris:

Gonna take a sentimental journey
Gonna set my heart at ease
Gonna make a sentimental journey
To renew old memories...

Foi tiro e queda. O rapaz ficou tão impressionado que dali a alguns meses fazia o papel de noivo — e Maysa, o de noiva —, em uma festança de São João realizada na casa de Maria Isabel Viana, uma das moças filiadas ao Candy Club. Vestida a caráter, de véu e grinalda, com um dente incisivo pintado de preto, Maysa dançou a quadrilha de braços dados com Ciro Cayres, que envergava um paletó de bolsos remendados e chapéu de palha. Leda Demasi, prevista originalmente para ser o par de Ciro na festa caipira, nunca perdoou a mãe que, supersticiosa, não quis ver a filha vestida de noiva antes da hora, com medo de que isso desse azar e ela não conseguisse arranjar marido no futuro.

Apesar da gordurinha proeminente fazendo volume por baixo da blusa do uniforme do Ofélia Fonseca, Maysa continuava a colecionar admiradores e, como diziam as amigas, a ser destaque em meio ao time das "garotas levadas": ia ao cinema sozinha, namorava quem bem entendesse e fumava escondida dos pais. É verdade que, depois de ser barrada na entrada da escola, nunca mais se atreveu a vestir saias curtas e calçar saltos altos para ir às aulas, mas se arriscou várias vezes a tentar burlar a vigilância da secretaria e entrar com batom, blush, sombra e rímel escondidos na bolsa. Chegava de cara limpa e, depois do intervalo, aparecia na sala de aula maquiada. "Nossa secretária, a Ester, vivia levando Maysa para lavar o rosto no banheiro da escola", recordaria com bom humor a diretora Josefina Costa. "Ela realmente nos dava muito trabalho", completaria, com um largo sorriso, o que significava uma espécie de perdão retroativo à ex-aluna ilustre.

Outra colega de turma, Marlene Maria Lucas de Oliveira, recorda que os professores costumavam separar as duas na sala de aula, obrigando-as a trocar de lugar, pois do contrário Maysa passaria a aula puxando conversa com a amiga. "Maysa era uma pessoa extrovertida, mas também muito carente. Mesmo depois de colocada em outra carteira, bem longe, lá na frente, ela virava para mim e me perguntava, em silêncio, só movimentando os lábios: *você me ama, neném?*", recordaria Marlene. "Ela fazia uma voz de criancinha e, a toda hora, me perguntava se eu gostava dela, se eu a achava linda, se os olhos dela eram bonitos. Pedia também para, depois das aulas, eu ir à casa dela, pois não gostava de ficar sozinha e, nós sabíamos, os pais nunca estavam lá — ou passavam o dia dormindo depois de alguma boa noitada."

Maysa Monjardim e Marlene Lucas de Oliveira tornaram-se grandes amigas. Fumavam no banheiro da escola, iam juntas a festinhas do bairro, cantavam músicas de Doris Day e, de vez em quando, Maysa confidenciava que estava apaixonada por algum rapazinho da vizinhança. Contudo, segundo Marlene, a colega detestava ficar refém de alguma paixão exclusiva e costumava lançar mão de um método garantido para se "desapaixonar" o mais rápido que podia: "Maysa me contava que imaginava o moço no banheiro, sentado na privada, fazendo você sabe o quê. E aí, dizia, a queda por ele passava rapidinho".

Certa tarde, em uma época em que as mulheres não ousavam vestir calças compridas, Maysa e a amiga Marlene foram até a Sears, a famosa loja de departamentos, e compraram calças jeans para cada uma. Depois foram desfilar a nova aquisição em frente à confeitaria Vienense, na elegante Barão de Itapetininga, ponto de encontro da alta sociedade paulistana, onde as senhoras iam tomar o chá das cinco exibindo estolas e chapéus. De calças jeans, mocassins, camisas masculinas de mangas compridas dobradas no meio do braço e golas levantadas, as duas mocinhas rebeldes chamaram a atenção e foram alvo de comentários indignados por parte das clientes da Vienense.

Mas, para azar de Maysa, justamente naquele dia dona Inah estava sentada a uma das mesas da confeitaria e flagrou a filha em pleno delito. A mãe chamou um táxi e a enfiou lá dentro, mandando-a para casa, com ordens de que nunca mais vestisse "roupa de homem". Uma semana depois, Maysa e Marlene desciam a alameda Jaú, próximo de onde moravam, com as mesmíssimas calças jeans, sendo severamente repreendidas desta vez por um grupo de freiras com quem cruzaram no caminho. "Quando as freiras disseram que era pecado mulher vestir calças compridas, Maysa caiu na gargalhada, bem na cara delas", lembraria Marlene.

* * *

No caderninho de estimação, Maysa começava a rabiscar esboços de letras de sua própria autoria. O primeiro datava de já algum tempo. Uma tarde, o pai e a mãe ralharam com ela porque, em vez de estudar e ir arrumar o quarto — que vivia em eterna bagunça —, Maysa preferiu se debruçar sobre os cadernos em que ia anotando os momentos de inspiração. Ela havia marcado um encontro com uma amiga, mas os pais a impediram de sair de casa, mandando-a para o quarto, de castigo. Maysa chorou e correu para o banheiro. "Eu adorava me trancar no banheiro e começar a cantar. Por causa do eco, minha voz crescia. Eu ligava um gravador todo vermelho que eu tinha e ficava ali, durante horas, cantarolando minhas coisas", ela explicaria mais tarde.

"Naquele dia, posta de castigo por meu pai e minha mãe, entrei na banheira, peguei um pedaço de papel e comecei a escrever." Por mais que Monja e Inah insistissem, a filha recusou-se a abrir a porta. Foi assim que, com apenas doze anos, Maysa compôs "Adeus". Aparentemente banal, um simples desabafo de adolescente, oito anos depois a música viria a ser incluída em seu álbum de estréia e, dessa feita com roupagem densa, com a ajuda de um arranjo dramático e da voz quente de Maysa, a canção ganharia novos significados e se transformaria em um de seus primeiros sucessos:

Adeus, palavra tão corriqueira
Que se diz a semana inteira
A alguém que se conhece.

Adeus, logo mais eu telefono
Eu agora estou com sono
Vou dormir pois amanhece.

Adeus, uma amiga diz à outra
Vou trocar a minha roupa
Logo mais eu vou voltar.

Mas quando
Este adeus tem outro gosto
Que só nos causa desgosto
Este adeus você não dá.

* * *

Com o ouvido colado no rádio e com a paixão pelo cinema, sobrava bem pouco tempo para os livros escolares. Tanto que, ao final de 1951, Maysa foi reprovada pelo segundo ano consecutivo no Externato Ofélia Fonseca. Dessa vez ela batera o próprio recorde de faltas, totalizando cem ausências durante o período letivo. As notas conseguiram ser ainda mais baixas que as do ano anterior. Levara de novo 2,0 na média anual em latim. Em geografia, a média ficara em 1,3. O maior rendimento, sintomaticamente, foi nas aulas de canto orfeônico ministradas pelo professor e maestro Ruy Cartolano, que viria a escrever um livro sobre regência musical e que conferiria a Maysa a única nota 10 naquele ano — embora as muitas faltas e a conseqüente ausência nos exames posteriores derrubassem a média anual dela, na disciplina, para 6,2.

Como já era costume, Maysa deu de ombros para o insucesso escolar e, nas férias, como se nada tivesse acontecido, foi bater às portas da tia Selika, para abrir a temporada anual de caça aos corações masculinos em Vitória. Ficou por lá até o fim de fevereiro de 1952 e, durante o Carnaval, seis quilos mais magra, foi eleita a madrinha do bloco Marujos por Acaso, formado pelos rapazes sócios do Praia Tênis Clube, freqüentado pela alta sociedade da capital capixaba. Maysa fez questão de exibir o corpo mais enxuto em uma estonteante fantasia de pescadora que, segundo o amigo Cariê Lindenberg, deixou-a mais linda que nunca. "Quando ela abria os braços, aparecia uma rede de pesca que fazia parte da fantasia, era algo bonito e muito bem bolado", diria Lindenberg. Pois Maysa tratou de, armada com a tal rede, fazer uma verdadeira pescaria de arrastão entre os moços da cidade. "Ela namorou o bloco inteiro, menos eu, que era o mais novinho e magricela da turma", recordaria um dos integrantes do Marujos por Acaso, um rapazinho nascido em Vitória e que, criado no Rio de Janeiro, sempre passava férias no Espírito Santo e, mais tarde, viria a ser um nome de proa da música popular brasileira: Roberto Menescal.

"Imaginem Maysa circulando de miniblusa e short na Vitória dos anos 1950, uma pequena cidade de aspecto interiorano onde todos se conheciam e qualquer comportamento diferente provocava comentários", ressaltaria o jornalista capixaba José Roberto Santos Neves. O mesmo José Roberto narraria que naquela época Maysa cantou pela primeira vez em público. Em uma festa no Praia Tênis, os amigos que sabiam dos dotes musicais da moça a convidaram para fazer uma pequena apresentação. Ela havia acabado de romper um namorico com um dos jovens sócios do clube, Guga Saletto, membro de uma família tradicional do Espírito Santo. O rapaz havia encenado uma crise de ciúme por causa do comportamento extrovertido da namorada, o que fez com que ela o despachasse sem demora. Ao subir ao palco e postar-se diante do microfone, Maysa informou que a música que cantaria era dedicada ao "ex", que estava ali, fazendo beicinho na platéia. Disse isso e atacou de "Menino grande", canção de Antônio Maria que estava no topo das paradas de sucesso, na interpretação de Nora Ney. Durante décadas, Guga Saletto teria de agüentar a gozação dos amigos, que sempre dariam um jeito de lembrar-lhe do episódio e tascar-lhe o apelido de "Menino". Enquanto o rapaz procurava enfiar a cabeça em algum buraco no piso do clube, os associados do Praia Tênis tiveram o privilégio histórico de ouvir, em primeiríssima mão, a voz de Maysa ressoando ao microfone.

* * *

A música, decisivamente, começava a fazer cada vez mais parte da vida de Maysa. Nas noitadas patrocinadas por Monja — que agora acomodava a família no apartamento número 3 de um predinho simpático na rua Joaquim Antunes, 110, no bairro de Pinheiros, a cerca de duas quadras do endereço anterior —, os convidados se acostumaram a escutar a filha do anfitrião cantando ao violão, enquanto o pai abria uma garrafa atrás da outra, para que os copos de todos permanecessem cheios. Quando estava em São Paulo, Elizeth Cardoso não perdia a chance de ir rever a amiga Inah Monjardim e de anunciar que percebia na mocinha da casa um grande talento. "Aprendi tudo com Elizeth, ela foi minha mestra", diria Maysa.

Mais tarde, ela relembraria com entusiasmo a regalia que desfrutara de, em várias dessas reuniões que os pais organizavam noite adentro, cantar em dueto com o ídolo Silvio Caldas, que à época disputava com Francisco Alves, Orlando Silva e Carlos Galhardo o título de maior cantor do Brasil. Nos cadernos de Maysa, as letras cantadas por Silvio — a exemplo de "Três lágrimas", de Ary Barroso, e "Chão de estrelas", do próprio Silvio Caldas em parceria com Orestes Barbosa — tinham espaço garantido, ao lado das criações dela própria.

Em meados de 1952, ela deixara em uma das páginas de seu caderno os versos de uma canção sem título, composta por ela aos dezesseis anos e que permaneceria para sempre inédita:

> Esquece que já sofreste um dia
> põe de lado a fantasia
> e vem comigo amar.

Esquece que já sofreste um dia
põe de parte o teu sofrer
e tanto dinheiro pra gastar.

No caderno, Maysa não deixara nenhuma pista sobre o que — ou sobre quem — teria lhe inspirado aqueles versinhos que falavam de amor e dinheiro. Mas poucos meses antes, em um dos últimos dias de aula do ano de 1951 no Ofélia Fonseca, as amigas riram a valer quando Maysa encostou o nariz na vidraça do ônibus escolar e ficou de olhos estatelados em uma famosa mansão localizada na avenida Paulista. A imponente propriedade, de mais de 12 mil metros quadrados, abrigava um palacete de linhas neoclássicas revestido de pedra cor de marfim e que, comentava-se em toda a cidade, possuía dezesseis salas e dezenove quartos. Na entrada daquele verdadeiro castelo de 3 mil metros de área construída, um grande portão de ferro exibia um brasão familiar de 150 quilos, em que se via uma águia coroada, de asas negras abertas, junto à divisa *Honor, fides, labor* (Honra, fé, trabalho).

"Um dia ainda vou morar nessa casa...", falou Maysa para as colegas.

Era de fato uma maluquinha essa moça, imaginaram as amigas. Morar na mansão dos Matarazzo? Onde já se vira tamanho disparate?

3. Marcada (1954-1956)

Só tu não estás vendo
a minha agonia
marcada no meu rosto
de noite e de dia.
(Maysa, gravação de 1956)

Na primeira vez que Maysa vira André Matarazzo, ela usava laçarotes no cabelo e tinha apenas cinco anos de idade. Ele, ao contrário, já era um rapagão de 22 anos. Os pais a haviam levado para uma estação de águas em Poços de Caldas, cidade de clima ameno, famosa pelas fontes naturais, localizada no alto da Serra da Mantiqueira, no sul de Minas Gerais, a apenas 260 quilômetros da cidade de São Paulo. Foi junto à roleta e aos crupiês do luxuoso Palace Cassino, outra das principais atrações turísticas de Poços de Caldas àquele tempo, que Monja fizera amizade com o pai de André, o sr. Andrea Matarazzo, um dos herdeiros do conde Francesco Matarazzo, que morrera em 1937 na condição de homem mais rico do Brasil, dono de uma fortuna que hoje seria avaliada em torno de intangíveis 10 bilhões de dólares.

Em um passeio matinal pelos belos jardins poços-caldenses, os pais da pequena Maysa fizeram-na posar para uma fotografia clássica e quase obrigatória a todas as crianças que visitavam a cidade. Para sempre Maysa guardaria aquele instantâneo em sépia, no qual aparecia de vestidinho curto a bordo de uma pequena charrete puxada por um carneirinho. Foi logo após a foto que o jovem André, filho de Andrea Matarazzo e neto do conde Francesco, aproximou-se da garota e aplicou-lhe um leve beliscão nas bochechas rechonchudas. Elogiou-lhe as trancinhas nos cabelos e — é claro — o belo par de olhos verdes. Depois da volta para São Paulo, a amizade entre Monja e o sr. Andrea ficou cada vez mais próxima. Em conseqüência, André passou a freqüentar naturalmente a residência dos Monjardim, que depois de residirem por algum tempo em um sobrado no número 4 da rua Osório Duque Estrada, no atual Jardim Paulistano, logo estariam morando em uma cobertura na Rego Freitas, 501, próximo à igreja da Nossa Senhora da Consolação, na Vila Buarque, região central de São Paulo. No Natal, o moço André deu de presente a Maysa uma caríssima boneca importada, que falava *ma-ma* quando lhe apertavam a barriga.

Maysa cresceu vendo André sentado na mesa da sala de casa, nas noites em que Monja abria as portas a convidados especiais para as habituais rodadas de uísque e baralho. O primo capixaba Sérgio Sarkis, que certa vez foi a São Paulo e ficou hospedado na casa dos tios, recordaria o dia em que Maysa o chamou de lado e, discretamente, apontando para André, cochichou-lhe: "Sabe quem é aquele? É um Matarazzo!".

* * *

O sobrenome falava por si. O conde Francesco Matarazzo, avô de André, chegara a ser proprietário de 365 fábricas espalhadas pelo país — se quisesse, poderia ter visitado uma por dia, ao longo de todo um ano, sem repetir nenhuma delas, dizia-se. Passar em frente à mansão do conde, na avenida Paulista, era um programa e tanto para os moradores de São Paulo no início do século. O jornalista Ronaldo Costa Couto, que mergulhou fundo na história da família, conta que pais chegavam a levar os filhos à Paulista só para ver Francesco Matarazzo de longe, fumando seu charuto toscano e subindo a bordo de um reluzente Rolls-Royce ou de um não menos flamejante Packard. O velho Francesco Matarazzo, um italiano que chegara ao Brasil em 1881 para tentar a sorte e começara trabalhando como mascate em Sorocaba, no interior paulista, deixara à família meio século depois um conglomerado empresarial milionário, a sexta fortuna pessoal no mundo segundo a revista *Forbes*. Toda aquela riqueza se originara de uma simples fabriqueta de fundo de quintal para processar banha de porco.

Para aumentar os primeiros lucros, Francesco passara a fabricar as latas metálicas com que embalaria o produto, até então vendido em barricas de madeira. A embalagem em folha-de-flandres fez tanto sucesso que ele decidiu montar uma pequena metalúrgica e ampliar o raio de ação. Em seguida, começou a negociar arroz, massas, óleos e bacalhau. Dez anos depois, o tino comercial apurado já havia feito dele um homem rico. Ao entrar no ramo da moagem de trigo, o capital multiplicou-se ainda mais e, em 1911, surgiriam as poderosas Indústrias Reunidas Fábricas Matarazzo S.A., principal braço de um império que passaria a atuar do setor de alimentos à área têxtil, da navegação de cabotagem ao comércio internacional, da indústria siderúrgica a investimentos maciços em ferrovias e hidrelétricas.

Em 1917, pela ajuda que prestara ao país natal durante a Primeira Guerra Mundial, Francesco recebera de Vittorio Emanuele III, rei da Itália, o título de conde. Em 1931, o conde Matarazzo fundaria a poderosa Federação das Indústrias de São Paulo, a FIESP. "Ele é o Henry Ford do Brasil", comparou o escritor Monteiro Lobato. "Há um novo estado brasileiro, tão rico quanto São Paulo e mais rico que o Distrito Federal, Minas ou Rio Grande do Sul: o estado Matarazzo", sentenciaria Assis Chateaubriand, o Chatô, o grande magnata da imprensa nacional daquele tempo.

Apesar do sobrenome ilustre do visitante — que se tornava cada vez mais assíduo —, Monja e Inah não viram com bons olhos, pelo menos no início, o interesse que André Matarazzo passou a nutrir, de forma bem pouco velada, pela filha adolescente do casal. A diferença de idade entre os dois era considerável, quase dezoito anos. Quando Maysa começou a retribuir os olhares que André lhe lançava, ela era uma mocinha de quinze anos em flor. Ele já dobrara havia algum tempo a casa dos trinta. Preocupada, Inah mandou a filha passar uma temporada em Vitória, para ver se o tempo e a distância dariam cabo daquela delicada situação.

Os diários de Maysa revelam que, mesmo lá, ela continuaria a manter contato sistemático, pelo telefone, com o pretendente trintão. "Hoje André me ligou", registraria Maysa várias vezes em seu caderninho. Os pais renderam-se às evidências depois de o futuro genro lhes garantir que estava verdadeiramente apaixonado por Maysa e que suas intenções eram as melhores possíveis. Embora muitas vezes se fizera acompanhar de uma antiga namorada nas mesas de pôquer na casa de Monja — a louríssima e decotada Baby, que encarnava o tipo de mulher fatal e sempre andava a tiracolo de colunáveis paulistanos —, desta vez era diferente, garantia André. O namoro com Maysa seria para casar, afiançou.

* * *

André Matarazzo, é verdade, não era nenhum galã. A calvície precoce — herdada do avô, o conde Francesco, que raspara a cabeça à navalha tão logo os fios de cabelo começaram a rarear — fazia com que André parecesse mais velho do que realmente era. Isso só acentuava a visível diferença entre ele e a adolescente Maysa. Meio careca, de bigodinho fino e longas orelhas pontudas, chegava a lembrar de relance o próprio pai dela, o velho e bom Monja de guerra.

Mas Maysa estava caidinha por ele. Nunca escondeu de ninguém que ficou encantada com aquele homem que se vestia bem, recendia a Chambley, mandava-lhe flores e a cobria de atenções. "Acordei com uma carta e cartões de André. Um gostoso despertar", anotou Maysa no diário, na manhã de 5 de janeiro de 1954. Quatro dias antes, no dia 1º de janeiro, na primeira anotação daquele ano, ela reservara um parágrafo especial para André, ao fazer o balanço do ano anterior: "[Em junho] comecei a namorar André, que até hoje ocupa o posto e espero não ter substituto — legal ou ilegal que seja", escreveu no caderninho de capa de couro em que se lia, em letras douradas, acima de um arabesco, as palavras "Meu Diário".

A vida de Maysa, àquela altura, passara a ter três únicas ocupações cotidianas: ir ao cinema, escrever poemas e esperar as visitas de André. Após a segunda reprovação no Ofélia Fonseca, ela pedira transferência da escola, porém não mais voltaria a estudar. Ainda tentou requerer matrícula no tradicional Mackenzie, mas a instituição fundada em 1870 por missionários presbiterianos negou vaga a uma aluna com histórico escolar tão pouco abonador. Assim, Maysa abandonou de vez os estudos sem conseguir concluir o segundo ano ginasial.

"Minha vida está se preenchendo de um vazio profundo", anotou em mais uma página de seu caderno. "Cada dia útil, mais inútil me torno", avaliou. "Estou com vontade de sair gritando como uma louca por aí." De vez em quando, engalfinhava-se com alguma idéia que tentava transformar em canção: "Estou tentando fazer uma música para aquele pensamento meu: *Se algum dia na vida/ te for dado escolher/ entre um amor sem certeza/ ou um possível viver/ não te ponhas na dúvida/ fuja de ambos*. Talvez consiga, mas a falta de métrica é grande, de forma que é meio difícil. Este pensamento é meu e não sei a que eu o devo. Mas não creio que seja por experiência própria. Parece até que estou desiludida, não é? Quem és tu, voz misteriosa, que me chama e me empurra ao caos da boemia?". Pela primeira vez, Maysa utilizaria o termo que seria usado para definir sua música em um breve futuro: "Até parece que estou na *fossa*".

O termo "fossa", gíria surgida nesse período para se referir às dores de amor, passaria para o vocabulário musical brasileiro como um gênero caracterizado por melodias dolentes e letras que falavam de corações partidos, fins de caso e almas dilaceradas. Os samba-canções de Antônio Maria — autor de "Ninguém me ama", quase um hino à dor-de-cotovelo — e da carioca Dolores Duran — que compôs junto com Edison Borges a "Canção da tristeza" —, com sua atmosfera noturna e passional, eram o exemplo mais bem-acabado do estilo. Ambos exerceriam grande influência sobre a formação musical de Maysa, como demonstram as letras de Antônio Maria e Dolores Duran transcritas nos cadernos da moça. "Estar na fossa", mais que uma contingência de quem acabara de perder um grande amor, era um estado de espírito, quase uma postura existencial, que marcaria época e ditaria moda.

Mas os diários bem sabiam que, mesmo namorando André cada vez mais firme, Maysa continuava a incorrigível paqueradora de sempre. "Conheci um rapaz chamado Sílvio Gomes de Mattos", escreveu em 15 de janeiro de 1954. Dois dias depois, voltava ao assunto: "Falei com o Sílvio agora ao telefone, mas ele ia jantar e ficou de ligar para mim depois. Não sei o que ele tem, mas está me dando uma paixãozinha que está parecendo crônica. Esquisito mesmo... Mas há de passar, como passaram todas as outras", prometeu a si própria. "Será apenas mais uma paquera amorosa infantil de minha vida, *oh oh oh*!!! Agora falhou, a fossa! Madame Gomes de Mattos. Até que fica simpático. Ele não é nada bonito, não é broto, fisicamente falando, pois as suas têmporas são grisalhas, mas só tem 29 anos. Não sei, francamente, mas gostaria muito que essa paixonite passasse."

O tal Sílvio não era o único a chamar a atenção de Maysa naqueles dias. "Eu vi um sujeito que é a cara do Mel Ferrer", animou-se ela em nova anotação do diário, comparando um rapaz recém-conhecido ao galã norte-americano que, naquele mesmo ano, arrebatara o coração da bela estrela Audrey Hepburn. "Ele se chama Luiz Carlos e já tenho o telefone. Beijos, querido Diário", segredou Maysa. Um dia depois, ela revelava ao caderninho o avanço em relação ao tema: "Encontrei-me com o Mel Ferrer. Ele é um espetáculo e a cópia do próprio", festejou.

As traquinagens sentimentais de Maysa devem ter levantado a lebre e, com justo motivo, tirado do sério o namorado oficial, André Matarazzo. No dia 18 de fevereiro de 1954, após oito meses de iniciado o romance entre os dois, André decidiu levar a moça para a boate Oásis, um dos principais *points* da noite paulistana de então, freqüentada pelos ricos e famosos da cidade. Na madrugada, depois de chegar em casa, Maysa pegou o diário que ficava em uma gaveta trancada à chave e, com letra nervosa, a lápis, desabafou:

> Estivemos hoje na Oásis depois do cinema, onde eu vi o Sílvio. Estava com um amigo e muito alinhado. Na Oásis eu e André discutimos muito. Francamente, o André já está me enchendo. É um ciúme que enche e um egoísmo muito maior. Eu acho que se tudo não melhorar, vou dar o fora nele, pois é mesmo impossível. Gostar dele eu gosto, mas desse jeito eu deixo de gostar. Ele que vá tomando tento senão ele vai dar uma voltinha e não volta mais. Tá louco!

* * *

Por essa época, a beleza de Maysa estava no auge e era de parar o trânsito. "Ela era mesmo, naquele tempo, de fechar o comércio", confirmaria depois o cineasta Carlos Manga, que no ano anterior estreara como diretor na produtora Atlântida à frente do retumbante sucesso de *A dupla do baru-*

lho, com os geniais Oscarito e Grande Otelo encabeçando o elenco. Manga estava em meio às gravações de seu segundo longa-metragem, *Matar ou correr*, de novo com Oscarito e Otelo, quando depois de um dia exaustivo de filmagens conheceu Maysa.

O cineasta decidira ir com amigos jantar e enxugar alguns uísques no Clube da Chave, um dos mais famosos templos da boemia carioca. Maysa, que se encontrava no Rio de Janeiro por causa do aniversário da avó paterna, também estava lá. Carlos Manga contaria que nunca conseguiu esquecer a cena com a qual se deparou ao adentrar ao local: sentada em cima de uma mesa, de pernas cruzadas, cantando e dedilhando um violão, Maysa era o centro absoluto das atenções. "Eu não acreditava que alguém no mundo pudesse ter aquela voz", lembraria Manga. "Fiquei ali, embevecido com aquela moça linda, que me fez lembrar Ingrid Bergman em *Por quem os sinos dobram*. Ao final, aproximei-me para falar com ela."

André Matarazzo estava viajando a negócios nos Estados Unidos e Maysa registrou o episódio em seu diário. A moça ficara fascinada por encontrar tantas celebridades em uma única noite. "Conheci o Luís Antônio, autor de 'Lata d'água', Ivon Curi e Carlos Manga, diretor da Atlântida, entre muitos outros artistas", anotou. Para não contrariar a imagem de eterno galanteador, Manga disse-lhe que o coração estava pulando pela boca.

Maysa, educada, sorriu para os elogios rasgados do cineasta, mas avisou delicadamente que tinha um namorado em São Paulo. De todo modo, falou que estava hospedada no Copacabana Palace com uma tia e, quem sabe, talvez pudessem vir a marcar um encontro qualquer dia desses para bater um papo descompromissado e amigável. Como a família passara a fazer marcação colada sobre ela, combinou com Manga uma senha. A janela de seu apartamento no Copacabana era a última do terceiro andar do lado esquerdo. Se Manga visse uma toalha vermelha estendida ali, era sinal de que a vigilância baixara a guarda e estava sozinha. Bastava então buzinar lá embaixo que ela desceria para vê-lo.

"Durantes vários dias, passei defronte ao hotel e nada. Já estava desistindo daquilo, achando que havia sido engabelado, quando, uma tarde, vi a tal toalha vermelha pendurada em uma janela da famosa fachada branca do Copacabana", contaria o diretor. Ele não pensou duas vezes. Enfiou o pé no breque do Cadillac cinza, rabo-de-peixe, ano 1949, com capota conversível preta e bancos de couro vermelhos. O carrão saiu fritando os pneus, enquanto a buzina se encarregava de fazer ainda maior alarde. Dali a poucos minutos, Manga viu Maysa na calçada do hotel, sorrindo e acenando para ele, linda, enquanto se dirigia para o automóvel. "Tivemos um namorinho bobo e inocente, pois ela dizia que estava prometida para um Matarazzo. Eu me conformei: quem era eu para competir com um cara com um sobrenome daqueles?"

* * *

A viagem de André ao exterior serviu para provocar saudades sinceras em Maysa. "Acordei hoje com um telegrama dele. Nunca desejei tanto que ele estivesse aqui", escreveu. "A afeição que sentia por André, quando ele estava presente, era de posse, bem exclusivista como sou", abriu-se ela. "O que sinto agora já é diferente. Sinto por ele uma confiança tão cega de que sou realmente amada, que até o meu lado nervoso passou a ser calmo", confidenciou ao diário. No dia 15 de outubro de 1954, o coração inconstante de Maysa capitulou: "Hoje é realmente um dia que eu devo anotar, pois talvez se torne um dos mais importantes de minha vida. Depois de ter um sem-número de namorados, apaixonei-me por um que, francamente, em nada se parece aos antecedentes. André, assim se chama o verdadeiro eleito de meu coração".

Naquele dia, ela e André haviam ido ao cinema, onde assistiram ao filme *E os homens preferem as loiras*, estrelado pelas beldades Jane Russel e Marilyn Monroe. Mesmo assim, os olhos de André eram apenas para a namorada, cujo perfil iluminado pela tela ele não cansou de contemplar, durante toda a projeção. Maysa achou que aquele era o momento propício para cobrar uma decisão quanto aos rumos do namoro, que já completara quase um ano e meio, o que para ela significava toda uma eternidade. "Sentamos sozinhos e eu então perguntei quando é que ele ia se resolver, pois já estava chata a espera. Ao chegarmos em casa, ele me falou que eu escolhesse janeiro ou julho. Agora só depende de mim", registraria o diário de Maysa, que traria mais uma anotação naquela data: "Para mim, ele é o mais completo dos homens".

Três meses depois, às 17h30 do dia 24 de janeiro de 1955, Maysa Monjardim e André Matarazzo ajoelharam-se aos pés do suntuoso altar da Catedral da Sé, em São Paulo, igreja que após quatro décadas de reforma havia sido inaugurada no ano anterior, para as comemorações do IV Centenário da capital paulista. O cardeal dom Carlos Carmelo de Vasconcelos Motta, arcebispo de São Paulo e responsável pela celebração da cerimônia, leu uma mensagem aos noivos enviada de Roma com a assinatura do papa Pio XII.

As colunas sociais tinham assunto para uma semana inteira. "Formando condigna moldura à juventude e à formosura da noiva, o templo mostrava-se todo ele largamente ornamentado de angélicas entretecidas de alvos antúrios", noticiou a imprensa. "Por entre os delicados renques e molhos de flores, a noiva, conduzida por seu pai, encaminhou-se para o altar, enfeixando nas mãos orquídeas nacaradas de rara beleza. De cetim italiano branco, com vagos reflexos cinza, era o seu vestido nupcial, que aliava ao brilho natural a fulguração macia e constante de pérolas e lantejoulas", diziam ainda os jornais, que registraram a presença de convidados ilustres, a exemplo do governador do estado, Lucas Nogueira Garcez, e, é claro, de toda a família Matarazzo, "além de outros sobrenomes quatrocentões que compõem a fina flor da alta sociedade paulistana".

Poucas horas mais tarde, no luxuoso Buffet Copacabana, na rua Cônego Eugênio Leite, 317, enquanto os convivas se esbaldavam em rios de champanhe e porções do mais fino caviar, André parecia apreensivo para sair da festa e pegar o automóvel rumo ao aeroporto, de onde embarcariam para Buenos Aires e, depois de lá, completariam a lua-de-mel na Europa. Haviam sido providenciadas reservas nos melhores hotéis da Espanha, França, Itália, Portugal e Suíça. "Não cheguei a ouvir as últimas recomendações que mamãe me fazia. André já havia chegado com o carro e me chamava insistentemente", contaria Maysa.

Ao retornar da viagem, ela disse aos pais que adorara o continente europeu, especialmente Paris. Apenas estranhara um pouco o comportamento do marido, pois nunca ninguém havia lhe dito, ao certo, até onde iam as tais "obrigações de esposa". Apesar de toda a fama de espevitada e namoradeira, a agora sra. Maysa Monjardim Matarazzo — MMM, como se lia no monograma bordado do penhoar branco — era mesmo uma mocinha de dezessete anos, que apenas começava a descobrir o significado de viver ao lado de um homem mais velho e experiente como André.

* * *

Como Maysa preconizara anos antes, ela e o marido foram morar na mansão dos Matarazzo na avenida Paulista. Mas não se demorariam muito por lá. A pressão da tradição familiar era enorme. Uma prima de André, Besita Suplicy, recorda que a piscina da propriedade ficava depois de uma capela onde a avó, dona Amália, costumava fazer as orações diárias. Por isso, Maysa precisava dar um jeito de passar correndo por ali, para que não fosse vista com o maiô de duas peças que adorava usar. "Vovó nunca admitiria uma Matarazzo vestindo uma coisa daquelas", diria Besita.

Um ano depois, André e Maysa mudaram-se para uma confortável casa na rua Traipu, no bairro paulistano do Pacaembu. "Acredito que aquele tenha sido o período mais calmo de minha vida. Há tempos que não tirava o violão da caixa", diria Maysa para a revista *Sétimo Céu*. Os feriados e fins de semana eram passados na casa de praia em Itanhaém, cidade-balneário localizada no litoral sul do estado de São Paulo. "Ali, próximo à praia, eu matava saudades do mar e das minhas férias juvenis em Vitória", recordaria.

Mas logo os dias de Maysa passaram a ser monotonamente iguais. Nos primeiros meses, ela parecia estar bem à vontade na condição de esposa, enchendo as páginas dos caderninhos com listas intermináveis das peças de roupas e acessórios que compunham o enxoval. Durante muito tempo o diário resumiu-se a receber tais anotações, transformando-se em um minucioso inventário das muitas bolsas, luvas, sapatos, vestidos, agasalhos, lingeries, saias e blusas que existiam em seu guarda-roupa. "A verdade é que a futilidade da vida que levava começava a me desgostar. André era um homem de ligações importantes e os compromissos sociais se sucediam", contaria Maysa.

De visita à prima, o capixaba Jayme Figueira sentiu que Maysa parecia entediada com a nova situação. André demonstrava amar a mulher mais que tudo, mas nem sempre conseguia estar presente em casa. Além das reuniões de negócios, ele continuara a passar longas noites com amigos em rodadas de baralho, desde sempre um de seus maiores prazeres. Para ficar mais perto do marido, Maysa passou a acompanhá-lo. "André não era um homem mau, nem um homem burro. Era só, talvez, um pouco insensível. Quase vinte anos mais velho e tão carente de afeto quanto eu, no começo via nele muito mais um pai do que um marido. Dos dezoito aos dezenove anos, casada com André, fiz tudo o que não gostava: jogar buraco, freqüentar boates com gente mais velha, ir para aqueles programas chatos", confessaria ela. "Existiram duas Maysas: uma, alegre e extrovertida, quando solteira; outra, depressiva e melancólica, depois do casamento", atestaria Figueira. O escritor Aguinaldo Silva, que escreveria um longo e sensível perfil da cantora para a revista *Fatos & Fotos — Gente*, diagnosticaria, com precisão:

> Foi isso, certamente, o que André Matarazzo significou para ela durante muito tempo: ele era um homem apaixonado.. Embora seja difícil de acreditar — Maysa já surgiu aos nossos olhos como um mito e, portanto, sem idade —, ela era apenas uma adolescente quando o conheceu. Assim, seria através de André que ela iria adquirir seus primeiros conhecimentos sobre essa coisa que, para muitos, seria depois a sua especialidade: a paixão.

Em casa, ela se esforçava para receber as visitas que o marido trazia como uma autêntica Matarazzo, com toda a pompa e circunstância que isso significava. O ex-governador Adhemar de Barros era um dos convidados mais freqüentes. Maysa tentava participar das conversas, procurava ser agradável e gentil, mas se sentia cada vez mais deslocada dentro da própria casa. Foi André que, vendo a insatisfação estampada no rosto da jovem esposa, sugeriu que ela procurasse retomar a velha paixão pelo canto e pela música — a essa altura, não podia imaginar que seria exatamente isso o que, pouco a pouco, iria afastá-los ainda mais.

André achava que o piano poderia servir de companheiro a Maysa, uma distração para enganar o tempo enquanto ele estivesse fora. Mas seus cálculos logo se revelariam equivocados. "Comecei a cismar sobre a vida, sem estar muito certa do que realmente desejava. Encontrei refúgio na companhia do meu velho amigo, o violão. Comecei a compor algumas canções que todo mundo dizia que eram tristes. Mas, a mim, davam uma imensa alegria", diria ela. "As músicas descreviam o espírito de uma menina sufocada pela tradição Matarazzo", avaliaria. Entre as composições dessa época, estava a melancólica "Tarde triste":

> [...]
> Tarde triste,
> Noite vem,
> Já está descendo,
> E eu sozinha, sofrendo.

* * *

Em 1955, em um domingo em que a mãe foi visitá-la na casa de Itanhaém, Maysa chegou a lhe segredar que sonhava em lançar um disco com aquele punhado de canções que estavam brotando do violão. Quatro anos antes, em 1951, ela teria gravado um disquinho amador, de 78 rpm, em um estúdio de fundo de quintal, com duas músicas, nenhuma delas de sua autoria. Segundo a própria Maysa revelaria em entrevista a *Fatos & Fotos* quase três décadas mais tarde, de um lado estaria "Se eu morresse amanhã de manhã", de Antônio Maria; do outro, uma "canção americana" que ela não chegou a dizer o título — nem o repórter que fez a entrevista teve a curiosidade de perguntar.

Mesmo os colecionadores mais fanáticos de música popular brasileira desconhecem a existência desse suposto disco de pré-estréia. Mas o cantor Jorge Goulart, amigo e admirador de Maysa, chegaria a jurar que ele existe e que, inclusive, o ouviu. O primo dela, Sérgio Sarkis, também. Nenhum dos dois, contudo, têm mais o disco em suas respectivas e alentadas coleções. Um elemento complicador em toda essa história é a data que Maysa diz ter gravado "Se eu morresse amanhã de manhã", que só viria a ser conhecida pelo grande público dois anos depois, ao ser lançada em 1953 pelas cantoras Aracy de Almeida, Dircinha Batista e, em 1955, por Nora Ney. O biógrafo de Antônio Maria, o jornalista carioca Joaquim Ferreira dos Santos, desconhece que Maysa tenha gravado tal música. Na discografia oficial dela — e em qualquer outra entrevista concedida por Maysa — não há nenhuma menção a essa preciosidade que, se de fato existiu, já virou lenda e se tornou um tesouro para colecionadores.

Seja como for, naquele fim de semana em Itanhaém dona Inah ouviu e elogiou muito as novas composições da filha, mas aconselhou-a a esquecer o assunto. Ela precisava se conscientizar de que agora era uma mulher casada, esposa de um membro de uma família tradicional, que jamais aceitaria tal tipo de exposição por parte de uma Matarazzo. Continuasse a cantar aquelas maravilhas em casa, em família, e procurasse colocar acima de tudo a felicidade de seu casamento. Decepcionada, Maysa consultou o pai a respeito — e a opinião que ouviu não foi muito diferente. Monja, que era maluco por música, orgulhava-se dos dotes da filha, mas estava longe de querer uma vida de cantora para ela. Muitas vezes fizera questão de que Maysa cantasse para os muitos amigos dele, porém tudo aquilo era para consumo doméstico. E assim, recomendou ele, é que as coisas deveriam permanecer.

Ironicamente, em 1956, foi o mesmo Monja quem colocou Maysa bem no meio do caminho de um notório descobridor de talentos, o produtor Roberto Côrte-Real, que ajudara a lançar Cauby Peixoto e algum tempo depois apresentaria ao Brasil um jovem cantor capixaba chamado Roberto Carlos. Depois de uma noitada na boate Oásis, Monja convidou Côrte-Real — com sua indefectível gravatinha-borboleta — para dar uma esticada até em casa. Junto com os dois estava um amigo em comum, o violonista e cavaquinista José do Patrocínio Oliveira, o malemolente mestre Zezinho do Banjo, que tocara com Carmen Miranda nos Estados Unidos e dublara o personagem Zé Carioca nos desenhos animados de Walt Disney.

De férias no Brasil depois de quase vinte anos morando no exterior, Zezinho era o homenageado da noite na Oásis, mas aproveitou a carona e acompanhou Côrte-Real até a cobertura de Monja na Rego Freitas, para mais algumas boas doses de uísque naquela noite. Lá, encontraram Maysa. O pai, é claro, já havia falado da filha talentosa para a dupla ilustre. E não hesitou em pedir a Maysa que mostrasse, ao vivo, que ele não havia exagerado. "A menininha que esperávamos encontrar se apresentou ante os nossos olhos surpresos, prestes a ser mamãe, e era a senhora Maysa Monjardim Matarazzo", contaria Côrte-Real. A vida de Maysa começaria a mudar, radicalmente, a partir daquela noite.

* * *

Sim, Maysa estava grávida. E imensa. Ao meio da gestação, estaria pesando cerca de noventa quilos. Mergulhada na vida de dona de casa, vítima de um início de depressão causada pelo ócio, descuidara-se da própria aparência. Diante de Côrte-Real e Zezinho, tomou do violão e começou a cantarolar alguns *standards* da música norte-americana. "Lembro que o violão ficou assim bem longe do corpo, pois eu estava com um baita barrigão e enorme de gorda", recordaria. "Confesso que ficamos admirados diante de tanto talento artístico e interpretativo. Nossa emoção cresceu ainda mais quando dona Inah, sua mãe e fã mais ardorosa, pediu a Maysa que cantasse algumas de suas composições. Chegamos a duvidar em alguns momentos, ao ouvi-la, que pudesse existir alguém que houvesse absorvido, com tanta singeleza e sinceridade, os ensinamentos do cancioneiro romântico do Brasil. Mas acontece que este alguém existia e se chamava Maysa", escreveria um arrebatado Côrte-Real.

Ao final, o produtor não titubeou. Indagou à jovem senhora se ela teria vontade de gravar um disco. Como estava grávida, esperariam o final da gestação e logo depois assinariam o contrato, propôs Côrte-Real. Segundo a própria Maysa, o marido André, que estava ali ao lado, apressou-se em responder por ela. Deu um pulo do sofá e sentenciou: "Não. Isso não está em cogitação".

Diante do entusiasmo de Maysa, André acabaria cedendo. Faria tudo para ver a esposa voltar a sorrir. Mas, mesmo assim, estabeleceria algumas condições. Ela não poderia se apresentar, de modo algum, como cantora profissional. Não podia ser confundida com uma artista de rádio, o que à época, para as ditas boas famílias, equivalia a ser comparada com uma meretriz. Era uma Matarazzo, não podia se esquecer disso. Resolveu-se então que a renda do disco a ser gravado seria inteiramente revertida para o Hospital do Câncer, fundado três anos antes em São Paulo, por meio da arrecadação de fundos e donativos, pela sra. Carmen Annes Dias Prudente — pioneira do trabalho voluntário no Brasil — e pelo marido, o médico Antônio Prudente.

Outra exigência de André era a de que, contrariando uma regra do mercado fonográfico, não haveria a imagem de Maysa na capa do disco. Em seu lugar, apenas uma fotografia feita por Dirceu Côrte-Real — irmão de Roberto — em que se via um arranjo de orquídeas roxas e amarelas, orvalhadas, sobre fundo azul, junto a uma espécie de cartão de visitas com o título: *Convite para ouvir Maysa*. O sobrenome Matarazzo, também por determinação de André, viria apenas na contracapa, em letras discretas. "Como eu queria muito gravar, e como admirava dona Carmen Prudente, topei tudo aquilo", contaria ela.

Reza a lenda difundida nos meios musicais brasileiros por Côrte-Real que a gravadora RGE (Rádio Gravações Especializadas) foi fundada especialmente para lançar Maysa como cantora. Segundo o próprio dono da RGE, o ex-radioator e publicitário José Scatena, essa é uma boa história, mas contém uma imprecisão. Até ali, a RGE, que começara como um estúdio de gravações de anúncios comerciais, já havia colocado no mercado meia dúzia de outros discos, todos com repercussão quase nula. O primeiro, de 1954, foi o de mais fragoroso insucesso. Naquele ano, o time de futebol do Corinthians disputaria a final da Taça do IV Centenário de São Paulo e Scatena arquitetou o que julgava ser a maior jogada de marketing esportivo de todos os tempos. Chamou os integrantes do grupo Titulares do Ritmo — sexteto vocal e instrumental, cujos componentes eram todos cegos — e encomendou-lhes a gravação em 78 rpm da célebre canção "Campeão dos campeões", letra e música do radialista Lauro D'Ávila que viria a ser adotada como hino oficial do clube. Apesar da regência de um notório palmeirense — o maestro Silvio Mazzuca —, Scatena achou que a gravação seria um sucesso estrondoso e cogitou mandar prensar 50 mil cópias do bolachão. Amigos do ramo musical aconselharam-no a ir com menos sede ao pote e sugeriram uma tiragem mais realista, de mil exemplares, a média de então para o início de carreira de um disco. O próprio Scatena contaria que Mazzuca, enquanto regia, passou o tempo todo no estúdio a resmungar palavrões entre os dentes contra os corintianos. Mas o pior estava por vir. O Corinthians, que disputava o título precisando de apenas um empate com o arqui-rival Palmeiras, sagrou-se campeão após o magro placar de 1 × 1. Entretanto, a despeito da já conhecida e ardorosa paixão da nação alvinegra, o disco vendeu menos de quinhentos exemplares.

Diante daquele malogro embalado em preto-e-branco, passaram-se mais dois anos até que José Scatena criasse novamente coragem e se decidisse por lançar um selo musical de verdade. E, quando o fez, tentou não reincidir no erro. Chamou ninguém menos que o maestro, arranjador e *band-leader* Enrico Simonetti, um italiano talentoso que viveu no Brasil entre 1952 e 1961, e que com sua orquestra assinaria várias trilhas sonoras de filmes de sucesso do cinema nacional produzidos pela Vera Cruz, pioneira e principal concorrente da Atlântida.

Simonetti gravou para Scatena um disco de dez polegadas intitulado *Panorama musical*, em que fazia releituras instrumentais e rebuscadas de sucessos populares como "Maringá", de Joubert de Carvalho, e "Feitio de oração", de Noel Rosa e Vadico. Numerado como RLP-0001 pela gravadora de jingles que acabara de abrir as portas para um novo mercado, o disco amargou idêntico fracasso. Ainda de acordo com Scatena, os lançamentos que o sucederam não tiveram melhor sorte, à exceção do êxito relativo que obteve um outro dez polegadas, gravado pela Orquestra do Cassino de Sevilha, que então excursionava pelo Brasil. O barco encontrava-se nesse ponto desesperador de quase naufrágio quando Côrte-Real teria batido à porta de Scatena com a idéia de lançar um disco de uma ilustre desconhecida chamada Maysa. Segundo consta, o produtor procurara inicialmente a subsidiária brasileira da Columbia Broadcasting System (CBS), que recusara o projeto, por julgá-lo comercialmente inviável. "Como todos os artistas que eu havia sugerido para a alta direção da CBS já faziam sucesso, não hesitei em levar a sugestão como sempre fazia para gravarmos a cantora e compositora Maysa, explicando que era uma senhora da sociedade casada com um grande industrial paulista", escreveria Côrte-Real. "Não acreditando que Maysa pudesse fazer sucesso, o gerente da CBS na época me respondeu que gravaria, se soubesse antes quantos discos seu milionário marido compraria", diria ele, que engoliu em seco a provocação e foi procurar o amigo José Scatena.

"Eu era um publicitário com alma de poeta e, talvez por isso, convenci-me de que devíamos fazer aquele disco", relembraria o próprio Scatena. "Tudo parecia conspirar contra nós: eu não tinha autorização da família para explorar o sobrenome Matarazzo, não podia colocar a foto da cantora na capa e, como se não bastasse, aquela moça, que até ali ninguém sabia quem era, bateu pé para preencher todas as faixas do disco com composições de sua própria autoria." Para completar, Maysa achou que o número 7 não dava sorte. Assim, em vez da numeração RLP-0007, que caberia ao álbum por ser o sétimo a ser lançado pela gravadora, a capa traria a inscrição RLP-0013, pois a temperamental Maysa dizia que 13 era seu número da sorte. "Só mesmo um sujeito sem o mínimo traquejo para os negócios poderia embarcar naquela provável canoa furada. Pois, felizmente, eu embarquei", diria Scatena.

* * *

Conforme combinado, Maysa esperou que o bebê nascesse para só depois entrar em estúdio. O garoto, que veio ao mundo em uma cesariana realizada no dia 19 de maio de 1956, receberia o nome do bisavô materno, Jayme. Mais tarde, Jayme Monjardim Matarazzo, único filho de Maysa, ficaria conhecido como diretor de cinema e televisão, assinando simplesmente Jayme Monjardim. Pouco antes do nascimento do neto, dona Inah levou Maysa para uma viagem aos Estados Unidos, onde foi comprado todo o enxoval do bebê. Na ocasião, as duas aproveitaram para assistir a uma apresentação da cantora Doris Day no Radio City Music Hall, famosa casa de espetáculos localizada no Rockefeller Center, em Nova York. Na volta para o hotel, Maysa, maravilhada com o que vira, comentou com a mãe que não esquecera do trato que fizera com Côrte-Real. Assim que passasse o período de resguardo, pós-gravidez, assinaria com a RGE.

Dito e feito. José Scatena ficou surpreso quando a nova contratada foi uma noite ao escritório da gravadora para fechar o contrato, levando consigo a mãe, o pai, o marido e uma porção de amigos da família. "Era tanta gente que não coube na salinha em que eu trabalhava", afirmaria Scatena. "Estavam todos muito bem trajados, as mulheres de vestidos longos e caros. Explicaram-me que depois dali iriam todos para a boate Oásis." José Scatena lembraria ainda que, naquela noite, Maysa, já bem mais magra que durante a gravidez, exalava um perfume suave e adocicado, mas o que o deixou particularmente impressionado foram os característicos olhos verdes realçados com delineador. "Maysa era um oásis de beleza, de encontro, de inteligência, de sensibilidade e, acima de tudo, de uma presença feminina marcante e charmosa", registraria José Scatena.

O disco *Convite para ouvir Maysa*, lançado em 20 de novembro de 1956, foi gravado com acompanhamento da orquestra conduzida pelo maestro Rafael Puglielli — responsável pelo programa *Música e fantasia*, da TV Tupi de São Paulo — e trazia oito composições assinadas pela mais nova cantora e compositora brasileira. "Invento primeiro a melodia, que fixo no gravador de fita, encaixo depois os versos. O restante é com o maestro", explicou ela à *Radiolândia*. Sob um arranjo diáfano de cordas, em que um coro de violinos dialogava com um magoado contrabaixo, ouvia-se a voz de Maysa pontuada pelo piano e, aqui e ali, por um inspirado acordeom. Havia a presença de instrumentos pouco utilizados em gravações de música popular, como a harpa e o oboé, associados até ali apenas a orquestrações eruditas — infelizmente, o álbum não traria a ficha técnica dos músicos que participaram da gravação. Os títulos dos oito samba-canções diziam bem do conteúdo melancólico das letras e melodias.

Desde "Marcada", a música que abria *Convite para ouvir Maysa*, o ouvinte já era arremessado em um mergulho sem volta na atmosfera intimista da nova cantora que, no primeiro disco, já avisava ao que vinha: *Sofrendo calada/ chorando sozinha/ trazendo comigo/ a dor que é só minha/ procuro em vão na fantasia/ um pouquinho só de alegria*, anunciava ela, como uma providencial advertência aos cardíacos que ousassem pôr aquele dez polegadas na vitrola. Em "Não vou querer", o eterno mote do amor desfeito era encarado sem grandiloqüências, em um tom quase conformado, mas nem por isso menos dolorido: *Não te enganei,/ nem me enganaste,/ aconteceu./ Já me amou,/ já te amei/ tudo morreu*. A seguir, "Agonia" desdenhava dos que acreditam na busca da felicidade e se entregam aos "sorrisos de alegria", pois, segundo Maysa, quando se acorda da ilusão é que se percebe que *quem mora em seu coração/ é a dor de uma triste saudade*. Na faixa seguinte, a confessional "Quando vem a saudade", a mesma aflição é carpida ainda mais abertamente: *Vou vivendo esta vida/ curtindo essa dor/ eu só quero que um dia/ tu possas saber/ o que é o amor*.

Os que haviam sobrevivido ao lado A tinham mais quatro testes à resistência de suas heróicas coronárias. Virava-se o disco e ouvia-se "Tarde triste", uma daquelas primeiras composições de Maysa nascidas ao violão logo após o casamento, faixa que puxava a seguir a composição mais autobiográfica de todas, a belíssima "Resposta": *Ninguém pode calar dentro em mim/ essa chama que não vai passar/ É mais forte que eu/ e não quero dela me afastar*. Depois daquele desabafo cantado em tom de explícito desafio, "Rindo de mim" retomava o clima soturno: *Quando as primeiras estrelas/ nos céu aparecem a piscar/ sei que estão rindo de mim/ por ainda esperar o amor/ que a noite levou para tão longe de mim*. E, fechando o disco, ouvia-se "Adeus", a primeira música composta por Maysa aos doze anos, que nas mãos do maestro Rafael Puglielli e suas cordas pungentes funcionava como um tiro de misericórdia contra os miocárdios que não tivessem sucumbido durante a audição das faixas anteriores.

Gravar aquelas oito músicas dera um baita trabalho. Como os equipamentos não tinham os mesmos recursos de edição que teriam no futuro, qualquer erro no meio da execução inutilizava todo o processo e havia a necessidade de começar tudo de novo. Scatena revelaria que, durante o trabalho para o disco de estréia, Maysa parecia bem nervosa, o que exigiu que cada canção fosse repetida inúmeras vezes.

Diante da pequena estrutura da RGE, depois da prensagem das primeiras quinhentas cópias, o próprio Scatena colocou uma pilha de discos debaixo do braço e foi de loja em loja, tentar convencer os respectivos proprietários a comprar o mais novo lançamento que acabara de sair do forno da gravadora. Do mesmo modo, Scatena dirigia sua lábia proverbial aos balconistas, pois sabia que eles eram os primeiros e maiores propagandistas do mercado: se um disco caísse nas graças de um bom número deles, era certo que iriam tocá-lo o dia inteiro no interior das lojas e isso constituiria um chamariz infalível para compradores em potencial. Mas, diante do vexatório histórico de vendas da gravadora até ali, ninguém colocou muita fé naquele disco de uma tal Maysa, uma estreante que convidava o público para ouvi-la, mas lhe oferecia apenas três orquídeas em vez do próprio rosto.

Por esse tempo, a única aparição pública que André permitiu que a esposa fizesse como cantora foi em uma apresentação de pré-lançamento na boate Cave, no mês de agosto, entre o nascimento de Jayme e a data em que o disco foi às lojas. O bebê havia completado três meses quando aquela casa noturna — localizada na rua da Consolação, próximo à avenida Paulista — anunciou que a "Sra. André Matarazzo" cantaria em prol do Hospital do Câncer. Exigia-se *black-tie* da seleta platéia — dizia o convite.

"Apenas os íntimos do casal Alcebíades Monjardim e os pequenos grupos que freqüentam a casa de André Matarazzo conheciam a voz e o talento de Maysa como cantora e compositora", comentou o *Diário de São Paulo* na edição do dia 23 de agosto de 1956. "Anteontem, entretanto, um grande grupo, cerca de cem pessoas, também teve a oportunidade de ouvir Maysa Matarazzo", dizia a nota, que informou ainda que só o couvert artístico rendera cerca de 26 mil cruzeiros — o suficiente para comprar cerca de quatrocentos quilos de carne para a refeição dos internos do Hospital do Câncer. "Maysa fez a entrega, na mesma noite, em público, para a representante de dona Carmen Annes Dias Prudente. Assim que é bonito", elogiava o *Diário de São Paulo*.

Mas, durante semanas, um desalentado Scatena contemplou a prateleira do escritório, abarrotada de centenas de exemplares encalhados do *Convite para ouvir Maysa*. Os poucos que haviam sido vendidos estavam nas mãos de parentes e amigos da família Monjardim. Em Vitória, Sérgio Sarkis tentava em vão persuadir as lojas de discos locais a comprar o trabalho da prima. Quando muito, para os desavisados, o disco parecia ter sido apenas um capricho de uma moça da alta sociedade que, entediada da vida de madame, quisera fazer uma boa ação e, com um trabalho despretensioso, desejara amparar uma entidade filantrópica. A carreira de Maysa, tudo indicava, não decolaria. Pelo menos foi o que se pensou nos próprios corredores da RGE até o dia em que José Scatena, remoendo com seus botões, teve o estalo de uma grande idéia.

4. Ouça (1956-1957)

Ouça vá viver a sua vida
com outro alguém
hoje eu já cansei de pra você
não ser ninguém.
(Maysa, gravação de 1956)

José Scatena pegou o telefone sobre a mesa e fez um interurbano para o Rio de Janeiro. Do outro lado da linha atendeu o radialista Walter Silva, que ficaria mais conhecido na história da música popular brasileira pelo apelido de Pica-Pau — isso porque, em seus programas de rádio, usaria como vinheta a inconfundível gargalhada do personagem de desenho animado criado pelo xará norte-americano, Walter Lanz. Na conversa, Scatena foi direto ao ponto. Estava precisando de um divulgador para a RGE no Rio. Ou a gravadora começava a deslanchar ou os prejuízos fariam o negócio ir a pique. E, para alguma coisa deslanchar de verdade no Brasil dos anos 1950, era indispensável que se fizesse um bom barulho no Rio de Janeiro, que, além de capital da República, era também a sede e a maior caixa de ressonância da produção cultural do país — à época, quando comparado ao bochicho artístico do Rio, o mundo musical de São Paulo mais se assemelhava ao de uma pachorrenta província.

O paulistano Walter Silva havia começado a carreira aos doze anos, narrando lutas de boxe ao microfone de uma rádio pirata montada por um primo. Aos dezenove anos, tornou-se locutor profissional e, aos 22, depois de passar por algumas emissoras de São Paulo, transferiu-se para o Rio de Janeiro e foi trabalhar como uma espécie de "faz-tudo" na Rádio Mayrink

Veiga, na qual apresentava vários programas e, como bico adicional, prestava serviços à empresa responsável pela contratação de artistas para o elenco exclusivo da casa. Sempre disposto a somar mais alguns cobres ao salário fixo, Pica-Pau não rejeitava serviço. Portanto, quando José Scatena indagou-lhe ao telefone se ele queria acumular mais uma função, a de divulgador da RGE no Rio de Janeiro, não hesitou um único segundo. Assim, recebeu a quase inexeqüível tarefa de desencalhar os discos da gravadora paulistana. No entanto, tão logo pôs os ouvidos no *Convite para ouvir Maysa*, farejou que possuía algo bom de verdade nas mãos, embora tivesse sido informado que, das quinhentas cópias prensadas, nada menos que 450 continuavam acumulando poeira nos estoques em São Paulo.

Pica-Pau disse a Scatena que, para apresentar a nova e sofisticada cantora "paulista" aos ouvintes do Rio de Janeiro, era necessário antes de tudo que os locutores e a imprensa carioca a conhecessem de perto. Para isso, era preciso que Maysa descesse literalmente do salto. "Recomendei que ela calçasse um sapato bem baixinho, pois iríamos andar bastante no Rio, já que eu queria fazer com ela uma longa peregrinação por todos os jornais, revistas e emissoras da cidade", recordaria Pica-Pau. André Matarazzo, como era de esperar, não gostou nada daquela idéia. Não ficava bem para uma mulher da alta sociedade mendigar espaços em rádio e jornal, até porque isso significaria manter contato direto com o mundo dos repórteres e programadores de emissoras, um território marcadamente masculino. Aliás, o disco não fora feito para tocar em rádio. Fora concebido como uma ação beneficente e sua divulgação maciça o transformaria em um produto comercial, o que caracterizaria Maysa como uma cantora profissional — desde sempre, a principal objeção de André.

A muito custo, Maysa conseguiu dobrar a oposição do marido com um argumento de lógica irretocável: não teria adiantado coisa alguma fazer um trabalho para arrecadar fundos em prol de uma instituição filantrópica se, até ali, o disco permanecera sem ter quem desse um único níquel por ele — pelo simples fato de que não havia ninguém no mundo que soubesse de sua existência. Vencido por tal argumentação, André colocou uma condição para que Maysa viajasse ao Rio: ele iria junto com ela. Foi assim que, naquele final de 1956, onde quer que houvesse uma antena de ondas curtas na capital federal, a dupla formada por Pica-Pau e Maysa se fez presente — com a devida escolta de um sisudo André, que não fazia nenhuma questão de disfarçar a carranca de poucos amigos.

* * *

Walter Silva se orgulharia de ter bolado algumas das mais inusitadas ações publicitárias para turbinar as vendas dos artistas que estavam sob sua responsabilidade profissional. "Certa vez, inventei uma promoção que marcou época. Eu disse aos locutores e programadores que tal dia era aniversário da RGE. Convenci-os, naquela data, a só tocar músicas de nossa gravadora. Não era aniversário coisa nenhuma, mas fizemos uma festa e distribuímos homenagens aos melhores profissionais do rádio. Foi um sucesso extraordinário", lembraria Pica-Pau.

Esse insólito tipo de marketing contava com total apoio do dono da gravadora, José Scatena, que em nome do sucesso de seus contratados também já aprontara das suas. "Havia muita gente que confundia a pequenina RGE com a G&E, a General Eletric, fabricante de eletrodomésticos. Achavam que a gravadora era ligada à poderosa multinacional. Eu não fazia nenhuma questão de esclarecer o mal-entendido. Até incentivava, distribuindo brindes daquela marca famosa aos nossos fornecedores e clientes", revelaria Scatena.

Com o trabalho de corpo-a-corpo junto às emissoras, as faixas de *Convite para ouvir Maysa* começaram, gradativamente, a tocar nas rádios do Rio de Janeiro e chamaram a atenção do público para a nova cantora. E foi em uma crônica publicada pelo *Diário Carioca* — escrita pelo jornalista e compositor Jorge Costa Nascimento, que se assinava Ricardo Galeno — que o nome de Maysa apareceu pela primeira vez na imprensa do Rio. Galeno, titular de uma coluna sobre rádio, compositor de "A vontade de morrer voltou toda", gravada por Lana Bittencourt, e "Só vives para a lua", cantada por Ângela Maria, era do ramo e não encontrou dificuldade para entrar no clima *noir* do disco. Sob o título "Em compasso de Maysa Matarazzo", em 27 de novembro de 1956 derramou-se:

Estou fechado numa sala. Oferecem-me a voz de Maysa Matarazzo e afundo na poltrona. Maysa me pega distraído e, pouco a pouco, vai me envolvendo todo. Que tenho? Por que estou assim tão embevecido? Afinal de contas, sou um sujeito acostumado a lidar com vozes e interpretações. Conheço de perto os recursos vocais de Elizeth, choro aos pés de Piaf, em suma: sou um sujeito de ouvido acostumado às vozes humanas. Por que estou assim?

Já ouvi "Marcada", "Não vou querer", "Agonia" e "Quando vem a saudade". Quero tocar a outra face do *"long-playing"* e de emoção não consigo. "Marcada" está dentro de mim, "Não vou querer" segura a manga do meu paletó, "Agonia" me sacode o peito e "Quando vem a saudade" acaricia os meus cabelos. [...]

Maysa me impressiona pela musicalidade do próprio nome. Quando a gente fica sabendo que ela concordou em gravar a sua voz em benefício do Hospital do Câncer, a gente não fica tão impressionado, pois de Maysa a gente espera gestos como esse. O que emociona a gente é o nome de Maysa, é a voz de Maysa, é a interpretação de Maysa, é a inspiração de Maysa, é, acreditem, a maneira de dizer de Maysa.

Porque Maysa realmente sabe dizer cantando. É uma artista de fato, de voz bonita, de interpretação deste tamanho e que faz inveja a muito medalhão que anda por aí, de garganta profissionalizada às pampas, mas transmitindo muito pouco.

Encontro forças pra virar o magnífico RGE no prato metálico. Os arranjos de Rafael Puglielli me jogam no chão (o homem é um tarado) e a voz de Maysa surge novamente agora falando de uma "Tarde triste". Realmente a tarde foi triste e, particularmente, tenho vivido muitas tardes tristes. Por isso, Maysa me faz um grande bem. Vem a "Resposta", "Rindo de mim" pega a se rir e o "Adeus", com lenço melancólico e tudo, melancoliza os meus poucos gestos e as coisas resignadas que me cercam. [...]

Juro que não conheço Maysa. Não sei se ela é loura ou morena; se tem olhos negros ou verdes. Sei, apenas, que Maysa resolveu gravar um *"long-playing"* como quem resolve comprar um chapéu novo e o bandido me pegou, amarrotou o meu coração e me fez acreditar que ainda existem vozes que valem a pena.

> Eu disse acima que não conheço Maysa e que não sei a cor dos seus olhos. Imagino-os, porém, verdes. Pode ser que eles sejam do melhor negro da praça, mas imagino-os verdes. E explico por quê: mulher de olhos verdes é emoção, é raça, é lirismo, é ternura em ritmo de caminhar e de andar. E este cronista — que já se perdeu pelos quadrantes do sem-fim de um olhar verde — imagina olhos verdes em tudo que lhe faz bem: seja uma voz, que diz realmente uma canção, seja um vento maroto que traz mensagens no colo.
>
> Maysa, você não existe.

Pica-Pau, que também trabalharia como narrador de futebol, comemorou aquilo como se fosse um gol da seleção brasileira em final de Copa do Mundo. Scatena ficou feliz da vida e previu dias melhores para a iniciante RGE. Maysa, por sua vez, estava envaidecida com a publicação da primeira crítica — escancaradamente positiva — que o disco acabara de receber na imprensa. André, é lógico, teve uma crise de ciúme. O autor do texto praticamente cantava a mulher alheia em letra de forma, dizendo-se "embevecido" com a voz dela e, como se não bastasse, ficara especulando sobre a cor dos olhos. Ademais, era bem difícil de acreditar que Ricardo Galeno tivesse acertado, na mosca, sem nunca ter visto Maysa. Além disso, André começou a sofrer censuras por parte de familiares, que passaram a achar que aquela brincadeira de Maysa querer ser cantora já estava indo longe demais.

Mas o humor dos Matarazzo azedou de vez quando, cerca de um mês e meio depois daquela crônica de Ricardo Galeno no *Diário Carioca*, foi a vez da *Manchete*, uma das principais publicações do país, trazer também um texto sobre Maysa. E não era um texto qualquer. Escrito pelo jornalista e dramaturgo Henrique Pongetti, responsável pelo artigo que abria cada edição da revista, intitulava-se "Quando canta um Matarazzo". Naquela edição de 19 de janeiro de 1957, os que leram a primeira página de *Manchete* tomaram conhecimento da cizânia que se estabelecera no poderoso clã paulistano por causa de Maysa: "O conde Chiquinho Matarazzo não queria que ela cantasse canções fúteis. No seu entender, a Matarazzo de bonita voz da família deveria estudar alguns anos em Milão e tornar-se a substituta de Maria Callas no Metropolitan" — escreveu Pongetti, referindo-se à prima-dona grega que se tornara a grande atração da principal casa de espetáculos operísticos em Nova York.

O artigo de Pongetti era escrito com assumida licença poética e, nele, o autor imaginava como estaria se dando a discórdia familiar no seio dos Matarazzo: "O conselho de família se reúne e os debates começam. Cicillo Matarazzo [industrial e mecenas, fundador da Bienal de Artes Plásticas de São Paulo], que é moderno e faz prova de sua sincera modernidade dando apoio a todas as novas realidades plásticas, defende o meio-termo. Nem Verdi, nem Ataulfo de Paiva. O genuíno *folk-song* internacional fornece elementos para um repertório de elevada classe artística".

Henrique Pongetti prosseguia a narrativa, fingindo divagar, mas colocando-se como um suposto e privilegiado espectador que houvesse testemunhado toda a desavença: "O conde Chiquinho esperneia. Nada de música ligeira. A música atingiu um nome equivalente, em peso e prestígio, ao da indústria pesada. Música ligeira pode ser comparada ao pequeno comércio de varejo. Ninguém veste smoking ou vestido decotado, põe um diadema e o colar para ouvir uma Ângela Maria, uma Inezita Barroso".

Pongetti prosseguia: "Ermelino Matarazzo [filho do conde Chiquinho] defende o gênero de Maysa. Os ídolos do mundo moderno são os que dão pequenos prazeres às grandes multidões atormentadas pelo encarecimento da vida, a inflação e o aumento de natalidade. Por sua vez, as elites, desesperançadas de encontrar os gênios capazes de subjugá-las, deixam-se contagiar pela voz de Edith Piaf ou Doris Day". O artigo, que finalmente lançava o nome de Maysa em uma publicação de circulação nacional, terminava com um rasgado elogio: "Neste ponto dos meus divagares, entra a voz de Maysa Matarazzo. É uma voz saborosa, ainda sem os truques do microfone e da cera, cálida, envolvente, que se instala na sua alma e nos seus ouvidos sorrateiramente, sem você se dar conta, como o pó sobre os tampos dos móveis mais lustrosos".

As duas crônicas ajudaram a fazer com que as músicas do *Convite para ouvir Maysa* ganhassem de vez as emissoras de rádio do Rio de Janeiro e, dali a pouco, de todo o país. Não por coincidência, começaram ali também os primeiros atritos realmente graves entre Maysa e o marido. André ficou aborrecido, por exemplo, quando mal a crônica de Pongetti havia sido publicada, a mulher decidiu aceitar o convite para fazer uma participação, ao vivo, no programa de auditório apresentado pelo cantor e locutor Carlos Henrique, na Rádio Mayrink Veiga, no Rio. Maysa foi, mas o tempo em casa fechou. Walter Silva contaria que por várias vezes presenciou discussões feias entre o casal. "Separei muita briga entre os dois, principalmente na hora do almoço. Iam às vias de fato. Quebravam pratos. André reclamava: 'Quer dizer que você resolveu mesmo ser uma cantora profissional, esse negócio vulgar...', ele gritava de um lado. 'Resolvi sim. Vou ser cantora. Aliás, eu *sou* uma cantora', ela gritava do outro. E quebravam o pau."

Na apresentação na Rádio Mayrink Veiga, Maysa diria ter ficado estarrecida quando viu parte da platéia levantar tão logo se aproximou do microfone. Sem nenhuma explicação, ao ser anunciado o nome da próxima atração, alguns dos presentes ao auditório da emissora teriam saído à francesa — não se sabe se porque Maysa era uma artista ainda pouco conhecida ou se aquilo representava alguma espécie de represália contra ela. De todo modo, foi na segunda hipótese que Maysa Matarazzo acreditou. O episódio nunca foi completamente esclarecido, porém Maysa o atribuiu a uma suposta armação patrocinada pela família do marido. Com o nó apertando-lhe a garganta, conseguiu cantar, contendo a indignação. Mais tarde, debulhou-se em lágrimas de ódio e disse a André que ninguém conseguiria mais detê-la em sua carreira. Ninguém mesmo. Nem o imenso amor que sentia por ele, sublinhou.

Logo depois disso, na primeira semana de fevereiro, veio novo convite, agora para cantar no programa musical *Sucessos Arno*, da Rádio Record, de São Paulo, com acompanhamento do maestro Gabriel Migliori, que quatro anos antes, em 1953, havia composto a trilha sonora do filme *O cangaceiro*, do cineasta Lima Barreto e, em 1962, assinaria a música de *O pagador de promessas*, de Anselmo Duarte (que conquistaria naquele ano a Palma de Ouro no Festival de Cannes). *Sucessos Arno* era apresentado por Sonia Ribeiro, mulher do apresentador Blota Jr. — o casal que foi quase um sinônimo do rádio e da televisão brasileira nas décadas de 1950 e 1960. Era uma chance e tanto para Maysa mostrar sua música ao público paulista. André, pondo em prova os próprios limites impostos pela tradição familiar, relevou a crise que se instalara em seu casamento e acompanhou a mulher até o auditório da emissora.

Seria fácil recorrer ao maniqueísmo e retratar André apenas como um vilão disposto a jogar pás de terra sobre a vontade inabalável de Maysa em ser artista. Mas, se levadas em conta as pressões da sociedade conservadora em que ele havia nascido e da qual também era essencialmente um integrante, a questão era muito mais complexa do que, à primeira vista, poderia parecer. André considerava já ter feito até ali uma série de concessões que, poucos meses antes, um tradicional Matarazzo jamais acreditaria ser capaz de fazer. Era como se ele suportasse sobre os ombros o brasão de 150 quilos que ornava o portão de ferro da mansão na avenida Paulista. Mas o curioso é que, a despeito de toda a pressão familiar e de seu ciúme, foi com seu aval — e com sua ajuda — que Maysa começou a cantar na televisão.

* * *

O publicitário Edmur de Castro Cotti, diretor do escritório da agência McCann Erickson em São Paulo, ligou para Paulinho Machado de Carvalho, diretor da TV Record, sugerindo que ele contratasse a Matarazzo que cantava. Cotti, criador do slogan "Mil e uma utilidades", informou que a Abrasivos Bombril S.A. estava interessada em patrocinar um programa estrelado por ela. Por trás disso estava o dedo do próprio dono da Bombril, Roberto Ferreira, amigo íntimo de Olympio Matarazzo, irmão e sócio de André em uma metalúrgica em São Paulo. Olympio, considerado um dos membros mais "modernos" da família, convenceu o mano a permitir que a esposa cantasse na televisão, com a ressalva de que cada centavo pago pela emissora a Maysa fosse depositado na conta bancária do Hospital do Câncer.

A TV Record, Canal 7, surgira pouco mais de três anos antes, em 1953, para fazer concorrência à pioneiríssima Tupi, Canal 3, fundada em 1950 por Assis Chateaubriand. Iniciada pelo velho Paulo Machado de Carvalho, a emissora era tocada pelos três filhos dele — Paulinho, responsável pela direção artística; Antônio Augusto, que cuidava da direção administrativa; e Tuta, o diretor técnico. Maysa recebeu de Paulinho a proposta de 100 mil cruzeiros mensais — quase quatro vezes mais que o valor apurado pelo *couvert* do show da boate Cave, no final do ano anterior — para estrelar o programa semanal na Record. Foi assim que, garantida — e alardeada — a condição beneficente do contrato, os telespectadores paulistas que sintonizaram seus aparelhos no Canal 7, às oito e meia da noite de 13 de março de 1957, viram a estréia do programa de Maysa Matarazzo no auditório da Record, na rua Quintino Bocaiúva, 22, com transmissão simultânea por rádio e tevê.

A data — 13, o número da sorte de Maysa — fora uma exigência dela, para neutralizar a verdadeira obsessão que o dono da emissora, Paulo Machado de Carvalho, nutria pelo algarismo 7. O Canal 7 fora inaugurado em um 27 de setembro — a data inicialmente prevista era 7, mas um atraso na montagem dos equipamentos adiou a primeira transmissão — e todas as placas dos carros da Record terminavam obrigatoriamente em 7. Na carteira, segundo seus biógrafos Tom Cardoso e Roberto Rockmann, Paulo Machado de Carvalho guardava cédulas de 5 a 1.000 cruzeiros, todas também com número de série com final 7.

De acordo com Paulo Machado de Carvalho Filho, desde o começo ficou determinado que o programa de Maysa não seria apenas uma atração a mais na grade da emissora. "Afinal, ela era uma Matarazzo. Ninguém, além dela, tinha uma produção tão apurada, com cenários exclusivos e efeitos especiais", contaria ele. Os tais "efeitos especiais", diga-se, resumiam-se a truques de câmera elementares e hoje talvez considerados de gosto duvidoso, mas revolucionários para a tevê da época, que não passava de uma espécie de rádio televisionado. Em primeiro plano, por exemplo, aparecia um peixinho nadando e, aos poucos, Maysa surgia cantando com seus olhos claros por trás do vidro do aquário, acompanhada pela orquestra regida por Rafael Puglielli. Um *estouro* — como se dizia à época.

José Carlos Colaferri, amigo de Maysa e filho de Vicente Colaferri (o dono da boate Oásis), recordaria que Maysa abriu o programa de estréia cantando "Se todos fossem iguais a você", a primeira parceria entre o poeta Vinicius de Moraes e o ainda pouco conhecido Antonio Carlos Jobim. Maysa havia assistido à peça *Orfeu da Conceição*, texto de Vinicius com música de Tom, que transportava o mito de Orfeu para a favela carioca, e ficara fascinada com as canções que ouvira, decidindo incluir algumas delas no repertório. "A orquestra começou a tocar as primeiras notas e Maysa a seguiu. Em determinado instante, ela parou, olhou para o maestro, balançou a cabeça e disse que era melhor começar tudo de novo", testemunhou José Carlos, que estava na primeira fila da platéia. Como o programa era ao vivo, tudo aquilo foi para o ar. "Fiquei impressionado com a personalidade de Maysa, parar uma orquestra durante a transmissão por julgar que algum músico havia atravessado a melodia", recordaria.

Naquela mesma noite, os Matarazzo reuniam-se na mansão da avenida Paulista para o jantar semanal em família. Antes de saborearem o faisão posto na mesa junto aos pratos de porcelana inglesa e talheres de prata, todos se postaram diante da televisão para ver o programa da "mulher do Andrezinho". Uma das primas, Besita Suplicy, recordaria a péssima impressão que dona Amália, mãe de André, teve ao ver a nora cantando com um vestido que julgou decotado demais para ser usado por uma senhora casada. Amália Matarazzo considerou aquilo uma indecência e uma afronta ao nome da família. Onde estava o juízo de André para permitir uma coisa daquelas?

Os telespectadores não compartilharam da mesma opinião de dona Amália. Com produção de Eduardo Moreira e com o mesmo título do disco de estréia — *Convite para ouvir Maysa* —, o programa fez enorme sucesso. "Na sua primeira noite, Maysa já conquistou fãs, merecendo homenagens, durante a audição, de jovens que lotavam o auditório para lhe oferecer flores", noticiou o *Correio Paulistano*. "Milionária canta para socorrer os pobres", estampou a *Revista do Rádio* em duas páginas, na edição de 20 de abril de 1957, com direito a foto colorida de Maysa.

A partir dali, todas as noites de quarta-feira, com a voz típica de locutor de rádio, o apresentador Randal Juliano anunciava aos ouvintes e telespectadores paulistanos: "Senhoras e senhores, com o patrocínio exclusivo da Bombril, a Rádio e TV Record orgulhosamente apresentam Maysa Matarazzo". Segundo revelaria Paulinho Machado de Carvalho, o programa de Maysa era tão prestigiado pela emissora que foi por causa dele que a direção da casa decidiu procurar um novo auditório, mais condizente com a nova atração que as acanhadas primeiras instalações da Record na rua Quintino Bocaiúva, 22.

Assim, um acordo fechado entre o dono da emissora, Paulo Machado de Carvalho, com o presidente da Federação Paulista de Futebol, Mendonça Falcão, transferiu a transmissão dos programas da Record para o auditório daquela entidade, situado na avenida Brigadeiro Luiz Antonio, em um prédio mais confortável que o anterior. Pouco depois, a emissora inauguraria o célebre Teatro Record, na rua da Consolação, 1992. "Contudo, percebemos bem cedo que o programa de Maysa tinha um diferencial, não era o programa de uma cantora popular qualquer, que atraísse as famosas macacas-de-auditório. Passamos a fazê-lo em estúdio, sem platéia, na sede que ficava próximo ao Aeroporto de Congonhas", contaria Paulinho Machado de Carvalho. "Isso possibilitava que a produção fosse mais requintada, com todos aqueles cenários sofisticados e efeitos especiais idealizados pelo produtor Eduardo Moreira."

Foi Salvador Tredicci, um dos câmeras da emissora, o primeiro a notar que os olhos de Maysa pareciam ter sido feitos para o vídeo. De certa feita, durante um intervalo do programa, ele aproximou lentamente a câmera até dar um *big close* no olhar da cantora. Tuta, o diretor técnico, viu aquilo, gostou e ordenou, lá da mesa de edição: "Faça isso quando estivermos no ar. Comece de longe e vá aproximando, até pegar só os olhos dela".

Na volta dos comerciais, no meio do número seguinte, quando Maysa começou a cantar, Tredicci prendeu a respiração para evitar o mínimo tremor na câmera e foi aproximando o equipamento — um trambolho de quase noventa quilos — até que apenas o olhar felino e sedutor de Maysa ficasse enquadrado na tela. Estava criada uma marca registrada. O público adorou. Maysa amou mais ainda. "Faça isso mais vezes, Dodô", disse ela, tratando Salvador Tredicci pelo apelido com que era conhecido pelos colegas de trabalho. "Como estou um tanto quanto gordinha, ninguém precisa ver o resto do corpo", brincou Maysa, que já voltara a brigar com a balança.

* * *

Após cada apresentação do programa, Maysa levava toda a equipe da tevê para jantar em casa, no Pacaembu. Aquela turba barulhenta mudou a até então tranqüila rotina no lar do sr. e sra. André Matarazzo. Maysa parecia ter aberto uma sucursal particular para as noitadas que o pai, Alcebíades Monjardim, continuava a patrocinar em sua residência. Não demorou muito e os amigos de Monja passaram também a ser convidados de Maysa. Os pais, que no início haviam encarado a carreira da filha com visível reserva, agora eram os maiores incentivadores. Quanto a André, não restava outra alternativa senão se render à nova vida que a esposa passara a levar. Não fazia isso de boa vontade, era evidente. As brigas se avolumavam enquanto a exposição pública de Maysa aumentava. Sobre essa época, ela própria diria: "Quando eu era casada com o Matarazzo nunca comunguei da cartilha dele. Quando comecei a cantar, recebia em casa todo mundo que me dava vontade".

Se a vida íntima claudicava, a carreira passou a voar tão alto quanto o Sputnik, o primeiro satélite artificial da história, que seria lançado ao espaço naquele mesmo ano pelos soviéticos. O disco de Maysa, antes encalhado, teve mais cópias prensadas e começou a bater recordes seguidos de vendas. De acordo com notícia publicada à época pelo *Diário do Povo*, a cada mês a RGE passara a colocar na praça cerca de 3 mil novos exemplares do *Convite para ouvir Maysa*, que logo evaporavam nas prateleiras das lojas. "Seus discos estão obtendo tiragens que impressionam", confirmava o *Diário da Noite*.

De todas as partes surgiam propostas para shows e pedidos de entrevistas. Maysa selecionava-os a dedo. Em abril, ao microfone do programa *Vitrine*, da Rádio Record, ela seria entrevistada por Yara Lins, a atriz, apresentadora e garota-propaganda que teve o privilégio de ser o primeiro rosto a aparecer na televisão brasileira, quando, em 1950, anunciou no ar o prefixo da recém-criada TV Tupi. No Rio, em maio, Maysa provocou furor entre os ouvintes do programa *Gente que brilha*, apresentado pelo locutor Paulo Roberto na popularíssima Rádio Nacional. Ficara claro que André Matarazzo perdera o controle da situação. E não demorou o dia em que resolveu lançar um ultimato à esposa. Ela tinha de optar entre o microfone e o casamento.

A resposta veio em forma de canção. Uma noite, ao chegar em casa, André encontrou Maysa no quarto, rabiscando algo em seu caderno de anotações. Ela arrancou a folha e deu para que ele lesse o que havia escrito. Era a letra de "Ouça": *Ouça, vá viver/ a sua vida com outro bem/ hoje eu já cansei/ de pra você não ser ninguém*. "O que é isto?", André teria perguntado. "Uma música nova. Fiz pensando em você", respondeu Maysa, segundo ela contaria em entrevista radiofônica ao jornalista curitibano Aramis Millarch. "Eu escrevi aquilo sentada na cama, de um jorro, do primeiro ao último verso", revelaria Maysa.

Apesar disso, o casamento sobreviveria alguns meses. Mas a desarmonia conjugal vivida entre quatro paredes logo passaria a ser assunto público. De início, ainda em surdina, nos bastidores do rádio e da televisão. Depois, a notícia começou a vazar e se transformou em tema obrigatório nas mesas dos bares e boates do Rio de Janeiro e de São Paulo. O próprio casal não conseguia mais esconder de ninguém as desavenças. Desentendiam-se à vista de todos, como na vez em que levantaram bruscamente da mesa cativa que Monja mantinha na Oásis e terminaram a noite trocando desaforos mútuos, diante dos olhares de curiosidade e reprovação dos presentes. Por isso, quando Maysa resolveu incluir "Ouça" em seu programa — e logo depois gravar a música em um disco de 78 rpm — a central de boatos passou a funcionar a pleno vapor. Na coluna que mantinha no jornal paulista *Notícias de Hoje*, o radialista Geraldo Tassinari ligou os fios:

> Vocês viram como Maysa cantou "Ouça" no seu último programa? Fazendo pique, extravasando uma satisfação íntima quando dizia: "já cansei de pra você não ser ninguém". Podem crer, aí vem coisa. A compositora agora vai trabalhar com mais intensidade, também podem crer. E o público é que vai ouvir.

O lançamento de "Ouça" provocou comoção no país. Antes de chegar às lojas, a RGE já havia vendido 5 mil cópias do disco, de acordo com informação publicada pelo jornal carioca *O Dia*. "Hoje, após poucas semanas, essa quantia já se multiplica assustadoramente. Isso é o que se pode chamar de sucesso", dizia o colunista César Silva. Não há dados confiáveis sobre o número exato de exemplares vendidos do 78 rpm que trazia "Ouça" de um lado e, do outro, o samba-canção "Segredo", composto por Fernando César, a primeira música que Maysa gravava apenas como intérprete. Contudo, pela repercussão que o disco recebeu da imprensa à época, é legítimo imaginar que tenha alcançado algumas dezenas de milhares de cópias. A música ficou em primeiro lugar em todas as paradas de sucesso do Brasil. "Acho que 'Ouça' transformou-se em uma espécie de novo hino nacional", vangloriou-se a própria Maysa.

Mais uma vez, Ricardo Galeno derreteu-se em elogios ao novo disco da cantora. "Ouça, Maysa: estou ouvindo o seu 'Ouça' deitado no chão", informou ele na coluna do *Diário Carioca*. "Agora mesmo, você diz, pela centésima vez, que já cansou de não ser ninguém", prosseguiu Galeno, para em seguida meter a colher em uma notória briga doméstica: "Negar carinho a quem só de carinho vive, isso nunca. Isso está errado. Aliás, aproveitando o fato de já saber você de cor, por força de tanto 'Ouça' repetido, estou com vontade de acelerar as rotações da vitrola para, em outra facécia, ter você fininha e saltitante, como certos personagens de desenho animado", escreveu o cronista. "Mas como os violinos estão presentes e você mais presente do que os violinos conduzidos pelo Puglielli, já sabe: fico aqui grudado no chão por mais duzentos anos."

Todo o restante da mídia, embora em um tom menos saliente que o utilizado por Ricardo Galeno, fazia coro e se desdobrava em saudações febris a Maysa. "A excelente cantora, que pode se gabar de possuir os mais lindos olhos de São Paulo, sem nos esquecermos, evidentemente, de seus enormes recursos vocais, vem obtendo um sucesso fora do comum", exaltava o jornalista e radialista Miguel Vaccaro Netto, nas páginas da *Última Hora*. Uma das poucas vozes dissonantes partira do escritor e compositor Claribalte Passos, que considerou exagerado o arrebatamento que a nova cantora estava produzindo em meio à imprensa especializada. "Vocalmente, a jovem Maysa nada tem de sensacional. Consideramo-la uma intérprete como dezenas de outras existentes nos setores radiofônico e fonográfico da atualidade, apenas uma estrela saudada com estrepitoso entusiasmo", escreveu o crítico, para quem a música de Maysa Matarazzo precisava evoluir muito para provar que não significava "um mero passatempo para si mesma ou o extravasamento de reações meramente psíquicas".

E foi quando o casamento caminhava vertiginosamente para o abismo que, pela primeira vez, Maysa virou capa de revista. O diretor da *Manchete*, Nahum Sirotski, estava fora da redação quando seu assistente, o jornalista Alberto Dines, encantou-se com uma imagem de Maysa colhida pelo fotógrafo Gervásio Batista. Hipnotizado pelos olhos da jovem cantora, Dines fugiu do padrão monótono dos planos americanos e ofereceu aos leitores da revista um enquadramento inusitado, com o rosto de Maysa tomando toda a capa. O dono da *Manchete*, Adolfo Bloch, considerou aquilo um exagero e passou um sabão no assistente de direção, mas já era tarde. A revista já fora mandada para a gráfica.

Na edição de 18 de maio de 1957, a Manchete enfeitou as bancas de todo o país com a bela e enorme foto de Maysa. "Multimilionária vira cantora popular", dizia a chamada. Com texto de Ivo Serra, a matéria interna proclamava: "Maysa Matarazzo: dos milhões de cruzeiros aos milhões de fãs". A cantora era retratada como uma Cinderela às avessas: jovem, vinte anos, rica e bonita, bisneta do barão de Monjardim e casada com um Matarazzo, trocara a vida de madame pelo microfone e pelo disco. Ao final, como já estava se tornando praxe, a delicada questão familiar vinha à baila:

> A sra. Maysa Matarazzo se tornou uma das maiores atrações da TV e do rádio. Suas fotografias enfeitam vitrines e balcões das casas de discos. Seu nome, antes apenas nas colunas sociais, hoje aparece também nas páginas dedicadas à música popular. Isto, certamente, não agrada ao ramo oposicionista da família. Quanto a André, está no meio-termo, entre as duas correntes. É possível que não seja favorável à carreira da esposa como sambista e cantora popular, mas gosta de vê-la fazer sucesso. Até ajuda a colecionar recortes de jornais e revistas para o álbum de Maysa.

Mesmo depois do ultimato dado à mulher, André procurava sustentar o que já se mostrava a cada dia mais insustentável. Para justificar-se perante a família, ele procurava dar relevo à natureza beneficente da carreira de Maysa.

Com efeito, no dia em que aquela capa da *Manchete* chegava às bancas, o *Diário Oficial* de São Paulo trazia a íntegra do projeto aprovado pela Assembléia Legislativa, proposto pelo deputado Ralph Zumbano, que concedia um "voto de alto louvor" a Maysa pela ação em favor do Hospital do Câncer.

Zumbano, filiado ao Partido Trabalhista Nacional (PTN), dublê de deputado e boxeador que chegou a conquistar o cinturão de campeão brasileiro e sul-americano de peso leve, justificou a homenagem esmurrando o estilo, no texto do projeto, ao afirmar que "a sra. Maysa Matarazzo pesa toda a riqueza de suas posses com toda a riqueza de sua voz maviosa, equilibrando-se perfeitamente com a riqueza de seu sentimento filantrópico". Por sugestão de André, parte do cachê de um dos programas na TV Record foi revertido para uma menina de nome Marinalva, que, segundo informara a imprensa naqueles dias, precisava de dinheiro para fazer uma delicada cirurgia nos Estados Unidos a fim de salvar-se da cegueira.

André consolava-se também diante da idéia de que aquilo tudo logo teria fim e a vida voltaria ao normal. O contrato original com a Record previa que o programa de Maysa permaneceria apenas três meses no ar. André contava nos dedos, dia após dia, o tempo que ainda faltava para expirar o prazo determinado pelo acordo. Entretanto, em junho, ele foi surpreendido pela decisão da esposa de renovar com a emissora paulista, pelo mesmo valor de 100 mil cruzeiros mensais. Mais que isso, Maysa resolveu aceitar a proposta que outro canal de televisão, a TV Rio, acabara de lhe fazer: mais 100 mil cruzeiros por mês, para cantar também uma vez por semana, só que na capital federal. Era pegar ou largar. A despeito dos protestos do marido, Maysa não largou. Dessa vez, embora continuasse a colaborar com o Hospital do Câncer, reservou parte do cachê para financiar as próprias despesas no Rio. Assim, em agosto, dois meses após completar 21 anos, ela estrearia a versão carioca de seu programa, levado ao ar todas as quintas-feiras pelo Canal 13 — justamente o número de sorte de Maysa. E, talvez, o do azar para André.

Com o casamento por um fio, a vida de Maysa passou a se dividir entre as duas principais cidades do país. A RGE, diante da injeção financeira proporcionada pelas vendas da principal contratada, montou escritório próprio no Rio de Janeiro, o que facilitaria o acompanhamento da nova fase da carreira de Maysa. Enquanto isso, André cobrava, com redobrada insistência, maior atenção da mulher em relação à casa e ao filho. Em vão. Maysa já estava prestes a romper a fronteira que separava o mero diletantismo da vida de cantora profissional. Às vésperas da estréia na TV Rio, ela se internou durante duas semanas em uma clínica médica em São Paulo. Fez uma operação plástica no abdome para reduzir a cicatriz deixada pela cesariana e, bem mais magra, apareceu diante das câmeras cariocas. André perdera mais uma parada.

Os primeiros registros de envolvimento de Maysa com a bebida datam dessa época. Nada perto dos problemas e turbulências que, mais tarde, o álcool lhe traria. Para enfrentar o público e os microfones, ela começou a tomar sempre uma ou duas doses de uísque antes de entrar em cena. "No começo, a bebida funcionava para mim como uma espécie de muleta. Eu bebericava um pouquinho para criar coragem de entrar no palco", diria ela, ao recordar que até ali sua única experiência com álcool resumira-se ao hábito inocente, que remontava à infância, de sorver o restinho adocicado de licor que sobrava nos copos, depois de as visitas irem embora da casa dos pais.

* * *

Durante uma das primeiras viagens ao Rio de Janeiro para cantar na emissora carioca, Maysa pediu ao pai, Monja, que a havia acompanhado, para levar um recado a André: não voltaria mais a São Paulo. Queria o desquite. Constatara que, apesar do amor sincero que os unira, ela e o marido haviam passado a viver uma vida de incompreensões e diferenças de lado a lado. "Incompatibilidade de gênios" foi o chavão que Maysa usou para definir ao pai a situação que arrastara o casamento até aquele estado terminal. A imprensa vislumbrou ali uma notícia que renderia toneladas de papel e tinta: uma separação ruidosa no seio da tradicional família Matarazzo. "O rádio separou Maysa Matarazzo do marido", noticiou o *Diário Carioca*. "O desquite do ano", definiu a *Última Hora*. "É melhor assim. Gosto do Andrezinho, mas ele não entende a minha vontade", declarou Maysa.

"O nosso sofrimento é muito grande", disse Monja aos repórteres. "Faço veemente apelo aos jornalistas para que não explorem o lamentável caso que tanto nos amargura. Eles, Maysa e André, se amam. Tenho a esperança de que ainda poderá haver possibilidade de evitar-se o doloroso desfecho." O apelo dramático do pai não sensibilizou os jornais. E, durante semanas, as notícias deram conta das idas e vindas do caso, seguindo de perto cada tentativa frustrada do casal em busca de um possível entendimento. "A cantora Maysa Monjardim Matarazzo e o industrial André Matarazzo Filho resolveram suspender o processo de desquite, que já se achava em tramitação no foro desta capital", chegou a informar a *Folha da Noite*. Em entrevista exclusiva ao jornalista Miguel Vaccaro Netto, da *Última Hora*, Maysa comunicou: "Fizemos as pazes. O amor venceu". E explicou: "Andrezinho e eu encontramos uma solução para o caso. Se continuarei minha carreira? É claro! Meu marido me proporcionou uma das maiores alegrias de minha vida, consentindo que eu continue cantando e gravando. Pode publicar que tudo isso é tão certo e seguro como eu estou viva".

Na tarde daquele mesmo dia, veio o cabal desmentido. Os jornais vespertinos trouxeram uma entrevista em que Maysa desdizia tudo que falara no dia anterior e fora publicado naquela manhã. "Não é verdade. Vamos nos separar", afirmou. "Serei cantora enquanto houver alguém que queira me ouvir", foi a manchete que a *Folha da Tarde* trouxe na edição de 19 de agosto. Era, agora, fato consumado. Ao analisar aquele desfecho, o jornalista, cantor e compositor Oswaldo Miranda tratou de chamar a atenção dos leitores para as letras dos samba-canções de Maysa: "Todos encerram uma tristeza, todos dizem de um amor frustrado, todos são sambas feitos assim em estilo dor-de-cotovelo. Observem, meditem. Havia, antes, algo incompreendido. Maysa agora se liberta e eu espero que ela, hoje em nova vida, modifique o jeito de seus samba-canções, sem a marca de um lamento de amor". No dia 1º de setembro daquele ano de 1957, Miguel Vaccaro Netto, que além de trabalhar na *Última Hora* mantinha uma coluna no *Shopping News* — jornal que circulava apenas aos domingos nos bairros de classes alta e média de São Paulo —, profetizou: "E a arte venceu, Maysa preferiu o desquite. Morre um romance. Nasce uma artista".

5. Meu mundo caiu (1957-1958)

Meu mundo caiu
e me fez ficar assim.
Você conseguiu
e agora diz que tem pena de mim...
(Maysa, gravação de 1957)

O Brasil dos anos 1950 não podia admitir que uma mulher descasada ousasse retomar nas mãos as rédeas da própria vida. De queridinha do país, Maysa transformou-se em saco de pancadas da mídia. Do dia para a noite, passaram a criticá-la em tudo e por tudo: falavam mal de sua atitude diante da câmera, do repertório que cantava, das roupas que usava. Se lhe dava na telha dizer o que pensava, choviam desaforos sobre ela. Se evitava os jornalistas, acusavam-na de ter deixado o sucesso subir à cabeça. "Maysa continua a ser uma grande atração do Canal 7. Mas sua postura continua tão deselegante como sempre", dizia por exemplo a *Gazeta Esportiva*. "Ela é fisicamente atraente, canta inegavelmente bem, mas é severa demais nas expressões e monocórdia no gênero de repertório que escolheu", sentenciava um certo "Ouvinte desconhecido", na coluna "Nós, os ouvintes", nas páginas de *O Globo*. No jornal paulista *A Gazeta*, o crítico de rádio e tevê Arnaldo Câmara Leitão fazia votos para que Maysa se libertasse da "atmosfera pessimista de que sua arte está impregnada" e viesse a "tomar conhecimento da riqueza rítmica do Brasil".

Havia coisas bem piores. No *Diário da Noite*, o colunista Jota Efe, que assinava uma seção intitulada "Nas ondas do Rio", afirmava que Maysa era tão-somente "um nome que se fez às custas de um sobrenome e de alguns artifícios de inteligência que atraíram para si a publicidade e a atenção dos ouvintes". Maysa, ainda dolorida pela separação recente, foi acusada pelo jornalista de ter abandonado o marido apenas para se autopromover: "Seu primeiro golpe foi abrigar-se à sombra de uma árvore da extensa floresta dos Matarazzo. Colheu ali todos os frutos de que necessitava para a sua propaganda pessoal, inclusive lançando mão do processo que é infalível em publicidade de artistas: o desquite", bombardeou Jota Efe.

O colunista ia mais longe e também acusava Maysa de plágio. Segundo Jota Efe, uma das canções mais executadas no país naquele ano de 1957, "Ouça", não passava de uma cópia barata de outra música, "Dream lover", incluída na trilha sonora de um velho filme estrelado por Maurice Chevalier e Jeanette MacDonald, *Alvorada do amor* (*The love parade*), dirigido por Ernest Lubitsch em 1929. No *Diário Carioca*, o jornalista e compositor Nestor de Holanda repercutia a acusação contra a música que, em seis meses, renderia 1 milhão de cruzeiros a Maysa a título de direitos autorais. Embora todas as publicações especializadas dissessem que Maysa era séria candidata à eleição de melhor compositora do ano por causa de "Ouça", o cáustico Nestor de Holanda não deixava barato: "A música de Maysa é uma versão moderna de 'Alvorada do amor'. Seria o caso de se oferecer o prêmio ao autor daquela canção original".

Quem se der o trabalho de vasculhar os arquivos cinematográficos do início do século XX e encontrar uma cópia do raro e divertido filme de Lubitsch vai constatar que há certa semelhança entre o trecho inicial de "Ouça" e um pequeno segmento da música interpretada por Jeanette MacDonald na comédia romântica *Alvorada do amor*. Mas só com alguma boa dose de má vontade alguém poderia afirmar que Maysa tenha surrupiado aquela canção. Tecnicamente, o plágio se configura quando pelo menos sete compassos de uma obra original são copiados à risca por outra, o que não era o caso. A acusação não procedia, mas a verrina destilada por Nestor de Holanda se revelava mais venenosa quando abordava a questão da separação de Maysa e André Matarazzo: "Maysa estará amanhã ao microfone da Rádio Mundial, para ser entrevistada por Graciete Santana, no *Programa das donas de casa*. Será audição curiosa, justamente porque a cantora acaba de se desquitar e, conseqüentemente, deixou de ser dona de casa".

O nervosismo demonstrado por Maysa nos programas semanais de televisão também daria motivo para nova saraivada de críticas. Como mecanismo de autodefesa, além das duas doses de uísque que se tornariam habituais, Maysa desenvolveu a técnica de enfrentar a câmera com o máximo possível de firmeza, fixando o olhar na lente e erguendo um pouco o queixo, o que logo foi interpretado como um gesto de arrogância por muitos telespectadores e — particularmente — pela imprensa. "O público é ingênuo e bom. Não merece aquele olhar de desprezo que Maysa lhe dirige através da televisão", censurou Jota Efe. Como resposta, Maysa passou a exibir um ar ainda mais desafiador. Certa feita, ao final do programa, após cantar a última música da noite, olhou para a câmera e disparou: "Gostaram? Se não gostaram, não tem importância, porque na próxima semana vai ser a mesma coisa. Boa noite".

Nos dias seguintes, veio o temporal de reprimendas. "Ouvir Maysa cantando é bom. Ver em *close* os olhos de Maysa é algo que faz bem, que impressiona. Mas ouvir Maysa dizer aquele *boa noite* na televisão é irritante. A moça vive, atualmente, no seu mais alto grau de vedetismo", comentou o jornal *A Luta Democrática*. "Não é possível imaginar o que Maysa está pensando. De si, da televisão, do público. Está querendo criar um tipo. Está bem. É um direito que lhe assiste. Mas vai criar um tipo detestável. Cuidado, Maysa", advertiu a *Última Hora*.

* * *

Desquitada de André, a vida de Maysa entrou em vertiginosa roda-viva. Apesar de ter ficado com a guarda do filho Jayme, de apenas um ano e três meses, ela parecia querer recuperar o tempo que julgara ter perdido durante o casamento e, assim, mergulhou fundo na carreira de artista. Por causa disso, Jayme ficava bom tempo na casa dos avós maternos, Monja e Inah, em São Paulo, enquanto Maysa passara a morar de vez no Rio de Janeiro, indo à capital paulista apenas para apresentar o programa semanal na Record e fazer alguns shows em boates. Por exigências de André — e de acordo com o que foi acertado no processo de desquite —, riscara de vez o sobrenome do ex-marido, embora boa parte da imprensa insistisse em tratá-la por Maysa Matarazzo. "Perdi o sobrenome, mas em troca ganhei a fama", ela desdenharia.

Como havia se unido a André com separação de bens — uma forma de eliminar à época possíveis intrigas de que fisgara um Matarazzo para aplicar o golpe do baú —, teria de dar duro para manter o padrão de vida com o qual estava acostumada. Sem falar que, como toda estrela que se preze, continuava sem nunca aparecer com o mesmo vestido duas vezes. E isso custava caro. Um assessor dela, o Mosquito, fora contratado exatamente para negociar aqueles com os quais ela já fora vista em público. A vida de Mosquito era arrastar para lá e para cá uma mala enorme, entupida de roupas seminovas, que revendia em butiques chiques. Fazia esse serviço sem cobrar um níquel de Maysa. "Todo mundo trabalhava de graça, só para ter a honra de ficar perto dela", diria Givon Machado, seu secretário particular, cujo paletó vivia pendurado no encosto de uma cadeira vazia em uma repartição pública.

Maysa alugou apartamento no belo edifício da rua Inhangá, em Copacabana, mas viveu inicialmente sem muito luxo. Na grande sala de paredes de cor creme, o tapete cinza e as cortinas amarelas e floridas faziam companhia aos poucos móveis: apenas uma cristaleira em estilo rústico, a mesinha com telefone, duas poltronas claras, o piano e uma pequena estante com livros, discos e revistas, ao lado da obrigatória vitrola com "pés-de-palito". Maysa transformou um dos três quartos do apartamento em sala de trabalho, onde o rádio e a máquina de escrever portátil — na qual passou a limpo a letra de algumas de suas canções — ficavam sobre a escrivaninha de madeira escura. No segundo quarto colocou o berço de Jayme e um armário para roupas. No terceiro, onde ela própria dormia, também nenhuma ostentação. Apenas o básico: a cama, os criados-mudos e o guarda-roupa dividiam espaço com as persianas em tom bege. "Gosto das coisas simples, como vocês vêem", comentou, sem perder a pose, quando a *Revista do Rádio* fotografou o lugar para a clássica seção intitulada "Minha casa é assim".

Separada, Maysa buscava encontrar a felicidade. Mas, ao contrário, enfrentou crises seguidas de depressão, que resultaram em pelo menos dois graves problemas simultâneos e, de certa forma, complementares: passou a comer avidamente e a beber de forma desregrada. Voltou a engordar horrores e a dar pequenos vexames em público, trocando o dia pela noite. Nos programas de tevê, exigia que só a filmassem do pescoço para cima. Mudou todo o guarda-roupa e só se apresentava com roupas pretas, o que, além de disfarçar a gordura, acentuava a aura *dark* de sua imagem. "Comecei a viver à noite e, durante o dia, vegetava dentro de casa", revelaria Maysa, ao recordar aquele tempo em que chegou a passar novamente dos oitenta quilos. "Só saía de dia para ir à praia nos desertos da Barra da Tijuca: era a única forma de pôr um maiô, pois não havia ninguém por lá. Comprei um terreno, construí uma casa e alimentava ali a minha solidão e a minha falta de perspectivas. Quando era preciso cumprir algum compromisso, bastava aliviar a tensão com alguns drinques."

Não lhe faltariam compromissos naquele segundo semestre de 1957. Em conseqüência, a necessidade de drinques também não. Em setembro, a RGE lançaria mais dois 78 rpm de Maysa. Um continha "Adeus" e "Resposta", músicas que já haviam sido incluídas no *Convite para ouvir Maysa*. O outro 78 rpm trazia dois samba-canções inéditos, "Escuta, Noel" e "O quê" — ambos com letra e música de Maysa, que certa noite telefonou no meio da madrugada para Monja, a fim de perguntar sobre o filho e para cantarolar as duas novas melodias que havia acabado de tirar no violão. "Escuta, Noel" era uma sentida homenagem a Noel Rosa e, ao mesmo tempo, uma alfinetada no mundo no qual ela própria, Maysa, se originara: *O samba agora criou outro estilo/ sambista só sabe sambar pra grã-fino*. Em "O quê", mais uma vez, ouvia-se um lamento nitidamente autobiográfico: *Eu fico ainda mais triste/ e saio pra rua andando, procurando,/ mas o quê?* Monja gostou das duas canções, contudo ficou bem preocupado com a filha.

Os telespectadores também logo começaram a perceber que havia algo errado com Maysa. Muitas vezes ela chegou a cambalear diante das câmeras, durante a apresentação de seus programas. Os objetos do cenário — um poste aqui, uma coluna grega acolá — passaram a funcionar como providenciais pontos de apoio, nos quais ela se segurava para não cair em pleno palco. As duas doses de antes, "para dar coragem", estavam sendo substituídas agora por litros de vodca e uísque. O rosto de Maysa igualmente denunciava que alguma coisa não ia realmente bem com a estrela. Os raros sorrisos, muitas vezes carregados de amarga ironia, agora acentuavam a característica curvatura que possuía o lábio superior, voltado ligeiramente para baixo, o que lhe atribuía um certo semblante de tristeza até quando ria. Mas o que poucos conseguiam entender era como podia ser possível que, quanto mais bebesse, melhor Maysa cantasse.

Foi exatamente por esse motivo que a RGE decidiu renovar com ela o contrato que se encerrava no mês de outubro, driblando assim o assédio que a cantora vinha sofrendo por parte da poderosa RCA Victor. Por causa das exigências de André Matarazzo, o acordo inicial de Maysa com José Scatena havia se dado em regime de flagrante amadorismo, até sem o necessário registro no Ministério do Trabalho. Isso aguçara a cobiça da RCA, que percebera não existir nenhum vínculo legal que prendesse a cantora à gravadora que fora responsável por seu lançamento. Pelas bases do novo contrato, contudo, a RGE resolveu prevenir-se de futuros sobressaltos provocados pela concorrência e pelo comportamento cada vez mais imprevisível de sua principal estrela. Estabeleceu um prazo de quatro anos de exclusividade e impôs uma cláusula segundo a qual, em caso de rescisão, Maysa se obrigava a pagar uma multa de 1 milhão de cruzeiros.

Pouco antes de fechar aquele acordo, ela já entrara em estúdio e gravara o segundo disco de dez polegadas, intitulado simplesmente *Maysa*. Dessa vez, além de um arranjo de antúrios vermelhos, a capa trazia a foto em tricromia de Maysa, com os olhos fixos em algum ponto indefinido. Na contracapa lia-se um texto de Ricardo Galeno, o autor das primeiras crônicas em louvação a ela e que acabara de ser promovido, por um curto período, de admirador a namorado da cantora. "Se o amigo não tem ouvido para ouvir e entender Maysa, paciência. Na certa o amigo nasceu de ouvido torto", dizia o texto de Galeno, que agora parecia ainda mais arrebatado pela musa: "A voz de Maysa é mais que uma voz — é um estado d'alma que canta", escreveu.

Das oito músicas do novo disco, metade já havia saído em 78 rpm: "Ouça", "Segredo", "Escuta, Noel" e "O quê". Entre as demais faixas, pelo menos mais duas também eram bem conhecidas dos que assistiam aos programas de Maysa na televisão: uma gravação em francês, "Un jour tu verras" — composta e lançada três anos antes pelo ator, cantor e compositor Mouloudji, artista ligado à vanguarda política e literária de Paris —, outra em inglês, "To the end of the Earth", de Joe e Noel Sherman, gravada em português quase simultaneamente por Almir Ribeiro e, no ano anterior, sucesso internacional na voz de Nat King Cole. Os anos de estudo no Sacre Coeur de Marie garantiram uma pronúncia perfeita na faixa em francês. Em inglês, apesar das notas baixas obtidas nos tempos do Ofélia Fonseca, sua dicção também chamaria a atenção de qualquer nativo do idioma pela elegância e pela ausência absoluta de sotaque, obtidas, segundo ela, à custa da cordilheira de filmes e discos, britânicos e norte-americanos, a que assistira e ouvira ao longo da adolescência.

Se *Convite para ouvir Maysa* surpreendera pelo fato de todas as canções terem letras e melodias assinadas por uma estreante, o segundo disco de dez polegadas não trazia mesmo grandes novidades, mas mostraria que, além de compositora de talento, ela era criteriosa na hora de escolher produções alheias para incluir no repertório. "Ela mesma é quem determinava o que ia gravar, não aceitava sugestões de produtores ou da gravadora", testemunharia o dono da RGE, José Scatena. Novamente com regência de Rafael Puglielli, o álbum que acabava de chegar às lojas abria com "Se todos fossem iguais a você", de Tom e Vinicius, a mesma música com que estreara o programa de televisão na Record e que fora gravada pela primeira vez no final de 1956, na voz do cantor carioca Roberto Paiva.

O novo dez polegadas de Maysa trazia outra regravação, "Franqueza", composta por um velho amigo de Monja, o jornalista e radialista Denis Brean (pseudônimo de Augusto Duarte Ribeiro), em parceria com Osvaldo Guilherme. A música, que viria a se tornar um clássico da música popular brasileira, fora lançada naquele ano pela cantora Nora Ney. Mas, como bem notaria o crítico e historiador musical Zuza Homem de Mello, "Franqueza", com suas desbragadas dores de amor, encaixou-se tão perfeitamente na obra de Maysa que até parecia obra dela: *Você passa por mim e não olha/ como coisa que eu fosse ninguém./ Com certeza você já esqueceu/ que em meus braços já chorou também.* De todo modo, sem grandes surpresas, o sucesso do segundo álbum foi puxado pela popularidade de "Ouça" e, muito por causa disso, conseguiu repetir o êxito do *Convite para ouvir Maysa*. Alguém até poderia dizer que a artista ficava em dívida relativa com os fãs, ávidos por novidades. Mas não por muito tempo, logo se veria.

* * *

Os jornais de Salvador não falavam em outra coisa. Em dezembro daquele ano de 1957, anunciou-se que a ilustre Maysa, que desfrutava de enorme sucesso no Rio de Janeiro e em São Paulo, faria um grande show na sede da Associação Atlética da Bahia, após cumprir temporada de uma semana no Recife. Era a primeira vez que Maysa realizava uma turnê pelo Nordeste. Para recebê-la, uma multidão de fãs e curiosos se posicionou diante da sala de desembarque do aeroporto de Salvador. Um grupo ainda mais numeroso fez plantão na calçada do hotel em que ficaria hospedada. Mas, no dia e na hora combinados, Maysa simplesmente não apareceu na cidade.

"Que decepção!", reprovou o jornal baiano *A Tarde*. "Quando se esperava a chegada de Maysa, quem chegou foi um homem de cara fechada avisando ao porteiro do hotel que desfizesse a reserva", informou o jornal. O tal homem carrancudo era o empresário que a havia contratado e que agora, soltando fumaça pelos olhos e ouvidos, ameaçava processá-la por quebra de contrato. Não seria a única vez que Maysa aprontaria uma daquelas — nem demoraria muito para vir a próxima desfeita. Quatro meses depois ela repetiria a dose, depois de interromper uma temporada no Recife e voltar direto para o Rio de Janeiro, sem cumprir o acordo de se apresentar em Aracaju e Fortaleza nas semanas posteriores. Dessa feita, o empresário Carlos da Silva não ficou só na ameaça e arrastou Maysa aos tribunais, exigindo o pagamento de uma indenização calculada em meio milhão de cruzeiros.

O juiz Rubem de Andrade Filho, da 4ª Junta de Conciliação e Julgamento, no Rio de Janeiro, tentou convencer a cantora a desembolsar a metade daquele valor e dar o caso por encerrado. Maysa recusou. "Não aceito nenhuma conciliação com bases financeiras", informou ao enxame de jornalistas e fotógrafos que se apinharam na entrada do Fórum naquela tarde. Ela alegava que o empresário é que a ludibriara, não efetuando parte do pagamento adiantado, conforme estabelecia os termos do contrato. O advogado de Maysa procurou contemporizar e propôs que a cliente, uma vez recebido o depósito prévio, não se oporia a continuar a turnê do ponto em que a havia interrompido. O empresário estrilou. Disse que não queria mais saber de agenciar Maysa nem que ela prometesse se apresentar de graça ou coberta de ouro. E informou que, em Fortaleza, havia gente disposta a hostilizá-la caso ameaçasse pôr os pés na cidade. O caso se arrastou durante meses na burocracia paquidérmica da Justiça brasileira e, por fim, acabou arquivado.

Mas controvérsias como aquela logo colocariam Maysa na mira de revistas de quinta categoria, especializadas em escândalos envolvendo ricos e famosos. Na primeira semana de dezembro de 1957, ela foi alvo de uma matéria sensacionalista nas páginas de *Confidencial*, publicação que tinha por lema uma sentença que soava mais como ameaça do que como simples slogan: "Tudo vemos, tudo ouvimos... e nunca silenciamos". Basta uma espiadela nas manchetes daquela edição em que Maysa foi notícia para ter idéia do estilo de jornalismo praticado pela publicação, cujo redator responsável era um certo A. Cordeiro, que dali a três anos seria alvo de inquérito policial sob a acusação de chantagear políticos, atrizes e cantores de sucesso. "Fada Santoro casou-se com um contrabandista", dizia, por exemplo, a matéria de capa. "Duas garotas provam que é um tarado o marido de Esther Williams", alardeava o título de outra reportagem. Um anúncio de meia página advertia: "Quem avisa amigo é — Cuidado folião, não se exceda nas suas brincadeiras. *Confidencial* vai devassar o Carnaval de 58. Em cada baile, em cada festa particular, em cada canto, um espião de *Confidencial* estará registrando fotograficamente os mistérios de Momo. Aguardem a nossa edição de Carnaval".

As duas páginas reservadas a Maysa pela revista que se orgulhava de ter "espiões" em vez de repórteres traziam, é claro, uma manchete berrante: "Maysa Matarazzo tomou um banho de champanhe em frente a uma turma devassa". A reportagem apelativa transformava uma simples farra de Maysa em um "bacanal". Em uma manhã de novembro, ela chegara à pacata Três Rios, no interior do Rio de Janeiro, com um decotado vestido roxo, a bordo de um Chevrolet branco e conversível. À noite, depois de jantar no restaurante Imperial, um dos mais conhecidos do lugar, desfilou de short pelas ruas do centro da cidade, o que deixou os moradores chocados diante de tamanha ousadia. Mas eles ainda não haviam visto nada.

Depois de uns tragos, Maysa decidiu tomar banho, completamente nua, nas águas do rio Paraíba do Sul, fato que ficaria para sempre marcado na história da cidade. Acabou conduzida à 108ª DP, onde foi lavrado o registro policial da ocorrência. A revista *Confidencial* informou aos leitores que Maysa havia participado de uma "orgia indescritível" em Três Rios.

Pouco depois, Maysa revelaria em entrevista coletiva que, por mais de uma vez, alguns jornalistas haviam exigido dela a mesma quantia de 50 mil cruzeiros — 5% de todo o dinheiro que faturara com as execuções de "Ouça" —, para abafar casos como aquele. Como resposta, Maysa mandava tais tipos plantarem batatas. E, desconfiada, passou a exigir a identificação funcional dos repórteres que a procuravam para entrevistas. Quase sempre os jornalistas se ofendiam com tal exigência e passavam a torpedeá-la com fôlego dobrado.

* * *

Felizmente, nem só de fofoqueiros e maledicentes vivia a imprensa brasileira. Logo no início de 1958, a revista *O Cruzeiro*, que à época vendia a espantosa quantia de 600 mil exemplares semanais, dedicou-lhe a capa da edição que chegaria às bancas de todo o país na última semana de janeiro. "Maysa confessa: eu canto o meu estado d'alma", dizia a chamada, ilustrada com uma belíssima foto captada pelas lentes de Indalécio Wanderley, um dos papas do fotojornalismo de então. A reportagem era na verdade um caprichado ensaio fotográfico, pontuado por algumas frases soltas de Maysa, que confirmara ao repórter Álvares da Silva, entre outras coisas, ser fã ardorosa de Elizeth Cardoso, Silvio Caldas e, nos últimos tempos, de um moço chamado Tom Jobim. Mas surpresa mesmo ela provocou quando o jornalista lhe pediu uma lista de suas aspirações artísticas e Maysa teve um ataque repentino de modéstia: "Eu quero apenas ter meus 21 anos e um dia ser alguém", declarou.

As imagens feitas por Indalécio Wanderley eram tão incríveis que a RGE pediu emprestada uma delas, exatamente a mesma que ilustrara a capa de *O Cruzeiro*, para ser a foto do novo disco de Maysa — que já estava pronto e tinha até data marcada para ser lançado: a primeira semana após o Carnaval. O calendário foi cumprido à risca. Passada a folia, quando os primeiros carregamentos de *Convite para ouvir Maysa Nº 2* desembarcaram nas lojas, o país ficou boquiaberto. Como aquela mulher descomedida conseguia a proeza de gravar um LP irretocável, que seria saudado de forma unânime pelos principais nomes da crítica especializada e que logo conseguiria bater "Ouça" na preferência do público? Os algozes de sempre foram obrigados a dar o braço a torcer: a voz de Maysa parecia mais segura que nunca, os arranjos a cargo do maestro Enrico Simonetti eram soberbos e o repertório reunia, com rara habilidade, composições inéditas da própria Maysa a canções assinadas tanto por nomes consagrados da MPB como por jovens talentos de que pouca gente até ali ouvira falar.

Um solo de trombone na introdução da primeira faixa impunha o silêncio imediato a qualquer ouvinte mais sensível. De cara, os disc-jóqueis perceberam que aquele novo samba-canção abolerado composto por Maysa estaria fadado a ser, desde logo, um dos maiores sucessos do ano: *Meu mundo caiu/ e me fez ficar assim/ você conseguiu/ e agora diz que tem pena de mim.* Além do fenômeno de vendas, o título da música, "Meu mundo caiu", transformou-se em um verdadeiro bordão nacional. "Outros que falem mal de Maysa, que encontrem defeitos em suas músicas e no modo como ela as interpreta. Nossos ouvidos estão sempre abertos para ela. Como cantora, é uma das mais sensacionais que já apareceram nos últimos tempos. Como compositora, é uma das figuras mais importantes da moderna música popular brasileira. 'Meu mundo caiu' é uma beleza, aqui, em Guadalajara ou em Yokohama", comemorou o crítico musical Ary Vasconcelos na sua coluna em *O Jornal*.

O disco trazia outras três novas composições de Maysa. A primeira, "Felicidade infeliz", lançada menos de dois meses depois em 78 rpm, também viria a ser uma das mais tocadas em 1958 — e referendava o estilo dor-de-cotovelo que a consagrara nos trabalhos anteriores. A segunda, "Diplomacia" — *Pouco importa/ a razão da verdade/ que impede a felicidade/ de morar no meu coração* — teria sorte bem parecida e seria igualmente uma das mais pedidas pelos ouvintes nas rádios do Rio e São Paulo. Mas a terceira, "Mundo novo", revelava uma Maysa feliz e esperançosa, que saudava em versos otimistas a chegada de um novo amor: *Tudo o que passou/ será somente um sonho mau/ neste mundo novo/ viveremos afinal*. Talvez por isso mesmo, porque se distanciasse do tema habitual cultivado pela cantora, esta foi uma das músicas menos executadas do disco. "O êxito de Maysa reside exatamente no fato de suas composições terem por base a dor-de-cotovelo", teorizou o jornalista Júlio Ribeiro, o Cagliostro, no *Diário da Noite*. "A madame e a cozinheira, o doutor e o *office-boy*, o rico e o pobre, o homem educado e o corintiano — todos sofrem do mal do amor com a mesma intensidade. E, portanto, todos ouvem Maysa com o mesmo enlevo e interesse."

Depois de ter incluído "Se todos fossem iguais a você" no álbum anterior, Maysa demonstrava continuar bem atenta ao trabalho desenvolvido por Tom Jobim e Vinicius de Moraes. Após a parceria iniciada com *Orfeu da Conceição*, os dois estavam compondo separados, pelo fato de Vinicius, diplomata dos quadros do Itamaraty, estar servindo em Paris, na Unesco, de onde foi posteriormente transferido para a embaixada brasileira em Montevidéu. *Convite para ouvir Maysa Nº 2* trazia duas extraordinárias composições de Tom: "Caminhos cruzados" (*Quando um coração/ que está cansado de sofrer/ encontra um coração/ também cansado de sofrer*) e "Por causa de você", com letra de Dolores Duran (*Ah, você está vendo só,/ do jeito que fiquei/ e que tudo ficou*). Vinicius comparecia no novo disco de Maysa com "Bom dia, tristeza" (*Bom dia, tristeza,/ que tarde, tristeza,/ você veio hoje me ver*), parceria com Adoniran Barbosa, gravada por Aracy de Almeida no ano anterior. Garimpar preciosidades, estava evidente, era outra especialidade de Maysa.

Ao lado de canções de gente bem conhecida nos meios artísticos como o violonista Nanai, Aloysio Figueiredo, Alcyr Pires Vermelho, Nazareno de

Brito, Esdras Pereira da Silva e José Ribamar — todos com notória folha de serviços prestados à música brasileira —, naquele disco Maysa também revelaria à legião de fãs a existência de um jovem cantor e compositor chamado João Lutfi, ou melhor, Sérgio Ricardo, nome artístico que o autor de "Bouquet de Izabel" adotaria e com o qual viria a assinar todas as suas obras, incluindo mais tarde a trilha sonora de *Deus e o diabo na terra do sol*, de Glauber Rocha, e o longa-metragem *A noite do espantalho*, escrito, musicado e dirigido por ele próprio, em 1973.

Para faturar alguns trocados — e com aspiração de ingressar de vez na carreira musical —, Sérgio Ricardo cantava e tocava piano na boate Dominó, em Copacabana, quando, certa noite, foi "descoberto" por Maysa. Ela fora levada até lá pelas mãos do compositor Nazareno de Brito, que fizera questão de apresentá-la ao jovem artista de voz marcante, que até ali havia gravado apenas dois 78 rpm sem maiores repercussões. Nazareno de Brito, autor de sambas, boleros e foxes, implicava apenas com a mania que aquele belo cantor em começo de carreira tinha de querer ser compositor. Nazareno — que havia composto o inacreditável foxtrote "Neurastênico" (*Brr..rrum!/ Mas que nervoso estou/ brr..rrum! Sou neurastênico*) — considerava as músicas de Sérgio Ricardo elaboradas em excesso, rebuscadas demais.

Mas antes de o moço terminar de tocar as últimas notas de "Bouquet de Izabel", Maysa já havia decidido gravá-la. A canção, cheia de subentendidos, contava a história de uma solteirona que, sem conseguir casamento, acabava por descer o decote e vestir uma saia que lhe revelava as formas do corpo. A harmonia incomum e aquele tipo de letra estavam a anos-luz do repertório tradicional de Maysa. Mesmo assim, ela fez questão de incluí-la no *Convite... Nº 2*. "Acho que a atmosfera de tragédia que estava implícita nos versos foi o que a atraiu", explicaria Sérgio Ricardo, um dos primeiros bafejados por outra qualidade fundamental que Maysa cultivaria, como intérprete, ao longo da carreira: o olho clínico para identificar e revelar novos talentos. O próprio Sérgio Ricardo teria pudores em confessar, mas se pode dizer com segurança que, além da música propriamente dita, Maysa também ficara impressionada com outras qualidades daquele rapaz de porte altivo e traços fortes, que chegaria a fazer papel de galã em novelas de capa e espada na TV Tupi. Os dois arriscaram um namorico, sem maiores conseqüências. Coisa que, para Maysa, já virara rotina.

* * *

Após o lançamento de *Convite para ouvir Maysa Nº 2*, a autora de "Meu mundo caiu" entrou para o primeiro time das estrelas da música popular brasileira. Em conseqüência, passou a ser assídua freqüentadora das mesas mais badaladas da noite carioca. Sempre era vista ao lado de uma turma inseparável, formada por Stanislaw Ponte Preta, Dolores Duran e Antônio Maria, uma espécie de santíssima trindade da boemia em Copacabana. O grupo se reunia muitas vezes na casa de Mister Eco, que morava na mesma rua de Maysa, a Inhangá. "O apartamento dele ficava na mesma altura do meu e as cozinhas se encontravam. Às vezes eu ficava com preguiça de ter que descer para entrar pela porta da frente, então pulava a janela mesmo, que ficava no oitavo andar. Era ligeiramente perigoso, mas a gente não reparava não", escreveria Maysa em um esboço de autobiografia que, infelizmente, nunca chegou a concluir.

Stanislaw Ponte Preta não perdia a oportunidade de falar sobre a amiga Maysa em suas colunas de jornal, tripudiando dos galanteadores que eram esnobados por ela. Era o caso, segundo Stanislaw segredou aos leitores da *Última Hora*, de Jeff Thomas, pseudônimo do "anglo-potiguar" Francisco de Assis Veras — colunista social que se tornou famoso tanto pelos ternos ingleses, gravatas escocesas e cigarros norte-americanos que sempre ostentou como pela insistência de querer entrar para a Academia Brasileira de Letras exibindo as credenciais de autor de títulos como *Emergente não é gente* e *O crepúsculo das socialites*. "Foi preciso que Maysa explicasse que o achava um chato para que Jeff desistisse de fazer cartaz às suas custas", escreveu Stanislaw Ponte Preta.

Portanto, era bom saber: a moça era namoradeira, mas não ia com qualquer um. Até o dileto amigo Antônio Maria levou um fora histórico de Maysa, transmitido ao vivo pelas câmeras da TV Rio. Foi no programa de entrevistas *Encontro com Antônio Maria*, apresentado todas as semanas, às 22 horas, por aquela emissora carioca. Segundo consta, Antônio Maria, em vez de entrevistar Maysa, cantou-a de forma descarada. Elogiou-lhe os olhos felinos e, de acordo com o que contaria seu biógrafo Joaquim Ferreira dos Santos, disse a ela que aquelas duas jóias cintilantes que trazia no rosto podiam ser verdes, mas sua alma era certamente azul, pois essa era a cor da alma de pessoas boas. Maysa sabia que o gorducho Antônio Maria, com aquela história de almas azuladas, estava roubando a frase predileta do produtor do programa, Carlos Alberto Loffler, que aliás a dirigira também na TV Rio. Acabou preferindo ficar com Loffler e dispensar os saracoteios de Maria, que ademais tinha o imperdoável defeito de estar tão gordo quanto ela.

Os amigos de Maysa a descreviam, na intimidade, como uma mulher bem diferente daquela que o grande público conhecia. Era verdade que ela tinha lá seus momentos de profunda melancolia, particularmente quando remoía antigas mágoas da época do casamento e, por causa disso, enxugava piscinas olímpicas de vodca e uísque. Mas, em uma mesa rodeada de gente mais próxima, era uma pessoa alegre e brincalhona na maior parte do tempo. O álcool, porém, a transformava. Tornava-se agressiva e arranjava confusão a cada instante. "Eu acho que o que me fazia agressiva era a bebida. Era, talvez, para me defender de alguma coisa que eu sabia que, de certa forma, pegava mal. Naquele tempo, os padrões sociais determinavam que mulher não podia beber. Então eu me defendia antes que me acusassem", analisaria ela própria, em uma das diversas ocasiões em que tentou um tratamento de desintoxicação.

Muitas vezes, em meio a um show de boate, Maysa parava de cantar caso ouvisse alguém conversando em alguma mesa. Como artista, nunca se submeteu a servir apenas de fundo musical para bate-papo dos outros. No entanto, como só subia ao palco depois de umas e outras calibragens, era comum que saísse do sério. Às vezes, simplesmente encerrava o show e, ofendida, ia afogar a raiva no bar mais próximo dali. Noutras, enfrentava o sujeito que julgara inoportuno e, em alguma dessas ocasiões, cansou de atirar o microfone ou os sapatos na cabeça de algum conversador mais renitente. E não admitia, de forma alguma, que a criticassem por isso. Julgava-se no direito de defender o espaço sagrado do palco. Quando o repórter

Waldemir Paiva procurou entrevistá-la para a *Revista do Rádio* e, em meio à torrente de perguntas, disse que uma colega cantora estava interessada em lhe dar alguns conselhos sobre a carreira, Maysa o interrompeu: "Agradeço imensamente, mas não aceito conselhos de ninguém".

Sempre brusca nas respostas a perguntas que julgava impertinentes, Maysa também não tinha muita paciência com fotógrafos. Quando um deles, José Castro, da mesma *Revista do Rádio*, pediu-lhe que sorrisse pelo menos uma vez durante uma sessão de fotos, ela foi taxativa: "Por que sorrir? Não há motivo para tal. Eu não sou feliz". Frases como aquela rendiam manchetes bombásticas e deixavam os verdugos à espreita de algum deslize mais grave para voltar a aguilhoar Maysa. Eterna malcriada, a cantora dos amores frustrados tinha consciência de que, a certa altura, tornara-se refém da própria imagem pública. "Eu embarquei nessa canoa furada e acabei me tornando o que queriam que eu fosse: uma mulher amarga e mal-amada", desabafaria muitos anos depois.

* * *

A oportunidade que os críticos esperavam não tardou a chegar. Entusiasmada com as vendas do *Convite para ouvir Maysa Nº 2*, lançado no início do ano, a RGE colocou na praça um novo LP de Maysa no segundo semestre de 1958. Como a artista acabara de chegar de uma exaustiva turnê em Buenos Aires e, ainda por cima, andava atarefada com outros compromissos em rádios, televisões e boates, o trabalho foi feito a toque de caixa, o que comprometeu a qualidade da gravação. Em algumas faixas, a voz de Maysa parecia claudicante, sem o tom seguro do álbum anterior. Na pressa de enviar mais um campeão de sucessos para as lojas, a gravadora mandou prensar o LP de qualquer forma e, depois disso, apenas aguardou o tilintar nas caixas registradoras.

Foi uma carnificina. O *Convite para ouvir Maysa Nº 3* recebeu artilharia pesada de todos os lados, inclusive de entusiastas assumidos da cantora. "Diríamos que tudo foi improvisado, sem planejamento e sem direção. Um lançamento que deveria apresentar envergadura artística das melhores e, ao contrário, apresenta-se como uma verdadeira colcha de retalhos.

Maysa foi sacrificada", escreveu o colunista Jaime Soares no domingueiro *Shopping News*. "No dia em que realizou essa sessão de gravação, Maysa não se encontrava em condições para cantar", lamentou Guy Barroso na coluna "Discomania", no *Diário de São Paulo*. A própria Maysa renegaria aquele trabalho. "O LP foi lançado contra a minha vontade. Cheguei cansada de Buenos Aires e já com um contrato para estrear no Copacabana Palace. Acontece que a RGE insistiu em lançar o disco. Livro-me de qualquer responsabilidade com respeito a ele", desculpou-se aos jornalistas. Era o primeiro de uma série de atritos graves que teria com a gravadora, à qual estava presa pelo contrato que previa os quatro anos de exclusividade. Maysa ficou exposta às feras.

A RGE queimou as últimas fichas em uma campanha de marketing para amenizar o vexame, apostando exatamente em "uma das poucas coisas boas" que, comentava-se, trazia o *Convite... Nº 3*: a capa. Era belíssima. E nela via-se mais uma das fotos da série histórica que Indalécio Wanderley havia feito para *O Cruzeiro*. No caso, o já característico *big close* nos olhos de Maysa. Acuada pelas críticas, que de resto respingavam na imagem da empresa, a RGE fez publicar a mesma foto em um anúncio de jornal em que prometia "um bom número de discos em 33 e 78 rpm" a todos os leitores que adivinhassem o óbvio: de quem eram, afinal de contas, aqueles olhos?

Ora, era impossível errar. Tudo bem que a essa altura já existisse uma série de "cópias" de Maysa disputando lugar ao sol nas paradas de sucesso. Carioca de Bento Ribeiro, a estreante Marion Duarte, por exemplo, já surgiu amargando o pouco lisonjeiro apelido de "Maysa dos pobres". Já a carreira de outra cantora de estilo semelhante, Maria Tereza, a "Mecha Branca", nunca decolou de verdade, ofuscada que foi pela rainha da fossa original. Enquanto isso, a gravadora Copacabana fabricava Morgana, a "Fada Loura", uma tentativa de colocar a sofisticada Maysa e a popularíssima Ângela Maria no mesmo liquidificador, com efêmero sucesso. Até uma competente artista da época, Rosana Toledo, que começara a cantar antes de Maysa, sucumbiu depois de ser insistentemente acusada de imitar a autora de "Ouça". Mesmo sendo amiga de Rosana, Maysa não perdia a oportunidade de fazer troça: "Agora vou imitar Rosana Toledo me imitando cantando 'Ouça'", dizia, vez por outra, em seus shows.

Maysa, contudo, só havia uma. E aqueles olhos, convenhamos, eram quase a sua logomarca. Portanto, o mundo inteiro acertou a resposta do desafio proposto pelo anúncio da RGE. Mas, depois da avalanche de críticas negativas, nem um Midas da propaganda seria capaz de transformar em ouro o malfadado *Convite para ouvir Maysa Nº 3*. O que não deixava de ser um desperdício, pois o disco trazia canções que poderiam ser alçadas, sem esforço, à categoria de obras-primas. Havia ali, por exemplo, três canções de Tom Jobim, sendo que duas delas retomavam a parceria com Vinicius de Moraes: "É preciso dizer adeus" e a irresistível "Eu não existo sem você" (*Assim como uma nuvem/ só acontece se chover/ Assim como o poeta/ só é grande se sofrer/ Assim como viver/ sem ter amor não é viver/ Não há você sem mim/ e eu não existo sem você*).

Outras três canções do disco eram de autoria de Maysa, que pela primeira vez compunha em parceria, assinando duas músicas ("Fala baixo" e "Maria que é triste") com o maestro Enrico Simonetti — mais uma vez responsável pelos arranjos do LP e agora, também, o novo namorado da cantora. Ricardo Galeno, que fora destituído rapidamente da mesma função, emplacou uma faixa no LP, "Candidata a triste", em que se ouvia um sintomático lamento: *Sei que vou chorar um oceano/ você vai me deixar*. Antes, Galeno havia composto com Paulo Tito a música "Quero você", uma homenagem explícita a Maysa gravada por Cauby Peixoto: *Quero você com o seu jeito displicente/ Quero você com o seu quê de indiferente./ Quero você com seus defeitos/ e os trejeitos de quem só faz muita loucura/ e não sabe afinal o que procura./ Quero você com seu cabelo em desalinho/ Quero você que é tão falta de carinho.*

O romance com Simonetti terminou tão rápido quanto começou. Os jornalistas mal se deram conta daquele caso-relâmpago. O que é de admirar, pois a polêmica sobre o *Convite para ouvir Maysa Nº 3* reacendeu o furor da imprensa em relação a cada passo dado por Maysa. A revista *Escândalo*, que não estampava este título à toa, trouxe a cantora na capa da edição de agosto de 1958, sob a seguinte chamada: "Maysa Matarazzo:

O meu destino é pecar". O texto da reportagem, assinada por Fredy Daltro, era uma peça inconfundível do pior jornalismo marrom: "Maysa está seguindo um caminho que fatalmente a conduzirá à ruína e à degradação moral: a bebida. Desde que se separou do marido, um respeitável cavalheiro de São Paulo, ela parece que se transformou em uma máquina movida a álcool e destituída de qualquer sentimento", dizia um dos trechos mais suaves da matéria.

Não havia mais possibilidade de sossego. Aqui e ali, alguns colunistas sociais voltaram a especular que Maysa estava de caso com este ou aquele rapaz. O locutor César Medeiros e o ator Milton Moraes eram os mais citados na extensa lista de supostos namorados da cantora. A despeito do desmentido de ambos, houve até quem noticiasse que César e Milton tinham trocado socos e pontapés, no meio da rua, por causa de Maysa. Enquanto isso, a mexeriqueira Candinha garantia que ela estava pensando em casar com Paulo Tavares, o Paulinho Pouca Roupa.

A fim de erguer uma estratégica cortina de fumaça para se proteger das críticas contra o disco mais recente e, ao mesmo tempo, para tirar uma onda com o assédio dos repórteres, Maysa e Paulinho apareceram de alianças de ouro nos respectivos anelares da mão direita. O estratagema deu certo. Durante semanas, esqueceram de criticar o disco e o escarcéu migrou para o noivado de araque. Mas foi a própria Maysa quem primeiro cansou da tática diversionista: "Nunca fui noiva de ninguém nem vou casar de novo, pelo menos tão cedo. Mas andar sozinha dentro da noite é muito chato e, por favor, não custa nada a gente ter um namorado", ironizou, com aquele peculiar sorriso triste.

Além de indagar sobre quem seria seu próximo xodó, só havia outra pergunta que os jornalistas faziam com mais insistência a Maysa: era verdade que tentara por mais de uma vez o suicídio? Ela continuava negando, peremptória: "Antes que vocês inventem outra novidade sobre mim, quero dizer também que nunca fumei maconha. Do mesmo modo, nunca cortei os pulsos. O que é que há com certo tipo de imprensa que escreve o que quer, e quem fica na berlinda não pode dizer nada?", revoltou-se. Mas quando a *Tribuna da Imprensa*, a pretexto de publicar uma matéria sobre dietas da moda, ousou interrogá-la sobre o que fazia para controlar o peso, ela foi ainda mais seca: "Nada. Para constatar isso, basta olhar para mim". Dessa vez haviam atingido o ponto fraco de Maysa. "Acho que aquela gordura toda era uma espécie de capa para me esconder, quase um invólucro", confidenciaria ela duas décadas depois a Clovis Levy, em entrevista à revista *Ele&Ela*. "Eu tinha a impressão de que aquele negócio todo suava, me parecia uma coisa suja. Era uma imagem feia. Foi uma época realmente terrível."

Sentiram que Maysa havia acusado o golpe. "Ela é uma coitada, uma infeliz, uma alcoólatra, uma gorda", censurou-lhe a revista *Escândalo*. E quando uma atormentada Maysa bateu seu fusquinha verde na traseira de um caminhão em Copacabana, exatamente naquele final de 1958, a imprensa teve enfim uma das manchetes mais escandalosas de todos os tempos sobre ela. E, dessa vez, Maysa não podia negar, esconder-se atrás de um desmentido. "Maysa, bêbada e ferida, foi atendida em pronto-socorro", noticiou a *Folha da Noite*. O resto, já se sabe. Disseram que era o fim. Previram sua retirada de cena. Falaram que o rosto ficaria deformado para sempre. Era uma vez a Cinderela às avessas. O que poucos podiam prever era que aquela seria apenas a primeira das muitas destruições e reconstruções que Maysa faria de sua vida — e de si mesma.

6. Pelos caminhos da vida (1959-1960)

Vai, segue o caminho.
Encontrarás meu rosto triste
em todas as estradas.
Estradas de sol,
varridas pelo vento.
(Vinicius de Moraes e Tom Jobim,
gravação de Maysa em 1959)

Na sala de embarque do Aeroporto Santos Dumont, no Rio de Janeiro, Maysa aguardava a chamada para o vôo que a levaria a São Paulo, onde dali a algumas horas faria a apresentação de seu programa semanal na TV Record. Um engraçadinho se aproximou e indagou-lhe à queima-roupa, com o mais inconfundível sotaque carioca: "Tantas cicatrizes, Maysa. Você estava em um desses aviões que caíram recentemente?". Havia um repórter ali ao lado e, lógico, a frase foi parar nas páginas dos jornais.

Era cruel, porém verdadeiro. O rosto de Maysa não era o mesmo. A maior de todas as cicatrizes, do lado esquerdo e pouco abaixo do queixo, não deixava dúvidas de que o acidente em Copacabana fora grave. Alguns centímetros mais abaixo e o corte provocado pelos vidros estilhaçados do pára-brisa teria lhe atingido a jugular. Os médicos disseram que Maysa era uma mulher de sorte, pelo simples fato de continuar viva para contar a história. Nas últimas aparições na televisão, carregara na maquiagem e apelara ainda mais para os *big closes* nos olhos, com o objetivo de disfarçar as seqüelas do desastre. Mas, fora do vídeo — e à luz do dia —, era impossível ocultá-las.

Depois de se esconder em casa por cerca de um mês, Maysa percebeu que não adiantava camuflar o que já se tornara público. Entretanto, ao contrário do que fora noticiado com insistência, nem de longe cogitou encerrar a carreira por causa disso. Ao contrário, passou a enfrentar câmeras de tevê e máquinas fotográficas com singular desenvoltura. A *Revista do Rádio* chegou a publicar fotos impiedosas nas quais ela exibia as cicatrizes à curiosidade popular. E, para surpresa de todos, não se esquivou do convite para participar do polêmico *Preto no Branco* — programa da TV Rio, famoso tanto pelas perguntas incômodas como pela iluminação e pelos closes que desnudavam detalhes do rosto e das expressões faciais dos convidados. Maysa sabia que, naquela noite, focalizariam sua face machucada sem misericórdia e tentariam arrancar-lhe a alma. Foi exatamente o que aconteceu.

O *Preto no Branco*, campeão de audiência no horário, era uma criação do jornalista Fernando Barbosa Lima e do onipresente Carlos Alberto Loffler (ele mesmo, aquele que vivia falando de almas azuladas e, depois de driblar o assanhadinho Antônio Maria, tivera um rápido *affair* com Maysa). O programa idealizado por Barbosa Lima e Loffler marcou época na tevê brasileira. No centro do palco, de pé e apoiado em um simples banquinho, o convidado era bombardeado por perguntas feitas pela produção e por personalidades escolhidas a dedo. Todas as interrogações eram lidas por Osvaldo Sargentelli, o apresentador que não aparecia em cena e cuja voz, *em off*, soava ameaçadora como um trovão. "Senhor Adhemar de Barros, 'rouba, mas faz' é um slogan de campanha ou é uma forma de ganhar a vida?", foi uma das perguntas que aquele político paulista teve de enfrentar, ao vivo, diante das câmeras.

"Se o entrevistado parecia tenso e suas mãos tremiam, então dávamos exatamente um close nas mãos dele", contaria Barbosa Lima, com uma indisfarçável pitada de sadismo. Durante uma pergunta mais incisiva, caso uma gota de suor escorresse pela testa do convidado, fechava-se mais o ângulo e a câmera denunciava aquele sinal de nervosismo, inequívoco, brilhando sob as luzes incandescentes do estúdio. Não foi por menos que, no início de março, quando se anunciou que Maysa seria uma das próximas entrevistadas, os jornais se ouriçaram. Com certeza, vinha chumbo grosso pela frente. "Maysa será a atração de hoje no *Preto no Branco*. Muita gente não sairá de casa para ouvir as respostas sempre prontas e inesperadas que partem dela", comentou a coluna de Odete Lara na *Última Hora*.

Pois quem ficou em casa naquela noite diante da tevê não se arrependeu. Maysa estava afiada, embora até a coluna "Nós, os ouvintes", que vez por outra a fustigava com notinhas capciosas no *O Globo*, tenha considerado que o programa pegara bem pesado: "As interrogações da produção vieram em forma de coices grosseiríssimos", dizia a seção. "Tantas foram as perguntas impróprias e insinuações malévolas que lhe dirigiram que Maysa virou uma fera", informou o jornal *Crítica de São Paulo*. Quando, por exemplo, foi indagado a Maysa se ela se reconhecia como uma contumaz encrenqueira, a resposta veio de um jato: "Sou assim mesmo e pronto. Podem me chamar de inconseqüente, leviana, até de matusquela. Faço o que quero, quando quero e porque quero", disse ela, que passou boa parte do programa enxugando o suor do rosto com um lenço branco.

Entretanto, para desapontamento dos que desejavam mais sangue, as questões feitas por personalidades do meio intelectual e artístico foram brandas. "Maysa, porque você faz aquela cara de zangada quando dá *boa noite* para a gente em seu programa de televisão?", foi o que quis saber, por exemplo, o poeta Manuel Bandeira. Em meio a um quase-sorriso, Maysa respondeu: "É porque, querido, até hoje eu não sabia que você estava me assistindo. Se soubesse, em vez daquele *boa noite*, eu teria mandado um beijo para você". A resposta deixou Bandeira tão fascinado que, em breve, ele retribuiria o afago. Escreveu um belo poema para Maysa — e o publicou na imprensa:

> Maysa não é isso mas Maysa tem aquilo.
> Maysa não é aquilo mas Maysa tem isto.
> Os olhos de Maysa são dois não sei quê dois não sei como diga dois oceanos não-pacíficos.
> [...]
> Maysa reapareceu depois de longa ausência.
> Maysa emagreceu
> Está melhor assim?

Nem melhor nem pior.
Maysa não é um corpo.
Maysa são dois olhos e uma boca.

* * *

Maysa parecia atrair confusões como um ímã. Mesmo quando tentava fugir dos qüiproquós, a fama de criadora de casos a perseguia pelos calcanhares. No início de março, ela estava em São Paulo com o pai e alguns amigos na boate Oásis. No meio da noite, viu pipocar uma confusão na mesa ao lado. Alguns rapazes se desentenderam e, de pileque, saíram no braço uns contra os outros. Em meio ao festival de cadeiras, braços e dentes quebrados, além do cheiro de sangue, Monja farejou mais um escândalo e tirou a filha de perto da cena. De nada adiantou. Durante dias seguidos os jornais noticiaram a versão de que Maysa havia começado a desordem, ao espatifar uma garrafa na cabeça de um moço que teria lhe endereçado uma piada de mau gosto. "Maysa envolvida em briga de boate. Seu pai também se meteu no barulho. Resultado: delegacia para Maysa e para o pai", noticiou a *Tribuna da Imprensa*.

Não adiantou o delegado responsável pelo caso garantir que o nome de Maysa não constava do inquérito sequer como testemunha. De nada valeu também a retificação feita por quem, presente ao local, jurou de pé junto que a cantora nada tinha a ver com o tumulto. "Maysa não foi à polícia. Aliás, nenhum dos convidados de Maysa foi à polícia, pois não havia contas a prestar. Mister Eco estava nesta. Mister Eco viu", diria o próprio, no *Diário Carioca*. Contudo, quanto mais se procurava desmentir o caso, mais a imprensa fazia algazarra. "Maysa afirmou que, na hora da confusão, estava procurando os brincos. Porém, não diz como os perdeu", fustigou o *Diário da Noite* em notícia de primeira página. "Maysa desmente que tenha brigado na Oásis, e explica: 'Apenas um amigo meu confessou-me que estava doente e eu, então, receitei-lhe uma garrafada'", tripudiou o implacável Eduardo Palmério na coluna "Ponto e Vírgula", publicada pelo mesmo jornal.

Uma manchete ruim puxava outra, ainda que não houvesse novidades a noticiar. Naquele mês, a *Última Hora* trouxe um pretenso "perfil psicológico" de Maysa, assinado por um certo Dr. T., que o jornal apresentava aos leitores como sendo um "notável psiquiatra". O texto fazia um arremedo de teoria freudiana para concluir que Maysa era um caso clínico. "Uma mulher contra o mundo", foi o diagnóstico do Dr. T., que "analisou" a cantora tomando por base a forma como ela se apresentava diante das câmeras de televisão. "A gravidade da voz e o tipo de canção preferido por Maysa dizem do traço melancólico, marcante, de sua personalidade. A parte nasal, com o abrir e fechar das narinas em inspiração profunda, revela idêntico sintoma. A expressão dos lábios, com o movimento para baixo, exibe comissuras reveladoras de desdém." O "psiquiatra" sugeria que a tristeza de Maysa era patológica e que a moça estava necessitando, imediatamente, de tratamento profissional adequado. Em resumo, era uma criatura perturbada.

Uma semana depois, Maysa deu munição pesada para os que, a exemplo do fajuto Dr. T., consideravam que ela precisava mesmo trocar os casacos de pele por camisas-de-força. De novo em São Paulo, tomou umas e outras antes de subir a bordo do avião que, do Aeroporto de Congonhas, a levaria para o Rio de Janeiro. Ao vê-la claramente alterada, a equipe de bordo chamou a atenção do comandante. Este comunicou à torre que se recusava a levantar vôo conduzindo um passageiro em "estado etílico". Convidada pela comissária a descer da aeronave, Maysa ficou possessa. Os demais passageiros pressionaram para que ela fosse desembarcada e, assim, a viagem pudesse ter início. O pandemônio estava feito. A cantora disse que dali ninguém a tirava. Desafiou qualquer um a fazê-lo. Alguém sugeriu que chamassem a polícia. Diante da ameaça, Maysa esbravejou que estava sendo discriminada por uma "cambada de paulistas a soldo dos Matarazzo": "Eu sei que a paulistada não gosta de mim. Por isso é que fui embora dessa terra provinciana", trovejou.

Depois de uma hora de atraso, com Maysa já nocauteada pelo álcool e pelo sono, o avião enfim conseguiu decolar. Mas não houve tempo para que curasse a ressaca colossal antes que detonassem o próximo bochicho contra ela. As notícias sobre a confusão na Ponte Aérea não haviam sumido dos jornais quando se armou um circo na porta da Delegacia Regional do Trabalho (DRT), na tarde em que Maysa foi tirar, pela primeira vez, a carteira profissional — conforme exigia a fiscalização do órgão para que os contratos artísticos fossem considerados dentro da lei.

Os fotógrafos fizeram campana nas dependências da DRT com o objetivo de obter a imagem que logo ilustraria as páginas dos principais jornais cariocas: Maysa com os dedos sujos de tinta no momento em que tirava as impressões digitais para obter a carteira número 98.903, série 118-A, do Ministério do Trabalho. "Por favor, não me fotografem assim", ela pediu, já antevendo o uso indevido que poderiam vir a fazer da imagem. Não deu outra. "Maysa na delegacia", diriam as manchetes escandalosas na manhã seguinte, ao lado da foto da cantora com o polegar pintado de preto. Só depois de conferir os textos das páginas internas é que os leitores ficavam sabendo que a tal "delegacia", na verdade, era a DRT.

Até Maysa, que dizia não se incomodar com as bordoadas da mídia, achou que o alarde, o sensacionalismo e o preconceito em torno de seu nome haviam ultrapassado o limite do suportável. "Quer saber? Estou farta de ser manchete", declarou nessa época a mais de um jornalista que procurou entrevistá-la. Maysa sabia que ela própria sempre fora a principal responsável por tanta celeuma. Desse modo, apesar da necessidade de divulgar dois novos LPs — um recém-lançado, outro quase na agulha —, anunciou que pediria licença de todos os contratos em boates, rádio e tevê. Pretendia ficar alguns meses fora do Brasil. Deixaria o filho sob a guarda dos avós, Monja e Inah, e partiria sozinha. Queria dar um tempo, repensar a vida, pôr a cabeça em ordem. "Os meus erros pertencem ao passado", prometeu.

Mesmo aí viram combustível para novas e inflamadas intrigas. Maysa forneceu diferentes versões sobre os objetivos da viagem, o que criou uma atmosfera de desconfiança em torno do assunto. Primeiro, anunciou que havia fechado um contrato milionário para apresentações em Lisboa, Londres, Roma e Paris. Depois informou que desistira da turnê e que faria apenas uma temporada de descanso na Europa. Entre uma notícia e a outra, as habituais colunas de fofoca anunciaram que a anunciada viagem seria apenas uma desculpa para esconder uma indesejada gravidez. "Pelo amor de Deus, deixem de tanta história sem pés nem cabeça, não vou ser mãe de novo coisa nenhuma. Viajo apenas para descansar", reclamou Maysa.

Contudo, descansar não era um verbo que combinasse com um terremoto em forma de mulher chamado Maysa.

* * *

A foto da capa do *Convite para ouvir Maysa Nº 4*, lançado no início de 1959, mostrava a cantora com os cabelos oxigenados, lábios vermelhos e tristes, dedilhando as cordas de um violão. Era uma imagem antiga, quando o rosto da estrela ainda não possuía cicatrizes — a aliança no dedo anelar da mão esquerda denunciava que a fotografia fora feita antes do desquite. "Explosiva. Violenta. Divinamente satânica, inclusive com o demonismo suave das meiguices angorás", assim definia Maysa o cronista Hélcio Carvalho de Castro, no texto de contracapa. Mais uma vez, ela selecionara três músicas de Tom Jobim para o repertório, duas delas — "Pelos caminhos da vida" e "Exaltação ao amor" — feitas em parceria com Vinicius de Moraes. A esse ponto, Tom e Vinicius já figuravam entre os compositores mais requisitados do país. Naquele ano, por exemplo, segundo os cálculos do jornalista Zuza Homem de Mello, a canção "Felicidade", de Tom e Vinicius, receberia nada menos que 25 gravações diferentes.

Outras quatro faixas do disco eram da própria Maysa, que surpreendeu todo mundo ao cantar "Nego malandro do morro", uma inusitada excursão da deusa da fossa no universo do samba ligeiro: *Não deixes que a caçamba/ faça a corda roer* — mandava ver o balanço do refrão composto por ela. Mas o clima costumeiro de dor-de-cotovelo era reposto com o auxílio luxuoso de uma canção de Ary Barroso, "Dois amigos", e da regravação de "Amargura", do arranjador, regente e pianista Radamés Gnatalli, composto em parceria com Alberto Ribeiro e lançado em 1950 por Lúcio Alves: *Pobre de quem/ vê em tudo a saudade de alguém/ e a esperar/ nem sequer vê a vida passar*. No disco havia também a sentimental "Tema da meia-noite", de Nazareno de Brito, e uma releitura da napolitana "Malatia", de Armando Romeo, que comprovava mais uma vez a versatilidade de Maysa cantando em outros idiomas. Nada de admirar da parte de quem, dali a pouco tempo, naquele mesmo ano de 1959, lançaria um compacto com quatro músicas estrangeiras, incluindo a mesma "Malatia", ao lado da francesa "Chanson d'amour"

(Heinz Gietz e Kurt Feltz), da norte-americana "Get out of town" (Cole Porter) e da inusitada "Uska dara", que Maysa desencavou — pasme-se — do folclore turco.

Ao contrário do disco anterior, *Convite para ouvir Maysa* Nº 4 arrancou elogios da crítica. "A cantora reaparece como em seus melhores momentos, demonstrando que ainda é a dona da bola nesse negócio de interpretar o gênero romântico sentimental", escreveu Oswaldo Guilherme no *Diário do Povo*. "De fato, Maysa está no lugar que é de Maysa. Só dela, de mais ninguém", registrou o jornal *O Dia*, referendando as palavras utilizadas por Hélcio Carvalho de Castro na contracapa do LP. Mas houve também quem censurasse o fato de Maysa estar, aos poucos, deixando de compor sozinha para dividir a autoria de duas novas músicas, "Você" e "Deserto de nós dois", assinadas em parceria com o maestro Enrico Simonetti, que mais uma vez respondia pelos arranjos e a regência do disco. "Gostamos de Maysa como autora, mas sem parceiros", frisara um enciumado Oswaldo Guilherme.

* * *

Portugal se pôs aos pés de Maysa. No aeroporto de Lisboa, a primeira escala na Europa, ela foi reconhecida por um empresário português que a convidou para fazer uma temporada no famoso Casino Estoril. "Uma das maiores cançonetistas brasileiras dos últimos tempos está entre nós", noticiou a imprensa lusitana. "Sente-se bem em nosso país?", indagou-lhe um repórter, enquanto ela se preparava para uma apresentação na RTP, a principal emissora de tevê portuguesa. "Sinto-me como na minha própria casa. Acredite: se eu tivesse de viver fora do Brasil, nunca mais deixaria este país maravilhoso", respondeu Maysa. "Flor brasileira de 23 primaveras, rainha incontestável do samba-canção, ela é uma rapariga de um tipo moreno e estranho, de rara beleza, num corpo forte e alto", descreveu o redator do jornal lisboeta *Diário de Notícias*, aos olhos de quem as cicatrizes de Maysa passariam despercebidas.

"Nem no Brasil eu tenho um público tão carinhoso quanto este. Ontem, no Estoril, eu tive que voltar à cena cinco vezes, para agradecer os aplausos", comemorou Maysa, ao falar para um programa de televisão em Lisboa.

Depois de dez dias de retumbante sucesso em Portugal, rumou para Paris. Por lá, hospedou-se no luxuosíssimo Hôtel La Trémoille, situado estrategicamente entre os Champs-Elysées e o charmoso rio Sena, dois dos principais cartões-postais da cidade. Na agenda, nada de shows, nenhuma apresentação em casas noturnas. "Vim aqui para ficar com os comigos de mim", mandava dizer, enigmática, por carta, aos amigos no Rio de Janeiro. *Comigos de mim*, na verdade, era o nome do livro de poemas que Maysa pretendia publicar na volta ao Brasil. O título, apesar de estranho, fazia todo o sentido. Durante o dia Maysa trancafiava-se na suíte do hotel e só muito depois, quando escurecia, saía a passear, sempre sozinha, pela capital francesa. No diário, escreveu: "Fugir à vida, a tudo o que é real, aos sonhos e às cores, esquecer que tenho um passado e que tenho de enfrentar o futuro, isso continua a ser a minha obsessão".

Apenas uma ou outra vez renunciou a esse ritual cotidiano. Em uma delas, aceitou o convite e fez uma audição especial para dona Sara Kubitscheck — esposa do presidente Juscelino —, que estava em Paris acompanhada das filhas Márcia e Maristela. De outra feita, Maysa resolveu prestigiar a inauguração da Casa do Brasil, projetada por Lucio Costa e Le Corbusier, no complexo da Cité Universitaire, centro de estudos que abrigava estudantes de várias nacionalidades e estava localizado em um parque de quarenta hectares, repleto de bosques e gramados. Maysa foi até lá, participou da solenidade, deu autógrafos, foi paparicada, porém, no coquetel observou: "Champanhe é bom, mas só faz cócegas na gente".

Uma vez Maysa, sempre Maysa. Logo trocaria o isolamento do quarto de hotel pela peregrinação em busca de um novo circuito parisiense, bem diferente daquele que fizera ao lado do ex-marido durante a lua-de-mel. Entusiasmada pelo que lera a respeito dos existencialistas franceses, foi conhecer de perto os lugares freqüentados por Sartre e Simone de Beauvoir. Maysa identificou-se com o espírito dos jovens que, com ar de desencanto, vestindo jeans surrados e os indefectíveis suéteres pretos de gola rulê, perambulavam pelos bares e cafés de Saint-German e Montparnasse.

No entanto, tornou-se uma existencialista mais radical que a maioria deles. Em nome do "direito à dúvida e à liberdade", perambulou a esmo e chegou a dormir em bancos de praças e parques da cidade. Houve dias seguidos em que desapareceu do hotel e, com uma garrafa na mão, foi conhecer de perto o submundo dos *clochards* — os vagabundos e boêmios de rua de Paris.

"A vós, que compreendeis o absurdo da vida" era o brinde que gostava de fazer, erguendo uma caneca de vinho aos novos companheiros.

* * *

Em Paris, Maysa tornou-se amiga de Vera Barreto Leite — uma das primeiras e mais famosas manequins internacionais brasileiras, que naquele momento era a modelo preferida de Dior e Coco Chanel. Vera recordaria o início de manhã em que Maysa, sempre avessa a qualquer tipo de preconceito, chegou a tiracolo de um *clochard* e de uma meretriz na casa de Maria Barreto Leite — mãe de Vera e funcionária do Itamaraty a serviço da embaixada brasileira em Paris. "Muitas vezes o telefone tocava no meio da madrugada e nós já podíamos imaginar do que se tratava: era Maysa, ligando do hotel, querendo conversar e espantar a solidão. Se não fosse Maysa, era a polícia de Paris, nos informando que ela fora encontrada em alguma rua, sem rumo."

Maysa e Vera haviam se conhecido no Rio de Janeiro e, antes de se tornarem amigas em Paris, quase se engalfinharam por causa de Cesar Thedin, o engenheiro bonitão que namorara Elizeth Cardoso e casaria com Tônia Carrero. Maysa cantava em uma boate quando Vera chegou acompanhada de Cesar. Ao avistar o moço na companhia de uma mulher tão linda — Vera era considerada uma das modelos mais belas do mundo —, Maysa esqueceu o restante do público e, sem parar de cantar, postou-se ao lado da mesa em que os dois pombinhos estavam sentados. "Que maravilha, ela está fazendo o show só para nós", animou-se Vera. "É, mas depois eu vou te encher de porrada", retrucou Maysa. Foi preciso que Cesar e Vera chispassem dali para que Maysa não cumprisse a ameaça. "Eu mato esta mulher!", prometia Maysa, aos gritos, depois de jogar o microfone para o alto.

As duas amigas ainda dariam muitas gargalhadas às custas do episódio. E nem precisou muito tempo para isso. Logo ficou claro que a identificação seria mais forte que qualquer disputa amorosa. "Nós éramos bem avançadas para a época, até para uma cidade cosmopolita como Paris. Tínhamos nos separado dos respectivos maridos havia pouco tempo. Fazíamos molecagens, namorávamos muita gente, tomávamos nossos pileques sem nos importar com os comentários de ninguém", recordaria Vera. "A diferença é que sempre fui mais para o lado da alegria e Maysa, apesar de ser também uma pessoa expansiva, tinha uma alma marcadamente trágica", compararia. Entretanto, só havia uma única coisa que Maysa nunca perdoaria à amiga: como Vera Barreto Leite conseguia ser tão magra, enquanto ela, Maysa, não parava de engordar desde que pusera os pés em Paris?

* * *

No Brasil, ninguém sabia ao certo onde — e como — estava Maysa. Foi nesse período que o colaborador de *O Cruzeiro* na Europa, Afrânio Brasil Soares, a descobriu em Paris e conseguiu convencê-la a conceder uma entrevista. "Maysa queixa-se de uma saudade que a acompanha a cada momento, saudade de alguma coisa que ela não sabe o que é. Não compreende como ame tanto a solidão e ache tão insuportável viver sozinha", diria a reportagem. "Maysa tem uma certa simpatia pelas pessoas complicadas e julga compreendê-las bem. Acha desinteressantes as pessoas normais. Diz que a sua extroversão é uma forma de introversão. Cada tentativa de suicídio dá-se numa hora em que supõe encontrar-se consigo mesma e acrescenta: qualquer pessoa se mata no dia em que se encontrar."

Publicada em uma revista de prestígio como *O Cruzeiro*, a matéria teve enorme repercussão no Brasil. Em uma das imagens feitas pelo fotógrafo Helder Martins, Maysa aparecia no quarto de hotel, à penumbra, deitada na cama e com o rosto sob a luz de um abajur. "O futuro, para Maysa, é a dose seguinte de uísque e o passado, a anterior. Ela mede os dias pelas doses: há dias com 23 doses, outros com 27, alguns de 36, embora nunca se tenha dado o trabalho de contá-las. Diz que seu maior desejo é fazer uma turnê pelo mundo acompanhada de Charles Chaplin ou de um cachorro vira-lata. Acha que há poucas coisas boas em Paris, como encostar-se num poste de esquina", dizia o texto. Em outra foto, Maysa contemplava com olhar vago as águas do rio Sena. "O Sena é um convite para uma morte lírica", sugeria a legenda. A matéria, que atribuía a Maysa 28 tentativas de suicídio, fazia no título uma alusão a uma possível 29ª vez: "O Sena desafia Maysa".

Enquanto o Brasil inteiro ficava chocado com as revelações da reportagem, Maysa continuava a vida nômade pelas madrugadas de Paris. Nessas andanças, um amigo francês chegou a apelidá-la de "Pantera". Quando soube disso, a amiga Vera Barreto Leite achou que o codinome era mais do que justo. "Você olhava para Maysa e via uma mulher de olhos bonitos. No momento seguinte, quando voltava a fitá-la, havia se transformado. O rosto assumia uma expressão feroz e desafiadora, parecia que baixara nela uma pombajira. Era uma metamorfose esquisita, que metia medo nos desavisados. Ninguém se espantaria se dali a pouco ela começasse a rugir e encarnar uma pantera selvagem", testemunharia Vera.

Em pouco tempo, a felina de olhos verdes torrou todo o dinheiro que havia levado para Paris em diárias de hotel e nas noitadas sem-fim. Chegou a garatujar quadros e vendê-los na rua, para ganhar algum. Pelo mesmo motivo, cantou em uma casa noturna de Paris, a La Louisianne, local que passou a ser a sua "furna", como ela própria definiu. Todas as noites lá estava ela, sentada a uma mesa em um canto mais escuro, por trás da garrafa. Ou em pé, no pequeno elevado à guisa de palco, com o microfone na mão. Foi ali que pela primeira vez cantou "Ne me quitte pas", música lançada por Jacques Brel naquele ano e que, pouco mais tarde, ganharia uma gravação antológica e se tornaria quase um prefixo de Maysa.

Foi na La Louisianne que Afrânio Brasil Soares voltou a vê-la e conseguiu extrair dela mais uma entrevista histórica para O *Cruzeiro*. Durante três noites o jornalista a procurara por lá — e não a encontrara. Quando soube que Maysa estivera aqueles dias em Roma, Soares logo quis saber se a escapulida devia-se ao fato de Baby Pignatari, o primo de André Matarazzo que diziam ter uma queda por ela, estar também na Itália.

"Que idéia... Fui a Roma pela mesma razão por que vim a Paris: para fugir dos chatos", devolveu Maysa.

O jornalista não assumiu a carapuça e, provocativo, indagou-lhe por qual motivo não mais assinava o sobrenome Matarazzo.

"Porque sou Maysa. Simplesmente Maysa", limitou-se a responder.

Quando se tocou no tema delicado do suicídio, Maysa encrespou-se. Disse que qualquer um com coragem para fazer blague a respeito de um assunto daquele mostrava, no mínimo, falta de dignidade humana e menosprezo pelos sentimentos do próximo. Pulava aquele assunto. O entrevistador insistiu, perguntou se Maysa era uma pessoa feliz. Sem piscar, ela fechou a cara e disse que não.

"Então é por isso que recorre à bebida?", fustigou o repórter.

Maysa fez que não ouviu.

"Esta revolta íntima contra tudo, esta insatisfação, esta fuga de mim e, ao mesmo tempo, esta eterna procura de meu eu é o que me torna infelicíssima", disse ela.

"Infeliz assim, Maysa?"

"Sim, uma infelicidade que é tanto mais infeliz porque não é constante. O tédio, o cansaço prematuro de viver, o fastio de todas as coisas se alternam, às vezes, com momentos de euforia. O uísque, você sabe..."

"E se ele acabasse?"

"Não graceja, seria uma tragédia maior ainda."

Antes de terminar aquela conversa, que se alongou o resto da noite e foi em boa parte transcrita na reportagem, Afrânio Brasil Soares quis saber por que ela dissera, na vez anterior, que escolheria Chaplin ou um vira-lata como companhia para uma suposta volta ao mundo.

"Chaplin é minha outra metade, que não cruzou o meu caminho, nem no tempo e no espaço."

"E o vira-lata, Maysa?"

"Ora, o vira-lata é um cachorro que tem estofo, misto de poeta e filósofo. O vira-lata vasculha latas de lixo, ama no meio das ruas, dorme nos monturos e não é propriedade de ninguém. É um cachorro que tem vivências, diferente dos cães policiais, que comparo com os atletas, e dos lulus, esses *enfant gatés* da raça canina. Tenho admiração profunda pelos vira-latas. Não amaria outros, se pertencesse à sua espécie."

No fim da noite, o repórter lhe lançou a última pergunta. Pediu para que ela imaginasse que a mesma questão lhe seria feita no exato instante de sua morte:

"Que fizeste da vida, Maysa?"

"Chorei todos os dias. Sofri muito e nunca aprendi a amar..." foi a resposta.

* * *

Maysa estava batendo perna em Paris quando a RGE lançou por aqui um de seus discos mais noturnos — embora, curiosamente, uma das músicas mais executadas do álbum tenha sido um samba telecoteco, "Recado", da dupla Luís Antônio e Djalma Ferreira. Contudo, insólito mesmo é que, pela primeira vez, um disco de carreira de Maysa não trazia nenhuma composição assinada por ela. Se isso, por um lado, furtou dos fãs a oportunidade de admirar a compositora, por outra ajudou a dar mais relevo à faceta de grande intérprete que era. Da amiga Dolores Duran pinçou dois samba-canções, "Castigo" (*A gente briga/ diz tanta coisa que não quer dizer*), cantado por uma sussurrante Maysa em alguns trechos, e "Pela rua" (parceria com José Ribamar), em que ela parecia se mostrar mais dramática que nunca: *Eu fui andando pela rua escura/ pra poder chorar*.

De Antônio Maria Maysa gravou para o novo LP uma das maiores preciosidades da música brasileira, "Manhã de Carnaval" — composta por ele e Luiz Bonfá para a trilha sonora do filme *Orfeu negro*, de Marcel Camus, baseado na peça escrita por Vinicius de Moraes. A película, que faturou o Oscar de melhor filme estrangeiro e a Palma de Ouro em Cannes naquele ano de 1959, também trazia na trilha a canção "Felicidade", de Tom Jobim e Vinicius de Moraes, que Maysa igualmente incluiu no novo disco. De Tom e Vinicius entraria ainda no álbum a canção que já nascera como um clássico da MPB: "Eu sei que vou te amar".

Apesar de já ter trabalhos gravados por gente do quilate de Nora Ney e Lúcio Alves, o cantor e compositor Evaldo Gouveia era mais conhecido como vocalista do Trio Nagô, conjunto vocal que, surgido no Ceará, fez grande sucesso no Rio de Janeiro e em São Paulo. Em uma noitada na casa de Mister Eco, foi apresentado a Maysa. "Evaldo, cante uma de suas músicas aí para Maysa ouvir", pediu Eco. Evaldo obedeceu de imediato. Pegou o violão e cantarolou "Canção para ninar gente grande", dele e de Antônio

Maria. "Essa música maravilhosa é sua?", surpreendeu-se Maysa. Meio encabulado, Evaldo disse que era. Maysa pediu que ele fizesse uma música especialmente para ela. "No final da noite, cada um foi pro seu lado", recordaria Evaldo Gouveia.

No dia seguinte, no quartinho em que morava na rua Bento Lisboa, 8, no bairro carioca do Catete, Evaldo só precisou de meia hora para compor com o parceiro Jair Amorim o bolero "Só Deus" (*Eu mesma tenho horror de mim/ vergonha de chorar assim/ mas Deus, que me escutou/ quase chorou*). Maysa adorou o tom escancaradamente trágico da música e decidiu incluí-la no novo disco. "Quase tive um troço de tanta emoção", contaria Evaldo, que no ano seguinte explodiria nas paradas de sucesso de todo o país com um outro bolero, "Alguém me disse", cantado por Anísio Silva.

Aquele álbum, de título incomum — *Maysa é Maysa... É Maysa, É Maysa!* —, trazia também, entre outras faixas, uma versão de Odayr Marsano para o imortal "Hymne à l'amour" (Hino ao amor), de Edith Piaf, e um belo samba-canção de Fernando César, "A noite de nós dois". Enfim, fruto de um repertório bem peneirado, era um disco que prometia. Mas, pela circunstância de Maysa se encontrar fora do Brasil, o trabalho acabou não recebendo a divulgação que merecia e, em conseqüência, a mesma repercussão obtida pelos LPs anteriores. Mas em breve Maysa estaria de volta. Em setembro, mandou avisar, de Paris, aos leitores da *Revista do Rádio*: "Vou voltar. E viva".

* * *

Maysa cumpriu a promessa. Quatro meses depois da partida, e cerca de dez quilos mais gorda — ultrapassara a marca capital dos noventa quilos —, retornou irreconhecível ao Brasil. A vida errática em Paris, em vez do prometido descanso, acabou lhe rendendo um par de enormes olheiras, alguns dentes estragados e, claro, manchetes ainda mais escabrosas. Logo ao descer do avião, uma Maysa imensa, descabelada e com um sorriso nervoso estampado no rosto acabou flagrada por um fotógrafo da *Radiolândia*. "Ela declara que voltou outra", dizia a legenda, com indisfarçada malícia.

A imprensa queria saber detalhes sobre o período que ela passara sozinha do outro lado do Atlântico. "Quem disse que fui presa em Paris?" foi por exemplo o título de uma entrevista publicada pela revista *São Paulo na TV*. "Maysa angustiada: querem me casar com a morte", estampou a *Revista do Rádio* em matéria de página dupla, na qual pela enésima vez ela desmentia os boatos de que tentara se atirar de uma ponte sobre o rio Sena. Em seu esboço inacabado de autobiografia, ela assegurou que naquele ano gravara um disco em Paris, a convite do ator, cantor e compositor francês Ray Ventura. "Tive a surpresa de ser convidada por Ray para fazer um disco com músicas brasileiras traduzidas para o francês, e foi quando regravei 'Manhã de Carnaval' e 'Felicidade', que eu já tinha gravado aqui no Brasil. Esse disco foi posto à venda, mas eu nunca ouvi, nem mesmo na época, pois em seguida à gravação fui chamada a Montecarlo para um especial que eles fizeram em um cassino, e de lá vim para o Brasil."

Mas o principal assunto a respeito de Maysa agora era outro. Todos os dias publicavam-se notas que lamentavam o fato de ela haver perdido a antiga e decantada beleza. "Só conservou os olhos felinos, misteriosos", observou o *Diário Carioca*. A curiosidade geral também pairava sobre como ela reagira ao saber que, enquanto estivera fora do país, o ex-marido André Matarazzo casara-se novamente, com uma estrangeira, Aviva Pe'er, a Miss Israel em 1954, que passou a assinar Vivi Matarazzo. "Não tenho opinião a dar sobre a vida dele. Acho que o André até se atrasou em relação a isso. Já devia ter casado há mais tempo" — essa foi a resposta de Maysa, que logo anunciaria também a existência de um novo amor em sua vida.

Dessa vez, o eleito era o lusitano Vítor da Cunha Rego, um jornalista engajado, ligado à esquerda portuguesa. Perseguido pela ditadura de Antônio de Oliveira Salazar, fixou-se por um período no Brasil e trabalhou em jornais paulistanos como o *Estadão* e a *Folha de S.Paulo*. A "madame e o comunista", como o casal foi apelidado pelas revistas de fofoca, chegaram a falar em casamento, mas o romance, como todos os anteriores de Maysa, não iria longe. "Não quero mais casar. Quero ser livre", justificou ela à imprensa. "Depois do fracasso de meu primeiro casamento, e das tentativas que fiz para encontrar a felicidade com outras pessoas, julguei por bem não pensar mais nesse assunto", explicou. O coração, portanto, estava fechado para balanço. "Quem foi mordida por cobra tem medo de minhoca", comparou.

O fato é que, de novo, Maysa estava na berlinda. Diante daquela mulher obesa e de rosto marcado, a *Revista do Rádio* resolveu fazer uma enquete com grandes nomes da música, do rádio e da televisão brasileira, propondo um "julgamento" público sobre ela. "Os acontecimentos da vida particular de Maysa prejudicam seu prestígio artístico?" — indagou a revista a catorze celebridades nacionais. As opiniões ficaram divididas. "Ao público só interessa que a artista cante bem", argumentou Dolores Duran, amiga de todas as horas. "Apesar de tudo o que aconteceu com ela, Maysa continua sendo uma estrela. É uma grande artista e compositora. Do contrário, a publicidade negativa que tem recebido já a teria derrubado", disse Ary Barroso. "Ninguém tem nada a ver com a vida particular de Maysa", descartou Doris Monteiro.

Entretanto, uma das mais jovens e talentosas artistas da época, Sylvinha Telles, fazia ressalvas à colega: "Acho que Maysa tem um grande valor como cantora e compositora, por isso não posso compreender que ela permita que sua carreira seja prejudicada por faltas a compromissos e por má publicidade em torno de sua vida particular". Ângela Maria fazia coro a Sylvinha: "Tudo isso prejudica Maysa como a qualquer outra cantora que faça a mesma coisa que ela faz, sem refletir no que possa acontecer com sua carreira artística".

Logo Maysa sofreria um novo e grande baque. No dia 24 de outubro de 1959, ela estava nos camarins da boate Au Bon Gourmet, em Copacabana, preparando-se para estrear um novo show, quando pediu a um amigo para ligar para a Little Club, onde Dolores Duran estava fazendo temporada de grande sucesso. "Fala pra Dolores atrasar um pouco o show dela, porque o pessoal aqui está querendo ir assisti-la também. Quando eu terminar de cantar, a gente se manda com todo mundo pra lá", explicou Maysa. O amigo ligou e, com o telefone da mão, ficou pálido ao ouvir o que lhe diziam do outro lado da linha. Não haveria show de Dolores naquela noite na Little Club. E em mais nenhuma outra noite do mundo. Dolores Duran havia morrido.

Dolores chegara em casa às sete da manhã, depois de uma farra com amigos, e, segundo reza a lenda, recomendara à empregada: "Não me acorde. Estou muito cansada. Vou dormir até morrer". No meio do sono, sofreu o ataque cardíaco que a levou para sempre, aos 29 anos de idade. Maysa desmoronou. Mesmo assim, entrou no palco e cantou, para fazer uma última e emocionada homenagem à amiga. Resolveu alterar a ordem das músicas e começou com "Noite de paz", canção de Dolores que incluira no *Convite para ouvir Maysa Nº 4*: *Dá-me Senhor uma noite sem pensar/ dá-me Senhor uma noite bem comum/ uma só noite em que eu possa descansar/ sem esperança e sem sonho nenhum*. Enquanto Maysa cantava, a notícia sobre a morte de Dolores Duran se espalhou entre as mesas enlutadas do Au Bon Gourmet.

* * *

Poucos meses depois, Maysa sumiu de circulação. Nas duas semanas que se seguiram ao Carnaval de 1960, ninguém mais a viu. Ela parecia ter aberto um buraco no chão e desaparecido dentro dele. Era como se houvesse evaporado no ar. O telefone de casa não atendia. A família, reticente, esquivava-se da imprensa. Os amigos, apreensivos e traumatizados pela morte recente de Dolores Duran, não tinham nenhuma notícia dela. O porteiro do prédio em que Maysa morava, procurado pelos repórteres, dizia que também nunca mais a vira. "Maysa apareceu em público, pela última vez, no baile de Carnaval do Municipal. Diante das câmeras, ficou paralisada, com um sorriso feio no lábio torcido, os olhos parados no ar", noticiou o *Diário Carioca*.

No baile, Maysa fora fotografada fantasiada, de maiô. Quando a foto foi publicada, todos viram que seu corpo estava deformado. Maysa diria depois que chorou dias seguidos olhando para aquela fotografia na qual ela própria não mais se reconhecia. A imagem era arrasadora. Não restara a sombra da bela e jovem Maysa, que surgira para o estrelato cerca de três anos antes. Em Paris, ela já havia confessado ao jornalista de *O Cruzeiro* que, certa vez, tentara o suicídio depois de se olhar no espelho do banheiro de casa e ter se deparado com a imagem de uma mulher em ruínas. Agora, aos 23 anos, a devastação era ainda mais completa.

O mistério sobre o desaparecimento de Maysa persistiu até o dia em que a reportagem da *Radiolândia* conseguiu, enfim, localizá-la. Ela estava em um leito do Hospital Nossa Senhora do Carmo, em São Paulo. Fora internada com uma crise de pressão baixa, provocada pela ingestão combinada de uísque e um punhado de comprimidos para dormir. Quando recobrou a consciência, pediu aos médicos para permanecer no hospital. Não queria voltar para casa, ainda. Sentia-se exausta. Aproveitaria aquele tempo, quem sabe, para fazer uma cirurgia no abdome a fim de se libertar da gordura extra e para realizar plásticas no rosto, com o objetivo de se livrar das cicatrizes. O pedido foi aceito pelos médicos.

Segundo informaram os boletins do hospital, além das cirurgias, durante o mês inteiro que permaneceu internada, Maysa também foi alvo de tratamento psicoterápico à base de antidepressivos e de uma rigorosa desintoxicação alcoólica, além de ser submetida à sonoterapia, isto é, a indução artificial do sono por longo período mediante o uso de drogas, técnica que era indicada para casos de psicoses agudas, depressões melancólicas, agitações ansiosas e síndromes psicossomáticas com risco de suicídio. "Maysa vive um drama", dizia a capa da revista *Manchete*. "Equipe médica luta para recuperar Maysa", noticiou a *Radiolândia*. Abaixo daquele título berrante em letras vermelhas, vinha a esperança: "Afirma a ciência — Surgirá uma nova Maysa".

7. Voltei (1960)

Meu verso sempre tão triste
volta pedindo desculpas
pelo triste que causou.
(Maysa, gravação de 1960)

Foi uma espécie de ressurreição. Ao longo de trinta dias, uma equipe composta de oito médicos se debruçou sobre o leito de Maysa no Hospital Nossa Senhora do Carmo, localizado na rua Martiniano de Carvalho, bairro da Bela Vista, em São Paulo. No início do tratamento, sob o diagnóstico de esgotamento nervoso e grave debilidade física, ela apresentou sono intranqüilo, sacudido por constantes sobressaltos. Foram necessárias doses extras de soporíferos e sedativos para fazê-la mergulhar em uma forma controlada de hibernação. Nos momentos em que permaneceu acordada, recebeu uma dieta rigorosa: apenas um bife grelhado acompanhado de salada na hora do almoço e sucos de frutas durante o resto do dia, além do soro aplicado na veia. De imediato, perdeu catorze quilos.

Na manhã em que os médicos lhe deram alta no hospital, ela levantou cedo, sentiu-se mais leve, abriu a janela do quarto no qual estivera confinada o mês inteiro e disse aos pais que estava pronta para enfrentar o batalhão de repórteres e fotógrafos que a aguardava lá fora. O espelho não mais a atormentava. Pela primeira vez, em muito tempo, apareceu à luz do dia sem nenhuma maquiagem. A despeito do sol forte, também não usou óculos escuros. "O dia não a incomodava como antes", notou a reportagem da *Última Hora*, que informou aos leitores em manchete de primeira página:

Maysa, aos dois anos, quando o pai era fiscal de imposto em Bauru (SP).

Com pose de artista aos sete anos (acima), na primeira comunhão, quando estudava no colégio interno (ao lado) e na charretinha em Poços de Caldas, no dia em que conheceu André Matarazzo.

Aos dezesseis anos, a moça "levada" que vestia calças compridas, ia ao cinema sozinha, namorava quem bem entendia e fumava escondida dos pais.

Nos diários cultivados desde a adolescência, além de escrever confissões, poemas e letras de música, Maysa desenhava caricaturas dela mesma.

Com o violão, que aprendeu a tocar com Silvio Caldas, quando moças de boa família só tocavam piano. Abaixo, os pais, Inah e Alcebíades Guaraná Monjardim, em show de Ângela Maria: "Guaraná, só no sobrenome".

No dia do casamento com André Matarazzo, aos dezessete anos.

O convite do casamento (abaixo) e o casal partindo para a lua-de-mel.

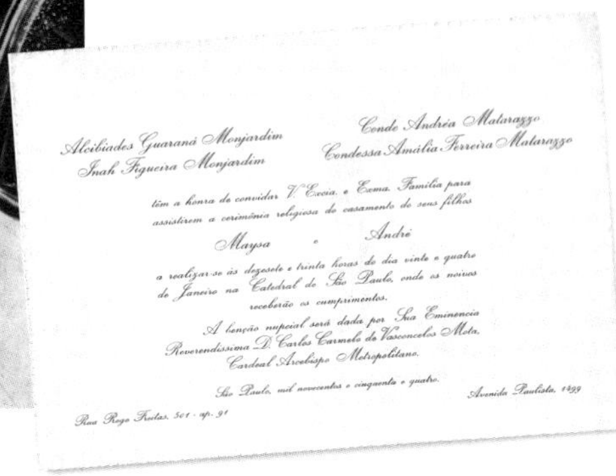

Alcibiades Guaraná Monjardim
Inah Figueira Monjardim

Conde Andréa Matarazzo
Condessa Amália Ferreira Matarazzo

têm a honra de convidar V. Excia. e Exma. Família para
assistirem a cerimônia religiosa do casamento de seus filhos

Maysa e André

a realizar-se às dezesete e trinta horas do dia vinte e quatro
de Janeiro na Catedral de São Paulo, onde os noivos
receberão os cumprimentos.

A benção nupcial será dada por Sua Eminencia
Reverendíssima D. Carlos Carmelo de Vasconcelos Mota,
Cardeal Arcebispo Metropolitano.

São Paulo, mil novecentos e cinquenta e quatro.

Rua Rego Freitas, 501 - ap. 91

Avenida Paulista, 1499

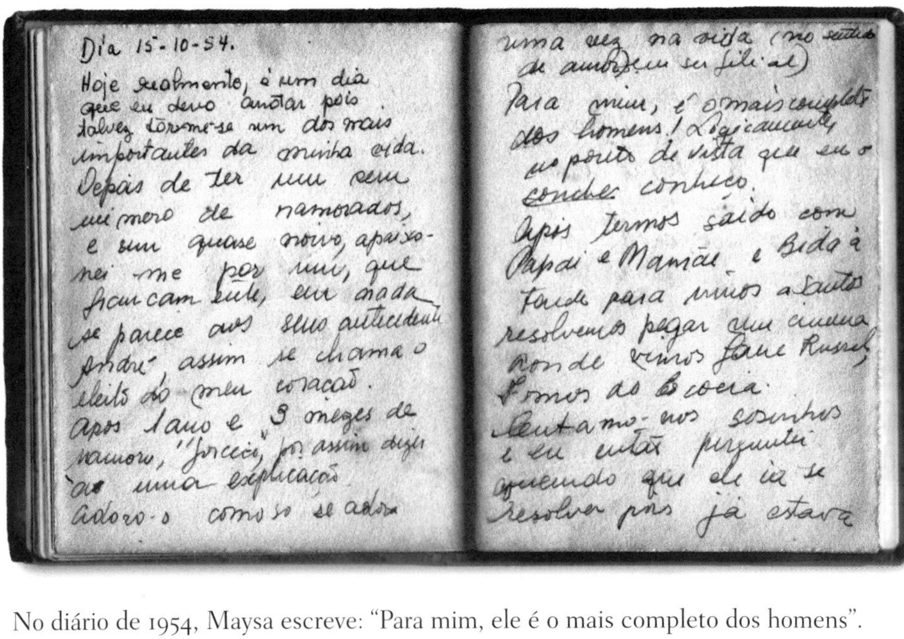

Dia 15-10-54.
Hoje realmente, é um dia
que eu devo anotar pois
talvez torne-se um dos mais
importantes da minha vida.
Depois de ter um sem
número de namorados,
e um quase noivo, apaixo-
nei-me por um, que
ficou com ele, eu nada
se parece aos seus antecedentes
André, assim se chama o
eleito do meu coração.
Após 1 ano e 3 meses de
namoro, "forcei", por assim dizer
ao uma explicação
Adoro-o como só se adora

uma vez na vida (no sentido
de ambos seu filial)
Para mim, é o mais completo
dos homens! Logicamente,
no ponto de vista que eu o
conheço.
Após termos saído com
Papai e Mamãe e Bida à
Tarde para irmos a Santos
resolvemos pegar um cinema
onde vimos Jane Russel,
Fomos ao Bocoia.
Sentamo-nos sozinhos
e eu então perguntei
querendo que ele ia se
resolver pois já estava

No diário de 1954, Maysa escreve: "Para mim, ele é o mais completo dos homens".

Em uma das primeiras apresentações.

Com o sogro Andrea Matarazzo.

"[...] freqüentar boate com gente velha, ir a programas chatos", escreveu no diário.

Maysa e o filho Jayme Monjardim, que ela esperou nascer para gravar o primeiro disco.

Selos do disco *Convite para ouvir Maysa* (1956) e do 78 rpm que lançou "Ouça".

No programa semanal da TV Rio.

Na Record, com Randal Juliano. Nas mãos, o segundo disco.

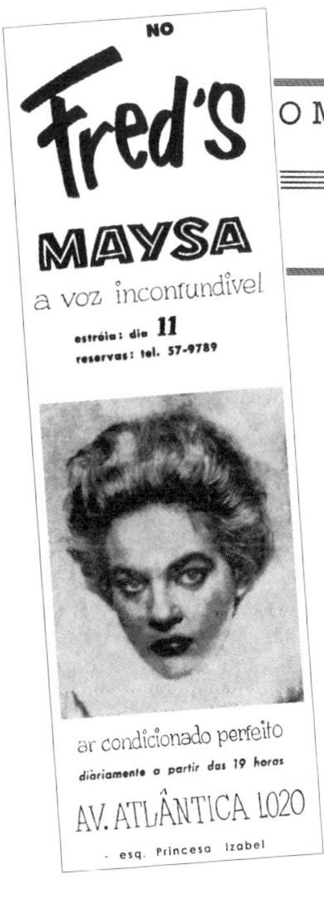

Anúncios de shows de boates em 1958, quando se tornou a cantora mais bem paga do país.

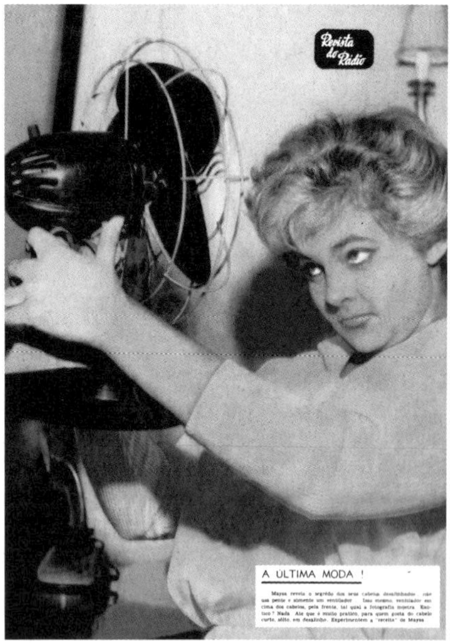

Maysa e a imprensa: poucos artistas brasileiros tiveram a vida mais devassada pela mídia. Ao mesmo tempo, poucos souberam usá-la tão bem quanto ela.

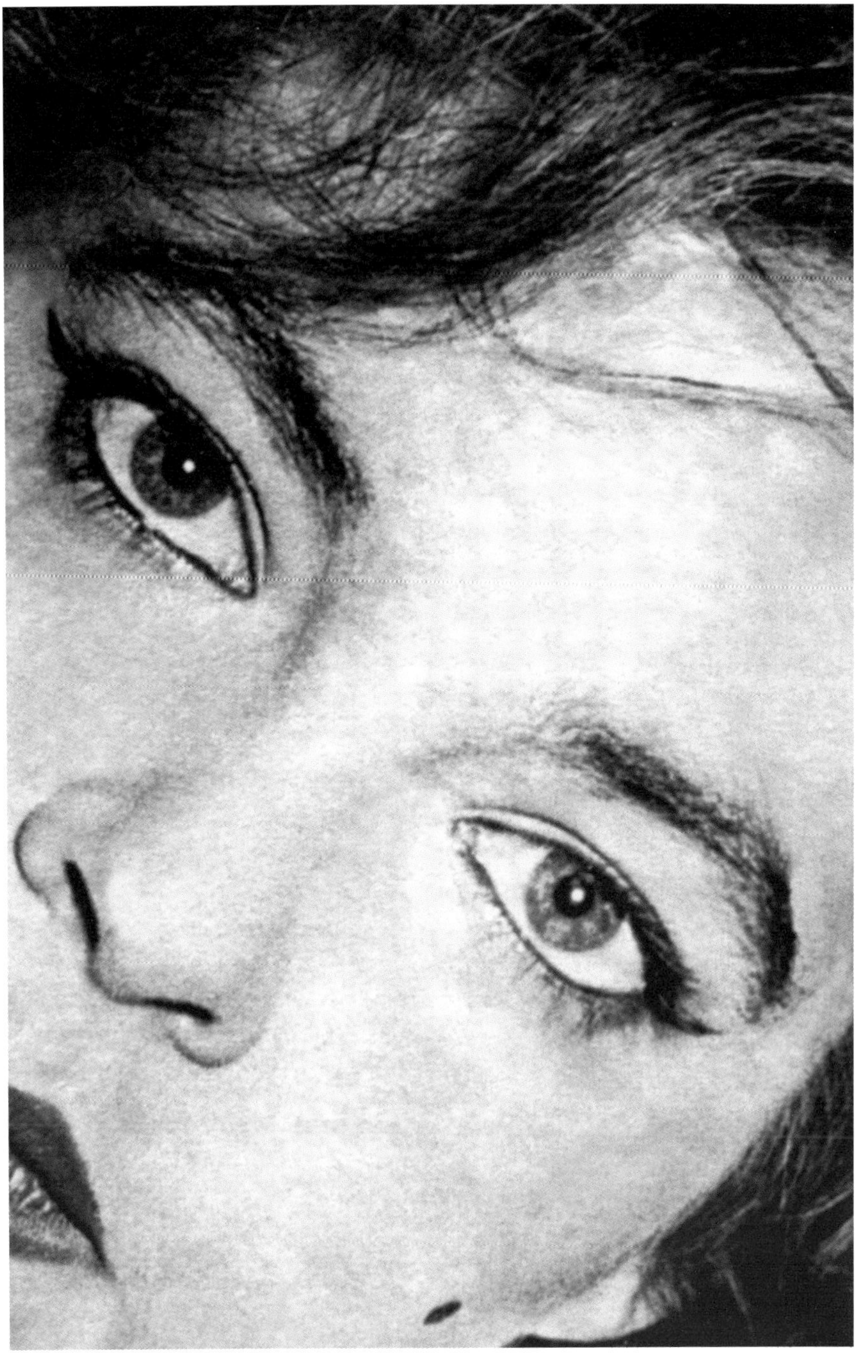

Os olhos de Maysa, "oceanos não-pacíficos" na definição do poeta Manuel Bandeira.

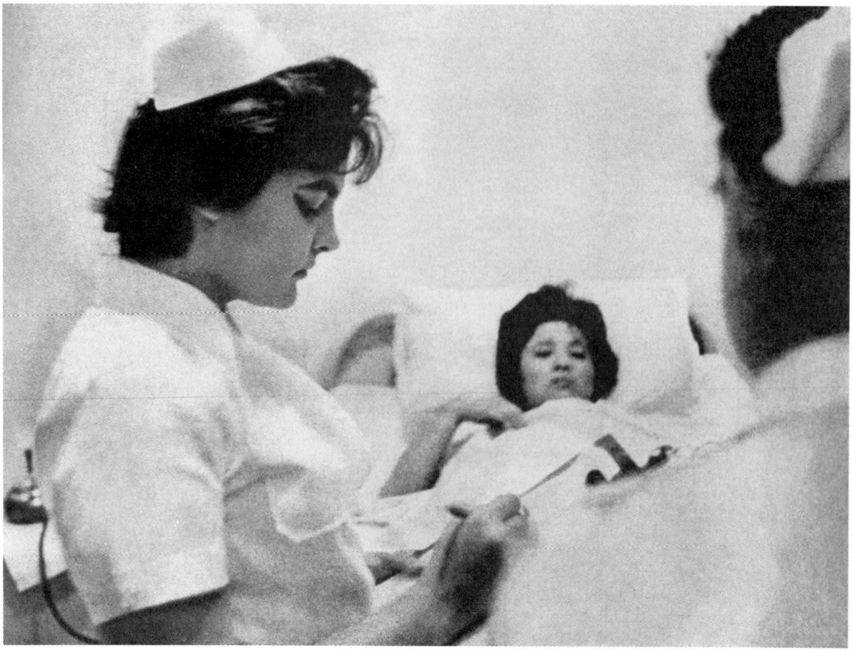

Maysa trabalha como enfermeira voluntária, depois de ficar internada para um tratamento de desintoxicação alcoólica no início de 1960 (abaixo).

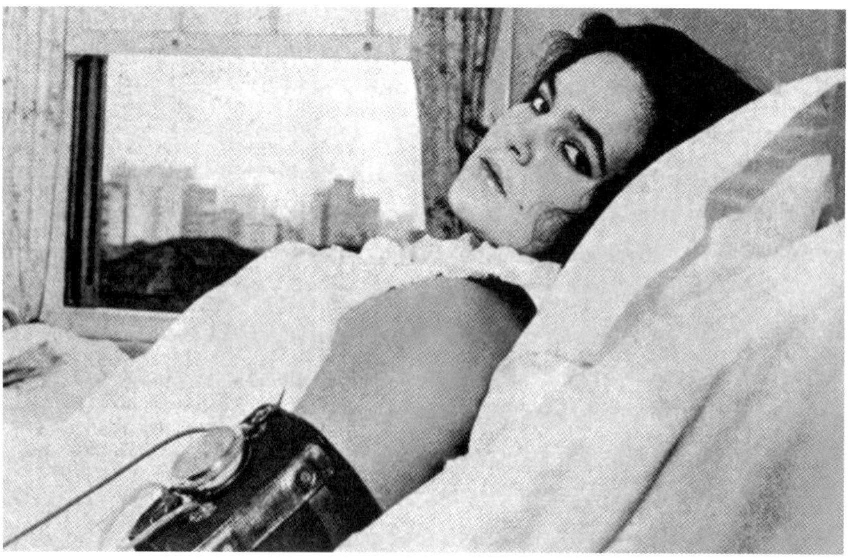

Magra e feliz, ao sair do hospital.

Maysa nas capas de revista: o olhar felino era quase uma logomarca da cantora.

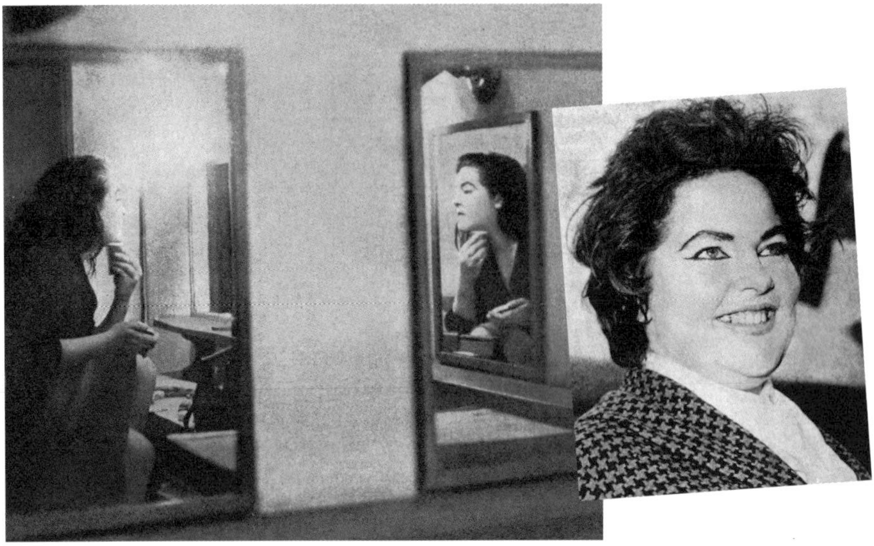

Maysa e o espelho: uma relação conflituosa. Acima, irreconhecível, em 1959. Abaixo, gorda e com as cicatrizes à mostra.

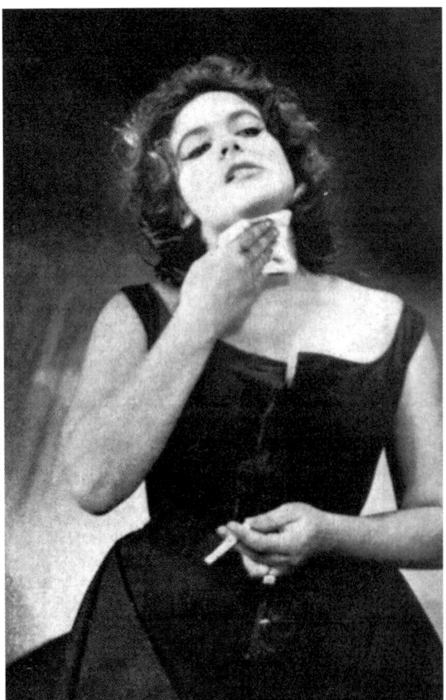

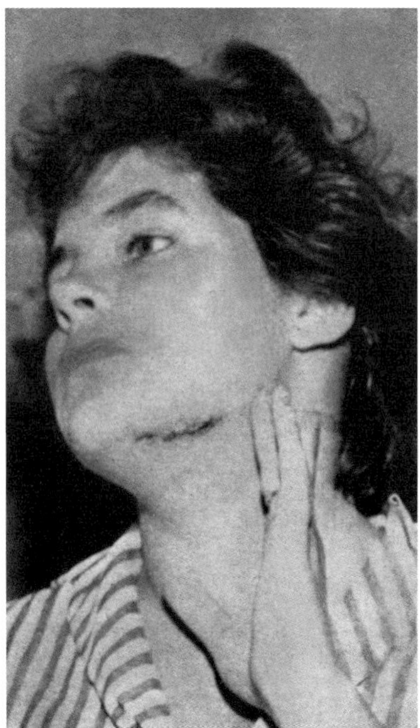

Na praia, Maysa em uma versão Bossa Nova: ela será a primeira a gravar "O barquinho", de Bôscoli e Menescal. Abaixo, em um raro sorriso para as lentes do fotógrafo.

Maysa e o diário:
"Há gritos incríveis
dentro de mim, que
me povoam da mais
imensa solidão".

"Maysa (mais magra e bonita) deixa o hospital". De vestido claro, sapatos brancos e uma bolsa simples, uma Maysa de ar tranqüilo sorriu e posou para os flashes da imprensa.

"Como é bom voltar a viver", comentou, exibindo o rosto reconstruído.

Os repórteres queriam saber o que de fato acontecera — e como Maysa estava se sentindo depois de quatro semanas internada em um hospital. "Antes, nunca tive hora certa para me alimentar ou descansar. Trabalhava muito à noite, entrava pela madrugada. Fiquei esgotada. Agora me sinto bem, em ótima forma", respondeu. Com novos sorrisos, que mostravam os dentes restaurados, Maysa disse que as cirurgias plásticas a haviam reconciliado consigo mesma. "Deixei apenas uma pequena cicatriz que eu tinha aqui no braço, para dar um certo charme e, principalmente, para que eu nunca me esqueça de tudo o que sofri", informou.

"O seu tratamento com sonoterapia teve alguma coisa a ver com o abuso de álcool?", quis saber um repórter.

"Esta palavra, 'álcool', está para sempre banida do meu dicionário. Daqui pra frente só bebo leite", prometeu.

"Ela agora ri à toa. Distribui sorrisos com a prodigalidade de quem libertou a alma de um inferno", descreveu a *Revista do Rádio*. Repaginada e jurando-se abstêmia, Maysa tinha outra surpresa para os jornalistas: uma vez por semana daria plantão noturno como enfermeira voluntária, ali mesmo, no Hospital Nossa Senhora do Carmo. "Os dias que passei aqui me ofereceram um ensinamento. Assisti a muita gente sofrer. Vi até uma criancinha morrer dolorosamente. Não posso descrever para vocês como isso repercutiu em meu espírito. Assim, quero dar a outras pessoas a mesma atenção que me ofereceram neste hospital enquanto estive internada", explicou.

Era, de fato, uma outra Maysa, que dizia ter passado as longas horas de solidão no hospital ouvindo Sammy Davis Jr. e lendo a obra da escritora norte-americana Pearl Buck, Prêmio Nobel de Literatura em 1938, autora de vários livros ambientados na China e defensora dos direitos femininos. Queria ler mais, cuidar mais de si, ouvir mais discos novos.

"Quer dizer que não vai mais freqüentar a vida noturna?", interrogaram-lhe.

"Só sairei à noite para dar plantão no hospital ou para cantar em rádio e televisão. Fora isso, ficarei em casa", assegurou.

Trocaria também o Rio por São Paulo. Alugaria um apartamento no andar imediatamente abaixo da cobertura em que os pais moravam, na rua Rego Freitas. O dr. Herbert Lange, chefe da junta médica responsável pelo tratamento, comemorou a notícia. Disse que, com a devida ajuda da família, Maysa poderia se considerar uma mulher recuperada. O doutor, que lhe recomendara o abandono definitivo da bebida, não conseguiu porém persuadi-la a reduzir os quatro maços diários de cigarros — o que, segundo ela mesma argumentava, ajudaria a fazê-la perder mais alguns quilos. "Tudo bem. Se Maysa evitar, daqui para a frente, o excesso de trabalho e as múltiplas viagens que sua carreira impõe, poderá gozar de ótima saúde", assegurou o médico.

Contudo, reduzir a carga de trabalho não fazia parte dos planos de Maysa. Muito ao contrário, ela se sentia tão revigorada que dizia não ver a hora de retomar as atividades profissionais. E mal saiu do hospital já tinha pela frente uma agenda fixa, recheada de compromissos. Uma verdadeira maratona, que a ocuparia todos os dias da semana. Nas segundas-feiras, cantaria em um novo programa que estrearia na TV Tupi, no Rio de Janeiro, após fechar contrato com as Emissoras Associadas, do grupo pertencente a Assis Chateaubriand. As terças ficariam reservadas para apresentações na TV Itacolomi, de Belo Horizonte. A quarta-feira continuaria a ser o dia do programa semanal na TV Record, em São Paulo. Às quintas, daria plantão como enfermeira. Às sextas-feiras, prosseguiria cantando na Rádio Mayrink Veiga, no Rio, sob o patrocínio de Linholene, uma toalha de plástico que fazia quase tanto sucesso à época quanto a própria Maysa: "Parece linho, mas é Linholene", dizia o jingle na abertura do programa. Aos sábados, ela viajaria para apresentações em cidades como Porto Alegre, Salvador e Recife. "Só aos domingos é que serei realmente dona do meu nariz", brincou.

Tamanho rojão não a preocupava. Maysa parecia esbanjar vitalidade e disposição para enfrentar de novo as câmeras e o público. "Ela aprendeu a gostar de leite e reaprendeu a gostar de gente", escreveu Ary Vasconcelos em matéria de quatro páginas publicada em *O Cruzeiro*. Mas o que todo mundo queria mesmo saber era como o novo estilo de vida repercutiria no trabalho da cantora e compositora Maysa. Na reportagem assinada por Ary Vasconcelos, ela já dera algumas pistas a respeito, ao afirmar que considerava suas músicas antigas, a exemplo de "Ouça" e "Meu mundo caiu", todas muito *démodés*. Os fãs ficaram curiosos. O que cantaria esta Maysa renascida das cinzas?

* * *

Uma semana depois de sair do hospital, na primeira quinzena de abril, Maysa entrou em estúdio para gravar um novo disco, não por acaso intitulado *Voltei*. Quando, dois meses depois, em junho, o LP chegou às lojas, o Brasil constatou que a Maysa versão 1960 estava flertando abertamente com a Bossa Nova, o estilo que começara a tomar conta do país desde o lançamento, dois anos antes, da histórica gravação de João Gilberto para "Chega de saudade", de Antonio Carlos Jobim e Vinicius de Moraes. Mas, ao contrário do que muita gente escreveu na época, Maysa não caiu de pára-quedas, um belo dia, em pleno piquenique bossa-novista.

Tom e Vinicius, afinal, eram velhos conhecidos dela. Até ali, Maysa já havia gravado pelo menos uma dúzia de composições dos dois — ainda que trabalhos do período pré-bossa e, em alguns casos, assinados com outros parceiros, por este ou aquele integrante da dupla. E, segundo a própria Maysa garantia, bem pouca gente antes dela ouvira falar de um baiano muito tímido, que tocava um violão diferente de tudo o que já se ouvira até ali. Foi Sylvinha Telles quem primeiro lhe chamou a atenção para o rapaz. Maysa teria ficado tão impressionada que o levou para participar de seu programa na TV Record, em São Paulo.

"A direção do programa não gostou da idéia de eu cantar acompanhada apenas por um violonista, pois eu tinha uma orquestra inteira só para mim. Mas, mesmo assim, consegui que ele tocasse em uma das músicas", recordaria Maysa em uma de suas últimas entrevistas. "O rapaz ainda era completamente desconhecido e, logo percebi, era também muito estranho. Fomos do Rio de Janeiro para São Paulo de automóvel e, durante os mais de quatrocentos quilômetros da viagem, não deu uma única palavra."

Na hora de apresentá-lo a Eduardo Moreira, produtor do programa, Maysa virou-se para aquele moço franzino, de camisa esporte e um violão debaixo do braço, e indagou:

"Escuta, como é mesmo o seu nome?"

"João Gilberto", ele respondeu, bem baixinho.

* * *

O álbum *Voltei* é o que se pode chamar de um trabalho de transição. No arranjo de pelo menos metade das músicas estava lá, inconfundível, a batida da ensolarada Bossa Nova — embora dividindo lugar, nas outras faixas, com bolerões e tradicionais samba-canções do repertório da noturna Maysa de sempre. Até o design da capa do LP parece refletir esta ambigüidade estética: uma foto clássica de Maysa, em preto-e-branco, aparece ao lado de grafismos geométricos e coloridos, hipermodernos para a época. Para completar, uma dedicatória em convencional manuscrito — "Com carinho, de Maysa" — contrasta com a tipologia vanguardista em que se lia o título do disco, *Voltei*, escrito em letras vermelhas e amarelas.

Para não deixar quaisquer dúvidas a respeito do flerte de Maysa com a Bossa Nova, o LP já abria com "Meditação", de Tom Jobim e Newton Mendonça, que cristalizaria a expressão "o amor, o sorriso e a flor" — quase uma definição para o estilo musical inaugurado por João Gilberto (que, por sinal, naquele ano, 1960, gravou a mesma música). Apesar de o arranjo contemplar a marcação típica da bossa, a interpretação de Maysa era a antítese da versão imortalizada por João Gilberto. Habituada ao tom passional do samba-canção, a voz de Maysa soaria grandiloqüente demais aos ouvidos dos adeptos do intimismo bossa-novista. Era, sem dúvida, um disco de contrastes. A faixa seguinte, "Alguém me disse" — de Jair Amorim e Evaldo Gouveia, um bolero rasgado, cantado com acompanhamento de órgão eletrônico —, soava como a coisa mais anti-Bossa Nova que alguém poderia conceber.

Tanto era assim que Maysa negou que estivesse pensando em aderir de vez ao novo estilo. "Elizeth Cardoso e Silvio Caldas ainda são, para mim, o máximo. Eles são divinos", salientou. Ao conciliar boleros, samba-canções e arranjos sincopados que bebiam na fonte original da Bossa Nova,

Voltei fez um belo sucesso. As vendas foram turbinadas pela mídia espontânea que Maysa recebeu por causa da internação e do conseqüente reaparecimento em grande estilo. A inspirada interpretação para "Dindi", de Tom Jobim e Aloysio de Oliveira, música lançada no ano anterior por Sylvia Telles, é sem dúvida um dos pontos altos do disco. Mas foi "Cantiga de quem está só", outro bolero desbragado de Jair Amorim e Evaldo Gouveia, que conseguiu se manter cerca de três meses seguidos no topo das paradas de todo o país.

Também ficava evidente que Maysa continuava autobiográfica como sempre. As duas únicas músicas assinadas por ela no disco — ambas em parceria com Simonetti — refletiam bem o momento em que vivia. Em "Voltei", a faixa-título, ela avisava, quase contrita: *Meu verso sempre tão triste/ volta pedindo desculpas/ pelo triste que causou.* E, logo em seguida, na mesma canção, lançava um apelo ao mundo: *Voltei com meus olhos/ com meu verso/ e a todos eu peço/ que me aceitem como eu sou.* Em "Vem comigo", um sambinha cuja letra havia sido escrita no hospital, não se identificavam vestígios da antiga Maysa adepta da dor-de-cotovelo:

> Vem, vem ver comigo agora,
> você que tão triste chora,
> o lado bonito da vida,
> um sol brilhante cheio de ternura,
> Onde nunca existiu a censura,
> Onde a gente se sente querida.

Maysa, realmente, voltara a se sentir querida e a ser cortejada pela mídia e pelo público. Nos seus programas de televisão, pela primeira vez, chegara a sorrir enquanto cantava as músicas do novo disco. No dia 15 de junho, o *Correio Paulistano* noticiou que ela protagonizara um inesperado dueto, ao vivo, na TV Record, com um canário. "Maysa é sempre uma incógnita, uma revelação. Toda sua tristeza e amargura, mostrada em suas interpretações em vários programas, dissiparam-se por culpa do [Eduardo] Moreira e de um lindo passarinho que cantou com Maysa e arrancou de seus lábios o maior dos sorrisos. De jeito algum o bichinho quis sair da gaiola aberta por ela, preferindo a companhia dessa grande cantora, uma revelação de todos os dias de lindos olhos e de linda voz",.dizia a notícia. O jornal fazia um pedido a Eduardo Moreira: "Por favor, bote hoje, de novo, no cenário, apenas um passarinho para Maysa, para ganharmos outra vez aquele raro, encantador e contagiante sorriso de felicidade".

No entanto, a RGE, que graças ao sucesso de Maysa havia se transformado em uma das principais gravadoras do país, não teve tempo de festejar a boa acolhida do novo disco no mercado. Maysa mudara, mas não tanto. Ela, por exemplo, não poderia passar muito tempo sem provocar uma boa polêmica pelos jornais. Dessa vez, o alvo foi exatamente a gravadora, a quem acusou de estar lhe passando a perna. "Sinto-me prejudicada e lutarei sem tréguas para salvar os meus direitos", declarou aos jornalistas. "Não hesito em dizer: venho sendo lesada. Os meus discos sempre estiveram nas paradas, sempre foram êxito em todo o país e os direitos que recebi até aqui são ridículos", reclamou. Queixava-se também de que um disco dela, relançado na Argentina, não havia lhe rendido um único tostão. "Além do mais, venderam por aqui meus discos em liquidações, muito abaixo da tabela, prejudicando-me em meus direitos autorais. Não sou ainda de liquidações, nem tenho culpa das aperturas da gravadora que ajudei a prosperar", reclamou.

José Scatena, o dono da RGE, sempre negou qualquer fundamento nas denúncias de Maysa. O sócio, Jacques Netter, com quem Maysa chegou a ter um breve relacionamento amoroso, entrou como bombeiro para tentar resguardar a imagem da casa, que saiu bem chamuscada do episódio. "Não queremos mais colocar lenha nesta fogueira", disse Netter à reportagem da *Radiolândia*, que o procurou para falar sobre o assunto. "Esta é uma questão de ordem doméstica e só a discutiremos com a parte interessada", desconversou. Apelidado no episódio de "anjo da paz" pela imprensa, Jacques Netter enviou para as redações fotografias em que Maysa aparecia sorrindo ao lado dele, nos estúdios da gravadora, durante as gravações de *Voltei*. "Estamos com a consciência tranqüila de que cumprimos escrupulosamente as bases de nosso contrato com Maysa", dizia a nota oficial que acompanhava a foto.

Enquanto isso, Maysa continuava atirando. Prometeu que manteria as obrigações com a RGE até o término do contrato, mas que dali por diante preferiria trabalhar como *freelancer*, sem mais se fixar em uma única gravadora. "Se for para assinar de novo contrato com exclusividade com quem quer que seja, quero um salário fixo elevado, além de controle rigoroso das vendas de meus discos. Duvido que alguém tope minhas condições. Por isso, farei contratos avulsos. Poderei gravar em breve para a Continental, onde tenho bons amigos, ou possivelmente gravarei na Columbia, onde trabalha meu descobridor e velho amigo, Roberto Côrte-Real", disse. Começava ali uma longa história de sérios desentendimentos entre Maysa e as gravadoras pelas quais passou.

E isso não se daria por acaso. O romantismo da chamada "Era do Rádio" estava ficando para trás e, com a ajuda da televisão, a indústria fonográfica brasileira amadurecia a olhos vistos. Maysa não era apenas uma ponte entre a música da velha guarda — com seus boleros e samba-canções — e o sopro renovador da geração que viria a fazer, por exemplo, a Bossa Nova. A relação entre artistas, produtores, mídia e gravadoras abandonava também o velho amadorismo e dava lugar à fase em que a música passava a ser encarada como uma grande indústria. Ao bater pé na questão dos direitos autorais e ao exigir transparência nos contratos, Maysa contribuía para acelerar a profissionalização desse mercado. Apesar de detestar a alcunha de "cantora profissional" — por julgar que tal expressão embutia conceitos mercantis, supostamente inadequados para referir-se ao talento artístico —, era esse o *status* que ela, como poucos outros colegas de ofício, havia conquistado. Maysa era, enfim, uma das nossas últimas grandes "cantoras do rádio" e uma das primeiras celebridades da tevê e do chamado *show business* brasileiro.

Seu nome começava a atravessar fronteiras. Na Argentina, ela era uma das cantoras latinas mais executadas pelas emissoras de rádio locais. Em Portugal, ainda repercutia a turnê realizada meses antes no Casino Estoril. Na França, a embaixada brasileira acabara de oferecer ao veterano Jean Sablon um prêmio especial pela versão em francês que ele havia gravado de "Ouça". Perguntado como havia descoberto a canção, ele explicou: "Eu estava passando uns tempos no Brasil, de férias, quando vi na televisão aquela moça de olhar perturbador e voz quente. Gostei tanto da música que ela cantava que a incluí em meu repertório", revelou Sablon a jornalistas brasileiros, durante o coquetel oferecido pela embaixada. De visita ao Brasil, a norte-americana Julie London declarou-se fã de Maysa. O mesmo fez o músico francês Sacha Distel, ex-noivo de Brigitte Bardot, que se derramou em elogios à cantora brasileira durante uma conversa com o correspondente do *Diário da Noite*. "As músicas de Maysa mostram que ela é um monstro de personalidade", afirmou Distel.

Com um fã-clube seleto daqueles, Maysa achou que talvez fosse a hora de tentar, de verdade, uma carreira internacional. E, audaciosa que era, não começaria por baixo. Planejou conquistar, inicialmente, os Estados Unidos. Queria fazer tanto sucesso por lá quando havia feito, décadas antes, Carmen Miranda. Mas isso sem precisar colocar bananas na cabeça, vestir-se de baiana ou cobrir-se de balangandãs.

* * *

Naquele ano de 1960, o vespertino carioca *Diário da Noite*, que pertencia aos Diários Associados e já chegara a vender cerca de 200 mil exemplares por dia, estava descendo ladeira abaixo, ameaçado de cerrar as portas. A tiragem já caíra para pouco mais de 8 mil exemplares quando o diretor João Calmon chamou um jovem chamado Alberto Dines e confiou-lhe a tarefa de tirar o jornal do buraco. Dines, após ter passado pela *Manchete* e pela *Última Hora*, topou descascar o abacaxi. Mas avisou a Calmon que partiria para a tática do tudo ou nada: "Nesses casos, a gente dá uma injeção de óleo canforado no doente. Ou ele levanta da cama ou morre de vez. Não adianta fazer pequenos ajustes, vamos modificar tudo, absolutamente tudo", advertiu.

Não ficaria pedra sobre pedra. A primeira providência foi mudar o logotipo e transformar o jornal em tablóide. Do antigo, só restou o nome. A página feminina foi entregue a ninguém menos que Clarice Lispector, que trabalhava com uma pilha de revistas francesas sobre a mesa e, na base da cola e da tesoura, montava a seção "Só para mulheres". Escritora de talento, não se atrevia a assinar recortes chupados de publicações estrangeiras. Por isso, Clarice não se opôs à estratégia mercadológica proposta pelo jornal: para funcionar de chamariz aos leitores, a coluna levaria a assinatura de Ilka Soares, atriz de cinema e televisão que tivera a ousadia de aparecer nua nas telas em pleno ano de 1949 no filme *Iracema*, baseado na obra de José de Alencar. Com o mesmo objetivo de provocar impacto, o *Diário da Noite* convocou também a cantora mais controvertida do país para manter uma coluna diária em suas páginas. Ela mesma, Maysa.

A coluna "Maysa faz o *Diário da Noite*" rendeu-lhe alguns caraminguás, porém a cantora nunca escreveu uma única linha do que ali foi publicado com seu nome. A tarefa de redigir a coluna cabia ao jornalista Raul Giudicelli, que recebeu carta branca da artista para escolher e escrever o assunto que quisesse — e da maneira que bem entendesse. "Eu não ganhei um mísero centavo a mais para fazer aquilo. Tratava-se de mais um artifício para tentar salvar o jornal. No fim do mês, Maysa mandava alguém lá na redação pegar o salário de colunista. Não era muito, mas com certeza era mais do que eu ganhava como redator e copidesque do *Diário*", recordaria Giudicelli, um amante de música erudita que não tinha ouvidos para música popular e nunca havia comprado um só disco de Maysa na vida.

A coluna era uma espécie de consultório sentimental, na qual Raul Giudicelli inventava as próprias cartas dos leitores. Os assuntos giravam em torno de temas recorrentes: amores desfeitos, confissões de traição, paixões impossíveis. "Glorinha, enfermeira diplomada, trabalha num hospital em Botafogo, vive com a família no mesmo bairro, ganha um razoável salário, tem boa saúde, está noiva. Tem um único defeito: é ambiciosa. E está noiva de um pobre sargento do Exército", dizia, por exemplo, a abertura de uma das colunas. "Dei meu retrato 3 × 4 para ele e agora tenho medo de uma chantagem. Se meu marido descobrir, juro que me mato", desesperava-se outra "leitora" que se identificava apenas como Helô.

Os conselhos de Raul Giudicelli, na pele de Maysa, eram desconcertantes. Para a ambiciosa Glorinha, a coluna lembrava que um bom sargento pode passar a tenente, depois a capitão, talvez posteriormente a major, se tudo desse certo no futuro a coronel e, quem sabe, no final das contas, a general. Tivesse então paciência, a moça Glorinha. Quanto a Helô, recomendava cautela: "O rosto da gente, meu bem, é uma coisa muito séria, principalmente numa fotografia na qual há, atrás, uma dedicatória amorosa. Mas acho que você deve ter medo — isso sim — do retrato dele que está dentro da sua alma, porque este não se rasga, não se queima".

No meio do ano, a coluna de Maysa avisou que durante as próximas edições ela escreveria do Japão. Por mais espantoso que pudesse parecer, era a primeira vez em que a coluna estava falando sério. Ou, pelo menos, quase. Realmente Maysa fora procurada pela Real Aerovias — uma das principais companhias aéreas nacionais da época, pouco depois incorporada pela Varig — para participar como convidada especial do vôo inaugural entre o Rio de Janeiro e Tóquio, realizado em julho daquele ano de 1960. Maysa topou. A mãe, dona Inah, fez-lhe companhia. No dia 15 de julho, a coluna "Maysa faz o *Diário da Noite*" observava: "A gente chega no Japão e fica espantada com a própria ignorância. Não há, como parece à primeira vista, um só japonês igual ao outro. Vendo-os de perto, em grande número, a gente perde aquela impressão de que são todos a mesma cara. Mais ainda: os filmes americanos, por causa da guerra, meteram pelos nossos olhos a idéia de que todo japonês vive com uma faca escondida na manga do paletó para cravá-la nas costas do primeiro desafeto".

Maysa estava mesmo do outro lado do mundo, no Japão, atordoada com a diferença de fusos horários. Mas aquele era mais um dos textos escritos por Raul Giudicelli em seu birô nos fundos da redação do *Diário da Noite*. E quem gostaria de cravar uma faca nas costas de alguém por aqueles dias era Maysa. Em uma aparição na televisão japonesa, ela ficou visivelmente irritada quando o apresentador do programa, por meio de um intérprete, observou que todos ali estavam muito ansiosos para ouvi-la cantar, pois o filme *Orfeu negro* acabara de estrear no Japão — e eles queriam saber se o Carnaval brasileiro era aquela maravilha que se via no filme. Depois de soltar uma baforada do cigarro, Maysa, de cara amarrada, tomou a palavra:

"Antes de mais nada é preciso fazer aqui um pequeno esclarecimento. O Carnaval brasileiro é aquilo mesmo que se vê no filme, mas quero deixar claro que o tipo de samba que eu canto não tem nada a ver com Carnaval", impacientou-se Maysa, talvez imaginando que os japoneses estivessem esperando que ela saísse requebrando as cadeiras diante das câmeras.

Seguiram-se dois números musicais, ambos com Maysa cantando em *playback*. Primeiro, "Meu mundo caiu" e, em seguida, "Manhã de Carnaval", de Antônio Maria e Luiz Bonfá. As trilhas haviam sido gravadas por músicos japoneses, que a muito custo tentaram — em vão — reproduzir os arranjos originas de Simonetti. Enquanto cantava, Maysa estalou os dedos e fez gestos para que o câmera fechasse o *close* em seus olhos. Terminou a apresentação bem chateada com o resultado e fez questão de deixar um último recado:

"Estou muito emocionada de estar aqui, pois soube que sou a primeira cantora brasileira a cantar aqui no Japão. Correto?", indagou ao intérprete.

"Correto", ele respondeu.

"Mas os dois *playbacks* que vocês ouviram agora foram gravados aqui no Japão. Por isso, eles também não correspondem ao som que as pessoas conhecem lá no Brasil. Muito obrigada."

Dito isso, Maysa deu boa-noite e foi embora, deixando o apresentador japonês com cara de tacho.

* * *

Maysa voltou do Japão no dia 21 de agosto com uma grande notícia aos brasileiros. No dia 26, às 17h30, convocou a imprensa para uma entrevista coletiva em um dos salões do Copacabana Palace para contar a boa-nova: depois de deixar Tóquio, ela embarcara para os Estados Unidos, onde fizera contato com empresários norte-americanos e trouxera de lá um contrato assinado com a agência e produtora Associated Booking Corporation — que alguns jornais noticiaram erroneamente como sendo a Associated Broadcasting Corporation, a rede de televisão ABC — para se apresentar durante três anos na terra do Tio Sam. Maysa percebeu a confusão que haviam feito entre as duas organizações diferentes e de siglas idênticas, mas não tratou de esclarecer o mal-entendido.

Ela também não revelou o salário que receberia pelo contrato, mas seus assessores sopraram aos ouvidos de alguns repórteres que Maysa embolsaria nos Estados Unidos cerca de 5 mil dólares — 1 milhão de cruzeiros — por semana. "Não quero revelar cifras do meu contrato. Porém, asseguro que desde Carmen Miranda os americanos não pagam tão bem a uma artista brasileira", comentou. O primeiro compromisso seria no Blue Angel, um *nightclub* em Nova York, onde estrearia uma temporada dali a dois meses. A coletiva de Maysa foi um acontecimento, noticiada com destaque nas primeiras páginas de todos os jornais cariocas e paulistas no dia seguinte. "Maysa está na área do dólar", comemorou o *Diário da Noite*, o jornal que publicava a coluna assinada por ela. "Maysa: 1 milhão por semana", lia-se em letras colossais na *Última Hora*.

Na entrevista, Maysa apresentou aos jornalistas o novo mascote, um cãozinho yorkshire chamado Talismã, comprado nos Estados Unidos por 50 mil cruzeiros, uma pequena extravagância para quem poucos meses antes dissera amar os vira-latas. "Não me separo mais de Talismã, ele tem esse nome porque me deu muita sorte nos Estados Unidos", explicou, revelando que trouxera o animalzinho, no avião, escondido dentro da frasqueira. A direção do Copacabana Palace, porém, não repetiu o descuido da companhia aérea e informou que não era permitida a presença de animais nas dependências do hotel. Maysa protestou. O gerente do Copa não amoleceu: "Além da senhora e de seus assessores, somente jornalistas podem permanecer no salão durante a entrevista. E, desculpe-nos, o cachorrinho da senhora não é jornalista".

Foi uma gargalhada geral. Maysa, que estava de bom humor, replicou: "Quando Zsa Zsa Gábor esteve hospedada aqui, entrou e saiu à vontade com seu cão. Mas tudo bem. Talismã já se hospedou até no Waldorf-Astoria, de Nova York. O fato de ser barrado no Copacabana não abalará a auto-estima dele".

Maysa estava elegante, os cabelos mais curtos, com mechas avermelhadas, um vestido de musselina preta e um grande broche de pérolas e brilhantes junto ao ombro. "Renovei todo o meu guarda-roupa para a temporada nos Estados Unidos", informou. Os jornalistas ficaram sabendo que, antes de ir cumprir o contrato nos Estados Unidos, Maysa faria uma nova temporada em Buenos Aires e Montevidéu. Explicou que precisaria emagrecer pelo menos mais oito quilos, por exigência dos padrões norte-americanos. "Os empresários de lá são muito rigorosos. Além de me quererem ainda mais magra, exigiram também que eu não falasse alto e, mesmo em entrevistas como essa, devo manter o tom sereno de voz", revelou.

Maysa falou baixo, mas falou pelos cotovelos. "Conheci muita gente famosa em Hollywood. Cary Grant me confidenciou que tem todos os meus discos, embora eu não saiba como ele os conseguiu. O dramaturgo Tennessee Williams me presenteou com um gato de porcelana, com um cartão simpático, dizendo que por causa dos meus olhos eu também parecia uma gata." Um repórter a interrompeu e quis saber como ela estava convivendo com a bebida.

"Como vocês podem ver, não bebo mais", disse, depois de recusar o uísque que um garçom do hotel lhe trouxera.

* * *

Aquela última frase, infelizmente, não era verdadeira. Maysa não contou que a viagem para Tóquio tivera uma longa escala em Los Angeles, cidade na qual os passageiros do vôo inaugural da Real Aerovias foram brindados, à noite, com um coquetel oferecido pelo consulado brasileiro. Quando o avião aterrissou no aeroporto local, Maysa recusou-se a desembarcar junto com os demais. "Não desço", afirmou. "Por que não, minha filha?", indagou dona Inah. "Porque não quero descer e pronto." Inah percebeu que nem um guindaste tiraria Maysa dali. Sabia que, uma vez posta uma idéia na cabeça, ninguém a demovia. Constrangida, Inah desembarcou sozinha e, na pista do aeroporto, viu cair dos céus o socorro providencial e inesperado. Ali, à sua frente, materializou-se Marlene Maria Lucas de Oliveira, amiga de Maysa dos tempos do Sacre Coeur de Marie e do Ofélia Fonseca.

"Marlene! O que você está fazendo aqui?"

"Dona Inah! Quanto tempo! Trabalho aqui em Los Angeles. E Maysa, como está?"

"Pois é, minha filha. Só você pode entrar agora naquele avião e convencer Maysa a desembarcar."

Depois de concluir os estudos, Marlene ingressara no Itamaraty como funcionária e agora prestava serviços ao consulado brasileiro em Los Angeles. Diante do apelo de dona Inah, ela se identificou ao comandante do avião e conseguiu autorização para subir a bordo. Encontrou a amiga esparramada na poltrona, visivelmente alterada. Nos dedos indicador e médio Maysa enrolava e desenrolava, de forma compulsiva, a fitinha dourada da embalagem do maço de cigarros recém-aberto — um dos cacoetes mais lembrados pelos amigos que conviveram com ela. Era sinal de que estava tensa, ou de que já bebera alguns bons goles a mais.

A surpresa em encontrar a velha amiga Marlene foi tão grande que Maysa, irredutível até um minuto antes, resolveu descer e seguir para o hotel, cambaleando, fazendo festa, amparada pela amiga. Mais tarde compareceria, meio de fogo, à recepção promovida pelo consulado, na qual então conheceu, de fato, Cary Grant. "Apesar da idade dele, achei-o um broto", observaria, na volta ao Brasil. "Na festa em Los Angeles, ela estava mais pra lá do que pra cá. Ainda assim tomou mais algumas doses", lembraria Marlene, que lamentou não poder ter conversado de modo mais demorado com a amiga, uma das pessoas mais solicitadas durante o coquetel. Marlene notou que, enquanto dialogava com um e outro, Maysa enrolava e desenrolava outra fitinha dourada nos dedos.

* * *

O cantor e compositor Billy Blanco contaria a Ruy Castro, autor de *Chega de saudade*, que concebeu uma de suas obras-primas a bordo de um lotação que o levava da tradicional Praça Mauá para casa, em Ipanema. O veículo fez uma curva para entrar na avenida Atlântica e Billy Blanco viu, enquadrada na janela, a estonteante paisagem de Copacabana que viria a servir de mote para os dois primeiros versos da obra: *Rio de Janeiro que eu sempre hei de amar/ Rio de Janeiro, a montanha, o sol, o mar.* Todos os dias Billy desfrutava do mesmíssimo cartão-postal a caminho de casa, mas naquele dia a letra teria lhe caído como uma inspiração divina. Com medo de esquecer o tema, deu sinal para descer, ligou para Tom Jobim do telefone de um botequim e lhe ditou aqueles versos.

Assim teria começado a nascer a grandiosa "Sinfonia do Rio de Janeiro", parceria de Billy e Tom lançada em um disco de dez polegadas em 1954 e que, apesar da qualidade das composições e do time de intérpretes convocado para a gravação, passou em brancas nuvens. A versão original, que contava com arranjos de Radamés Gnatalli e vocais de Doris Monteiro, Dick Farney, Elizeth Cardoso, Emilinha Borba, Jorge Goulart, Gilberto Milfont, Lúcio Alves e Os Cariocas, receberia uma releitura em 1960, quando novos artistas foram convidados para o relançamento de "Sinfonia do Rio de Janeiro". Ao lado de Ted Moreno, Jamelão, Luely Figueiró e outros, Maysa participou cantando "A montanha", que na versão anterior fora gravada por Emilinha Borba, e "O morro", canção antes confiada a Nora Ney. A exemplo do disco original de 1954, a nova edição da sofisticada "Sinfonia do Rio de Janeiro" foi um fiasco e, por isso, com poucas cópias vendidas, viria a se transformar em artigo raro, disputado a peso de ouro por colecionadores.

Era a primeira vez que Maysa gravava algo no Brasil sem o selo da RGE, e precisou de uma licença especial da gravadora para emprestar a voz à Continental. Contudo, por exigência de contrato, lançaria naquele ano mais um disco pela casa dirigida por José Scatena. O álbum *Maysa canta sucessos* seguia os passos do trabalho anterior e mesclava samba-canções tradicionais a modernos arranjos sincopados, um pé fincado na fossa, outro na bossa. O disco fazia parte de um projeto maior da gravadora, que lançou de modo quase simultâneo outros discos de nomes expressivos do seu elenco com a mesma vinheta, a exemplo dos LPs *Agostinho dos Santos canta sucessos* e *Elza Laranjeira canta sucessos*. Conforme explicava a nota de contracapa, a idéia era mostrar nomes consagrados cantando músicas que estavam na crista da onda, mas gravadas originalmente por outras vozes: "Neste LP encontramos Maysa não como criadora, mas apenas como intérprete. São sucessos que outros renomados cantores fizeram, páginas musicais que estão aparecendo nas paradas e que não poderiam passar sem o atavio da voz de Maysa, que os enfeita de forma somente entendível para os ouvidos e o coração".

Descontada aquela apresentação em estilo empolado, o disco era muito bom. A influência da bossa estava presente em pelo menos quatro faixas, inclusive na música que abria o álbum, a bamboleante "Ri", de Luís Antônio, recém-gravada por Miltinho, ex-integrante do grupo Anjos do Inferno e que, com sua voz anasalada, lançava-se em uma bem-sucedida carreira solo. E ninguém poderia negar que a faixa "Chora tua tristeza", de Oscar Castro Neves e Luvercy Fiorini, era autêntica Bossa Nova, cantada com aquela inflexão típica da rainha da fossa. Basta dizer que a canção havia sido gravada pouco antes pelo conjunto de Oscar Castro Neves e sintomaticamente incluída no disco *Bossa Nova mesmo*, que contou com as participações, entre outros, de Lúcio Alves, Sylvia Telles, Vinicius de Moraes e Carlos Lyra (aliás, este último, bossa-novista de primeira hora, também gravou a mesma música, no início daquele mesmo ano, no seu disco de estréia). "Menino desce o morro", de Vera Brasil, lançada antes em um 78 rpm por Geraldo Cunha, era outra incursão que Maysa fazia sem remorsos no território da Bossa Nova. E o que dizer de "Samba triste", primeiro sucesso de Baden Powell, em parceria com Billy Blanco, gravada pela primeira vez por Lúcio Alves e incluída neste LP de Maysa no final de 1960? Bossa Novíssima.

O inusitado era que, contrariando o que a série "Canta sucessos" prometia, o disco trazia uma música da lavra da própria Maysa, "Diplomacia", lançada dois anos antes no LP *Convite para ouvir Maysa Nº 2*. Mas, para muitos, a nota mais surpreendente do álbum *Maysa canta sucessos* era a inclusão de uma canção de dona Inah Monjardim, que se lançava como compositora. Feita em parceria com Aloysio Figueiredo, "Ternura perdida" seria gravada também no ano seguinte pela novata Marisa Barroso no disco *Cantigas para enganar o tempo*, lançado pela Continental. Uma porção de gente deve ter ficado bem surpresa com a revelação dos pendores artísticos de Inah. Mas não a família Monjardim.

Em casa, ninguém desconhecia que ela, muito antes da filha, também mantinha no fundo da gaveta da cômoda os caderninhos de estimação, nos quais rabiscava anotações pessoais, poemas e letras de canções. Em meio a esses papéis, vários eram dedicados a Maysa. Como os versos de "Para minha menininha", escritos quando a filha já era uma mulher feita, com 24 anos, e anunciava que tentaria fazer carreira nos Estados Unidos:

> Porque és pequenina ainda,
> filha minha, brincas de travessuras,
> fingindo aventuras
> que às vezes te fazem chorar.

* * *

Naquele ano de 1960, a revista *Sétimo Céu* propôs a Maysa a publicação de uma fotonovela em que ela, por meio de fotografias tiradas do álbum de família, contasse a história da própria vida. Algumas das 66 páginas daquela edição especial de *Sétimo Céu* — intitulada "Maysa, o drama de uma vida" — seriam destinadas ao pequeno Jayme, o filho que ela tivera com André Matarazzo e que passava mais tempo com os avós do que com a mãe. "Muitas vezes eu me pergunto como, nas noites descontroladas e regadas a bebida, não sentia falta de meu filho", diz uma das legendas, com aspas autorizadas por Maysa, em uma foto em que os dois apareciam juntos, sentados no sofá da sala de casa.

Em outra seqüência de fotografias, reproduzia-se um diálogo entre mãe e filho:

"Você viu a mamãe cantar ontem na televisão?", lia-se no balãozinho que representava a fala de Maysa.

"Vi e não gostei", respondia o garoto, que a essa época tinha apenas quatro anos de idade.

"Por quê, ora?"

"A senhora faz uma cara muito triste quando está cantando."

Era evidente que, depois de tantas confusões e notícias escandalosas, Maysa passara a querer vender a imagem oposta, a de uma mulher caseira e bem-comportada. O curioso é que a imprensa tenha comprado essa versão sem maiores questionamentos. Provavelmente porque, depois de tudo o que já se noticiara a respeito dela, a manchete mais sensacional que um jornal poderia estampar sobre Maysa era a de que ela se "regenerara".

Tanto que ninguém deu muita atenção quando, já na entrevista do Copacabana Palace, Maysa batera com a língua nos dentes e revelara que perdera uma pequena fortuna em uma roleta em Las Vegas, a capital mundial do jogo. Chegara a oferecer ao crupiê o colar de pérolas para continuar apostando no número da sorte, o 13, que insistira em não sair naquela noite. Com as mãos abanando, sem colar no pescoço, acabou por recorrer ao pai, Monja, para sair do aperto financeiro: telefonou e pediu-lhe que enviasse mais dinheiro do Brasil.

Do mesmo modo, ninguém deu muita bola quando ela afirmou que freqüentara nos Estados Unidos alguns redutos noturnos dos *beatniks* — a geração de escritores boêmios que, com Jack Kerouac e Allen Ginsberg à frente, sacudiu a literatura do país e afrontou o *american way of life* nos anos 1950 e 1960. "Eu também me acho um pouco *beatnik*", chegou a comentar durante a entrevista no Copacabana, uma frase que poucos jornais reproduziram no dia seguinte.

Os leitores que a tinham na conta de uma notívaga irrecuperável não a reconheceriam também na matéria publicada pela *Revista do Rádio*, intitulada "Como vive Maysa": "Os deveres de cantora não prejudicam suas atividades de dona de casa. Gosta de preparar seus pratos preferidos, de limpar seus móveis, de ajudar o filho nas tarefas escolares". As colunas que cobriam o mundo artístico se comoveram quando Maysa, no papel de mãe saudosa, mandou buscar Jayme para acompanhá-la durante a curta temporada, de quinze dias, em Buenos Aires e Montevidéu. "O muito jovem Jayme Monjardim Matarazzo está tirando passaporte para seguir para a Argentina, onde encontrará a mãe, a tão famosa Maysa", noticiou Mattos Pacheco aos leitores do *Diário da Noite*. "Meu passaporte foi carimbado pela primeira vez quando eu tinha quatro anos. Fui sozinho, de avião, para Buenos Aires. Lembro que lá, enquanto minha mãe cantava, eu ficava atrás da cortina, sentado em um banquinho daqueles bem altos. Eu não podia entrar em boate, era criança demais. Mas minha mãe dava um jeito de me levar junto. Era tudo tão agitado. Fiquei com trauma de banquinhos para o resto da vida. Não há quem me faça sentar em um", recordaria Jayme Monjardim.

Em breve, o anunciado contrato com a boate Blue Angel novamente separaria mãe e filho. Em 25 de outubro Maysa embarcou para os Estados Unidos. O menino ficaria mais uma vez sob a guarda dos avós, Monja e Inah. Na partida, Maysa foi saudada pela imprensa brasileira como uma *superstar*. O presidente Juscelino Kubitschek fizera questão de recebê-la antes em uma audiência oficial no Palácio da Alvorada, estalando de novo, em Brasília, a novíssima capital do país, inaugurada em abril.

"Maysa foi embora: três anos nos Estados Unidos", lamentou e comemorou, ao mesmo tempo, a *Última Hora*. O repórter que estava no Galeão e a viu embarcar no Comet da frota das Aerolineas Argentinas — que, proveniente de Buenos Aires, seguiria com destino aos Estados Unidos — notou que ela parecia um tanto quanto apreensiva com a viagem. "Maysa seguiu nervosa para os Estados Unidos", noticiou o jornal. Não era para menos. Uma semana depois, dia 1º de novembro de 1960, um sábado, Maysa pisaria pela primeira vez em um palco de Nova York.

8. Something to remember you by (1960-1961)

Oh, dê-me algo para lembrar de você
quando estiver assim tão longe de mim.
(Livre tradução da letra da canção
de Arthur Schwartz e Howard Dietz
gravada por Maysa em 1960)

As paredes estofadas de veludo cinza e as mesas de tampo de mármore preto do Blue Angel, em Manhattan, já haviam testemunhado shows históricos. Foi ali que um rapaz nervoso e magricela chamado Woody Allen subiu pela primeira vez ao palco para um espetáculo solo, depois que se encheu de escrever textos para outros comediantes. Foi ali também que uma jovem Barbra Streisend começou a cantar e a surgir para o estrelato, em 1959. O dono da casa, Max Gordon, constituía uma atração à parte. Proprietário de outro clube famoso, o Village Vanguard, Gordon é verbete obrigatório em qualquer dicionário de jazz que se preze. Nada mais natural. Naquela época, quem passasse por baixo daquele toldo vermelho, descesse os quinze degraus da escadinha estreita e chegasse ao porão onde até hoje funciona o Vanguard, na Sétima Avenida, teria grandes chances de esbarrar toda noite com gênios da música norte-americana como Dexter Gordon, Dizzy Gillespie, John Coltrane, Miles Davis e Thelonious Monk, para citar apenas alguns dos mestres que tocaram por lá. Poetas *beatniks* e o boêmio andarilho Joseph Ferdinand Gould — imortalizado em uma das bíblias do chamado jornalismo literário, *O segredo de Joe Gould*, de Joseph Mitchell — já haviam declamado no Vanguard e também faziam parte da clientela mais fiel.

Enquanto isso, na rua 55 Leste, no Upper East Side de Manhattan, ficava a outra casa noturna de Max Gordon, o sofisticado Blue Angel. Era lá que Maysa se apresentaria. O lugar já vivera tempos mais glamorosos, é bem verdade. Fora fundado por Gordon em 1943, em sociedade com Herb Jacobi, produtor francês que imigrara para os Estados Unidos para tentar a sorte na noite nova-iorquina. Cada um entrou com a bagatela de 5 mil dólares para montar o negócio. Gordon tinha pendurado por um mês as contas aos fornecedores de bebida do Village Vanguard, que havia aberto oito anos antes, e providenciara a sua parte. Jacobi tomou emprestado de um amigo a outra metade. Foi um dos melhores investimentos que os dois fizeram na vida.

O Blue Angel encontrou o caminho do sucesso com uma fórmula infalível para uma boate em Nova York: alternar no palco, na mesma noite, cantores, músicos e comediantes. Garantia de casa cheia desde a estréia. "Não levou muito tempo para o Blue Angel ganhar fama no *show bussines* como a vitrine número um em Nova York para shows que pretendiam ir mais longe", atestaria o próprio Max Gordon em seu livro autobiográfico *Ao vivo do Village Vanguard*. "Era um berço, uma pista de provas, uma escola preparando atrações para o apetite insaciável da televisão." Pois então Maysa estava no lugar certo. Ela realmente ambicionava ir muito, mas muito mais longe nos Estados Unidos. Estava mesmo disposta a fazer a América.

O problema é que o Blue Angel não era mais o mesmo. No ano anterior, 1959, Jacobi vendera sua parte na sociedade a Max Gordon por 35 mil dólares. Embora isso representasse sete vezes o valor do investimento inicial, mesmo assim aquele não se mostraria um bom negócio. A região mudara de perfil. Os antigos e simpáticos predinhos de apartamentos foram sendo substituídos por grandes edifícios comerciais. O resultado era inevitável e bem conhecido de todo bairro que perde sua função residencial e passa a sede de negócios: de dia, vida pulsante e ativa. À noite, um lugar escuro e abandonado. Antes, muitos clientes da boate iam de suas casas até lá caminhando, despreocupadamente. Isso, naquele início de década de 1960, tornara-se impossível. "Eu não acreditava, não podia acreditar que o Blue Angel já havia chegado ao limite. Achei que podia mantê-lo vivo, encontrar as atrações que fizeram dele o que sempre foi — a maior boate de Nova York", diria Gordon.

O contrato assinado por Maysa previa apresentações no mesmo formato que tornara a casa célebre. Ela dividiria o palco com dois outros artistas: a cantora, atriz e comediante Dorothy Loudon e o humorista Irwin Corey. Na verdade, tanto no cartaz exibido na fachada como nos anúncios de jornal sobre a temporada a brasileira era apenas a terceira atração. Os nomes de Loudon e Corey apareciam em primeiro plano, seguido, mais abaixo, em letras menores, pelo de "Maysa Matarazzo". Era uma pequena maratona: três apresentações por dia, a primeira às nove e meia da noite, com repetições a cada duas horas. Maysa cantava acompanhada pelo trio do saxofonista norte-americano Jimmy Lyons, mas poucos dias depois da estréia resolveu condimentar um pouco mais o show e mandou chamar Russo do Pandeiro para fazer a percussão, o que deu novo suingue ao espetáculo. Max Gordon achou que, com Maysa, o Blue Angel confirmaria a fama de servir de trampolim certeiro para o estrelato.

No caso de Dorothy Loudon isso realmente ocorreu. Logo depois, a partir de 1962, ela engrenaria uma carreira de sucesso na Broadway. Estrelaria dezenas de musicais, participaria de alguns filmes em Hollywood e, no final da década de 1970, teria uma série inteirinha para si na televisão norte-americana intitulada *Dorothy*. Quanto a Irwin Corey, este era um velho conhecido dos clientes que possuíam cadeira cativa no chique Blue Angel ou no descolado Village Vanguard. Com seus tênis brancos sujos e um humor corrosivo, com piadas e tiradas irônicas de forte conotação política e social, Corey apresentava-se, jocosamente, como "a maior autoridade do mundo". O cara já era um *showman* nato, e ainda faria uma longa carreira no teatro, no rádio, na televisão e na noite nova-iorquina.

Restava saber quais portas a casa de Max Gordon abriria para Maysa nos Estados Unidos. Ela parecia bem animada. Quinze dias depois de chegar a Nova York, já devidamente instalada no novo endereço — o apartamento 2 do número 301 da rua 66 Leste, no Upper East Side —, ela mandou uma carta ao colunista Mattos Pacheco, do *Diário da Noite*:

Querido Pacheco.

Já estou menos nervosa e posso contar-lhe agora as primeiras notícias a respeito da minha estréia no Blue Angel. Creio poder dizer que a nossa música está agradando muito ao público norte-americano, pois venho cantando para casas lotadas e o interesse vai aumentando dia a dia. Estou feliz, apesar das grandes saudades que estou do Brasil.

A crítica tem sido muito camarada. Dorothy Kilgallen, famosa colunista do Journal American, escreveu: *"Maysa the Brazilian singer now making her American debut at the Blue Angel, is the best in a many a season"*. O *New York World Telegran & Sun* falou coisas lindas. A revista *New Yorker*, entre outras coisas, diz que sou "felina". A revista *Life* manteve um fotógrafo ao meu lado durante uma semana, praticamente 24 horas por dia. Vamos ver.

No próprio Blue Angel sou felicitada diariamente por brasileiros. Nunca pensei que pudessem existir tantos patrícios por aqui. Além disso, já conheci um mundo de gente importante que veio ver o meu show: Nancy Kwan e Sandry Kahn, Christopher Plummer, Jack Lemmon e muita gente mais.

Hoje à tarde deverei assinar contrato com a Columbia Records. Ainda não sei para onde a ABC me mandará depois do Blue Angel. Estou na dúvida entre Los Angeles, Chicago e Miami, ou se devo fazer televisão. Além disso, existe possibilidade de fazer papel importante num novo musical na Broadway. Como você pode ver, muita coisa aconteceu durante meus primeiros quinze dias.

Um carinhoso e saudoso abraço,
Maysa

Era tudo verdade, mas ela carregara um pouco nas tintas. Suas apresentações no Blue Angel não mereceram tanto destaque na imprensa de Nova York quanto ela dizia. Na verdade, as citações ao seu nome, embora positivas, apareciam em pequenas notas, de poucas linhas, na maior parte das vezes escondidas em meio aos tijolos de textos de letrinha miúda nas colunas sobre a variada programação noturna da cidade. Aqui e ali eram reproduzidas, igualmente sem maiores destaques, algumas lendas a seu respeito. A de que era uma condessa excêntrica, que cantava apenas por diletantismo, por exemplo. Ou a de que sua família era dona dos maiores cafezais do Brasil.

Enquanto isso, os jornais brasileiros festejavam. "Maysa abafou em Nova York", jactava-se a respeito de sua colunista, em manchete de página, o *Diário da Noite*. "Esquecendo-se um pouco das eleições [o democrata John Kennedy acabara de derrotar o republicano Richard Nixon na disputa pela presidência do país], os ianques aderiram à nossa música popular e saíram cantarolando os samba-canções do repertório da cantora brasileira", dizia o entusiasmado texto do jornal paulista.

Em fevereiro de 1961, Maysa ganhou a matéria de maior destaque em toda a sua temporada norte-americana: duas páginas da revista *New York Mirror Magazine*, em que era apresentada aos leitores, de forma hiperbólica, como "a cantora mais rica do mundo" e seus olhos, curiosamente, eram descritos como "negros". "Maysa considera-se alguém de vontade de ferro, e é a pessoa mais independente que se possa imaginar. É uma brasileira riquíssima. Quando se fala que a família Monjardim é rica, é como se falasse, aqui, nos Estados Unidos, dos Rockefeller", comparava a revista, fazendo confusão entre o sobrenome de solteira de Maysa e a família do ex-marido, André Matarazzo.

"No Brasil, ganha perto de 5 mil dólares — cerca de 1 milhão de cruzeiros — por semana, o que já é uma grande soma nos Estados Unidos. O que não será isso no Brasil? Mas a grande parte dessa fortuna, dizem seus amigos mais íntimos, ela destina a instituições de caridade", desinformava de novo a revista, atribuindo a Maysa algo que deixara de fazer desde que se tornara cantora profissional, depois que se separou de André. "A cantora mais rica do mundo também tem seus problemas", era o título da matéria. Em relação aos problemas, a *New York Mirror Magazine* tinha toda a razão.

Um mês após a estréia, em dezembro, o Blue Angel foi obrigado a anunciar que a brasileira Maysa Matarazzo passaria alguns dias sem se apresentar na casa. Oficialmente, informou-se que ela estaria gripada e afônica. Os leitores norte-americanos ainda não a conheciam o suficiente para desconfiar da verdade que aquela notinha aparentemente inocente encobria: a cantora estava novamente enfrentando problemas com a bebida e passara a faltar aos compromissos acertados com Max Gordon.

Longe da família e dos amigos, Maysa encarou surtos depressivos naquela friorenta Nova York coberta de neve e iluminada para o Natal. A melancolia a empurrou ainda mais para o álcool. O círculo vicioso voltara a agir: Maysa bebia para esquecer as mágoas e espantar a solidão, mas a bebida e as ressacas só contribuíam para deixá-la ainda mais arrasada. O velho Monja viajou para os Estados Unidos a fim de consolar a filha. Preocupado, chegou a aconselhá-la a voltar imediatamente para casa. Em vão. A cantora não deu o braço a torcer. Não queria interromper uma carreira internacional que, se tudo corresse bem, parecia promissora. A despeito da amargura de seus dias, preferiu ficar. Disse ao pai que seguraria as pontas sozinha — pelo menos, por mais alguns meses.

* * *

O mundo era mesmo pequeno. Nos últimos dias do ano de 1960, Maysa encontrou em Manhattan um velho conhecido: o ator argentino Duilio Marzio, galã de cinema e presença constante nas capas de revistas de seu país. Ao longo da carreira, Duilio estrelaria cerca de cinqüenta filmes, na tela grande e na televisão. Maysa o conhecera em Buenos Aires, ainda na primeira temporada que fizera na capital portenha. Ele, que já era uma estrela nacional, estivera na platéia do King's Club e ficara impressionado com o espetáculo da cantora brasileira. "Cheguei cerca de meia hora antes do show e pedi uma taça de vinho. Ainda me lembro quando ela entrou no palco, vestida de negro. Estava gordinha, mas aquele rosto, aqueles olhos, aquele cabelo, tudo era lindo. Fiquei deslumbrado diante daquela mulher", recordaria ele, que compararia a primeira vez que viu Maysa com certa tarde em que, aluno do Actor's Studio, nos Estados Unidos, colocou os olhos na monumental Marilyn Monroe. "O impacto que tive ao vê-la foi o mesmo que senti ao encontrar Marilyn."

Logo após o show Duilio foi apresentado a Maysa. Ele não sabia que estava flertando com uma celebridade. "Para mim, ela era só uma mulher linda. Se cantava bem, era outra coisa. Só depois soube quem era Maysa. Mas aí eu já estava apaixonado", relataria. Os dois começariam a namorar poucos dias depois. "Que mulher. Foi uma conexão forte." O relacionamento seria breve, mas intenso. Por isso, naquele fim de ano em Nova York, ao ler no jornal o anúncio de um show com Maysa, Duilio não teve dúvida: comprou seu ingresso para o espetáculo do Blue Angel. Ao vê-la no palco — "gordinha, mas linda" —, sentiu-se transportado diretamente para o passado. "Foi um *revival* muito bonito", suspiraria. O romance, então, foi reatado, do ponto exato em que havia parado.

Duilio também estava nos Estados Unidos a trabalho, a convite do Departamento de Estado norte-americano. Sua missão era visitar os teatros do país, de Leste a Oeste, mas encontrou uma brecha no serviço para divertir-se ao lado da antiga namorada. "Eu estava deslumbrado ao lado dela", confessaria. Os dois passaram juntos o Réveillon de 1961, no apartamento alugado por Maysa. Foi uma farra homérica, que contou com a presença de alguns conhecidos da dupla, como o diretor e produtor argentino Hector Oliveira, que também se encontrava nos Estados Unidos. A festa terminou em confusão. Maysa, depois de muitas doses de uísque, ficou agressiva e começou a atirar objetos — cinzeiros, vasos, bibelôs — para todos os lados, atingindo alguns convidados.

De manhã, no primeiro dia do ano, Duilio acordou assustado e viu o cobertor em chamas. Maysa havia dormido com um cigarro aceso entre os dedos e quase provocara um incêndio no quarto. Passaram cerca de uma semana juntos e, depois, despediram-se sem maiores formalidades. "A gente se encontra de novo por aí, em algum lugar do planeta", afirmou ela após um último beijo. "Até uma próxima", disse Maysa.

Mas não haveria uma próxima.

* * *

No início de janeiro de 1961, Maysa fez uma pausa na temporada no Blue Angel para cumprir uma temporada de shows em Punta del Este. Na volta do Uruguai, fez uma escala no Rio de Janeiro. Ficou bem feliz — e vingada — ao saber que andavam notando a sua ausência. "Maysa nos faz falta aqui no Brasil, porque a qualidade e o número de nossas cantoras não são tão grandes assim que permitam dispensá-la. Quando estava aqui, no Rio ou em São Paulo, isso parecia não ser tão importante. Mas, tal como acontecera antes com Dolores Duran — essa infelizmente desaparecida para sempre —, agora é que vemos até que ponto Maysa nos dominava com seu talento", pranteava o jornal *O Estado de S. Paulo*.

Para a concorrente *Folha de S.Paulo*, Maysa daria uma entrevista em tom de desabafo: "Antes, ninguém se preocupava com a cantora. Todo mundo, principalmente os jornalistas, se ocupavam apenas de Maysa como pessoa, como mulher, e procuravam fazer sensacionalismo com a minha vida privada. Mas, agora, não: eu sou uma cantora". O repórter que a entrevistou notou que ela estava com as mãos trêmulas. Seria efeito da bebida? "Não. Nada disso. É que apesar de estar com uma vida interior mais sossegada, ultimamente levo um ritmo de vida muito agitado. Viajo muito, principalmente. Avião para cá, avião para lá e acabo mesmo um pouco nervosa", desconversou. "É nervosismo", jurou.

Antes de partir, em março Maysa ainda fez uma temporada de nove dias na boate Meia-Noite, do Copacabana Palace. Só retornaria a Nova York em meados de abril. Quando algumas colunas de jornal levantaram a suspeita de que ela não estava obtendo o estrondoso sucesso nos Estados Unidos como se dizia, ficou ofendida: "Quem fracassa nos Estados Unidos não volta uma segunda vez para lá. E eu estou voltando. Adeus para vocês que ficam".

* * *

Quando escreveu a Mattos Pacheco contando que assinara contrato com a Columbia norte-americana, Maysa estava falando sério. Em julho foi lançado nos Estados Unidos o disco *Maysa sings songs before dawn*. Não era a primeira vez que a cantora tinha um trabalho colocado no mercado fonográfico daquele país. No ano anterior, o LP *Convite para ouvir Maysa Nº 2* havia sido relançado ali, rebatizado de *The sound of love*, mas sem encontrar maiores repercussões. A diferença era que o novo disco fora gravado lá mesmo, com sofisticados recursos de estúdio, e a Columbia parecia disposta a investir firme na artista brasileira.

Maysa sings songs before dawn é, em todos os sentidos, uma preciosidade. O disco, que conta com arranjos primorosos e com a interpretação de uma Maysa em grande forma, nunca foi lançado por aqui, por antigas pendengas contratuais com a RGE, que tinha exclusividade sobre a cantora no Brasil. Na época, havia até quem duvidasse da existência do álbum. Quando alguém falava dele, do tal "disco americano de Maysa", era como se estivesse se referindo a uma espécie de lenda. Diziam que ele existia, mas ninguém nunca o vira de verdade para tirar a prova de São Tomé.

Em seu livro *O caçador das bolachas perdidas*, o colecionador Jorge Cravo narra uma historinha que dá a exata dimensão do que significava *Maysa sings songs before dawn* para os aficionados por raridades. Segundo Cravo, por muito tempo ele indagou a amigos e nenhum deles sabia nada a respeito do LP. Apenas um, Jonas Silva — ex-integrante do conjunto Garotos da Lua e que viria a ser substituído no grupo por um certo João Gilberto —, tinha colocado as mãos em um exemplar desse misterioso tesouro. Jonas era fonte segura. Trabalhava nas Lojas Murray, uma importadora de discos que era o templo dos fãs de música norte-americana no Rio de Janeiro. A dica, portanto, era quente. Ele garantia a Jorge Cravo que chegara a receber e vender algumas poucas unidades do mítico *Maysa sings songs before dawn* e podia adiantar que a cantora tivera acompanhamento da orquestra de Paul Weston.

Foi o jornalista Ivan Lessa quem solucionou o mistério para Jorge Cravo. "Para provar que é realmente 'o bom' em música americana e brasileira, Ivan não só tinha o disco, como informou que a orquestra era de Jack Pleis, e não de Paul Weston", escreveria Cravo. "E, matando a cobra e mostrando o pau, mandou-me uma cópia em cassete, com xerox da capa e contracapa, decifrando de vez, que nem um Indiana Jones, a lenda da bolacha perdida em Nova York."

A contracapa de *Maysa sings songs before dawn* apresentava Maysa como uma artista mundialmente celebrada, que antes de gravar seu primeiro disco nos Estados Unidos havia conquistado as platéias do Rio de Janeiro, São Paulo, Buenos Aires, Montevidéu, Paris e Tóquio. "Essa é a voz de Maysa, a mais emocionante e popular cantora brasileira. Ela canta de maneira provocante, quente e sedutora. Sua performance é hipnótica. Esse disco é a estréia no mercado fonográfico norte-americano de uma grande estrela internacional." Para fazer jus a seu decantado cosmopolitismo, Maysa cantava em inglês, francês, espanhol e português. Era um disco deliberadamente nostálgico. Havia clássicos da canção popular norte-americana, saídos diretamente do repertório de Billie Holiday, Chet Baker, Frank Sinatra e Nat King Cole. Tudo isso ao lado de "A noite do meu bem", de Dolores Duran, e do bolero mexicano "La barca". Ali, pela primeira vez, Maysa gravaria "Ne me quitte pas", de Jacques Brel. Sua voz estava mais suave, realçada por uma orquestração delicada, bem menos grandiloqüente que as chuvas de cordas dos discos da RGE.

Ao contrário do que a própria Maysa afirmava, o LP não chegou a fazer uma longa carreira nos Estados Unidos. A revista *Time* deu exatas sete linhas para ele. E não foram de todo elogiosas: "A cantora brasileira de voz melancólica fala sobre velhos e esquecidos amores: 'Something to remember you by', 'The end of a love affair', 'The man that got away'. Ocasionalmente imita Dietrich, mas sem a mesma pose". Na revista *Cash Box*, especializada em música, a resenha do disco de Maysa dividiu espaço com outros cinco álbuns. "A cantora brasileira tem uma voz quente e respira sensualidade. É uma companhia perfeita para as horas de solidão", registrou a publicação.

Não era um silêncio absoluto, mas também não foi nenhum fenômeno de crítica como Maysa queria fazer acreditar no Brasil. A verdade é que ela não teve muito tempo para trabalhar o disco nos Estados Unidos. Em agosto, sem conseguir renovar o contrato com o Blue Angel e sem novas propostas de trabalho, voltou ao Rio, imensamente mais gorda por causa do excesso de bebida. Max Gordon se cansara dos canos que ela lhe dera, quando simplesmente desaparecia na noite de Nova York e não fazia os shows programados. A produtora Associated Booking Corporation também desistiu de agenciá-la, pois estava cada vez mais difícil vender uma artista que deixava as platéias e os donos das boates a ver navios.

Maysa chegara a subir ao palco do Blue Angel visivelmente alcoolizada. Tentara repetir o que fazia no Brasil e ameaçara os clientes que conversavam enquanto cantava. Mas, ao contrário dos brasileiros, os norte-americanos não aceitaram ser repreendidos por uma cantora latina, da qual não tinham a mínima idéia de quem fosse. Em vez de ela retirar-se do palco indignada, eles é que se levantavam e iam embora. Como vingança, Maysa cantava canções em português e substituía a letra original por palavrões cabeludos que, sabia, ninguém ia entender, a não ser os brasileiros que porventura ali estivessem.

O Blue Angel não sobreviveu por muito tempo mais. Dali a menos de dois anos Max Gordon jogaria a toalha e fecharia as portas do clube. "Eu não via, não queria ver, que uma nova geração de notívagos não queria ir mais para o tipo de lugar que era o Blue Angel. Eles não queriam assistir ao show, queriam fazer seu próprio show. Não queriam ficar grudados em uma cadeira em uma boate. Queriam fazer o que era 'a deles', investigar o mistério da noite, ouvir uma musiquinha, levantar e talvez dançar, ou apenas sentar e falar com a garota sentada perto deles no bar", explicaria Gordon.

"Os americanos são muito rigorosos nessas coisas de contrato artístico. É tudo muito certinho e organizado. Não me acostumaria a ter uma vidinha toda regrada como eles exigem", reconheceria Maysa quando desembarcou com malas e bagagem no Rio de Janeiro. O sonho da carreira norte-americana fora atirado pela janela. Mas Maysa jamais permitiria que a sombra do fracasso pairasse sobre a sua imagem. Sobranceira, anunciou que ela é quem decidira dar um tempo em relação aos Estados Unidos. Um dia, quem sabe, voltaria para reconquistar a América. Por hora, tinha outra tarefa a cumprir. A Maysa versão 1961 daria muito que falar no Brasil, prometeu.

9. O BARQUINHO (1961)

Dia de luz,
festa de sol
e um barquinho a deslizar
no macio azul do mar.
(Ronaldo Bôscoli e Roberto Menescal,
gravação de Maysa em 1961)

O HELICÓPTERO APARECEU DO NADA, voando baixo, sob o céu sem nuvens. O barulho infernal do motor e a ventania provocada pela rotação das hélices deixaram todos em polvorosa. Pedaços de palha, arrancados do telhado rústico do restaurante à beira-mar, voaram pelos ares. Não sobrou um só grão de farofa nos pratos sobre as mesas — e as que estavam vazias ficaram nuas, sem as toalhas de papel, que rodopiavam por todo lado. Foi um deus-nos-acuda. O jornalista Ronaldo Bôscoli e o colega Augusto Mello Pinto, o Gugu, que poucos segundos antes jogavam charme para duas moçoilas bronzeadas e sorridentes, abandonaram a paquera e olharam para cima, *hirtos* de pavor. De cabelos em pé, por causa do vento e do susto, imaginaram que o aparelho, depois de demolir tudo ali em volta, ia lhes despencar sobre a cabeça.

"Ih, olha lá, é a Maysa!", gritou Augusto Mello Pinto, nervoso, apontando para o alto.

O helicóptero que parecia desgovernado tomou prumo e foi descendo lentamente, erguendo nuvens brancas de areia da praia, bem ali ao lado. À última hora, o piloto retomara o comando das mãos de Maysa e evitara um desastre. Sob os olhares curiosos dos clientes do restaurante situado em um recanto da Barra da Tijuca — um local então freqüentado apenas por grupinhos de descolados —, ela desceu do aparelho com ar *blasé*, como se aquela chegada apoteótica fosse a coisa mais natural do mundo. Entrou no restaurante e dirigiu-se ao balcão. "Vamos aproveitar e mostrar nossas composições para ela", comentou um animado Gugu ao amigo Ronaldo Bôscoli.

Maysa passou por eles, percebeu que acenavam, mas não lhes deu trela. Voltou do balcão com algumas garrafas debaixo do braço e, quando já se dirigia de volta ao helicóptero, foi chamada de novo pela dupla. Disse que tinha pressa. Sua casa de praia era ali perto e viera apenas buscar umas bebidinhas para regar um almoço informal com amigos. "Apareçam por lá", sugeriu, sem convicção. "Lá, onde?", os dois perguntaram, em coro. "Não tem erro. Todo mundo por aqui sabe onde é a casa da Maysa", respondeu. Dito isso, da mesma maneira como chegara, o helicóptero levantou vôo e, em segundos, sumiu no ar.

Bôscoli e o amigo Gugu levaram o convite a sério. Pediram logo a conta no restaurante e, indaga daqui, indaga dali, chegaram ao refúgio de Maysa na Barra. Não perderiam aquele almoço por nada deste mundo. Os dois estavam se iniciando no mundo da música e acabavam de ter a chance de se aproximar de uma artista consagrada, que já gravara um punhado de discos e fazia tremendo sucesso na televisão. "Ela sabia que estava se esboçando um movimento chamado Bossa Nova. Por isso, durante o almoço, diminuiu a intensidade dos drinques e foi se sentar ao meu lado, debaixo de uma mesa", confidenciaria Bôscoli, em texto para a revista *Manchete*. "Foi assim que conheci Maysa. Ela desceu diretamente do céu para a minha vida."

* * *

O fato acontecera antes da partida de Maysa para os Estados Unidos. Naquele almoço na casa de praia, Boscôli passara o telefone para ela em um papelzinho dobrado, que acabou esquecido em algum lugar. O tempo passou. No início de 1961, por causa de uma entrevista, Maysa e Bôscoli voltariam a se encontrar e então retomariam o assunto de onde haviam parado. Maysa logo o apelidou de "o rei do charme". Foi aquele jeitão meio calhorda, o artifício de segurar o cigarro na ponta dos dedos como um arremedo de Frank Sinatra, que a encantou logo de cara. Boa-pinta e bom de copo, Ronaldo tinha trinta anos quando se aproximou de Maysa. Ela, apenas 24. Maysa era uma estrela de primeira grandeza e ele, um repórter enturmado com gente da nova geração musical, já tendo experimentado o sabor do sucesso em uma parceria com Carlos Lyra, "Lobo bobo", que estourou na voz de Sylvinha Telles e foi incluída — junto com "Saudade fez um samba", também dele e de Lyra — no disco do estreante João Gilberto, *Chega de saudade*.

Aparentemente, nada parecia mais improvável que um romance entre os dois. Maysa era tida e havida como a deusa da fossa e Ronaldo Bôscoli não perdia a chance de espinafrar o samba-canção, que julgava um gênero ultrapassado e cafona. "Quem anda para trás é samba-canção" — esta era, aliás, uma das frases favoritas dele. Havia um empecilho adicional: Bôscoli era noivo da tímida e meiga Nara Leão, que ainda não cantava profissionalmente e parecia a antítese mais-que-perfeita da tempestuosa Maysa. "Nara era uma gracinha, sensível, doce, educada", "Maysa era uma avalanche em pessoa", ele próprio compararia, em um livro de memórias, editado pelos jornalistas Luiz Carlos Maciel e Ângela Chaves. Foi para Nara Leão que Bôscoli escreveu a letra da autobiográfica "Lobo bobo", como quem dava um testemunho de que os tempos de predador haviam chegado ao fim: *Chapeuzinho agora traz/ o lobo na coleira/ que não janta nunca mais*.

A música era bonitinha, em especial na voz de João Gilberto, mas o apetite lupino do autor continuava o mesmo. E foi exatamente o abismo estético que separava Bôscoli e Maysa que despertou o interesse de um pelo outro. Ela voltara dos Estados Unidos com o firme propósito de rever os rumos da carreira e, por isso, andava em busca de novas sonoridades que a libertassem do rótulo de cantora datada, de sobrevivente da Era do Rádio, de rainha melancólica das dores-de-cotovelo. Por seu lado, Bôscoli adivinhou em Maysa a oportunidade de atrair de vez para os quadros da Bossa Nova uma cantora de renome — o que sem dúvida chamaria mais atenção para o movimento que, com flagrante reducionismo, ainda era tratado pela imprensa com o rótulo genérico de "música jovem". No entanto, o que era apenas uma mútua conveniência profissional logo acabaria resvalando para o terreno escorregadio da paixão. "Dessa mistura de vozes nasceu um romance. Maysa, mergulhando em mim, mergulhava na Bossa Nova", diria Bôscoli, que nunca teve pudores de alardear a fama de incansável conquistador.

O noivado com Nara Leão impediu que ele pulasse a cerca de imediato. Mas, de bobo, aquele lobo não tinha nada. Os indícios de que o predador cedera aos instintos da espécie surgiram tão logo Maysa anunciou que lançaria um disco inteirinho de Bossa Nova. Produzido, adivinhem, por Ronaldo Bôscoli. Ela rescindira de vez o contrato com a RGE, selo para o qual teria agora apenas o compromisso de gravar um último LP dali a algumas semanas. Conforme o desejo que manifestara tempos antes, fechara um acordo com Roberto Côrte-Real, diretor da Columbia, para fazer um trabalho avulso, sem nenhuma cláusula contratual que a obrigasse a novos trabalhos. O nome do álbum, gravado em regime de *freelancer*, já estava escolhido: *Maysa e a Nova Onda*. Se nos discos anteriores ela já deixara evidente a gradativa aproximação com a Bossa Nova, chegara a hora da conversão definitiva.

"Maysa — edição 1961 — exclusiva da Bossa Nova" — destacou o Caderno B, no *Jornal do Brasil*, em abril daquele ano. "Meu gênero ainda é o romântico, mas precisei me atualizar; e ter conhecido os 'meninos' me deu a vantagem de aperfeiçoar meu estilo", declarou Maysa ao jornal carioca. Os "meninos", no caso, não eram chamados assim por acaso. Não que ela fosse tão mais velha que os rapazes convocados por Bôscoli para acompanhá-la no projeto do disco especial para a Columbia. Muito ao contrário disso. O caso era que Maysa começara bem mais cedo — e atingira o auge do sucesso —, antes de qualquer um deles. "Nós éramos muito novinhos e Maysa, já famosa, apostou alto na gente", observaria Roberto Menescal, que à época tinha 23 anos — só um a menos que Maysa.

Menescal a conhecia de longa data, do tempo em que ela fora coroada rainha do bloco Marujos por Acaso, em Vitória. "Quando Ronaldo nos reapresentou, dizendo que eu faria os arranjos do disco, perguntei se ela não lembrava de mim, dos Carnavais adolescentes no Espírito Santo", contaria Menescal. Como resposta, Maysa sorriu e disse que lembrava. "Mais ou menos", ressalvou. Roberto Menescal não conseguiu esconder a frustração. Depois de namorar praticamente todos os amigos dele na capital capixaba,

Maysa nunca reparara em sua existência. E agora, com a presença do parceiro Ronaldo Bôscoli na área, um sujeito mais velho que ele, dono de uma lábia proverbial, jornalista conhecido no mundo artístico, sabia que teria ainda menos chances de virar o jogo a seu favor. Menos mal — só a chance de escrever os arranjos de um disco de Maysa era uma oportunidade de ouro para quem, até bem poucos anos antes, falsificava carteira de estudante para entrar em boate e ver Johnny Alf cantar.

Para ajudar Menescal nos arranjos do *Maysa e a Nova Onda*, Bôscoli chamou o pianista Luizinho Eça, de 24 anos, que tocava à noite na boate Plaza, um dos primeiros e mais característicos redutos da Bossa Nova, lugar em que um certo Roberto Carlos, antes de se bandear para o iê-iê-iê, começara como *crooner,* imitando João Gilberto. Luizinho engoliu em seco quando soube que seria responsável pela orquestração e regência do novo LP de uma cantora do vulto de Maysa. Ele já tinha certo prestígio por ter gravado dois belos discos de dez polegadas como solista, mas, do mesmo modo que Menescal, nunca tivera nenhuma experiência como regente e jamais escrevera um único arranjo na vida. Por isso, amarelou feio.

Durante a primeira reunião de trabalho na gravadora, quando lhe perguntaram do que necessitava para as gravações, Luizinho exagerou de propósito, na esperança de que um orçamento estratosférico tornasse o disco inviável e o projeto fosse abortado ali mesmo, naquela sala. Menescal também sentiu um princípio de tremedeira e aderiu à tática do amigo. "Dissemos que precisávamos de não sei quantos violinos, outro tanto de celos, uma montanha de instrumentos, e por aí afora. Exigimos números absurdos", recordaria Menescal. "Tudo bem. Fechado", foi esta a resposta que ouviram, de bate-pronto, dos diretores da gravadora.

Apavorado, Luizinho Eça pensou em fugir e se esconder em Teresópolis até que se esquecessem dele por uns tempos. No entanto, Menescal convenceu-se de que estava diante da grande chance de sua vida e trancafiou Luizinho Eça em seu apartamento, para forçá-lo a encarar o desafio. "Passamos dias isolados lá em casa. Eu ia ao supermercado comprar comida e deixava o Luizinho trancado, para evitar que ele se mandasse", lembraria, entre acessos de riso, Roberto Menescal.

Decidiu-se que a base do acompanhamento para o disco seria confiada a mais três neófitos de grande talento. O primeiro era o multiinstrumentista — contrabaixista, flautista e saxofonista — Bebeto Castilho, 22 anos. O segundo, o percursionista Hélcio Milito, de apenas vinte anos, inventor da tamba, instrumento que daria nome ao grupo que formaria um ano depois, ao lado do mesmo Bebeto Castilho e Luizinho Eça: o Tamba Trio. Para fechar o time, Bôscoli chamou mais um pianista, Luiz Carlos Vinhas, de 21 anos, figurinha fácil do Beco das Garrafas, uma travessa sem saída da rua Durvivier que concentrava algumas das mais célebres boates de Copacabana — Baccarat, Little Club e Bottle's Bar —, templos sagrados da Bossa Nova. Tocar em um disco de Maysa era algo tão sensacional para aquela turma de iniciantes que o próprio Luizinho Eça, depois de passada a crise inicial de pânico, convidou os pais para assistirem às primeiras gravações, ao vivo, nos estúdios da Columbia. Os velhos, vendo o filho reger uma orquestra pela primeira vez, e ainda por cima em um disco de Maysa, não se agüentaram e caíram no choro, derrubados pela emoção.

Mas nem tudo correu tão bem desde o princípio. Durante os ensaios, por diversas vezes Ronaldo Bôscoli praguejou contra quatro gerações dos Monjardim ao constatar que Maysa encontraria sérias dificuldades em adaptar a voz ao balanço e à marcação que a Bossa Nova exigia. "Maysa, assim não dá, você está cantando Bossa Nova como se estivesse entoando um samba-canção daqueles bem cafonas", ele reclamava, segundo contaria Luiz Carlos Miéle — amigo e parceiro de Bôscoli na produção de inúmeros *pockets-shows* que marcariam época no Beco das Garrafas. Roberto Menescal também testemunhou várias cenas em que Bôscoli perdeu a paciência e, colérico, parecia querer arrancar os cabelos em desespero. Mesmo assim, as gravações prosseguiram. "Aguardem: a Maysa do novo disco aparecerá cantando leve, mais perto do ouvinte, sem superdramatização", prometeu Ronaldo Bôscoli, talvez tentando convencer a si mesmo, na reportagem publicada pelo *Jornal do Brasil*.

Apesar das discussões, os músicos notaram que, fora do estúdio, a desbragada Maysa e o bossa-novista Ronaldo Bôscoli estavam cada vez mais sintonizados na mesma estação. O mais estranho era que as brigas constantes nas gravações pareciam dar um tempero adicional ao que se prenunciava um possível e agitado romance. Os amigos em comum achavam que os dois haviam nascido um para o outro. Ambos tinham gênio forte, eram igualmente sarcásticos, enxugavam a mesma quantidade respeitável de uísque e, talvez, quem sabe, houvessem encontrado um parceiro à altura das respectivas explosões de personalidade.

"Maysa me abriu os braços e eu vi o mundo. Ela, ao contrário de Nara, era uma mulher voluptuosa, entregue, experiente. Canalizei todo o meu tesão reprimido pela Nara para aquele caso de amor. Foi uma loucura", contaria Ronaldo Bôscoli em suas picantes memórias. Mas, até ali, quando lhe indagavam se estava tendo algum caso secreto com Maysa, Bôscoli ria e afirmava, sem rodeios, que ela era gorda demais para o seu gosto. "Mas, pela Bossa Nova, eu namoro até o Trio Irakitan", completava.

* * *

Por sugestão de Bôscoli, a *Manchete* propôs a Maysa um desafio: queriam que ela fizesse uma auto-entrevista, perguntando a si mesma tudo o que nenhum jornalista jamais tivera coragem de lhe perguntar, com o compromisso de que respondesse a tais interrogações sem nenhuma censura. Ela, que não era de fugir da raia, topou na hora. Na edição da primeira semana de abril, a revista da Editora Bloch trazia a matéria, ilustrada com uma foto de página inteira na qual Maysa encarava o próprio rosto no espelho. "Maysa enfrenta Maysa", dizia o título, que antecedia uma afiadíssima seqüência de perguntas e respostas:

> — Você é masoquista?
> — Às vezes. Considero masoquismo aturar sem queixas uma porção de pessoas. Detesto gente burra e vivo me encontrando com elas.
>
> — Se é só este o seu masoquismo, por que você vive atritando fitas de papel com os dedos, até fazê-los sangrar?
> — Até sangrar é exagero. Tenho este hábito desde menina. Acho que é uma preparação inconsciente para enfrentar as dores que o destino sempre me

reserva. Dor física, aliás, jamais me fez medo. Tenho medo apenas do que não depende de mim: amar e não ser amada, por exemplo.

— Seu êxito dependeu apenas de seu talento?
— Já fiz muitas concessões para obter sucesso e hoje estou profundamente arrependida. Agora não há fabricante de discos que me faça gravar o que eu não sinta. Já gravei muita droga para esta gente.

— Caso fosse possível, você deixaria de cantar imediatamente?
— Não, para a gente deixar de fazer qualquer coisa que nos afirme é preciso substituí-la, sempre, por algo melhor. Para mim, a única coisa melhor do que cantar seria... cantar só para quem eu amasse.

— Eu sei que você não "ama" seu atual público no Copacabana. Mas pelo menos gosta dele?
— Por enquanto, não. Grã-fino, geralmente, não gosta de música e muito menos de artista brasileiro.

— É por isso que você bebe minutos antes de cantar?
— A bebida é a bengala de um velhinho que mora em minha personalidade. Mas tenho certeza de que uma criança que existia em mim, antes de tantas coisas acontecerem, um dia voltará. Só então saberei quem sou.

— Mas você não bebe somente antes de entrar em cena, não é? Por que você bebe de um modo geral?
— Primeiro porque quero. Depois porque trabalho para pagar o que bebo. Finalmente, porque tenho senso de autocrítica. Muitas vezes reconheço-me insuportável e eu só suporto os insuportáveis bebendo.

— Você acredita que um dia deixará o álcool?
— Deixarei a bebida quando encontrar o amor. Mas para amar é preciso estar preparada. Quero, preciso e ainda amarei.

— Você se sente sozinha? Tem medo de ficar sozinha?

— Pavor. Quando estou só, tenho certeza de que sou maior do que eu mesma e isto me apavora. Ninguém deve conhecer a sua própria dimensão.

— Você não disse uma vez que o estilo Bossa Nova não existia? Por que está cantando agora com este pessoal?

— Fui mal informada. Pensei que Juca Chaves fosse a Bossa Nova. Hoje confesso que este estilo é uma das coisas mais importantes que já se inventou no Brasil em matéria de música. Menescal, Bebeto, Hélcio e Luiz Carlos fariam grande sucesso nos Estados Unidos.

— Você já tentou se matar algumas vezes. Em qual delas foi sincera?

— Em todas. Mas em nenhuma eu queria morrer imediatamente. Por isso morria pouco. Só uma coisa me faria morrer até o fim: o amor.

* * *

Em junho, quando o King's Club contratou Maysa para mais uma turnê em Buenos Aires, chamou os "meninos" para irem todos com ela. Todos mesmo. Nem precisou que Luizinho Eça e Luiz Carlos Vinhas tirassem a sorte no palitinho para saber qual pianista acompanharia o restante do grupo. Como aquela era uma turma de amigos inseparáveis, Ronaldo Bôscoli convenceu Maysa a levar os dois de uma só vez. Afinal, ninguém teria coragem de deixar um deles acenando lenço no aeroporto enquanto os demais embarcavam para a primeira apresentação internacional de um grupo brasileiro de Bossa Nova.

"Luizinho é muito bom nas melodias, mas é mais fraco em samba. O Vinhas é o contrário, é um ritmista de mão-cheia, porém é menos forte em canções", foi a desculpa esfarrapada que Bôscoli encontrou para justificar a necessidade da dupla. Maysa não colocou obstáculos. Achava que, quanto mais gente levasse, mais animada seria a viagem. Então, fez de conta que se convencera com tal explicação, refez os cálculos das despesas e incluiu mais uma cabeça no grupo — era ela quem bancaria, por conta própria, o cachê, as passagens e a hospedagem de toda a turma: o King's pagaria apenas pela presença dela. "Achei aquilo, levar dois pianistas, uma maluquice sem tamanho. Mas fiquei na minha", observaria Roberto Menescal.

Desde o primeiro dia na capital argentina, Maysa e Bôscoli assumiram o romance e passaram a dividir o mesmo quarto de hotel. Menescal logo percebeu que a dupla estava disposta a fazer show tanto dentro como fora do palco. Hospedados no sofisticado Alvear Palace Hotel, no bairro Recoleta, eles foram almoçar perto dali, em um restaurante não menos luxuoso, onde protagonizaram uma cena que foi interpretada pelos argentinos como um ataque terrorista. O clima em Buenos Aires estava tenso, por causa dos conflitos sangrentos que opunham partidários e adversários do ex-presidente Juan Domingos Perón, deposto e exilado em 1955 por meio da chamada "Revolução Libertadora". O peronismo havia caído na ilegalidade e os argentinos temiam o recrudescimento dos atentados, utilizados como forma de luta política. Por isso, naquele dia, quando se ouviu um estouro dentro do restaurante, o corre-corre foi inevitável.

Em meio à fumaceira, enquanto todos se atropelavam para alcançar a porta de saída, Maysa e Bôscoli permaneceram inabaláveis, nos respectivos lugares. "O barulho foi bem próximo do garçom, que tomou um susto, jogou a bandeja para o alto e provocou uma chuva de comida", lembraria Menescal. Mas, apesar do tumulto, não havia motivos para alarde. Não se tratava de nenhum atentado. Maysa, com a cumplicidade de Bôscoli, provocara o alvoroço jogando no chão do restaurante, junto aos pés do garçom, uma bombinha que fazia algum barulho e muita fumaça. Queriam apenas assustar o sujeito, e quase acabaram provocando uma questão de segurança nacional.

E aquilo seria apenas o começo. No quarto de hotel, dentro da mala de Maysa, havia duas caixas recheadas de artefatos iguais àqueles. Nos dias seguintes, boa parte da munição seria gasta em batalhas travadas por Maysa e Bôscoli dentro do quarto, o que deixou as paredes da suíte em petição de miséria. As bombinhas que sobraram à hecatombe foram atiradas pelos dois do alto da janela, em plena rua, no horário do *rush*, o que resultou em correrias e em um engarrafamento que deu nó em todo o trânsito do bairro. "Como estávamos no rigoroso inverno de Buenos Aires, as janelas do hotel permaneciam fechadas. Eles atiravam as bombinhas e ficavam se divertindo com a confusão lá embaixo. Foi aí que um policial, que estava com uma metralhadora na esquina, olhou para cima e os flagrou em pleno delito, com a janela aberta", contaria Roberto Menescal, que nunca entendeu como Maysa e Bôscoli escaparam de conhecer as prisões do presidente Arturo Frondizi, que chegara ao poder apoiado pelos clandestinos peronistas.

Aborrecido por causa dessas e de outras brincadeiras de conseqüências imprevisíveis, o sóbrio Menescal, o único que não era chegado a um pileque no grupo, avisou que não seguiria com os amigos até o fim da excursão. "O que me segurou um pouco mais foi o fato de que, quando entrávamos em cena, a farra acabava e todo mundo dava tudo. Nisso, todos eram profissionais. O problema é que havia mais horas livres que de trabalho", observaria Menescal, ele próprio já se divertindo com aqueles banzés que tanto o haviam aborrecido no passado.

O arsenal de guerra à disposição de Maysa e Bôscoli também incluía pavios que exalavam um cheiro insuportável quando se ateava fogo na ponta. Os dois iam para as boates da cidade e, se o show não os agradava, sob os olhares de censura de Roberto Menescal, colocavam aquilo em algum canto do salão, acendiam o fósforo e forçavam a imediata evacuação da casa. Mas até Menescal não conseguiu conter a gargalhada quando, certa noite, ao subir para o quarto do hotel, viu a porta pantográfica do elevador se abrir e aparecerem na sua frente três figuras travestidas: Ronaldo Bôscoli, Luiz Carlos Vinhas e Maysa. Eles, de saltos altos e com vestidos de festa cedidos por Maysa. Ela, apertada no *smoking* de Bôscoli, que parecia querer arrebentar nas costuras, a camisa aberta em cima, já que os seios fartos não permitiam que ela fosse abotoada. "Olhei para o ascensorista, que não dizia uma palavra, apesar de visivelmente constrangido", contaria Roberto Menescal. O trio atravessou o *hall* do hotel e entrou no salão onde estava ocorrendo um coquetel de casamento. "Não sei como acabou aquilo, eu sempre me escondia e, morrendo de vergonha, escapulia antes", diria Menescal.

Na versão de Ronaldo Bôscoli, a mesma história era contada com algumas variações. O fato teria ocorrido não mais na Argentina, mas sim no Uruguai, o destino seguinte da turnê, quando Menescal já havia arrumado a mala, cansado de tanta confusão, e retornado ao Brasil. Ludibriada pelo empresário que a agenciara e lhe dera como pagamento um cheque sem fundos, Maysa teria ficado sem dinheiro para pagar o hotel. Estavam encrencados, com uma conta altíssima para honrar no Plaza de Montevidéu, onde naquela noite haveria um show de Nat King Cole. Viraram os bolsos pelo avesso, contaram cada cédula que lhes restava nas carteiras e chegaram à conclusão de que tinham o suficiente para, pelo menos, adquirir duas entradas para o show. Mas Vinhas disse que também queria ir. As roupas trocadas teriam sido então um artifício para os três assistirem a Nat King Cole, pois mulheres pagavam metade do ingresso. O plano estava fadado ao fracasso, mas depois de algumas doses a mais, pareceu-lhes infalível. Veriam o show e depois, no dia seguinte, pensariam em uma forma de saldar a conta do hotel. Quem sabe um deles não teria outra idéia tão formidável como aquela?

O disfarce, é lógico, não colou. Os três foram barrados na portaria. "Saímos então para um restaurante em frente ao hotel. Escurinho, modesto e servindo comida brasileira, o Gruta Sur. Sinceramente, não me lembro de mais nada depois disso", escreveria Bôscoli. Ele só iria recordar que, no dia seguinte, um amigo brasileiro que estava em Montevidéu os salvou do sufoco, emprestando o dinheiro para pagar o hotel e, de quebra, jogando sobre a cama uma montanha de fotos deles no Gruta Sur, compradas a peso de ouro das mãos de um *paparazzo* uruguaio. Uma pena que ninguém tenha guardado uma única daquelas provas do crime, que serviriam para esclarecer qual das duas versões da mesma história era a verdadeira, embora ambas fossem deliciosas.

Em meio a tantas aventuras, com o devido auxílio da amnésia alcoólica para tornar as coisas mais nebulosas, é natural que os episódios daquela turnê se embaralhassem e ganhassem vida própria, produzindo variantes de acordo com a memória seletiva de cada um dos integrantes do grupo. Mas pelo menos uma seqüência de fatos ocorridos durante a excursão — uns trágicos, alguns cômicos, outros que poderiam ser classificados na categoria dos tragicômicos — seria contada, tanto por Bôscoli como por Menescal, com riqueza de detalhes e concordantes entre si.

Um deles, por exemplo, diz respeito ao dia em que Ronaldo Bôscoli e Maysa tiveram a primeira de uma série interminável de discussões ao longo da turnê. Bôscoli não era nenhum caso de abstinência exemplar, mas começou a perceber que as muitas doses diárias estavam começando a ameaçar o desempenho de Maysa no palco. Preocupado, eliminou todas as garrafas do quarto de hotel e pediu que ela maneirasse um pouco, pelo menos enquanto a turnê não chegasse ao fim. Maysa prometeu que daria uma aliviada, mas, mesmo depois disso, continuou demonstrando estar constantemente sob efeito etílico, até quando não colocava os pés para fora da suíte do Alvear. Bôscoli vasculhou de novo cada centímetro quadrado do quarto e não encontrou nada. Chegou a derramar os vidros de perfume na pia, sem resultado.

Um dia, da calçada do hotel, olhou para cima e viu algo brilhante, bem lá no alto. Era um objeto indefinido, que parecia pender da janelinha do banheiro do quarto dele e de Maysa. Bôscoli entrou, tomou o elevador, chegou ao quarto, abriu a porta do toalete, dirigiu-se à janela e constatou que Maysa amarrara ali uma garrafa na ponta de um cordão e a pendurara pelo lado de fora do prédio. Assim, sempre que fingia precisar ir ao banheiro, ela içava a bebida e entornava alguns goles. "No início, o alcoolismo de Maysa também me era bastante agradável. Embora obviamente eu não tivesse a dimensão de que aquilo fosse uma doença", escreveria Ronaldo Bôscoli.

Nesses dias de Argentina, a relação entre os dois já revelava que seria construída na base de afagos e sopapos. Certa noite, Maysa quis pôr em teste o real interesse de Ronaldo Bôscoli por ela. Queria saber se havia alguma sinceridade na promessa que ele havia feito, a de que terminaria o noivado com Nara Leão tão logo retornasse ao Brasil. Maysa pediu a uma amiga argentina, que conhecera em Buenos Aires, para ligar para Bôscoli, passando-se por uma certa Miguelita, suposta amiga portenha de Danuza Leão, irmã de Nara. A tal "Miguelita", do *hall* do hotel, ligou para o quarto de Bôscoli e lhe passou um recado falso: teria estado no Rio de Janeiro e Nara lhe mandara lembranças. Bôscoli ficou animado e, arranhando um portunhol, disse que estava morrendo de saudade da noiva, que não via a hora de voltar para o Brasil, que estava cansado de ter de acompanhar aquela turnê com "La Gorda".

"O desgraçado me chamou de 'La Gorda'?", quis saber Maysa.

"*Si, 'La Gorda'*", confirmou a amiga argentina, que passara o trote.

Maysa subiu feito um foguete pelas escadas — não quis esperar o elevador — e quase pôs a porta do quarto abaixo. Na suíte ao lado, pelo barulho que atravessava a parede, Luiz Carlos Vinhas e Roberto Menescal perceberam que o casal havia partido para o confronto físico. Resolveram intervir e foram lá bater à porta. Quando ela se abriu, deram de cara com Ronaldo Bôscoli seminu, de cuecas vermelhas, com arranhões de unhas espalhados pelo corpo.

* * *

Gente como Astor Piazolla e Gato Barbieri — dois dos maiores nomes da música argentina — estiveram no King's durante noites seguidas, para aplaudir Maysa e para conhecer o som original do grupo que a acompanhava. Os jornais de Buenos Aires abriram espaços generosos para os brasileiros da *nueva ola*, como eles se referiam à Bossa Nova. Maysa, que por lá ainda utilizava o Matarazzo no nome artístico, era apelidada pelos argentinos de "La Condesa Cantante", alusão ao título de nobreza da família do ex-marido. Após ter se livrado de um par de sapatos apertados em pleno palco, logo durante o show de estréia, Maysa cantou de pés nus. Foi o suficiente para alguém a chamar de "La Condesa Descalça", expressão que Ronaldo Bôscoli fisgou para intitular a matéria que mandara para a *Manchete*, repercutindo a excursão.

Quando os donos do King's Club convidaram o grupo para, em vez de uma semana, permanecer um mês inteiro com o show na casa, Bôscoli mandou avisar à redação da revista que esticaria um pouco mais a viagem. Recebeu então um telegrama de Pedro Jack Kapeller, o Jaquito, diretor e sobrinho de Adoplho Bloch, dono da publicação. O patrão queria saber a data exata em que ele retornaria ao batente no Rio de Janeiro. "Breve", teria sido a resposta lacônica que Bôscoli mandou, também por telegrama. Aquilo, ele sabia, iria longe. E o nome disso era sucesso.

Por um lado, os colegas de conjunto comemoraram a prorrogação da turnê. Por outro, ficaram preocupados. Chegaram a pensar que, se Bôscoli demorasse muito tempo a voltar para os braços de Nara, não seria difícil que ele e Maysa, em meio a uma briga mais séria, perdessem o controle e acabassem se matando. Roberto Menescal, o mais desassossegado diante de tal hipótese, achou que o pior estava prestes a acontecer quando o grupo foi convidado para um jantar em um tradicional restaurante de Buenos Aires. Sentados um diante do outro, em uma mesa longa e repleta de convidados, Maysa e Bôscoli começaram a trocar desaforos, na frente de todo mundo.

"Não me enche o saco que eu viro a mesa", ameaçou Maysa.

"Vira nada. Você não é de nada", respondeu Bôscoli.

Desafiada, Maysa ergueu os joelhos, segurou o tampo da mesa por baixo e, com toda a força de que era capaz, virou-a em direção a Bôscoli, fazendo com que os pratos e as tigelas com o fumegante consomê entornassem sobre ele — e sobre todos ao seu lado. Depois daquela noite, não houve mais quem segurasse Menescal. Ele deu adeus aos amigos e tomou um avião de volta para o Brasil.

Antes que partisse, Bôscoli implorou-lhe um favor. Havia comprado uma aliança em uma joalheria de Buenos Aires e queria que Menescal servisse de portador e a entregasse, junto com um bilhete de amor, para Nara Leão. Seria um antídoto contra os boatos de que estava tendo um caso com Maysa na Argentina, conforme ele soubera que haviam noticiado algumas colunas no Brasil. "Assim que eu puser os pés no Rio de Janeiro, marco o casamento com Narinha", planejou Ronaldo Bôscoli. Segundo Menescal, uma desconfiada Nara Leão não quis saber de aliança coisa nenhuma. Teria muita a conversar — e a esclarecer — quando o noivo voltasse da turnê pelo Cone Sul.

A temporada do grupo em Montevidéu, desfalcado do violão de Roberto Menescal, durou quinze dias. Por lá, o sucesso e as confusões se repetiram na mesma medida. No hotel, Maysa quase tocou fogo no quarto ao deixar uma bagana de cigarro acesa sobre o colchão. Mas o verdadeiro incêndio estava por vir. Na segunda quinzena de julho, quando todos já estavam com as passagens para o retorno ao Rio de Janeiro no bolso, Maysa armou uma cilada para Bôscoli. Do Uruguai, ligou para vários jornalistas brasileiros, convocando-os para uma coletiva no Galeão, na hora exata da chegada. Avisou a todos que teria uma bomba para anunciar, já no aeroporto. "Se dependesse de mim, o nosso caso jamais chegaria aos ouvidos de Nara. Excursão terminada, caso terminado", contou Ronaldo Bôscoli no livro de memórias. "O fato é que Maysa não brincava em serviço. E eu, que me achava o dono da situação, banquei o lobo bobo novamente", completou.

No dia 19 daquele mês, quando o avião vindo de Montevidéu taxiou na pista do Galeão, Maysa bebeu um último gole de uísque. Ao descer as escadas até a pista de pouso, pediu para que Ronaldo Bôscoli segurasse seu braço. "Achei aquilo muito natural. Depois de tantas biritas, ela estava cambaleante", explicaria ele. Na sala de desembarque, quando viu a multidão de fotógrafos, Bôscoli tomou um susto: "Puxa vida, o que é isso?", indagou. "É tudo para mim", disse Maysa. "Fiquei excitadíssimo. A Bossa Nova vencera. Sucesso absoluto aqui no Rio, repercussão do nosso show, imaginei", diria Bôscoli. Quando os flashes espocaram sobre ambos, Maysa sussurrou-lhe ao ouvido: "Você se acha malandro? Segura esta então que eu quero ver".

Ela sorriu, olhou para os jornalistas e informou: "Chamei vocês aqui porque queria lhes dar uma grande notícia: em setembro, vou casar com Ronaldo Bôscoli".

"Não sei como não caí duro para trás. Naquele momento, não consegui abrir a boca. Emudeci completamente e sumi", contaria ele. Todos os jornais trouxeram a foto de Maysa de braços dados com Bôscoli. Ela, vestida em um casaco cinza com botões enormes, a saia à altura dos joelhos, os olhos mais faiscantes que nunca. Ao lado, um atônito Ronaldo Bôscoli, com o sobretudo dobrado sobre o braço, a mala escura na mão direita e uma expressão de assombro esculpida no rosto. "Maysa vai casar", foi a manchete unânime, em vários jornais do país. "A cantora revelou ontem ao regressar de uma turnê em Buenos Aires e Montevidéu que em setembro próximo casará com o jornalista e compositor Ronaldo Bôscoli. Disse também que o romance nasceu já durante os ensaios para a gravação de um LP. Ambos fizeram juntos a viagem e ontem ficaram de braços dados do trajeto do avião até a sala de desembarque", noticiou o *Diário da Noite*.

Bôscoli ficou desconsolado. Quando leu os jornais, Nara Leão nunca mais atendeu a seus telefonemas, nem quis ouvir suas explicações e desculpas. "Não conheço ninguém chamado Ronaldo Bôscoli", Nara respondia, quando ele ligava pedindo perdão. "O término do meu noivado me arrasou completamente. Tomei muitos, inúmeros porres em nome de Nara. Porres homéricos. Durante muito tempo, se a via entrar no mesmo ambiente em que eu estava, me sentia destruído. Ela jamais permitiu que eu me aproximasse novamente", contou Bôscoli. Depois de curtir a fossa alguns dias, ele decidiu ligar para Maysa. Esta riu um bocado e cantou "Lobo bobo" para ele ao telefone. Em seguida, marcou um encontro na casa dela. Apenas pediu que ele não esquecesse de levar o uísque.

* * *

Os dois discos de Maysa — aquele gravado por exigência do contrato com a RGE e o produzido por Ronaldo Bôscoli — chegaram praticamente juntos às prateleiras das lojas. Quem os ouvisse constatava que havia um fosso abissal entre eles. O primeiro, *Maysa, amor e... Maysa* trazia a cantora que todos já conheciam. Estavam lá dois bolerões rasgados, cantados em castelhano e acompanhados pelo inevitável bongô. "Quizás, quizás, quizás", de Oswaldo Ferrés, e "Besame mucho", de Consuelo Velasquez, foram faixas que com certeza deixaram a turma da Bossa Nova com os nervos à flor da pele. No mesmo disco, a faceta internacional de Maysa comparecia com uma bela versão de "I love Paris", um clássico de Cole Porter. O samba-canção, claro, não poderia faltar, dizendo presente ao lado de um trombone magoado em "Estou pra dizer adeus", da dupla Raul Sampaio e Benil Santos, e dos violinos plangentes de "Raízes", de Denis Brean e Oswaldo Guilherme. Havia ainda uma magnífica interpretação de "Chão de estrelas", a música de Silvio Caldas e Orestes Barbosa que Maysa, quando mocinha, havia copiado em seu caderninho de anotações. "Mesmo que o presente álbum incluísse somente esta canção, que é o hino de maior inspiração da canção popular brasileira, o discófilo estaria pagando pouco pela aquisição de uma criação que equivale a um acontecimento artístico", observou a *Gazeta Esportiva*.

Não era, enfim, um disco ruim. Muito longe disso. Mas o contraste com o outro LP, lançado de forma quase simultânea, seria gritante. Tudo bem que *Maysa, amor e... Maysa* trouxesse também faixas bossa-novistas, a exemplo de "É fácil dizer adeus", de Tito Madi, e especialmente "Quem quiser encontrar o amor", de Geraldo Vandré e Carlinhos Lyra. Contudo, aquele disco de Maysa não parecia ter sido gravado pela mesma artista que dali a poucos dias apareceria cantando a ensolarada "O barquinho", de Bôscoli e Menescal, que acabaria dando título ao álbum no lugar do nome antes escolhido, *Maysa e a Nova Onda*. Pouca gente sabe, mas a primeira gravação de "O barquinho" — a canção que se tornou um dos ícones absolutos da Bossa Nova e que havia sido composta originalmente para Nara Leão — foi feita por Maysa, não por Pery Ribeiro, como se costuma acreditar. Após o fim explosivo do romance com Nara, Bôscoli se sentiu mais à vontade para fazer daquela música o carro-chefe do disco que estava produzindo.

Entretanto, o que ainda menos gente sabe é que a faixa teve de ser editada várias vezes, até que se conseguisse ajustar a voz de Maysa, calejada nos vibratos do samba-canção, à marcação moderna, idealizada pelos autores. "Maysa, não é *diá de luz*, não existe *diá*, Maysa, é *dia*, entendeu? *Dia! Dia! Dia!* Pára com esse negócio de *diá* de luz", teria se exasperado Bôscoli no estúdio. Mas, para os produtores, era melhor que ninguém continuasse a saber disso. "A técnica vocal de Maysa atinge aqui seu definitivo esplendor. Vocês descobrirão em cada faixa desta gravação a terceira dimensão de Maysa", escreveu Bôscoli no texto para a contracapa do LP, salientando que a antiga deusa da fossa reaparecia "moderna como os bólidos que passeiam pelas estrelas".

Das doze músicas do disco, seis foram gravadas com orquestra e as outras seis apenas com o grupo que acompanhara Maysa à Argentina. Além de "O barquinho", havia mais três faixas compostas pela dupla Bôscoli e Menescal — "Dois meninos", "Errinho à toa" e "Lágrima primeira". Bôscoli assinava também uma parceria com Normando Santos, "Depois do amor", uma espécie de samba-canção moderninho e sensual que acabou barrado na programação de muitas emissoras de rádio por causa de um verso ousado demais para os padrões da época: "No seu corpo nu, existi".

De Bôscoli era também a autoria de mais duas faixas do disco, ambas compostas com Luizinho Eça. Uma era a bela e quase etérea "Melancolia". A outra, uma homenagem explícita, intitulada "Maysa": *Pra te achar eu perdi minha paz/ Mas te achar foi achar-me demais*. Aquele último verso continha um trocadilho perpetrado por Bôscoli, que deu um jeito de citar indiretamente, na letra da canção, o fato de que Maysa o considerava o "rei do charme". Ninguém achou a coisa forçada. Isso era Bossa Nova, isso era muito natural.

Bossa Nova também era "Recado à solidão", de Francisco Feitosa, o Chico Fim de Noite, ex-secretário de Vinicius de Moraes. E por falar no poeta, Maysa não poderia deixá-lo de fora em um disco que representava sua adesão oficial ao movimento. Gravou "Você e eu", parceria de Vinicius com Carlinhos Lyra, e a sensível "Cala meu amor", composta com Tom Jobim. No LP histórico havia ainda "Eu e meu coração", de Inaldo Villarin e Antônio Botelho, e "Só você", de Paulinho Soledade, um bolero revisto pela estética bossa-novista, gravado muito antes de João Gilberto tirar no violão as suas versões para "Farolito" e "Besame mucho".

Na capa do disco, pela primeira vez Maysa dividia espaço com mais alguém: na imagem ela aparecia ao lado da turma toda, a bordo de um barquinho, com uma nesga do Pão de Açúcar ao fundo. Era uma capa colorida e iluminada, carregada de sol, bem distante da atmosfera noturna dos primeiros trabalhos. Na contracapa, além do texto de Ronaldo Bôscoli, vinham dez linhas assinadas por Maysa, que dizia julgar aquele o melhor disco de toda a carreira. "Não abandonei minha característica romântica, mas procurei acrescentar a ela um toque absolutamente moderno", justificou. "*O barquinho* certamente os levará a mares nunca dantes navegados. Velejemos comigo na nova onda." À época, parcela considerável da crítica não aceitou o convite para velejar com Maysa. E os fãs mais conservadores iriam acusá-la de ter subido a bordo não de um barquinho, mas sim de uma canoa furada.

* * *

Bôscoli parecia ter descoberto a alma gêmea naquela Maysa temperamental e deliciosamente sem juízo. Ele se divertia a valer quando a nova namorada vasculhava a lista telefônica e parava o dedo em um número qualquer, de preferência se o endereço indicasse algum lugar distante no subúrbio. Maysa discava o número altas horas da noite e, quando uma voz masculina e sonolenta atendia do outro lado da linha, ela se identificava. Era Maysa. Estava sozinha e queria conversar com alguém, bater papo, para espantar a solidão. "Que Maysa?", era a pergunta que sempre vinha a seguir. Então ela cantava alguma de suas músicas mais conhecidas ao telefone, com aquela voz rouca e inconfundível. "Ela deve ter enlouquecido uma centena dessas pessoas, humildes, para as quais ligava. Depois, o lance divertido era ficar imaginando como foi o dia seguinte desses caras nos seus trabalhos, nos trens, nas repartições", diria Ronaldo Bôscoli.

Maysa era a rainha dos trotes. Ao lado de Bôscoli, armou um bem grande para o ex-marido, André Matarazzo. Uma noite, ligou para a boate Baiúca, uma das mais famosas casas noturnas de São Paulo. Disse estar falando da residência do sr. André Matarazzo, que estava dando uma festa e que, por isso, precisava encomendar uma grande quantidade de pratos em nome dele. O funcionário que atendeu o telefonema tomou nota do longo pedido, e informou que aquele tipo de serviço de entrega em domicílio só era permitido para clientes especiais como o "doutor André". Maysa conteve o riso e pediu entradas, dezenas de galetos, salgadinhos, sobremesas, o cardápio quase inteiro. Mandou incluir algumas garrafas de vinho fino e outras do mais legítimo escocês. O "doutor André" pagaria com cheque, informou.

Da janela do apartamento da Rego Freitas — rua que faz esquina com a Major Sertório, onde funcionava a Baiúca —, Maysa pegou um binóculo e desfrutou da vista privilegiada da porta da boate. Bôscoli narraria o desfecho do caso: "Quando os dois carros saíram carregados, rumo à casa de André, Maysa explodiu na gargalhada. Meia hora depois, confirmava o trote. Com voz de menina, mandava chamar o 'doutor André Matarazzo'". André atendeu e perguntou quem estava falando. Maysa continuou com a mesma vozinha esganiçada: "'Doutor André'? O senhor pode fazer o favor de abrir a porta? Aqui fora tá muito frio. Eu sou um galetinho muito pequenininho que ficou no jardim".

* * *

Uma coisa era namorar Maysa durante uma turnê. Outra bem diferente era dividir com ela o cotidiano. Quando Bôscoli descobriu isso, já era tarde. Uma manhã, compreendeu a face trágica de toda aquela farra permanente que parecia ser a vida de Maysa: ela era, de fato, uma dependente química do álcool. O ar-condicionado do quarto estava ligado no ponto quase máximo, mas ela acordou coberta de suor, apresentando tremores frenéticos pelo corpo. Assustado, sem saber o que fazer, Bôscoli teria indagado o que estava acontecendo.

"Não me pergunta nada, porra! Abre aquele armário ali e traz uma garrafa de gim, agora!", foi a resposta de Maysa.

"Isso para mim foi uma porrada", relembraria Bôscoli. Ele ficou transtornado ao ver, àquela hora da manhã, Maysa com o gargalo da garrafa na boca, entornando o gim garganta abaixo, como se estivesse bebendo apenas água.

Quanto mais bebia, mais ela demonstrava ter verdadeira obsessão pelo tema "traição". Depois de um certo número de doses, o assunto sempre vinha à tona. Ela dizia se sentir traída pelos amigos e por todos os homens que já haviam passado por sua vida. Irritava-se, ficava agressiva, armava cenas diante de Bôscoli, apenas para provocá-lo. Se ele a traía, argumentava, iria traí-lo também. Em uma dessas vezes, chegou a se atirar, na presença de Bôscoli, nos braços do empresário musical Marcos Lázaro, que fez força para se desvencilhar, meio sem graça, do assédio ostensivo de Maysa.

Ela argumentava que a raiz de toda a sua desventura era resultado da traição. O sentimento de rejeição teria invadido a sua vida desde os tempos do casamento com André. O ex-marido a traía, ela dizia ter certeza. Teria pressentido uma insinuação da parte dele até mesmo em direção à mãe, dona Inah. Aquilo, explicava, é que teria feito seu mundo cair. Maysa repetia tal coisa à exaustão, a ponto de tornar o assunto público, repassado de boca em boca, até se transformar em verdade indiscutível. No entanto, os amigos mais próximos nunca levaram a sério aquela história. Os que conviveram de perto com a família asseguram que as desconfianças de Maysa quanto a isso não passaram de mais um sintoma do crônico complexo de perseguição que a assolava. Uma amiga tentou fazê-la ver que aquela suspeita era tão infundada que chegava a ser ridícula. "Se está querendo defender o André desse jeito é porque no mínimo deve ter acontecido algo entre você e ele também", reagiu Maysa. Outro amigo, para quem ela havia contado a mesma história, esboçou uma expressão de dúvida e ouviu acusação semelhante: "André me traiu, todos os homens me traem, meus amigos me traem, você também me trai, não é meu amigo de verdade". Maysa estava afundando, de novo, em um poço sem fundo. E, mais uma vez, seu sofrimento seria exposto publicamente, transmitido pelas câmeras de televisão.

* * *

Os telespectadores que estavam acostumados com os programas antigos, em que Maysa cantava produzida da cabeça aos pés, estranharam aquela figura que lhes aparecia agora em cena de calças compridas e pés descalços, com um barquinho de papel nas mãos e ao lado de Talismã, o cãozinho yorkshire, que ficava correndo para lá e para cá no palco. "Para quem não sabe, trouxe meu querido *Tali* de minha primeira viagem aos Estados Unidos. Vocês perdoem o fato de ele ser assim tão caladinho. É que ele só sabe latir em inglês, embora já esteja entendendo alguma coisinha em português", disse Maysa, que até então, nos velhos programas da Record e da TV Rio, nunca havia incluído textos engraçadinhos em cena.

Entre uma fala e outra, o conjunto formado por Menescal e aquele embrião do Tamba Trio — Luizinho, Hélcio e Bebeto — mandava ver com o ritmo sincopado da "nova onda", que Maysa se esforçava para acompanhar. Então quer dizer que esta era a nova Maysa, a Maysa Bossa Nova? Foi o que se perguntaram os que a viram reaparecer na tevê depois de longa ausência, no dia 18 de setembro, uma segunda-feira, às vinte horas, na estréia de seu novo programa, *A noite começa com Maysa*, com direção de Nilton Travesso e produção de Ronaldo Bôscoli, na TV Record. Se era essa a tal nova Maysa, muita gente não aprovou. O programa só se manteve no ar minguados dois meses, sendo cancelado quando a audiência enfim beirou o rés-do-chão.

"Gostávamos mais da Maysa no tempo em que ela cantava com orquestra. Os arranjos de seus números eram *big* mesmo. Agora, com o conjunto que a acompanha, seus programas parecem mais pobres. Enfim, vamos esperar passar a influência da Bossa Nova", anotou um crítico do jornal *A Hora*. "Assistimos ao último programa de Maysa, pelo Canal 7, e ficamos decepcionados com a cantora de 'Ouça' e 'Meu mundo caiu'. Muito fraco, dando a impressão de que não quer mais nada com televisão — o que é uma pena, pois talento não lhe falta", dizia uma nota da *Folha de S.Paulo*. "O último programa de Maysa nos fez lembrar, saudosos, da Maysa de alguns anos atrás. Nada mais podemos esperar dela. Sua carreira chegou ao fim", sentenciou a revista *7 Dias na TV*.

Não era apenas a ala mais tradicional da crítica que torpedeava a nova fase de Maysa. Alguns bossa-novistas históricos também consideraram a sua incursão pelo gênero um clamoroso equívoco. "Ela não era cantora para coisas como 'O barquinho', uma música ritmada. Ela era uma cantora talhada para cantar 'Ouça' e 'Meu mundo caiu'. Essa é que era a verdadeira praia dela", analisaria o compositor Carlinhos Lyra. "Maysa era uma mulher linda. E corajosa. Largou tudo — uma posição social invejável e o casamento com um Matarazzo — para viver de música. Mas quando ela saiu de seu estilo para cantar Bossa Nova, foi um tremendo erro", diria ele.

Houve também quem acusasse Maysa de oportunismo, de querer pegar carona em um movimento que não tinha espaço para sobreviventes de uma era que ficara para trás. O vaticínio da revista *7 Dias na TV* — que previra o fim da carreira de Maysa — logo foi endossado por outra publicação, o tablóide *Discorama*: "Adeus de Maysa, com álcool e sem glória". O texto era cruel: "A Maysa de antes, de voz tão gostosa, de interpretações tão pessoais, isso sem falar da compositora das melhores, voltou ao uísque com ânimo redobrado, e novamente sua beleza decai, dado o excesso da maquiagem e os cabelos mal cuidados".

No esboço de autobiografia, Maysa deixou registradas algumas poucas linhas sobre esse período difícil de sua vida. Nelas, acusaria a Columbia, diante de toda aquela repercussão negativa, de ter desistido do trabalho de divulgação e distribuição do LP que iniciara toda a controvérsia: "Muitos críticos se puseram contra esse disco, dizendo que eu havia abandonado a minha característica, que eu não era bossa-novista, que eu estava traindo aquilo que havia me lançado. Isso fez com que os diretores da fábrica onde eu gravei o disco o retirassem da praça em menos de cinco meses". O barquinho, enfim, naufragara.

Acuada, Maysa resolveu passar uma temporada em Vitória, acompanhada do grupo com que gravara o disco e lhe permanecia fiel. Em agosto, logo depois da chegada da turnê pelos países vizinhos, ela já havia feito, com a mesma turma, uma apresentação na capital do Espírito Santo. Mas agora voltava ali como quem procura um refúgio, como quem busca um lugar onde pudesse ficar protegida de toda a artilharia pesada que estava sendo descarregada contra ela. Conseguiu convencer Roberto Menescal a reintegrar-se ao grupo, com o argumento de que um retorno sentimental à terra capixaba, onde estavam plantadas as respectivas origens, era quase uma obrigação para ambos.

Vitória nunca mais esqueceria aquela passagem de Maysa pela cidade. Embora tenha dito que estava ali à procura de paz, nem as pedras e os morros que compõem a paisagem do lugar — e fazem dele uma espécie de Rio de Janeiro em miniatura — dariam crédito àquele propósito. Em uma cidade pequena, cada gesto seu era hiperdimensionado e ganhava ares de escândalo.

Ela, que havia cantado no Copacabana Palace, no Blue Angel de Nova York e no King's Club de Buenos Aires, não se furtou a fazer apresentações em pequenos clubes pelo interior. "Maysa parecia não querer mais voltar para o Rio ou São Paulo. Passou a cantar até em lugares que não eram legais, que não a mereciam", observaria Roberto Menescal. O jornal local *A Gazeta* deu a notícia que deve ter provocado calafrios em muitas famílias capixabas: "Maysa chegou a *ameaçar*: 'Vou morar em Vitória'".

O próprio Ronaldo Bôscoli não segurou aquele rojão. Achou que era hora de sair à francesa, pois não teria coragem de encarar uma despedida. Temia a reação de Maysa. Por isso, decidiu fugir: "Ela era como um jogo de pôquer. Você deve entrar e saber sair. Cartas no peito. Olhar atento. Foi assim que saí da vida de Maysa. De madrugada. Ela dormia em Vitória. Meu fusca já estava comendo a estrada de volta ao Rio". Ao acordar e ver que o namorado partira, Maysa quis esganá-lo, mas ele já estava bem longe, com o pescoço a salvo da ira de uma mulher ferida. Correu a versão, alimentada pelo próprio Bôscoli, de que Maysa recorreu ao amigo Cariê Lindenberg, filho do governador do Espírito Santo, para que este desse um jeito de impedir a fuga. Segundo consta, após um telefonema de Cariê ao secretário de Segurança, a polícia estadual teria fechado as cancelas, parado o fusquinha conversível preto-e-branco de Bôscoli e o trazido escoltado até o Palácio do Governo, onde teria encontrado Maysa bebendo uísque, à sua espera.

Cariê sempre negou que tenha "articulado a máquina do estado" e usado o nome do pai para deter o namorado fujão de uma amiga. Roberto Menescal, porém, garante que a própria Maysa lhe contou a mesma história centenas de vezes, sempre às gargalhadas, dizendo que nunca mais esqueceria a cara que Bôscoli fez ao se ver conduzido, sob escolta armada, de volta para ela. Mas qualquer que tenha sido o verdadeiro final dessa conturbada história de amor, o certo é que Maysa nunca perdoou o fato de que alguém ousasse sair de sua vida assim, de uma hora para outra, tranqüila e impunemente, como se fosse um barquinho a deslizar no macio azul do mar.

10. Canção do amor mais triste (1962-1963)

Viu quanto bem perdido?
Viu quanto amor eu tinha?
Ai, minha vida se foi
sem sentir a ternura
do olhar que eu procurava.
(Edson Borges, gravação de Maysa em 1962)

Maysa tinha uma notória capacidade de desaparecer sem deixar rastros. Entre o final do ano anterior e os primeiros três meses de 1962, ela sumiu mais uma vez. Pouco tempo depois de Ronaldo Bôscoli ir embora de Vitória, ela também partira da cidade sem informar a ninguém o seu destino. Quando os jornalistas interrogavam os parentes sobre onde ela se encontrava, a resposta era sempre a mesma: estaria fazendo uma nova turnê pela Argentina. Mas os músicos que a haviam acompanhado na última vez continuavam no Brasil — e diziam também não ter notícias dela. Como sempre, a ausência de informações abria espaço para especulações e boatos. Chegaram ao exagero de dizer que Maysa jogara tudo para o alto e, apesar dos quilos que havia acumulado, estava dançando e fazendo *striptease* em um teatro de rebolado.

A confusão decorria do fato de uma outra Mayza — assim mesmo, com z — ser a atração principal de uma revista musical que levava o sugestivo título *Tudo no peito*, exibido por uma casa de shows em São Paulo. Quando soube que estavam confundindo a filha com uma dançarina, Monja exigiu que retirassem o nome dela do cartaz na frente do estabelecimento. Ameaçou acionar judicialmente os proprietários, que se viram obrigados a cancelar a atração — não sem antes faturar alguma publicidade e uns bons punhados de cruzeiros à custa do mal-entendido. "Eu não sei por que tanta confusão. Não imito Maysa, não canto no palco e em meus números ninguém toca as músicas dela. Para falar a verdade, nem a conheço direito", afirmou a vedete Mayza Teddys, com desdém. "Além do mais, meu nome se escreve com *z*. E o dela é com *s*."

O assunto rendeu notícias pitorescas, mas o enigma continuava. Por onde andava Maysa? A resposta só foi conhecida em meados de abril daquele ano, quando um jornal argentino, o *La Razón*, revelou o grande segredo: ela estava internada na Clínica Bethlehem, em Buenos Aires. Como já ocorrera dois anos antes no Brasil, Maysa era submetida a um tratamento de desintoxicação alcoólica, mais uma vez com ajuda da sonoterapia. Depois de mais de 45 dias amarrada a uma cama e presa em um quarto com grades na janela, ela já conseguia sair da clínica durante a manhã e à tarde, retornando apenas à noite, para dormir. Em uma dessas saídas, um jornalista do *La Razón* conseguiu entrevistá-la e publicou uma longa reportagem sobre o caso. "Internei-me para conseguir estar bem comigo mesma e creio que já o consegui, parcialmente. Não podia agüentar mais: o álcool estava em sua plenitude. Eu não pensava, só queria beber. Até cheguei a um princípio de *delirium tremens*", confessou ao jornal argentino.

Maysa abriu o coração. "É uma covardia de minha parte me submeter a um tratamento desse tipo para ter que largar a bebida. Eu mesma teria que deixar o vício, usando apenas a força de vontade. Mas o problema acabou se tornando mais forte do que eu", reconheceu. Disse que por algumas vezes chegou a notar que a voz lhe faltara. Para uma cantora, nenhuma sensação poderia ser mais terrível. "Outro dia estive gritando na clínica e não houve jeito. A voz não me saía", contou. Ao final, a reportagem do *La Razón* informava que talvez a entrevista houvesse mexido com feridas ainda não cicatrizadas: "Seus olhos brilham estranhamente. São vinte horas e ela deve voltar à clínica. Afirma, porém, que não o fará, diz que esta noite quer ir ao cinema e depois comer algo. Culpa o repórter por tê-la devolvido ao seu caos. E esta noite, realmente, Maysa não regressou ao sanatório".

A notícia dada em primeira mão pelo jornal argentino repercutiu no Brasil pouco depois. Em 16 de abril, a *Folha de S.Paulo* publicava um resumo da extensa matéria. E, no mesmo dia, *O Cruzeiro* colocou em campo a dupla formada pelo repórter Tabajara Tajes e o fotógrafo Antônio Ronek para ir ao encontro de Maysa na Argentina. Já na primeira semana de maio, a revista publicaria fotos da cantora passeando nos jardins da Clínica Bethlehem, localizada na rua Coronel Diaz, 2892, na capital portenha. Tajes e Ronek não puderam deixar de notar um detalhe no pulso de Maysa: um esparadrapo encobria a marca de mais uma tentativa de suicídio.

Mas, quando a matéria foi publicada em *O Cruzeiro*, ela já recebera alta e estava de novo com quinze quilos a menos. Por isso, a reportagem trazia um título positivo, carregado de otimismo: "Maysa volta à vida com poesia". Era, sem dúvida, mais uma das muitas ressurreições de Maysa. E, segundo ela, fora mesmo a poesia quem a amparara dessa vez. Preenchera parte do tempo na clínica escrevendo poemas, em espanhol, nas folhas brancas de uma agenda. Aqueles versos é que a teriam segurado pela mão, quando se viu sozinha à beira de um precipício. Contudo, quem os lesse constataria que todos os escritos daquele caderno possuíam atmosfera sombria e giravam em torno dos mesmos temas que tanto atormentavam e seduziam a autora: a solidão e a morte.

Tudo llegó
Con fuerzas
Braviamente,
Rompiendo,
Lhegando
Y se hizo la calma total

El verde quedó verde,
La chica quedó renga,
La vieja seguia vieja
Pero la calma... total

No hubo una sola voz
Qué coraje tuviera de gritar,
De deshacerse
Y preguntar

Las piedras a los pies ya no herian
La noche,
El dia,
Igual.

¿Quien ha muerto?
¿El mundo, o Yo?

* * *

Maysa passou mais alguns meses em Buenos Aires antes de retornar ao Brasil. Nesse meio-tempo, fez shows em boates portenhas, aceitou o convite para mais uma temporada no King's acompanhada de músicos locais, deu entrevistas para jornais e revistas argentinas, cantou no rádio, apareceu na televisão. Em resumo, tornou-se íntima do público argentino. O *Clarín*, por exemplo, a tratava como a "*exquisita e temperamental cantante brasileña*". Quando enfim decidiu voltar, em julho, anunciou que estava noiva de um repórter do jornal *La Prensa*. Disse que ainda não podia revelar o nome do novo amor, mas descreveu-o como um tipo alto, bonitão, de 32 anos, e jurou que ele era um sósia perfeito de Gary Cooper, o galã de cinema que acabara de falecer, aos sessenta anos, na Califórnia. "Parece o Gary Cooper, mas o Gary Copper quando novo", tratou de esclarecer.

O amigo Antônio Maria, que nunca aprovara o envolvimento recente de Maysa com a Bossa Nova, aproveitou para lançar mão de uma pequena vingança. Com todo o humor corrosivo que lhe era peculiar, Maria disse que não agüentava mais ouvir sempre aquelas mesmas histórias contadas por ela: "Maysa chega mais uma vez ao Brasil e, segundo os jornais, mais uma vez mais magra, mais uma vez noiva, de um estrangeiro. Esta é a terceira vez que Maysa desembarca noiva e mais magra, com um farto noticiário sobre os quilos que perdeu e o noivo que encontrou. Seria uma Maysa física e espiritualmente recuperada, de volta à sua arte e a caminho do altar. Esperamos que, agora, não aconteça; mas, nas vezes anteriores, mal pisou o chão da pátria, Maysa substituiu o noivo estrangeiro por um nacional e, um a um, reincorporou os quilos perdidos", escreveu ele na página "7 Dias", que mantinha na revista *O Cruzeiro*.

Antônio Maria andava mesmo apoquentado com Maysa. Ele era um dos que julgavam que a amiga traíra a causa do bom e velho samba-canção, ao se juntar à molecada que a fizera cometer a "heresia" de gravar *O barquinho*. Sua chateação, aliás, não era gratuita. Desde o primeiro momento, Maria se tornara o saco de pancadas preferencial dos "meninos" que, com Bôscoli e Menescal à frente, pregavam o enterro solene da música de fossa e pediam passagem para o barquinho, o banquinho e o violão. Autor do clássico "Ninguém me ama", ele era a mais perfeita tradução do "penumbrismo musical" a que os bossa-novistas se referiam como se fosse lepra.

Em declarações públicas, Ronaldo Bôscoli nunca perdia a oportunidade para detoná-lo como um símbolo do atraso. Pior que isso, destilou preconceito ao apelidar o mulato Antônio Maria de "Galak", a marca de chocolate branco que acabara de ser lançada no mercado brasileiro. Entre uma caçoada e outra, o que era uma desavença estética derivou para uma inimizade radical. Em suas colunas, Maria declarou guerra à Bossa Nova com unhas, dentes e fígado. No íntimo, o fato de Maysa ter dividido os lençóis com Bôscoli era para ele a pior das traições. Dormir com o inimigo era crime de lesa-pátria. Por isso, detonou Maysa sem misericórdia: "Onde estaria a verdadeira Maysa? No amor-notícia? No emagrecimento-notícia? No sono artificial por hibernação? Ou haveria uma Maysa mais gorda e mais dramática, mais contemplativa que participante, numa casa branca e espaçosa, de janelas azuis e telhas patinadas? A gente nunca sabe".

No meio do tiroteio, o tal noivo que era a cara de Gary Cooper não apareceu. Maysa nunca mais falou dele. Percebeu que talvez tivesse voltado na hora — e da forma — errada. Por isso, preferiu de novo o recolhimento. Saiu mais uma vez de circulação e se refugiou em lugar ignorado. Passaram então a caçá-la como uma presa valiosa. Depois de ficar algum tempo em São Paulo, no apartamento da Rego Freitas, ela fora vista em um hotel no Rio de Janeiro. Depois, não se soube mais nada. Uma das maiores diversões dos jornalistas era apostar quem a encontraria primeiro, para exibir sua cabeça como troféu. Procuraram-na em clínicas, em hospitais psiquiátricos, em delegacias, no necrotério. Nada. Na portaria do último hotel em que ficara hospedada, havia o seguinte registro: "Próximo destino — Sem informação". Mesmo assim, um repórter conseguiu obter uma pista preciosa do porteiro que a vira entrar em um táxi, depois de pagar a conta do hotel. Ao se acomodar no banco de trás do carro, Maysa teria dito ao motorista: "Toca para Jacarepaguá".

Em meados de setembro, uma equipe da revista *Fatos & Fotos* localizou Maysa em um sítio naquela região. O fotógrafo flagrou a cantora de óculos escuros, descalça, vestindo calças jeans e uma blusa de malha listrada azul e vermelha, fumando cachimbo. "A solidão de Maysa", estampou a revista. "*Fatos & Fotos* descobriu a cantora no retiro de Jacarepaguá: queria fugir do mundo", dizia o subtítulo da matéria. Maysa foi cortês com o repórter, deixou-se fotografar, respondeu a algumas perguntas, disse que estava prestes a gravar um disco e a fazer uma viagem para cantar em Portugal. Não esticou conversa além disso. Depois teria pedido licença, se trancado em casa e mandado um recado, pelo caseiro, àqueles e a quaisquer outros jornalistas que porventura aparecessem por lá: "Diga a esses abelhudos que quero ficar só".

* * *

Quando *Canção do amor mais triste* foi lançado, na primavera de 1961, Antônio Maria imaginou que era hora de reconsiderar o que dissera sobre Maysa. O título do LP sugeria que ela estava retornando sobre os próprios passos, fazendo o caminho de volta às origens. Mas não era bem assim. É verdade que o nome do novo disco remetia à primeira Maysa, a compositora e intérprete dos samboleros e das canções de fossa. O fato de o álbum ter saído como trabalho *freelancer* pela RGE — após Maysa e a gravadora terem fumado o cachimbo da paz — parece também ter ajudado a cristalizar a falsa impressão. Influenciada pelo título e pelo selo, muita gente afirmou, de maneira precipitada, que o álbum significava um reencontro de Maysa com o início de carreira. Bastaria uma audição mais atenta, faixa a faixa, para desmontar essa tese equivocada, até hoje alardeada.

Em vez de um passo atrás, *Canção do amor mais triste* — que curiosamente trazia na capa o nome da artista grafado com "i", Maisa — representou uma evolução em relação aos discos anteriores. A começar pelos arranjos do maestro Erlon Chaves, que tinha formação erudita e veia jazzística. Com direção musical do maestro e pianista Rubens Perez — o Pocho, uruguaio que gravou mais de quarenta discos no Brasil entre 1956 e 1970 —, aquele álbum fundia elementos de tendências e origens distintas, com rara habilidade. Um samba clássico como "Favela", de Joracy Camargo e Heckel Tavares, composto em um já distante 1933, aparecia ao lado de "Round midnite", obra de um gigante do jazz, Thelonious Monk. Em sua diversidade, em vez de soar como uma colcha de retalhos, o LP seria uma feliz sucessão de achados musicais, costurados pela sensibilidade de Erlon e pela voz agora mais madura de Maysa.

Alguém poderia apontar um clima de melancolia expresso em pelo menos três músicas do disco: "Fim de noite", de Francisco Feitosa (que ganhou o apelido "Chico Fim de Noite" exatamente por essa composição); "Canção do meu amor", de Caetano Zama; e a faixa que dava título ao LP, "Canção do amor mais triste", de Edson Borges. Mas um álbum que trazia a bossa de "A mesma rosa amarela", de Capiba; o refrão contagiante de "Água de beber", de Tom e Vinicius; a ginga de "Louca de saudade", de Denis Brean; e uma marcha-rancho como "Mil flores", de Chico Feitosa e Marcos Vasconcellos, podia ser qualquer coisa, menos um disco de fossa.

Para completar, estavam ali duas legítimas bossas novas assinadas por Ronaldo Bôscoli e Roberto Menescal: "Nós e o mar" (*Lá se vai mais um dia assim,/ e a vontade que não tenha fim este sol*) e "Ah, se eu pudesse", que fazia uma citação à mais conhecida criação da dupla, aquela que fora gravada pouco antes por Maysa e provocara a celeuma (*Ah! Se eu pudesse no fim do caminho/ achar nosso barquinho e levá-lo ao mar...*). Estava claro que, apesar das críticas e do entrevero pessoal com Bôscoli, ela não dera as costas para a Bossa Nova, como alguns chegaram a afirmar. Se restava alguma dúvida quanto a isso, era só pôr os olhos na capa do compacto que seria lançado junto com o LP, reunindo "Nós e o mar" e "Louca de saudade", no lado A, e "Ah, se eu pudesse" e "Fim de noite", no lado B. O título do compacto? *Maysa em Bossa Nova*.

Entretanto, aquele era mais do que um disco de Bossa Nova. *Canção do amor mais triste* era a demonstração de que, mesmo com a vida em frangalhos, Maysa começava a atingir a maturidade artística. Ela misturara conceitos, estabelecera um diálogo efetivo entre a tradição e a modernidade. Dessa síntese, surgia uma intérprete que redescobria a voz própria. Se seu mundo caíra, ela estava aprendendo a se levantar.

* * *

Naquele segundo semestre de 1962, um livro meio estranho foi lançado na catedral das vanguardas paulistanas, o Juão Sebastião Bar, na rua Major Sertório, centro da cidade. O grosso volume, de capa preta e letras vermelhas, havia sido escrito por um jovem carioca de 21 anos, ainda pouco conhecido, chamado Jorge Mautner, que se apresentava como músico, poeta, cantor, instrumentista, hedonista e maldito. O rapaz era mesmo dado a extravagâncias. *Deus da chuva e da morte* foi definido por ele como uma obra sincrética, "marxista-leninista-sartriana-kaótica", e era apenas o primeiro volume de uma trilogia de fôlego quilométrico e dicção anárquica, intitulada *Mitologia do kaos*. Muita gente não estava preparada para aquilo e deve ter ficado de queixo caído. Eram os anos do governo João Goulart e o Brasil vivia um período de radicalismo político e intelectual, no qual os adeptos da arte engajada e nacionalista, reunidos em torno do Centro Popular de Cultura (CPC), trocavam farpas com os formalistas, que defendiam a idéia do universalismo, do rigor estético e da arte pela arte.

Mautner provocou um curto-circuito naquela discussão bizantina. Colocou no mesmo caldeirão ecos da literatura *beatnik*, existencialismo sartriano, Nietzsche, revolução socialista, *pop art*, poesia concreta, escrita automática surrealista, rock 'n' roll e... samba-canção. "*Deus da chuva e da morte* espantou com a linguagem solta, como a de um possuído, alguém em transe, que tivesse recebido um santo", observou o romancista Ignácio de Loyola

Brandão. A obra, em grande medida, antecipava os pressupostos do Tropicalismo, surgido alguns anos depois. "Os tropicalistas do final dos anos sessenta reconheceram-se ali profetizados", diria Caetano Veloso. E, no livro, a heroína era Maysa. Como no LP mais recente, ela aparecia com "i", Maisa:

> E a rua era escura e as casas eram pretas e eu vinha de longe. Eu estava repleto de desistência quando eu a vi lá ao longe mais desistente, talvez de modo igual que eu. Ela estava vestida de cinza, os cabelos desesperados e uma coisa foi gritando em mim. Eu sabia, era ela, a grande mulher. E a minha desistência foi ficando triste. Ela encostada naquele muro estava bêbada. Mas a bebedeira dela é divina. Ela bebe uísque e o uísque se casou com ela e os dois são o par mais aristocrático, mais verdadeiro desta cidade, desta terra! O uísque para ela é cinzento, o violão, o samba, a chuva, a desistência. Eu não sei por quê mas ela é fabulosa nesta tristeza que até a mim me fascina. Ela estava em pé, bêbada, gorda, feia — e ela era linda! A dor dos deuses! A linda, a divina, agora só divina. Mas o que mais me agoniou foi a certeza da morte dela. E isto também é divino. Ela vai morrer. A cantora vai morrer. O samba modificado profundo verdadeiro vai morrer. O mundo da inutilidade sincera vai morrer. O cinzento dela me fascina. Ela está bêbada, sempre bêbada! E quando chove eu não quero me lembrar dela, nem da voz dela, nem das composições dela porque senão eu enlouqueço! Maisa, você se parece comigo mas a minha desistência quer ser heróica, é guerra, é ferro, é sangue, é rock, é velocidade de motocicleta: mas a tua desistência fascina e eu te respeito Maisa, você é sagrada, eu também bebo uísque mas para mim ele ferve, para você o uísque é cinzento. Eu amo a morte. Eu vi a morte em você. Eu vi a morte em você ao lado do teu cinzento e você vai morrer. Se eu não morrer antes porque a morte também é minha amiga. Maisa, eu não posso falar de você em termos coloridos, plásticos, pintura, sol, mar e chuva azul. Eu só posso dizer cinzento, cinza e tristeza e ter muito medo de não escorregar para a poesia! Porque você é poesia Maisa, a poesia mais verdadeira que já surgiu: mais verdadeira do que as tuas canções. E eu também tenho medo de virar escritor de contracapa de disco. Maisa os deuses são teus irmãos e a tua tristeza é a mistura da agonia do ser humano do mundo inteiro e a loucura da mudança de cores que

tem o nosso céu: a chuva e o sol repentinos, nosso povo incompleto ainda não formado, imperfeito e por isto grande! Nossa indecisão, nossos complexos, nosso balançar entre a superficialidade e o profundo e isto é profundo. Maisa você nasceu no mesmo ambiente que eu. Nós somos aristocratas idiotas de emoções refinadas com a desistência de tudo gravada na nossa carne pálida. Você freqüentou o mar elegante daquela praia linda e idiota que você sabe qual é. Depois você andou de carro, fumou cigarro americano, teve dinheiro, tocou violão, o mar cinzento, a rua asfaltada, o bairro bonito das árvores verdes cheio de gente idiota. E que remédio? — Nós tínhamos que ficar assim e é glorioso ser assim, é vida, é tragédia, sou eu!

Jorge Mautner não conhecia Maysa pessoalmente quando a transformou em personagem de seu livro de estréia. "Eu escrevi aquilo enquanto ouvia os discos dela, que sempre fizeram parte de minha formação musical e existencial", revelaria Mautner. "Eu não tinha a mínima idéia, ao começar a escrever, que Maysa seria a protagonista. Ela foi entrando na história sem pedir licença. Quando eu vi, o livro era dela."

Escritor e musa só viriam a se conhecer depois do lançamento de *Deus da chuva e da morte*. Maysa ficara curiosa para saber quem era aquele autor que demonstrava saber tanto sobre a vida dela e, sobretudo, parecia compreendê-la tão a fundo. A cantora ligou para Mautner e marcou o encontro. Como se fosse um presságio dos tais deuses da chuva, na noite em que ele bateu à porta da casa de Maysa caía um temporal sobre a capital paulista.

"Como é que você me conhece tão bem?", ela perguntou, rindo, enquanto os trovões e relâmpagos pipocavam lá fora.

"Você é um pedaço de cada um de nós, transmite tudo com muita harmonia, beleza e sedução. Tudo o que você canta é tão profundo quanto uma tragédia grega", respondeu Mautner.

Maysa ficou tão encantada com a resposta que a conversa se prolongou por quatro horas e meia. Enquanto os dois falavam, os céus de São Paulo continuavam a desabar lá fora. Jorge Mautner a comparou ao poeta alemão Hölderlin, que afirmava só fazer versos quando mergulhado na mais profunda tristeza. Com o estilo torrencial de falar, observou que o fatalismo de suas canções era profundamente existencialista, que ela tinha uma concepção de vida bem próxima à professada pelos *beatniks*, que era uma mulher à frente do seu tempo, uma revolucionária comportamental que derrubara barreiras e preconceitos para viver em nome da arte, da magia, da paixão e do amor. "Tivemos conversas incríveis naquela noite, foi o máximo. Ficamos falando de poeta para poeta — e ela entendia tudo o que eu falava. Havia uma correspondência total, como se a gente se conhecesse há milênios. No final, ela me deu uma rosa vermelha de presente e eu fui embora."

Maysa disse a Mautner que dormiria feliz e revigorada naquela noite.

* * *

Quando o Brasil teve de novo notícias dela, soube-se que Maysa estava cantando na Europa, ao lado do pianista Pedrinho Mattar, que levara consigo. De início, em dezembro, fez uma temporada no Casino Estoril, em Portugal, onde repetiu o mesmo êxito de quando estivera ali pela primeira vez, três anos antes, em 1959. Foi convidada a participar de vários programas na televisão e seria entrevistada pela cantora lusitana Simone de Oliveira, em um programa especial, o *Encontro*, na Rádio Clube Português. A conversa entre as duas foi reproduzida com destaque nas páginas da revista *Platéia*, especializada em artes e espetáculos. Maysa parecia não estar muito à vontade durante a entrevista, mostrando-se aborrecida com as perguntas que lhe pareciam despropositadas.

"As suas interpretações, tal como as suas composições, levaram-me à conclusão de que você é uma mulher extremamente sensível, que possui uma enorme vontade de viver e cantar as coisas mais belas da vida; o amor e a natureza. Estou certa?", indagou Simone de Oliveira.

"Você tem certeza de que ouviu bem as minhas gravações?", retrucou Maysa.

"Ouvi, e de que maneira! Mas eu falei do amor. Como o define?"

"Eu não o defino. Não o conheço."

Dias depois, a mesma revista *Platéia* procurou Maysa para uma entrevista exclusiva. Quem sabe dessa vez ela fosse mais expansiva. Foi encontrá-la durante os ensaios, acertando a afinação com a orquestra, antes de mais uma apresentação no Casino Estoril. O repórter ficou impressionado quando viu Maysa, por mais de uma vez, acender um cigarro no outro, para não deixar de fumar um único minuto. Notou também várias marcas espalhadas pelos braços, pernas e até no rosto de Maysa. Ficou intrigado com aquilo e não resistiu a perguntar que manchas eram aquelas, tão parecidas com as que ficavam tatuadas na pele dos usuários de drogas injetáveis. Segundo o jornalista, Maysa fez cara de enfado e respondeu, com um meio sorriso: "Estive recentemente fazendo um tratamento de sonoterapia na Argentina. Durante várias semanas dormi continuamente e era alimentada por meio de injeções. Como, porém, as minhas veias são difíceis de encontrar, fizeram-me este belo serviço. Parece que andei na guerra, não é?".

A entrevista prosseguiu e o repórter perguntou por que nos últimos discos não havia nenhuma composição assinada por Maysa. Ela deixara de compor?

"Sim. Falta-me um pouco de paciência. E como você deve calcular, trata-se de uma atividade que exige uma disposição especial."

"Fundamentalmente, um estimulante...", sugeriu o jornalista.

"Maysa viu nas nossas palavras uma insinuação a certos fatos que nos meios artísticos muito têm dado o que falar a seu respeito", escreveu o repórter, que logo depois ouviu a seguinte observação:

"Já se foi o tempo em que eu bebia diariamente mais de uma garrafa de uísque. Estou praticamente abstêmia."

Maysa permaneceria cantando no Estoril até o final daquele ano. Em dezembro, uma reportagem da *Revista do Rádio* informava que ela não tinha planos de voltar, tão cedo, ao Brasil. Estaria pensando em levar para a Europa o filho Jayme, que durante todo esse tempo continuava sob os cuidados de Monja e Inah. Nos dias úteis, Jayme freqüentava a escolinha Branca de Neve e, nos fins de semana, ia para a fazenda do pai, André Matarazzo, em Bragança Paulista, interior de São Paulo, a noventa quilômetros da capital.

De Portugal, Maysa recebeu um convite para cantar no famoso Olympia de Paris, palco que Edith Piaf, Jacques Brel e outros grandes nomes da música francesa ajudaram a transformar em um espaço quase mítico, sinônimo de prestígio e de consagração para qualquer artista. Contudo, ao contrário do que se noticiaria no Brasil, ela não fez ali uma temporada de verdade. Cantou uma só noite e não foi a única atração do evento. Segundo registrou em suas anotações, foi o ator e cantor francês Tino Rossi, depois de assisti-la em Portugal, quem a convidou para o recital promovido pelo Soutien Confraternel des Journalistes, associação dos profissionais franceses de imprensa. A própria Maysa trataria de desmistificar aquela apresentação em Paris, explicando que só pisou no palco do Olympia uma única vez e que, nos últimos tempos, aquela casa de espetáculos não conservava mais o mesmo *glamour* das épocas áureas: "Agora, qualquer um canta lá. O Olympia é hoje uma espécie de circo, no qual uma cantora de um país latino é tão exótica quanto um número de cães amestrados".

Mas os escritos íntimos revelam que ela ficou bem emocionada naquela noite. "Jacques Brel — o autor de "Ne me quitte pas" — estava presente em meus ensaios e, sentindo a dificuldade que eu estava encontrando com os músicos que iam me acompanhar, emprestou-me a sua orquestra, que se saiu muito bem nas bossas novas que escolhi para cantar", escreveu no diário. Contudo, o público francês não correspondeu às expectativas que ela depositara no repertório. Ao final de cada número, era aplaudida burocraticamente, até anunciar que, para fechar a apresentação, guardara uma surpresa para todos. Quando a orquestra de Jacques Brel começou a tocar os primeiros acordes de "Ne me quitte pas", ela sentiu a expectativa tomando conta da platéia, a ponto de as cadeiras do teatro rangerem. Segurou o microfone entre as duas mãos espalmadas, fechou os olhos e deu tudo de si naquela interpretação. Era uma aposta arriscada, ela sabia. Estava cantando em francês, para os franceses, a música francesíssima de Jean Sablon. Quando terminou, prendeu a respiração e esperou, de olhos fechados, para ver o que aconteceria a seguir. Foi quando ouviu o Olympia irromper em aplausos.

Abriu os olhos e estava lá, a platéia inteira de pé, pedindo bis. Depois de alguns minutos, debaixo das palmas, a orquestra recomeçou a música e ela cantou "Ne me quitte pas" pela segunda vez, ainda mais emocionada. Ao final, quando saiu de cena, os aplausos não cessavam. Ela foi obrigada a entrar de novo no palco e, sem acreditar que aquilo estava acontecendo, cantou a música pela terceira vez seguida. Não viu mais nada depois disso. Maysa só sabe que saiu por trás das cortinas e a ovação continuou. Pensou em retornar para agradecer os aplausos, mas não conseguiu, de tão nervosa que estava. "Fiquei enrolada na cortina enorme do Olympia, e não tinha maneira de sair de lá, o povo aplaudindo e eu lá, presa, sem poder nem respirar", recordaria, na autobiografia inacabada.

A apresentação rendeu notas discretas, mas bem favoráveis, nos jornais franceses. *Le Figaro* disse que ela era a "Imperatriz da Bossa Nova" e o *Paris Presse* destacou o fato de ela ter se separado do marido — "um homem poderoso, *dez vezes* mais rico que Nelson Rockefeller" — para poder se dedicar à música. Depois disso, cantou e foi entrevistada no *Discorama*, programa musical dirigido por Philippe Ducrest e Jean Kerchbron na televisão francesa. Mas o melhor estava por vir. Dali a pouco ela seria convidada pela gravadora parisiense Barclay para gravar um disco cantando em francês e em português, um compacto duplo, com quatro músicas, que, a exemplo do álbum que fizera nos Estados Unidos, jamais seria lançado no Brasil.

O disco trazia na capa uma expressiva foto azulada de Maysa com o cigarro na mão e três criações da dupla Eddy Marnay e Guy Magenta, que já haviam composto sucessos para as vozes de Edith Piaf e Doris Day. Acompanhada da orquestra de Franck Aussman, ela gravou "Les inconscientes", "Fin du jour" e "100.000 chansons", esta última da trilha sonora do filme *O repouso do guerreiro*, do cineasta Roger Vadim, estrelado naquele ano por Brigitte Bardot, no auge da beleza. Na última faixa, cantada em português, ouvia-se uma bela interpretação para "Chega de saudade", de Vinicius de Moraes e Antonio Carlos Jobim, música que ela nunca mais registrou em nenhum outro disco, o que fez daquela gravação outra preciosidade de sua discografia. Na contracapa do compacto, um texto assinado a quatro mãos pelos compositores Marnay e Magenta derramava-se em louvações:

> Há muitas pessoas que cantam.
> Há algumas que são estrelas.
> E há os artistas.
> Maysa é uma artista. O que não a impede de ser a maior estrela do Brasil.

Quando Maysa canta, mesmo em francês — que não é a sua língua natal —, ocorre algo bastante incomum: a gente se dá conta de que uma canção é feita de palavras e de música.

O milagre desta voz, estranha e espantosamente humana, não seria suficiente para explicar isso se não houvesse também — e sobretudo —, além desta voz, um coração grandioso como o seu.

* * *

As notícias que chegavam da Europa conseguiram a proeza de modificar o humor da imprensa brasileira em relação a Maysa. Ela, que havia deixado o país praticamente escorraçada, com legiões de *paparazzi* no encalço de uma foto que exibisse sua decadência física e moral, voltava a ser tratada como uma diva. A exemplo do que sempre costuma acontecer nesses casos, a informação de que estava conquistando espaços no exterior foi responsável pela mudança de foco. Em janeiro de 1963, a *Fatos & Fotos* abria quatro páginas para anunciar, em letras tamanho-família: "Maysa conquista Paris". No subtítulo, claro, constava o devido aval da mídia estrangeira: "Depois do recital no Olympia, ela foi chamada pela imprensa francesa de *a Edith Piaf sul-americana*". Ora, se os franceses estavam dizendo tal coisa, quem no Brasil ousaria dizer o contrário? Era um clássico exemplo do santo que precisava fazer milagre lá fora, para só então ser reconhecido pelos devotos de casa. Quando o repórter indagou quando voltaria para dividir as boas-novas com os brasileiros, ela foi vaga, de propósito: "Não sei. Daqui a três meses ou, quem sabe, daqui a cinco anos...".

Logo se descobriu o que, além da carreira, segurava Maysa na Europa. Ela arranjara um novo amor. Estava vivendo a sua vida com outro bem.

11. Demais (1963-1965)

Todos acham que eu falo demais
e que eu ando bebendo demais.
(Antonio Carlos Jobim e Aloysio de Oliveira,
gravação de Maysa lançada em 1964)

Maysa estava cantando quando viu Miguel pela primeira vez. Ele era casado e estava na platéia sentado ao lado da mulher, herdeira de uma abastada família no Marrocos. O belgo-espanhol Miguel Azanza e a franco-lusitana Ana Gabriela Bonnet formavam um casal cosmopolita, que possuía casas confortáveis em Tânger, Lisboa e Madri. Naquela noite portuguesa, no Casino Estoril, ficaram impressionados com o show da cantora brasileira, de quem nunca tinham ouvido falar. Depois da apresentação, Ana Gabriela aproximou-se de Maysa e, em poucas horas, pareciam íntimas. Quando soube que a recém-conhecida havia agendado uma apresentação na Espanha dali a alguns dias, Ana convidou-a para ficar hospedada em sua residência de Madri. Por acaso, estava de partida com o marido também para lá.

Maysa ficou reticente, mas o próprio Miguel Azanza a convenceu a aceitar o convite, sem que Ana Gabriela percebesse os olhares de cumplicidade que os dois haviam passado a trocar desde aquela primeira noite. Miguel era um homem charmoso, que gostava de bons vinhos, não rejeitava uma dose do melhor *scotch* e tinha uma queda irresistível por belas mulheres. Maysa viu nele a pinta de um garboso toureiro espanhol e, às escondidas, caiu nos seus braços. Enquanto Ana cuidava dos preparativos para a viagem a Madri, eles se encontravam no meio da tarde em quartos de hotéis de Lisboa. Bem antes de tomarem o avião para a Espanha, o triângulo amoroso já fechara as pontas.

A mulher de Miguel Azanza mostrou-se a anfitriã perfeita. Preparou uma festa de boas-vindas e convocou os melhores amigos madrilenos para conhecer a cantora de quem chegara falando maravilhas. Maysa era uma rainha da canção, uma dama no palco, uma mulher sofisticada e divertida, anunciou aos convidados. Tinha certeza de que todos iriam adorá-la. Ficariam hipnotizados por seu magnetismo, prometeu. Ana não sabia que estava cometendo um erro terrível. Na véspera da festa, acordou no meio da noite e percebeu que Miguel não estava dormindo a seu lado. Imaginou que ele havia ido ao banheiro ou coisa parecida. Como o marido demorava a retornar, passou a procurá-lo pela casa. Encontrou-o no quarto de hóspedes, deitado junto de Maysa.

Miguel Azanza contaria que Ana Gabriela fizera um escarcéu e enxotara os dois de casa. Para um amigo do casal, ela própria daria uma versão diferente. Não era mulher de fazer escândalos. Ferida, conteve a ira e a decepção, e, sem alterar o tom de voz, teria convidado o marido e a amiga — agora ex-amiga — a fazerem as malas e imediatamente sair dali. O que se sabe é que os dois partiram em busca de um hotel no meio da madrugada e, a partir de então, passaram a viver juntos. Abalada, Ana não teve forças para cancelar a festa marcada para a noite seguinte. Quando os convidados começaram a chegar, disse que a reunião íntima estava mantida, mas a cantora tivera de partir antes da hora.

Os amigos, que haviam notado a ausência de Miguel, ficaram boquiabertos quando ele abriu a porta de casa, cumprimentou a todos e disse que voltara apenas para pegar alguns objetos de uso pessoal que esquecera de pôr na mala. Não morava mais ali, informou. Não estava mais casado com Ana Gabriela. Iria casar com Maysa.

* * *

Quando recebeu uma carta de Miguel Azanza dizendo que estava apaixonado por uma artista brasileira, Oren Wade — seu amigo desde os tempos do colégio e que estava terminando uma pós-graduação fora da Espanha — não levou a sério aquela história. Deveria ser apenas mais um dos inúmeros casos de Miguel, cujo casamento com Ana Gabriela nunca constituíra um empecilho para as habituais aventuras. Mesmo em Tânger, no hotel da família da mulher, ele nunca tivera constrangimentos em vivenciar algumas dessas tórridas e efêmeras histórias de amor. No entanto, as cartas sobre o assunto ficaram tão constantes — e cada vez mais entusiasmadas — que Oren se convenceu de que a tal Maysa fisgara de verdade o coração do eterno galanteador. Ao saber das notícias da separação de Ana e Miguel, ficou mais curioso por conhecer aquela mulher que arrancara o amigo da comodidade de uma relação artificial, mas financeiramente confortável.

O primeiro contato entre Oren e Maysa foi traumático. "Miguel marcou um jantar para as devidas apresentações e, logo na chegada, ela mal me cumprimentou. Fez questão de dar toda a atenção a uma outra pessoa da mesa, que não era assim tão próxima a nós, e ficou a noite inteira de costas para o lugar em que eu estava sentado", recordaria Oren. "Só muitos anos mais tarde ela me confessou que agira daquele jeito porque ficara com medo de mim." Possessiva como sempre, Maysa teve receios de dividir o afeto do novo namorado com alguém que era íntimo dele desde a infância. Mas, vencida a resistência inicial, ela e Oren tornaram-se amigos. "Eu acabaria ficando mais próximo dela até mesmo do que de Miguel", diria ele. "Maysa me falou que sentia muito ter provocado sofrimento a Ana Gabriela. Mas admitiu que, quando apaixonada, era uma mulher que saía do sério e não sabia medir os próprios atos."

Assumido o romance entre Maysa e Miguel Azanza, no início de 1963 o casal viajou para uma espécie de lua-de-mel em Paris, instalando-se em um apartamento mobiliado com antiguidades dos tempos da Revolução Francesa, no aristocrático Faubourg Saint-Germain. Na volta, fixaram residência em Madri. "Este lugar me soa a algo assim como um porto a mais, em que se passam férias que nunca começam e que continuam para sempre", registraria Maysa na abertura de um novo diário, escrito inteiramente em espanhol, nas páginas quadriculadas de um caderno de capa azul, da marca Centauro.

Após as apresentações em Portugal e na França, ela fizera também alguns shows na boate Florida, em Madri, mas depois disso ficou alguns meses sem trabalhar, ajustando-se à nova vida. As primeiras anotações do caderninho azul mostram que ela havia comprado uma máquina elétrica de tricotar, *la tricotosa*, à qual recorria como uma espécie de terapia para afastar-se do tédio e do álcool. Foi essa Maysa doméstica, distante das luzes e do palco, que preencheu algumas das folhas iniciais do diário madrileno com receitas de peças de tricô. Em maio, enfim, resolveu fazer uma visita de três meses ao Brasil. Seria saudada como uma deusa.

* * *

"Acendam seus cigarros. Desapertem o nó da gravata. Tomem em dobro os seus tranqüilizantes. Não encostem em metal. Atenção... Maysa vai cantar." Foi assim que a boate Au Bon Gourmet anunciou o show que a cantora faria durante o breve retorno aos palcos brasileiros. Ela aceitara o convite do produtor Aloysio de Oliveira para uma temporada de duas semanas na casa. Aloysio, um dentista diplomado que nunca plantara uma única obturação na boca de ninguém, entendia do riscado. E já tinha pisado muito chão. Acompanhara Carmen Miranda nos Estados Unidos com o Bando da Lua, trabalhara como consultor musical nos estúdios de Walt Disney e, na volta, quando se convertera à Bossa Nova, fora diretor artístico da Odeon no Brasil — pela qual lançara o já célebre *Chega de saudade*, de João Gilberto. Depois, bateria ponto por oito meses na Philips até fundar a própria gravadora, a pequena Elenco, que viria a ser a responsável pelo lançamento de apenas cerca de meia centena de discos, mas depois dos quais a música brasileira jamais seria a mesma. Imagine uma gravadora nanica, que se daria ao luxo de ter em seu seleto catálogo nomes como Baden Powell, Dick Farney, Edu Lobo, Nara Leão, Quarteto em Cy, Roberto Menescal, Sérgio Ricardo, Tom Jobim, Vinicius de Moraes e por aí afora. Esta gravadora existia. Era a Elenco. E ela queria Maysa.

A idéia era gravar um disco ao vivo durante o show no Au Bon Gourmet. A casa pertencia ao empresário Flávio Ramos, para quem Aloysio já produzira alguns espetáculos memoráveis — a exemplo de um encontro histórico, em 1962, entre Tom Jobim, João Gilberto e Vinicius de Moraes. Fora naquela noite que Vinicius cantara pela primeira vez em público e, como se não bastasse, lançara nada mais, nada menos que "Garota de Ipanema". O lugar, portanto, era pé-quente.

Poucos minutos antes da hora marcada para o show, um Cadillac preto, rabo-de-peixe, parava rente ao meio-fio da avenida Nossa Senhora de Copacabana, bem defronte à fachada do Au Bon Gourmet. Maysa descia com um vestido longo e negro. Era recebida com tapete vermelho, privilégio que até ali a casa só reservara para ela. O recurso do Cadillac era manjado. Tratava-se de uma estratégia bolada por Flávio Ramos para evitar atrasos de seus contratados, que já tinham lhe rendido uma boa dose de experiências embaraçosas. Certa vez, com a casa lotada, esperou quase duas horas por João Gilberto, a atração da noite. Desesperado, ligou para João e ouviu do outro lado da linha: "Ih, Flavinho. Já é tão tarde assim? Nem reparei. Dá pra mandar um carrinho me buscar aqui em casa?".

De outra feita, com a casa também botando gente pelo ladrão, Flávio Ramos precisou tirar Chico Anysio da cama para fazer um show e substituir, à última hora, Silvio Caldas, que mandara avisar, por telefone, que não podia ir cantar naquela noite, pois fora para Santos participar de uma pescaria e por algum motivo não conseguiria voltar a tempo. Escaldado com aquele repertório de imprevistos, e por saber dos "canos" históricos da carreira de Maysa, Flávio tratou de mandar o carrão pegá-la, aproveitando para cercar aquela chegada de grande estilo, com luzes na porta e o tal tapete vermelho, fazendo disso uma atração à parte para o show. A coisa fez tanto sucesso que acabou entrando no imaginário coletivo carioca da época e produzindo outra das muitas lendas que cercam Maysa. Até hoje há quem acredite que, em vez do Cadillac, ela chegava no Au Bon Gourmet a bordo de uma suntuosa carruagem, que mais parecia ter saído de um conto de fadas — versão que chegou a ser publicada como verdade algumas vezes e que faria Flávio Ramos dar boas gargalhadas. "Não sei quem inventou, nem de onde tiraram essa história", diria ele, em meio a um frouxo de riso.

Mesmo sem carruagem, o show de Maysa no Au Bon Gourmet foi inesquecível. No início, o conjunto fazia uma introdução triunfal, na qual incluía alguns acordes de "Ouça". Ao reconhecer a melodia, o público aplaudia com vontade. Mas, de repente, tudo mudava. Apenas a flauta delicada de Copinha e o piano dedilhado por Eumir Deodato antecediam a entrada da voz de Maysa, cantando "Demais", de Tom Jobim e do próprio Aloysio de Oliveira. O efeito daqueles versos, cantados na forma de desabafo, era de fazer tremer o mais duro dos corações:

Todos acham que eu falo demais
E que eu ando bebendo demais
Que essa vida agitada
Não serve pra nada
Andar por aí
Bar em bar, bar em bar

Dizem até que ando rindo demais
E que eu conto anedotas demais
Que eu não largo o cigarro
E dirijo o meu carro
Correndo, chegando, no mesmo lugar

Não interessava se, quatro anos antes, a música já fora gravada por Sylvinha Telles, mulher de Aloysio. Também não importava que, convenhamos, como notara Antônio Maria, aquela letra fosse uma versão não assumida de "The end of a love affair", clássico norte-americano incluído no disco de Maysa lançado nos Estados Unidos. A despeito disso, "Demais" parecia uma composição feita por ela própria. Ou, pelo menos, sob medida para ela. E bem que avisaram para que os espectadores tomassem uma dose dupla de tranqüilizantes antes do show.

Ninguém sabe é que isso acontece porque
Vou passar toda a vida esquecendo você
E a razão por que vivo esses dias banais
É porque ando triste, ando triste demais

E é por isso que eu falo demais
É por isso que eu bebo demais

E a razão porque vivo essa vida
Agitada demais
É porque meu amor por você é imenso demais.

Maysa emendava com uma versão igualmente desconcertante de "I've got you under my skin", de Cole Porter, precedida por uma seqüência de arrasar quarteirão, na qual eram incluídas releituras intimistas de algumas das melhores canções dos discos anteriores, como "Por causa de você", "Bom dia, tristeza" e "Fim de noite". E para não dizer que não cantava mais boleros, extraía sangue e suor de "La barca", criação do mexicano Roberto Cantoral, que conduzia em um ritmo mais lento e, em conseqüência, mais dramático. Intercalava tudo aquilo com o balanço de "Quem quiser encontrar o amor", que interpretava, para surpresa de todos, livre e solta, entre sorrisos.

Mas quando murmurava com a voz rouca a letra de "Dindi", outra parceria de Aloysio de Oliveira e Tom Jobim, acompanhada apenas do órgão de Eumir Deodato, era que a platéia ficava absorta. *Se um dia você for embora/ me leva contigo, Dindi*. Sucesso absoluto. "Quem entendeu, gostou; quem não entendeu, fingiu. Porque, no fim da noite, o ambiente era francamente favorável a Maysa", contou a *Última Hora*. "Maysa muito mais Maysa", proclamou a capa do "Caderno B" do *Jornal do Brasil*. "A nova Maysa de sempre", comemorou a *Fatos & Fotos*. Em sua coluna social, Jacinto de Thormes afirmava: "A cantora dos olhos grandes está num momento excepcional". *O Jornal* fazia o resumo da ópera: "Maysa vive o drama do que canta. A gente percebe bem isso. Não há nada de falsificado nela. E aí acontece isso: você gosta ou não gosta. Ela é ela e não vai mudar. Nós, por exemplo, gostamos. O pessoal que a aplaudia freneticamente, sem dúvida, gostava. Mas não é só isso. Maysa, apesar de manter a atitude *é desse jeito que vai ser e está acabado*, amadureceu".

Não obstante aquela consagração, a temporada foi encerrada antes da hora. Isso porque nem mesmo o Cadillac rabo-de-peixe conseguiu a proeza de evitar os atrasos e sumiços de Maysa. Em algumas vezes, o carro ficou horas esperando-a na porta de casa. Em outras, ela simplesmente não apareceu nem mandou dizer onde estava. Contrariado, sem ter nenhuma notícia da cantora, Flávio Ramos olhava o relógio e era forçado a pegar o microfone para avisar à platéia que, por motivos alheios à sua vontade, não haveria show naquela noite. Todos entendiam o significado da frase. Maysa voltara a beber. Se é que algum dia houvesse realmente parado. "Não deu para segurar. Apesar da repercussão positiva, eu não podia manter em cartaz uma atração que nunca aparecia", lamentaria Flávio.

Simultaneamente à curta temporada no Au Bon Gourmet, Maysa aproveitou a estada no Brasil para fazer uma série de videoteipes para a TV Tupi carioca, que seriam apresentados em rede nacional pelas Emissoras Associadas, às quartas-feiras. "Não importa que a água esteja escassa, que o açúcar suba a 103 cruzeiros e as filas se prolonguem por quadras e quadras, que o racionamento de luz nos imponha o *blackout* diário e que os elevadores não subam... desde que este racionamento não nos atinja às 21h25 das quartas-feiras, quando Maysa está diante das câmeras do Canal 6, levando ao recesso dos lares cariocas trinta minutos de beleza, de bom gosto e de arte, através de sua voz e de suas canções", diria *O Globo*. Mas, pelos mesmos motivos que provocaram a interrupção da temporada na boate de Flávio Ramos, os programas foram tirados abruptamente do ar.

Pelo menos restaria de tudo isso o LP ao vivo, gravado durante o show produzido e dirigido por Aloysio de Oliveira. O álbum só sairia no ano seguinte, trazendo mais uma das inconfundíveis capas da pequenina e refinada Elenco: o fundo branco, a foto em P&B e alto-contraste, alguns detalhes em vermelho. Aquela composição de cores, sempre as mesmas, que se tornou a marca da gravadora e produziu uma revolução no design dos discos brasileiros, era uma saída encontrada pelo diretor de arte César Villela para driblar as limitações financeiras e economizar na impressão. No caso de Maysa, Villela conseguiu um dos melhores resultados entre todas as inesquecíveis capas da Elenco, que eram identificadas de longe, quando exibidas nas prateleiras das lojas. No disco ao vivo gravado no Au Bon Gourmet, apenas a foto dos olhos da cantora — em alto-contraste, é claro —, abaixo de seu nome em garrafais letras negras.

Maysa não viu o lançamento daquele LP no Brasil. Quando ele chegou ao mercado, havia tempo que ela não se encontrava mais no país. Pouco depois do final melancólico da temporada na boate de Flávio Ramos, ela tomou o avião de volta para a Espanha com Miguel Azanza. Antes, porém, teve alguns assuntos pessoais a resolver. Um deles atendia pelo nome de vingança. Aquele prato que, dizem, parece mil vezes mais apetitoso quando comido frio.

* * *

Ronaldo Bôscoli se vangloriava de que, mesmo depois de ter abandonado Maysa em Vitória naquela madrugada de 1961, voltara a se encontrar com ela algumas vezes. Bebiam juntos, iam para algum lugar em que pudessem matar a velha saudade, por vezes trocavam alguns sopapos e, em seguida, cada um ia para o seu lado. Ele desfiava um rosário de histórias a respeito. Contava que Maysa ficara bastante irritada quando lera a notícia de que ele estava namorando Maria Eugênia Ouro Preto, a Mimi d'Arcange, ex-modelo da Chanel cuja família possuía título de nobreza. "Troquei uma condessa de araque por uma condessa de verdade", brincou Bôscoli diante de um jornalista, que tratou de publicar a frase.

Outra dessas histórias que Ronaldo Bôscoli contava batendo no peito envolvia o presidente da República, João Goulart. Estaria com Maysa certa noite enxugando uma garrafa de uísque no Texas Bar, na praia do Leme, Rio de Janeiro, quando foi surpreendido por um armário ambulante que se aproximou da mesa: "O senhor me dá licença. Dona Maysa, vamos embora".

Era um dos seguranças do presidente. Bôscoli sabia que Jango era famoso pelo verdadeiro latifúndio de mulheres que possuía, embora fosse casado com a mais jovem, a mais elegante e a mais linda de todas as primeiras-damas da história do país, Maria Teresa Goulart. Dizia-se à época que, quando Jacqueline Kennedy, pela manhã, perguntava ao espelho mágico se existia alguma primeira-dama mais bonita que ela sobre a face da Terra, ouvia sempre a mesma resposta: "Ah, existe sim, senhora. O nome dela é Maria Teresa". Pois, naquela noite, Jango teria deixado mais uma vez a bela esposa na solidão do palácio em Brasília para se esbaldar na noite do Rio.

E escolhera Maysa como companhia. Quando o segurança do presidente deu aquele ultimato, Bôscoli quase tentou reagir. Mediu com os olhos o tamanho do sujeito e mudou de idéia.

"Não fique assim, Ronaldo. O Jango tem umas loucuras. Não queira encarar, não", teria comentado Maysa, demonstrando intimidade com as idiossincrasias presidenciais.

Bôscoli olhou de novo para o segurança e achou que, apesar daquela carranca e daquela montanha de músculos, ele até aparentava ser boa-praça. Relaxou e, confiante em sua intuição e na própria lábia, tentou negociar. Disse que não se importava em perder a mulher assim no meio da noite. Mas sugeriu que o presidente, ora essa, lhe mandasse pelo menos uma garrafa de uísque como prêmio de consolação. O segurança conduziu Maysa até o carro em que Jango a aguardava lá fora e reapareceu menos de um minuto depois. Então ordenou ao garçom, apontando para a mesa de Bôscoli: "O doutor Jango mandou botar uma garrafa de uísque ali, por conta dele".

"Peguei outra mulherzinha e matei a garrafa. Foi uma noite maravilhosa", comentaria Bôscoli, com o estilo de cafajeste assumido. Em meio a seus papéis e diários, Maysa nunca deixou nenhum registro escrito sobre o envolvimento com João Goulart, apesar de por mais de uma vez ter confidenciado a amigos que andara se encontrando com ele por um curto período. E tais encontros — brincava — não eram para discutir as tão controvertidas Reformas de Base anunciadas pelo governo.

De uma coisa não há dúvida: houve testemunhas oculares das recaídas de Maysa em relação ao lobo bobo. Roberto Menescal foi uma delas. Durante a temporada de Maysa no Au Bon Gourmet, os dois tornaram a se encontrar: "Algumas vezes, depois que terminava o show, ela ia se encontrar com o Bôscoli lá no Beco das Garrafas. O coitado do marido espanhol ficava horas esperando, com os convidados, sem saber o que fazer", diria Menescal. Em uma dessas noites, já passava das quatro da manhã quando Ronaldo Bôscoli confiou ao amigo e parceiro Luiz Carlos Miéle a inglória tarefa de devolver Maysa, no auge do pileque, ao marido Miguel. Como era muito tarde, quase não havia dúvida de que ele desistira de esperá-la na boate e já teria ido para casa. Miéle ligou para lá e certificou-se disso.

"Alô? É o Miguel?"

"*Si.*"

"Aqui é o Miéle, amigo de Maysa. Estou ligando para dizer que vou levá-la aí agora. Por favor, você pode descer para abrir a porta? Ela esqueceu a chave de casa."

De acordo com Miéle, o sonolento Miguel Azanza parecia habituado àquela situação. Tanto que, ao telefone, só ficou interessado em saber uma única coisa: "*¿Maysa tiene condiciones de caminar?*".

* * *

O mesmo Luiz Carlos Miéle terminaria por ser coadjuvante do troco histórico que Maysa deu em Bôscoli, para vingar a desfeita de Vitória. Os dois parceiros estavam a uma mesa da Fiorentina, no Leme, quando o telefone do restaurante tocou. O garçom se aproximou e disse que a ligação era para Ronaldo Bôscoli: "É dona Maysa, de São Paulo". Bôscoli atendeu e ela deu a notícia: no dia seguinte voltaria para a Espanha com Miguel. Portanto, talvez os dois provavelmente nunca mais se encontrariam na vida. E, depois disso, fez chantagem emocional: estava com um pressentimento ruim, tinha medo de que o avião caísse, estava prevendo que talvez fosse morrer. Pediu para vê-lo uma última vez, antes da viagem.

"Deixa disso, Maysa. Não vai acontecer nada. Amanhã vou aí e a gente se fala."

"Amanhã, não. Hoje. Agora."

"Mas, Maysa, já é tarde pra burro. E estou no Rio e você em São Paulo. Não tem avião uma hora dessas."

"Pega um táxi."

Um táxi? Do Rio de Janeiro até São Paulo? Bôscoli explicou que não tinha dinheiro para uma corrida de mais de quatrocentos quilômetros. Estava duro. Inclusive, agora mesmo, dividia com Miéle um único filé de baleia, o prato mais barato do cardápio da casa, cada um com um garfo na mão. Pois é. A vida de produtor de shows no Beco das Garrafas era agitada, mas não dava calças a ninguém. Maysa disse que não tinha problema: ela pagaria o táxi quando chegasse. Faria mais que isso: prometeu que Bôscoli produziria um show dela, com tudo que tivesse direito. Podia cobrar quanto quisesse. Mas precisava falar com ele já, não podia esperar que amanhecesse. Estava muito ansiosa.

Bôscoli desligou o telefone, voltou para a mesa e disse a Luiz Carlos Miéle que ia pegar um táxi para São Paulo, para encontrar Maysa. "E você vai comigo", decretou. Afinal, amigo era para essas coisas. Miéle engoliu um último naco de carne e disse que valia tudo pela velha amizade. Entraram no primeiro táxi que viram parado à porta da Fiorentina e, em plena praia do Leme, informaram o destino: "Vamos para a rua Rego Freitas, no centro de São Paulo". O motorista imaginou que os dois estavam bêbados — e estavam mesmo, mas não tanto assim — e quase os expulsou do carro. Quando se convenceu de que era sério, disse que precisava trocar de automóvel, pois aquele não agüentaria tamanho tranco. Já sonhando com os 20 mil cruzeiros que cobraria pela corrida, foi até sua casa, voltou em um veículo mais novo, pegou os passageiros e tomou o rumo da Dutra.

Por volta do quilômetro 150, o motorista disse que precisava parar para comer e abastecer o tanque. Eles podiam adiantar parte do dinheiro para cobrir as despesas? Não, infelizmente não podiam. Estavam sem nenhum. A corrida seria paga por Maysa, a cantora milionária, quando chegassem a São Paulo. "O chofer esboçou — com toda a razão — um princípio de cabreragem aguda", contaria Bôscoli. Depois de rodarem a noite inteira, quando já estavam entrando na capital paulista, um pneu furou. O motorista desculpasse, não levasse a mal, porém também não tinham dinheiro para pagar o conserto. "Passamos a ser vigiados como dois marginais. Digamos, eu era o marginal e Miéle, com aquela barba, um subversivo", escreveu Ronaldo Bôscoli em suas memórias.

Bôscoli, que possuía a fama de aumentar um ponto a cada vez que contava um de seus inúmeros contos, tinha dois finais para a mesma história. Um deles, incluído no texto sobre Maysa que escreveria anos depois para a *Manchete*, batia com o que viria a ser contado mais tarde por Miéle. Em São Paulo, com o pneu furado e o taxista cobrando a conta, ligaram para Maysa, desesperados. A empregada atendeu e disse que ela não estava.

"Como não está, para onde ela foi?", teria perguntado Bôscoli.

"Dona Maysa viajou bem cedinho. Foi embora para a Europa. E mandou dizer para o senhor que o jogo está empatado."

Na versão alternativa, a coisa era pior. Bôscoli conseguira o dinheiro para pagar a corrida com uma amiga que morava na cidade e, a bordo de um outro táxi, conseguiu chegar à casa de Maysa. Quando tocou a campainha, a empregada entregou-lhe um bilhete:

> Ronaldo,
> A condessa de araque partiu para sempre. Tchau!
> Maysa

Miéle e Bôscoli tiveram de pedir dinheiro emprestado a uma outra amiga, a cantora Marisa Gata Mansa, para comprar duas passagens de ônibus e poder voltar para casa. Como conhecia bem aqueles dois, Gata Mansa incluiu uns trocados a mais, como patrocínio para o uísque.

* * *

Após o breve e tumultuado período no Brasil, de volta a Madri Maysa e Miguel tentaram construir um lar. Não era uma tarefa fácil. Em seu diário, ela confessava que o sonho de uma vida feliz e tranqüila na Europa durou bem pouco tempo, embora o casamento com Miguel se arrastasse ainda por longos anos. Os ciúmes mútuos, as eternas discussões e os excessos de álcool foram minando a relação a cada dia. Na temporada do Au Bon Gourmet, Flávio Ramos ficara chocado ao ver os dois se estapeando publicamente, com Miguel chegando a desferir chutes em Maysa para fazê-la entrar no carro depois de uma noite em que ambos haviam bebido além da conta.

Na Espanha, de início Oren Wade não notou animosidade no casal, mas não demorou a perceber que a amiga parecia demonstrar sintomas de dupla personalidade: "Existiam duas mulheres. Uma era Maysa, uma pessoa afável e inteligente, que ria dos próprios problemas e tinha absoluto controle sobre a vida e o casamento. A outra era Maysinha, uma mulher pequena no pior sentido da palavra, que exagerava na bebida, perdia o domínio sobre si mesma e assustava todos com uma agressividade incomum".

No caderninho azul, as duas faces da mesma mulher travavam luta constante. "Que gostosa esta sensação de não-proteção que sinto cada vez que me exagero no álcool", escreveu a metade Maysinha. "Estou bebendo um pouco demais esses dias. Me sinto muito mal", registrava a outra metade Maysa. O resultado desse embate refletia-se nas dúvidas que ela alimentava quanto a Miguel e ao próprio futuro. Em 7 de agosto de 1964, anotou:

> Vejo as coisas de tal maneira que quase me dá vontade de desabar. Não sei porque, tudo o que faço as pessoas interpretam de outra maneira. [...] Eu sou complicada, mas estou tentando descomplicar-me. Estou cada dia mais só e sei que temo por decair completamente. Não há amor em Miguel, há comodidade. Ele quer perdoar-me, mas não é isso que lhe peço. Ele me faz sentir mal diante das pessoas e, além disso, faz comparações. O amor não se compara. Sei que tenho bastante culpa por esses ciúmes dele, que me matam e que me molestam. Mas daí a dizer que eu seja intolerante vai uma grande distância.
>
> Vou mudar completamente de tática. Deus me ajude para que eu possa levar o meu propósito até o final. Se não conseguir, não haverá mais remédio além do que ficar só. Já não tenho capacidade de agüentar-me. Ninguém pode mais me agüentar — nem eu mesma. Mudarei completamente. Tem que dar certo. Nada me importa mais. Tratarei de ter a cara sempre alegre, mesmo que tenha de morrer por dentro. Logo me acostumarei. Não sou pior do que ninguém. Não tenho porque ser tão complicada.
>
> Eu quero crer que Miguel me ama. Ele já me deu provas disso. Esses dias, até ontem, foram maravilhosos. Mas, como sempre, tenho que estragar tudo, e Miguel, sem querer — ou querendo — me faz sentir mil vezes mais culpada. Isso me provoca mais ciúmes, pois quando vejo que todos se comportam tão bem, tenho mais medo das comparações.
>
> Eu mudarei. Tenho que viver. E, além disso, amo Miguel muitíssimo. Me faz falta escrever essas coisas, pois não as posso dizer em voz alta. Não tenho amigos, não tenho nada. Miguel me disse ontem que, então, eu devia falar mais com ele mesmo. Será fácil?

Pouco antes de escrever essas palavras, ela estivera rapidamente no Brasil, sem Miguel. Chegou a marcar uma série de compromissos artísticos e parecia ter deixado a Espanha para trás. Tanto que assinou contrato trimestral em São Paulo com a TV Paulista e anunciou temporadas em várias casas noturnas. Mas, dias depois, avisou que cancelara toda a agenda. "Estou doente, sofrendo de um distúrbio neurovegetativo", justificou, ao distribuir aos jornalistas cópias de um atestado médico, com firma reconhecida em cartório, no qual se lia uma informação genérica: "Atesto para os devidos fins que as condições de saúde da sra. Maysa Figueira Monjardim não permitem que a mesma cante em público, por algum tempo. Rio de Janeiro, 27 de março de 1964. Dr. Paulo Furtado de Mendonça".

Era a única forma de evitar a enxurrada de multas por quebra de contrato. A verdade é que viera ao Brasil após uma briga feia com Miguel. Quando ele pegou um avião de Madri para São Paulo, pedindo-lhe quase de joelhos para voltar, ela reconsiderou a decisão de abandoná-lo. Jogou para o alto tudo que havia acertado com os empresários brasileiros e comprou a passagem para a Europa. Pouco depois de retornarem à Espanha, fizeram uma viagem de carro, de Madri para Comillas, no litoral norte daquele país, em busca de algum hotel à beira-mar onde pudessem se reencontrar consigo mesmos. Diante de uma paisagem deslumbrante, entre o oceano e a montanha, tentaram acertar a vida pelos mesmos ponteiros. "Chove muito forte em Comillas. Que o bom Deus me ajude a melhorar. E que não me olhem mais como se eu fosse uma pessoa desprezível. Eu não a sou. E além disso, sou consciente. Talvez consciente até demais. Como eu gostaria de ficar aqui mais uns dias para provar a todos — e a mim também — que eu posso viver em sociedade, com gente ao lado, sem ser este animal acuado e com fome de carinho", anotou Maysa no diário.

* * *

No final daquele ano, ela recebeu a notícia de que o ex-marido havia morrido em São Paulo. André Matarazzo faleceu no dia 30 de novembro de 1964, aos 45 anos, vítima de um infarto fulminante. Foi então que ela decidiu chamar o filho Jayme, com oito anos de idade, para morar na Espanha: o menino não podia ficar a vida inteira sendo criado pelos avós, Monja e Inah.

Maysa, que sempre dissera que o colégio interno fora o maior pesadelo dos tempos de menina, reservou ao filho idêntico destino. Ela justificava essa decisão dizendo que, no Brasil, a criança não teria a mesma oportunidade de receber formação esmerada, nos moldes da melhor tradição européia. "Por lá, em São Paulo, ele será apenas mais um Matarazzinho", dizia. Assim, Jayme Monjardim foi matriculado no internato espanhol Alaman, onde passaria todo o resto da infância e o começo da juventude. No primeiro dia, cortaram seu cabelo à escovinha. Depois, soube que só poderia sair nos fins de semana se tirasse notas acima de 5. Aos poucos, acabaria falando espanhol e desaprendendo o português. O futuro cineasta e diretor de televisão recordaria esses anos como um filme em preto-e-branco: "Era como se eu estivesse vivendo eternamente numa cena do neo-realismo italiano, aquele colégio com salas imensas, as missas, um professor que era cego, os meninos com uniforme correndo pelo pátio e depois recolhidos ao dormitório com dezenas de camas enfileiradas. Eu era um menino de filme", diria, com lentes retroativas.

Enquanto isso, no Brasil, por cerca de um ano e meio, entre aquele segundo semestre de 1964 e o final do ano seguinte, o nome de Maysa sumiu dos jornais. O silêncio foi quebrado apenas em dezembro de 1965, e de maneira insólita. Começou a ser noticiado que ela estava morando de novo em São Paulo, ao lado do filho Jayme e do marido Miguel Azanza. Completamente loura, muitos quilos mais magra, posou para fotos com os dois e anunciou a bomba: "Cansei da vida de cantora profissional". Para espanto de todos, aos 29 anos, dizia que abandonara a carreira para se dedicar ao casamento e à vida privada.

"Em uma bela casa no Jardim Paulista, um dos bairros mais elegantes de São Paulo, vive Maysa, afastada dos meios artísticos. Ela pede até que não se divulgue o seu endereço, pois não deseja ser procurada por empresários, compositores ou outras pessoas interessadas em novamente fazê-la atuar", informou a *Revista do Rádio*. Na capa, vinha a chamada: "Maysa encontrou a paz — deixou de cantar". Como anotara no diário de Madri, de fato, ela agora trazia a cara alegre. Mas estava, como previra, morrendo mesmo por dentro.

12. Canto livre
(1966)

Enquanto espero, eu canto
Se desespero, eu canto.
Enquanto eu vou, eu canto
Na eterna volta, eu canto.
(Bené Nunes e Dulce Neves,
gravação de Maysa em 1964)

"É porque meu amor por vocês é enorme demais." Maysa, que sempre dissera nunca ter se importado em cantar para agradar ao público, justificou assim o retorno ao palco, sete meses depois, diante de uma platéia de cerca de 1.500 pessoas. Era, até ali, o maior show de sua vida. Ela, que no início da carreira sempre cantara em boates esfumaçadas, enfrentava naquela noite de 26 de julho de 1966 o desafio de se apresentar pela primeira vez em uma casa daquelas dimensões, o Urso Branco, em São Paulo. O convite partira de Abelardo Figueiredo, um dos pioneiros da televisão brasileira que passara a revolucionar a noite paulistana ao transformar antigos boliches desativados em grandes cervejarias, inaugurando um fenômeno que a imprensa da época apelidou de "Noite S/A": o casamento entre a boemia e a indústria do espetáculo.

O show foi uma superprodução. Quem estava lá, viu. Que não estava, não veria nunca mais. O cartaz, na porta, anunciava: "Maysa, no Urso Branco, em única apresentação". Acompanhada de uma orquestra formada por trinta músicos encasacados e regida pelo maestro Chiquinho de Moraes, ela entrava em cena esbanjando charme, de ombros nus, com um vestido longo branco e creme assinado por Amalfi, nome que começava a despontar no mundo da moda brasileira dos anos 1960. Parecia outra mulher. Estava com os cabelos compridos e magra como nunca. Voltara a pesar 56 quilos, o mesmo dos melhores tempos de solteira. O show foi perfeito, com exceção de um pitoresco detalhe. Na introdução da primeira música, antes da entrada de Maysa no palco, alguém da platéia atirou uma pedra de gelo que estalou na cabeça do maestro. Chiquinho de Moraes parou a orquestra, foi até o microfone e desafiou: "O engraçadinho que se apresente aqui, na minha frente".

Muita gente achou que, depois daquilo, Maysa entraria chutando o balde. Ela, que já arremessara sapatos no público, irritada com conversas ou mesmo com o tilintar de gelo nos copos durante os shows em boate, como reagiria a uma cena daquelas? As apostas correram na platéia. Seria um desacato. Não mais cantaria depois disso. Cancelaria o show. Ela daria um jeito de descobrir quem foi o autor da brincadeira e partir para o braço com ele. Ela isso, ela aquilo. Todos estavam errados.

A orquestra iniciou novamente e Maysa entrou serena, com o microfone em uma mão, o cigarro na outra. Fez uma apresentação impecável do começo ao fim. "Ela não resistiu: voltou a ser cantora", celebrou o *Diário da Noite*. "Maysa estava tão bonita que causou admiração geral. Ela estava ali, intérprete insubstituível. Seu estilo era o mesmo, e se mudou foi só para melhor", confirmou a *Folha de S.Paulo*. Na noite toda, um único tropeço: na hora de cantar "Ne me quitte pas" esqueceu um trecho da letra.

"Desculpem, estou muito nervosa", disse ela, abrindo um sorriso.

* * *

Abelardo Figueiredo foi o grande responsável pela volta de Maysa. Sem a sua insistência, ela não teria quebrado a promessa de se aposentar de modo precoce feita no final do ano anterior. Mas foi absolutamente necessário que, antes, Maysa se submetesse a mais um longo tratamento de desintoxicação alcoólica para que, enfim, decidisse retornar à ativa. Convencida de que sua doença, o alcoolismo, não a deixava em condições de criar o próprio filho, mandou Jayme de volta para o colégio interno, na Espanha.

Por lá, o garoto passaria as poucas horas de folga sob os cuidados de Oren Wade, o amigo de Madri a quem Maysa transferira a responsabilidade de ser uma espécie de tutor da criança. "Acabei me afeiçoando a Oren, a quem passei a tratar como se fosse meu verdadeiro pai", diria Jayme mais tarde. Depois disso, Maysa internou-se, durante cerca de um mês, em uma clínica de repouso. Ao sair do hospital, montou uma produtora artística, a Guelmay — uma mistura de seu nome com o de Miguel, com quem permanecia casada, morando em São Paulo.

Foi também Abelardo Figueiredo quem sugeriu a criação da produtora. Seria uma fórmula para voltar a cantar sem permanecer refém dos caprichos das gravadoras. A idéia parecia perfeita: a empresa, que funcionaria de modo independente, responderia pela administração de sua carreira, encarregando-se de fazer seus próximos discos e programas de televisão, que poderiam ser elaborados como ela os concebesse, sem interferências e palpites de terceiros. Tais produtos seriam vendidos a gravadoras e emissoras de tevê, negociados por um valor capaz de cobrir os investimentos iniciais e proporcionar uma boa margem de lucro, devidamente reinvestida em novos trabalhos.

Maysa ganhou vida nova. Não só aprovou a idéia como convidou o mesmo Abelardo Figueiredo para dirigir o primeiro projeto da Guelmay: uma série de videoteipes para a televisão, que depois serviriam de base para um disco novo. Como a idéia era ousada e inovadora demais, era quase certo que não encontrariam patrocínio para o projeto inicial. Por isso Maysa investiu dinheiro do próprio bolso, queimando as poucas reservas financeiras que havia acumulado ao longo de uma carreira bem-sucedida, mas recheada de acidentes e desvios de percurso.

Maysa acreditou tanto na viabilidade daquela empreitada que apostou nisso até o último centavo de que dispunha — e até alguns de que não dispunha também. Tudo foi pensado para oferecer aos videoteipes da Guelmay uma linguagem tão sofisticada que, imaginou-se, estariam fadados a ser marco na história da televisão brasileira. Os programas teriam um padrão de qualidade tão elevado que mesmo antes das gravações já haviam atropelado até as mais generosas previsões orçamentárias iniciais. Do figurino à iluminação, da escolha da orquestra à equipe técnica não se economizaram esforços — nem recursos — para produzir a série, prevista para conter um total de treze episódios. O número da sorte de Maysa.

Ao contratar o estilista Amalfi, ela pedira quatro modelos diferentes de vestido por programa. Todos trajes a rigor. Nada de lantejoulas, babados, brilhos ou bordados. Queria roupas clássicas, com cores neutras, que além de mais elegantes eram também mais apropriadas ao cenário requintado, mas sóbrio, que exploraria ao máximo o jogo de luzes e sombras da transmissão em preto-e-branco. Maysa estava tão entusiasmada com tudo aquilo que se submeteu a algo de que sempre tivera ojeriza: passar horas sentada na cadeira de um cabeleireiro antes de entrar em cena. Para ela, um suplício comparado a uma sessão de tortura chinesa. "Embora fique quieta para receber sua dose de maquiagem, Maysa se rebela contra o cabeleireiro e só a muito custo ele consegue fazê-la usar uma das seis perucas ou o coque. Ela olha no espelho e enfia os dedos nos cabelos, embaraçando-os, como fazia anos atrás — quando lançou uma moda que muita mulher brasileira adotou", narrou o jornal *O Estado de S. Paulo*, ao acompanhar, no início de abril, os bastidores de uma das gravações.

Maysa contratou dezenas de músicos da Filarmônica de São Paulo, quatro maestros (Chiquinho de Moraes, Erlon Chaves, Lindolpho Gaya e Oscar Castro Neves), todo o balé da coreógrafa Mercedes Batista — pioneira na introdução das danças de origem africana nos palcos brasileiros — e até uma parte da bateria da Escola de Samba do Salgueiro. Muita gente deve ter se perguntado o que um balé negro e uma bateria de escola de samba estariam fazendo na gravação de um programa de Maysa. Essas seriam algumas das muitas surpresas prometidas pela série. Além de sucessos conhecidos do repertório, alguns repaginados pelo toque sempre jazzístico de Erlon Chaves, Maysa incluiu números de samba autêntico, a exemplo de "Tristeza" (*Tristeza, por favor vá embora/ minha alma que chora/ está vendo o meu fim*), de Haroldo Lobo e Niltinho — sucesso na voz de Jair Rodrigues durante o Carnaval —, que ela gravou ao lado dos bambas da bateria do Salgueiro. O balé de Mercedes Batista entrava em cena durante a interpretação de Maysa para "Canto de Ossanha", um dos famosos afrosambas de Baden Powell e Vinicius de Moraes (*Pergunte ao seu orixá,/ amor só é bom se doer*).

Ousadia pouca é bobagem. Quando concedeu uma entrevista coletiva para anunciar o projeto gestado pela Guelmay, um jornalista indagou qual o nome do programa que ela estava gravando de forma independente. "Não tem nome", Maysa respondeu, segurando o gato de porcelana que ela recebera de presente, anos antes, das mãos de Tennessee Williams. "Como assim, não tem nome?", quis saber o repórter. "Não vai ter nome. Apenas aparecerá uma foto do meu rosto na tela, sobre um fundo preto. Todo mundo vai saber que sou eu." Os jornalistas se entreolharam. "E o disco que será gravado a partir dos videoteipes, este já tem nome?", indagou um deles. "Também não. Nem vai ter. Da mesma forma, a capa terá apenas a minha foto. Nada mais."

O álbum sem título — e sem o nome da artista — chegou ao mercado um mês antes do show no Urso Branco. A Guelmay conseguira negociar o disco com a RCA Victor, que anos antes cobiçara Maysa e tentara tirá-la da RGE. A foto da capa, em preto-e-branco, fora feita em Madri e era parte do material de divulgação das apresentações na Europa. Como ela prometera, via-se apenas seu rosto, destacado pela luz, sobre o fundo escuro.

O LP marcava os dez anos de carreira de Maysa. Roberto Côrte-Real foi convidado para escrever o texto de contracapa, da mesma maneira que havia feito uma década antes, no verso do primeiro *Convite para ouvir Maysa,* de 1956. "Se compararmos este disco com o primeiro, teremos a impressão de que ela está começando outra vez, tal a beleza com que está cantando e dizendo aquelas coisas, com aquele desejo enorme de transmitir, como só ela sabe fazer", observou Côrte-Real. No álbum, apenas uma música era assinada por ela, "Canção sem título". E de todos os grandes sucessos do início de carreira, o disco trazia apenas "Meu mundo caiu", e ainda assim incluído em um *pot-pourri* inicial, em que Maysa cantava apenas um minúsculo trecho da música, exatamente os dois últimos versos — *se meu mundo caiu/ eu que aprenda a levantar*. Era como se, com aquilo, quisesse dizer que não fazia mais a mínima questão de continuar carregando nas costas o estereótipo de "deusa da fossa". Ela própria já dissera isso em uma entrevista: "Hoje não componho mais porque a música evoluiu. Dor-de-cotovelo é engraçado — mas me imaginem hoje cantando coisas como 'Meu mundo caiu'".

O repertório do disco foi compilado a partir do conteúdo dos três programas de Maysa gravados pela Guelmay até aquele momento, entre os meses de abril e maio. Quando do lançamento do disco, já era junho e nenhum deles fora transmitido pela tevê. E não existiam perspectivas de que tão cedo viessem a sê-lo. Os custos de produção tornaram o produto invendável. Nenhuma emissora de televisão se interessou em comprá-lo. Foi um prejuízo estupendo, que abalou as finanças pessoais de Maysa e tornou a Guelmay uma empresa natimorta. Ela enfiara todo o dinheiro que tinha em um saco sem fundo. Para todo o sempre, atribuiria o fracasso à falta de visão e ao provincianismo da tevê que se fazia no país: "Era um produto sofisticado demais, limpo demais, refinado demais para a época. Ninguém no Brasil estava preparado para aquilo". Os videoteipes, infelizmente, nunca foram ao ar.

* * *

A TV Record, a quem Maysa oferecera o programa, fez uma contraproposta. Os diretores da emissora gostariam de tê-la de volta em sua grade, mas em outro formato. Nada daquilo que ela tentara lhes vender. Seria uma atração mais amena, em que houvesse convidados a cada edição, especialmente cantores ligados à casa. Sugeriram inclusive um nome para o programa que julgavam de forte apelo televisivo (é claro, o programa tinha de ter um nome, ora bolas): *Maysa para ver e ouvir*. Ela, que precisava se recuperar do baque financeiro pelo qual passara, topou. Pôs uma pedra sobre o sonho da Guelmay e foi trabalhar mais uma vez com Eduardo Moreira, o mesmo produtor de seus primeiros tempos de Record. Para marcar o retorno da filha pródiga que retornava à casa paterna, ela participou de uma edição do programa *O fino da bossa*, comandado por Elis Regina e Jair Rodrigues. Em abril, a própria Elis já lhe havia feito idêntico convite, por meio de um bilhetinho escrito com tinta azul em um papelzinho cor-de-rosa:

Maysa,
sou sua maior fã.
E não é de hoje.
Seria motivo de grande alegria recebê-la no "Fino".
Caso você aceite, ficarei à sua espera na próxima semana.
Felicidades!

Um grande abraço.
Elis Regina
22/4/66

Mas apenas em 3 de agosto Maysa compareceu ao *Fino da bossa*, no mesmo dia em que Vinicius de Moraes também esteve lá. "O ambiente poético já estava carregado de poesia pela presença de Vinicius. Quando aconteceu mais poesia, na figura esguia, nos olhos tão cantados, na voz faladora de coisas tristes de Maysa", escreveu Walter Negrão, dois dias depois, em uma resenha para a página de tevê da *Última Hora*. No programa, respondendo a uma pergunta de Elis, ela declarou: "O meu passado pertencia a todos, do futuro eu não sei o que será, mas o meu presente é só meu".

Negrão, futuro autor de telenovelas, ficou entusiasmado e soltou rojões pelo retorno de Maysa à telinha: "E de repente, segundo o poeta, não mais que de repente, ela chega. Vem disposta a se incorporar ao movimento da música popular brasileira. Vem de armas limpas e azeitadas para a briga. Bem-vinda, Maysa. Bem-vinda com sua dor e seu amor. Bem-vinda, Maysa, nesta guerrinha contra os debilóides da pátria". Quando o *Estadão* a procurou para comentar a estréia do novo programa, ela evitou falar do projeto anterior. Mas, ao final, descarregou a frustração sem papas na língua, como era de seu feitio: "Pois é. Agora estou de volta ao Canal 7. Vou ver se consigo ter um bom programa, embora as condições técnicas sejam péssimas por aqui".

A concepção do novo programa era bem diferente do que ela planejara para a sua produção independente. Tanto que para a primeira gravação do *Maysa para ver e ouvir*, no início de setembro, no Teatro Record, usou um vestido com pedrarias e cantou "Meu mundo caiu". Foi uma audição só para convidados especiais, em que ela recebeu no palco um trio mais especial ainda: Roberto Carlos, Elis Regina e Elizeth Cardoso, todos cantando músicas dela. Elis Regina, em uma espécie de retribuição à visita feita ao *Fino da bossa*, entrou e arrasou cantando "Felicidade infeliz", enquanto Roberto Carlos ligou "Ouça" na tomada, de guitarra em punho, e Eliseth Cardoso ofereceu uma interpretação personalíssima de "Tarde triste". A noite se transformou em um encontro inusitado de diferentes gerações e estilos da música popular brasileira, todos cantando Maysa.

Mas não era só isso. No segundo bloco do programa, ela chamou ao palco uma garotinha de cerca de dez anos que estava no auditório, chamada Luciana. "Quero ver se vocês adivinham de quem ela é filha", disse Maysa. "Para dar uma pista, ela vai imitar o pai", avisou. A menininha simulou um copo, fez que dava um gole nele, segurou um telefone imaginário e falou: "Tom? Escuta, tenho aqui a letra de um samba legalzinho, pronto pra você botar uma musiquinha. Quer que eu cante um pedacinho?". Disse isso e tomou outro gole no copo imaginário. O auditório matou a charada na hora.

"É o Vinicius!", todos gritaram.

Foi quando apareceu no palco o poetinha em carne e osso, balançando a barriga, trazendo pela mão um garotinho louro e bochechudo: Jayme, o filho de Maysa, que estava em férias no Brasil. As duas crianças assumiram o comando e entrevistaram Vinicius de Moraes. "Por que você é diplomata?", foi uma das questões. "Juro pra vocês que não foi culpa minha. Entrei no Itamaraty pensando que aquele era o nome de um bar", ele respondeu. A platéia adorava, aplaudia e dava risada. No terceiro bloco, a voz de Maysa se ouvia *em off*, lançando perguntas a si mesma, como já fizera antes na matéria da revista *O Cruzeiro*. "Por que, afinal de contas, um dia seu mundo caiu?", foi uma das indagações. "Porque eu mesma o deixei cair" era a resposta. Ao final, na quarta e última parte do programa, Maysa cantou acompanhada pelo violão de Luiz Bonfá, que chegara dos Estados Unidos e acabara de compor uma música para ela, feita em parceria com a mulher Maria Helena Toledo: "Dia das rosas". Mas, naquela noite, Maysa não a cantou. Só iria lançá-la dali a pouco mais de um mês, no Maracanãzinho, quando faria dela uma das favoritas do I Festival Internacional da Canção, o FIC. Nem poderia imaginar que, antes disso, ainda amargaria a maior vaia de sua vida.

* * *

Era como uma nova edição, revista e mil vezes ampliada, das guerras travadas entre as antigas macacas-de-auditório. Naqueles meados dos anos 1960, os festivais de música monopolizavam as atenções do país. Por isso, todas as emissoras de televisão queriam fazer o seu. Torcidas organizadas, compostas de centenas de fãs, exibiam faixas e cartazes, aplaudiam febrilmente as preferidos e apupavam sem dó nem piedade os artistas da facção rival. Em 1965, Elis Regina fora a grande vencedora no I Festival da TV Excelsior cantando "Arrastão", de Edu Lobo e Vinicius de Moraes. A repercussão foi tamanha que se tornou praticamente impossível para qualquer artista ficar fora das próximas disputas. Gente com anos de batente, como Elizeth Cardoso, Isaurinha Garcia e Orlando Silva, mediu forças com uma formidável geração de cantores e compositores recém-surgida, a exemplo de Caetano Veloso, Chico Buarque e Gilberto Gil.

Maysa resolveu também entrar na roda. Em setembro de 1966 participou do II Festival da TV Record, defendendo duas músicas, "Renascença", de Cláudio Varella e José Pereira, e "Amor — paz", de autoria dela e de Vera Brasil, compositora que no ano anterior recebera um honroso terceiro lugar no festival da Excelsior com a canção "Eu só queria saber", parceria dela com Miriam Ribeiro. Realizado no auditório da emissora, em São Paulo, com o patrocínio do sabão Viva, o Festival da Record teria três eliminatórias, em dias distintos, com doze concorrentes cada uma. Pelo sorteio, Maysa participaria da segunda, com "Renascença", e da terceira, com "Amor — paz". Assim, em 15 de setembro, quando ela subiu ao palco para defender a música de Varella e Pereira, já se sabia que no dia anterior, na primeira eliminatória, surgira aquela que seria uma das grandes sensações do evento: "Disparada", de Geraldo Vandré e Théo de Barros, cantada por Jair Rodrigues. Na apresentação, Jair contou com o acompanhamento do violão de Théo, da viola caipira de Heraldo do Monte e de um instrumento de percussão inacreditável: uma queixada de burro, "tocada" por Airto Moreira. Uma das notas curiosas da noite foi a participação de Roberto Carlos cantando uma música de Vinicius de Moraes e Francis Hime: "Anoiteceu", que acabou não sendo classificada para a final.

A segunda eliminatória reservava um páreo duro para Maysa. Sua interpretação para "Renascença" não conseguiu incluir a canção entre as quatro classificadas da noite, que foi dominada pela apresentação de "A banda", de Chico Buarque, cantada por Nara Leão, à frente de uma bandinha de verdade. Em se tratando de festival, a originalidade da apresentação, o inusitado no palco contava pontos. Mas o rufar dos tambores, o som dos metais e a batida dos pratos acabaram por encobrir a voz miudinha de Nara que, ainda assim, foi a mais aplaudida entre todos os concorrentes, despontando como séria adversária de "Disparada" na disputa pelo título de campeã.

Restava a Maysa esperar pela terceira eliminatória, que seria realizada no dia 1º de outubro, e na qual cantaria "Amor — paz". Também não seria uma tarefa fácil. O júri considerou que a apresentação de Nara Leão havia sido prejudicada por problemas técnicos e decidiu que, mesmo já classificada, deveria ser reapresentada naquela noite para que pudesse ser mais bem avaliada. A direção do festival sugeriu então que o autor de "A banda", Chico Buarque, acompanhasse Nara naquela vez, tocando violão. Não teve para mais ninguém.

Aos 22 anos, Chico já ensaiava ser unanimidade nacional, garoto prodígio, filho de Sérgio Buarque de Holanda, moço bonito e talentoso que toda mãe gostaria de ter como genro — e cujos olhos verdes eram um oceano em que as moças sonhavam em mergulhar. A última eliminatória, portanto, foi só para cumprir tabela. "Disparada" e "A banda" eram as donas do festival. O que acabou beneficiando a música de Vera Brasil e Maysa, classificada para a final sem que quase ninguém se desse conta dela, depois do abalo sísmico provocado pela presença de Chico Buarque no palco, que sorria, tímido, como se nada daquilo fosse para ele.

Na noite da grande final, o público só tinha ouvidos para as duas favoritas. Caberia às outras dez classificadas o papel de meras coadjuvantes em uma disputa que dividira o país ao meio. Os que torciam por "A banda" hostilizavam os que preferiam "Disparada" — e vice-versa. Não se falava de outra coisa nas ruas, nos bares, nas repartições, nas escolas, nos trens, nos ônibus, à mesa do almoço, com a cara-metade antes de dormir. "Afinal, você prefere 'A banda' ou 'Disparada'?" — essa era a pergunta que todos faziam a todo mundo.

Aquela era uma época em que a música popular brasileira alcançara, ao mesmo tempo, um nível de qualidade e uma popularidade que poucas vezes se veria no país. Mas era também o momento em que os festivais representavam uma das únicas formas de canalização e expressão dos desejos e sentimentos populares consentidas pelo regime militar, implantado no país após o golpe de 1964. Não seria por outro motivo que tais concursos logo passariam a girar em torno de um único eixo. Os festivais serviriam de cenário para a discussão que incendiou a juventude e o meio musical brasileiro naquela década: a música de protesto, politicamente engajada, "versus" a música descomprometida, considerada alienada e entreguista, de modo especial a cantada pelos ídolos do iê-iê-iê.

Acima de toda essa celeuma, pairava Maysa. Ela nunca economizou farpas à jovem guarda ("Isso é um modismo idiota, que quanto mais depressa passar, melhor"), do mesmo modo que também jamais pouparia críticas à música de protesto ("A canção brasileira está povoada de imbecis que querem fazer protesto e nem sabem por qual motivo estão protestando"). No dia da grande final, de um lado do ringue estava o engajamento de Geraldo Vandré e sua "Disparada", que lembrava a todos que gado a gente tange, ferra, engorda e mata, mas que com gente era diferente. Do outro lado estava a música de Chico que, apesar de seu criador vir a ser um dos principais artistas a contestar o regime militar, era equivocadamente considerada uma canção escapista, obra de alguém que se resumia a ver a banda passar, cantando coisas de amor. Na seqüência definida por sorteio, Maysa teve o azar de cantar depois das duas. Pior que isso: logo após a apresentação de Chico Buarque e Nara Leão. Naquela noite, ninguém na platéia queria ouvir algo que não fosse o anúncio oficial de qual das duas favoritas seria a grande campeã. Por isso, quando Maysa entrou no palco para interpretar "Amor — paz", recebeu uma vaia estrepitosa.

O júri acabou tomando uma decisão salomônica e optou por decretar empate entre "A banda" e "Disparada". Evitou assim que Chico Buarque cumprisse a ameaça de não receber o primeiro prêmio caso a música de Geraldo Vandré e Théo de Barros, que ele próprio considerava bem superior à sua, ficasse apenas em segundo lugar — resultado que os jurados, aliás, haviam inicialmente decidido. Para fugir ao vexame de um vencedor se recusar a receber o troféu — assim como para evitar, quem sabe, o estopim de uma guerra civil no país, promovida pela turba enfurecida em que se transformaria a torcida derrotada —, o estado-maior da Record se reuniu nos bastidores com os jurados e declarou as duas as grandes campeãs do festival.

Maysa não teria saído de mãos abanando da disputa. Nem ela nem Roberto Carlos. Os dois haviam participado de uma mesma eliminatória, a segunda, em que ela apresentara "Renascença" e ele, "Flor maior", de Célio Borges Pereira. Nos bastidores, teriam combinado um encontro para o fim da noite. Como Maysa seria a segunda a entrar no palco e Roberto apenas o último, com mais de dez músicas de diferença entre a apresentação de um e de outro, ela o teria esperado fora do teatro. O discreto Roberto, que jamais foi de alardear conquistas amorosas, nunca contou a ninguém o que teria se passado entre ele e Maysa. Em seus diários ela também não deixou nenhum registro sobre aquela noite. Mas, pelo menos para os amigos mais íntimos, Maysa preferia semear o benefício da dúvida. Não confirmava nada, mas também não desmentia tudo. Apenas divertia-se com a curiosidade alheia.

* * *

Maysa mal teve tempo de se recuperar dos apupos que amargara no Teatro Record. E, em breve, saberia que também existia uma coisa chamada vaia a favor. Treze dias depois — "o meu número da sorte, desta vez ele não vai me abandonar" —, ela já participava de uma das eliminatórias do II Festival Internacional da Canção, no Rio de Janeiro. Ao contrário dos anteriores, e como o próprio nome do evento já dizia, agora existiriam concorrentes estrangeiros, convidados pela organização do festival, realizado com apoio da Secretaria de Turismo do estado. As 36 músicas nacionais selecionadas, entre 1.956 inscritas, participariam de uma disputa prévia, da qual sairia a única representante brasileira para a segunda fase. E como lugar de torcida organizada é em estádio ou ginásio de esportes, escolheram o Maracanãzinho como cenário da contenda. Estava em jogo, além dos prêmios em dinheiro, o troféu Galo de Ouro, uma estatueta desenhada por Ziraldo com dois olhos de brilhantes, cauda de turmalinas e crista cravejada de rubis.

Como diriam os locutores de futebol, as cortinas se abriram e os artistas entraram em campo. Ao final da primeira eliminatória, no dia 20 de outubro, os milhares de espectadores que foram ao Maracanãzinho como quem vai assistir a uma semifinal de Copa do Mundo saíram um tanto quanto frustrados, com uma indigesta sensação de 0 × 0, porque não ouviram nada que repetisse a comoção pública que "A banda" e "Disparada" provocaram no Festival da Record. O júri, composto de 23 personalidades, entre as quais velhos conhecidos de Maysa, como Elizeth Cardoso, Roberto Menescal e Henrique Pongetti, também não ficou muito entusiasmado. A acústica do ginásio era um despautério, o que prejudicou todas as apresentações. Entre as classificadas, apenas "Saveiros", que havia sido rejeitada no festival da TV Excelsior e era assinada por dois jovens chamados Dory Caymmi e Nelson Motta, arrancou elogios sinceros dos jurados ao ser interpretada por outra novata, irmã de Dory, Nana Caymmi. Desses dois, só se sabia que eram filhos do velho Dorival. De Nelson Motta, simples estagiário da redação do *Jornal do Brasil*, sabia-se menos ainda.

Maysa participou da segunda e última eliminatória e levou "Dia das rosas", a marcha-rancho composta por Luiz Bonfá e Maria Helena Toledo, para a final nacional. Cantou com arranjo e acompanhamento de Eumir Deodato, com quem fizera o show do Au Bon Gourmet. "Liguei para Eumir e ele veio dos Estados Unidos especialmente para tocar comigo e com Maysa naquele festival", diria a cantora Claudete Soares, que também classificou "Chorar e cantar", de Vera Brasil e Sivan Neto, para a final brasileira. Claudete era amiga de Maysa e chegara a namorar o irmão dela, Cibidinho Monjardim, que se casara havia pouco com Dora Colaferri, filha de Vicente Colaferri, o dono da boate Oásis em São Paulo.

Contudo, amizade não era um artigo muito comum por trás do palco dos festivais. O clima de rivalidade da platéia muitas vezes era extensivo aos bastidores, onde ocorriam hostilidades mútuas entre os concorrentes. Maysa alfinetava Elis Regina, que alfinetava Nana, que chegou a desmaiar de tanta pressão. Dory Caymmi partiu em defesa da irmã e apontou o dedo para Elis e Maysa. "Era mesmo cobra engolindo cobra", recordaria Claudete. Havia um agravante: os ensaios eram realizados a partir das cinco da tarde, e a produção obrigava os artistas a chegarem ao ginásio meia hora antes, às 16h30. Como a disputa só ocorria à noite, havia um longo período de espera que era preenchido com mais guerrinhas de nervos nos camarins. Por isso, alguém lembrou de mandar buscar um suprimento de garrafas de uísque, para regar a goela e quem sabe apaziguar os espíritos durante a grande final brasileira, ocorrida no dia 24 de outubro. Apesar da acirrada competição, muitos ficaram preocupados com aquelas garrafas passando de mão em mão nos bastidores. Sabiam dos problemas de Maysa com a bebida. Por isso, procuraram mantê-la distante dos copos. Mas, àquela altura, já era tarde demais. Quem ousaria segurá-la e negar-lhe algumas doses?

Dos catorze finalistas, Maysa foi apenas a décima a subir ao palco. Estava radiante, magra e bronzeada pelo sol carioca, mas houve quem notasse que ela pareceu ter trocado as pernas ao dar os primeiros passos na entrada. Sem problema. Deveria ser a milionésima vez que Maysa cantava depois de beber além da conta. Por isso, não teve dificuldade e levantou a platéia de 5 mil pessoas com uma grande interpretação de "Dia das rosas", que fez dela uma das mais aplaudidas da noite. O festival, que começara morno, naquele dia pegou fogo. Outras cinco músicas caíram nas graças do Maracanãzinho e imaginou-se que, dentre essas seis, "Dia das rosas" seria a campeã.

A primeira dessa lista de favoritas do público era uma canção de Geraldo Vandré, "O cavaleiro", composta em parceria com a rechonchudinha Tuca, a cantora que a defendeu. Taiguara, que viria a ser um dos artistas mais censurados pelo regime militar, também foi efusivamente recebido pelo público com "Não se morre de mal de amor", de Reginaldo Bessa. Luís Carlos Sá, que depois formaria a dupla Sá & Guarabyra, teve direito a uma das maiores torcidas organizadas interpretando "Inaiá", de sua própria autoria. Claudete Soares, com "Chorar e cantar", despontou também como uma das prediletas do público. E um garotinho de apenas dez anos, Bilinho, filho de Billy Blanco, mereceu muitas palmas ao cantar "Se a gente grande soubesse", de autoria do pai, com acompanhamento do Quarteto em Cy. Porém, se dependesse da platéia, Tuca ou Maysa levariam o título. Uma das duas deveria representar o Brasil na fase internacional do FIC.

Elis Regina, com "Canto triste", de Edu Lobo e Vinicius, foi recebida sem maiores entusiasmos. Nana Caymmi, com "Saveiros", também não comoveu as arquibancadas. E se houve chuva de aplausos para Tuca e Maysa, também houve trovoada de vaias para a apresentação de pelo menos uma das finalistas. Quando um grupo de cabrochas e passistas entrou no palco, o público até gostou, mas passou a urrar quando Miltinho cantou "Apoteose do samba", dos veteranos Herivelto Martins e Klécius Caldas, que foi taxada de macumba para turista. Ninguém imaginava que aquela reação ensandecida das arquibancadas fosse apenas o treino para o que se veria a seguir. Enquanto os jurados decidiam quem era a grande vencedora, veio o intervalo com um tipo de *avant-première* dos convidados internacionais do festival. Diante da impaciência geral pelo resultado, muitos estrangeiros que se apresentaram naquela noite tiveram a chance de conhecer a nova instituição nacional, a vaia em festival. "Como os brasileiros são educados", ironizou a cantora portuguesa Amália Rodrigues.

Já era a madrugada do dia 25 de outubro quando veio a informação de que a lista dos três primeiros lugares, em ordem decrescente, passaria a ser anunciada. À medida que fossem citados, os ganhadores fariam nova apresentação. A expectativa era enorme. Tuca e Maysa, as intérpretes das duas favoritas, precisaram ser atendidas pela equipe médica que estava de plantão no evento. Tuca por puro nervosismo, Maysa porque passara mal de verdade. Muitos atribuíram o episódio ao efeito dos litros de uísque que ela bebera nos bastidores desde a tarde daquele dia. "Uísque não faz isso comigo, alguém colocou alguma coisa na minha bebida", ela acusou.

Quando os artistas se aglomeraram no palco para ouvir o resultado, Maysa teve de ser amparada pelos colegas. Seguiram-se alguns minutos de suspense até que a voz do locutor Hilton Gomes informou, pelos alto-falantes do ginásio, que "Dia das rosas" ficara em terceiro lugar. Os alicerces do Maracanãzinho ameaçaram desabar. Foi uma das mais fragorosas vaias da história dos festivais de música brasileira. Maysa tomou um susto inicial, a cabeça ainda girava, mas logo compreendeu que as vaias não eram para ela, e sim para o júri. Claudete Soares foi uma das que a apoiaram para que conseguisse cantar, agora debaixo de um aplauso consagrador. Ela não resistiu. "Maysa chorou lágrimas fartas e por largo tempo", noticiou a imprensa.

Quando foi anunciado que "O cavaleiro", de Geraldo Vandré e Tuca, ficara em segundo, a vaia retornou, a todo o volume. A grande vencedora fora "Saveiros", de Dory Caymmi e Nelson Motta, cantada por Nana Caymmi. "De mãos dadas, Dory, Nana e eu vivíamos aquele momento tão ansiado de vitória, de conquista, de afirmação, dessas coisas que importam tanto quando se tem 21 anos", escreveria Nelson em seu livro *Noites tropicais*. "Ofuscados pelos refletores e emudecidos pela gritaria, entramos no palco e fomos recebidos pelos aplausos calorosos que tanto esperávamos, mas também por uma estrepitosa vaia, dos muitos que torciam por 'Dia das rosas' e estavam furiosos com a decisão do júri." Nana Caymmi voltou a cantar, mas ninguém ouviu sua voz, nem mesmo a orquestra, ambas sufocadas pelos apupos. Ao ver Nana ser massacrada pelos espectadores, Maysa resolveu tomar uma atitude. Saiu do seu lugar, dispensou qualquer ajuda dos que ainda tentavam ampará-la, e começou a gritar para as arquibancadas, de braços erguidos: "Agora é a hora dos aplausos. Vamos, aplaudam, aplaudam!".

* * *

Aquela noite não terminou ali. E as confusões também não. Vários participantes do festival confraternizaram madrugada adentro, na boate 706, onde Maysa continuava a jurar que alguém tentara sabotar sua apresentação, colocando alguma espécie de droga em seu copo. Disse que tinha alguns suspeitos, mas não citou nomes. Os colegas tentaram mudar de assunto. Era melhor que Maysa deixasse aquele episódio para lá, não havia acontecido nada, apenas o efeito conjugado do uísque com o nervosismo fora responsável por seu mal-estar. Ela continuou a beber e a resmungar. No meio da farra, resolveu desafiar Elis Regina, que estava a uma mesa próxima:

"Gauchinha de merda, você não canta nada."

Elis, que não era de levar desaforo para casa, revidou:

"Não me provoca não, sua pinguça."

E todos viram uma garrafa de uísque voando sobre as mesas da 706 em direção à cabeça de Elis Regina. Segundo Zuza Homem de Mello, foi Roberto Menescal quem deu uma de Gilmar, o goleiro da seleção brasileira de futebol à época, e a interceptou no ar, antes que ela atingisse o alvo. Menescal não assumiria a autoria da defesa milagrosa, mas diria que estava mesmo lá e viu quando o braço salvador de alguém evitou uma tragédia no último segundo. Quem quer que tenha tido o reflexo de colocar a mão entre a garrafa atirada por Maysa e Elis, é quase certo que tenha evitado um desastre de conseqüências imprevisíveis. Depois daquela noite, as duas nunca mais se bicaram. E não perderiam a oportunidade de demonstrar isso publicamente.

* * *

No dia da final internacional, Maysa foi declarada pelo júri a melhor intérprete brasileira do FIC. No intervalo, depois de receber o prêmio, mais uma vez cantou "Dia das rosas" e levou a platéia ao delírio, ouvindo gritos inconformados de "é campeã, é campeã". A cantora Inge Bruke, que escandalizara o camarim feminino porque, por causa do calor, ficara nua até poucos minutos antes de entrar no palco, levou para a Alemanha o Galo de Ouro com a canção "Frag den Wind", de seus compatriotas Helmut Zacharias e Carl J. Schaubler. "Saveiros" ficou em segundo lugar na classificação geral, e foi novamente vaiada. No dia seguinte, na pérgula do Copacabana Palace, quando os jornalistas perguntaram a Inge Bruke o que havia achado da premiação, ela disse que estava muito feliz, mas fez uma ponderação: "Se Maysa tivesse concorrido na parte internacional, sem dúvida ela tiraria o primeiro lugar", disse, cantarolando trechos da melodia de Luiz Bonfá e Maria Helena Toledo. David Raskin, da Associação Americana de Compositores para Cinema e Teatro, emendou: "A maior cantora de todo o festival foi a brasileira Maysa". Helmut Zacharias, o grande vencedor, concordava. Enquanto os correspondentes estrangeiros procuravam Maysa para avisá-la de que todos a haviam considerado o grande nome do FIC, os repórteres brasileiros preferiam saber se era verdade que ela cantara de cara cheia.

"Sim, eu bebi. Ninguém tem nada com isso. Anotem aí: eu bebo porque gosto de beber."

Pouco depois, a revista *Intervalo* quis fazer uma entrevista com ela, na forma de pinga-fogo, para saber quais os fatores que teriam feito brotar "a nova fase de Maysa". Afinal, a rainha da fossa, a gorducha que cantava na penumbra das boates, agora enfrentava multidões em ginásios de esporte, estava esbelta e cantava até marcha-rancho. "Perguntem o que quiserem", consentiu, pedindo para que lhe mandassem as perguntas por escrito. No mesmo dia, as respostas foram enviadas à revista, escritas à mão:

— Você mudou sozinha? Ou sofreu a influência de alguém? O marido, amigos?
— A palavra mudou é muito idiota. Acontece que existiam antes elementos que talvez me prejudicassem e que agora deixaram de existir. Eu não mudei nada.

— Você mudou por que sua vida agora está estabilizada?
— Eu acho que já disse que não mudei nada. E esse negócio de vida estabilizada é muito chato.

— É seu marido que lhe oferece a segurança que você demonstra? Ou você só demonstra?
— Meu marido e eu pensamos que nos entendemos muito bem, à nossa maneira, ou seja, quando ninguém se intromete.

— Como vai seu equilíbrio emocional?
— Pelas respostas dessa entrevista você pode analisar.

— Fale alguma coisa sobre a nova vida e a diferença da outra.
— Na outra eu estava só. Agora somos dois a achar as pessoas muito engraçadas.

— O que era a outra Maysa? Ela morreu? Quem vive agora?
— Bah!

* * *

Maysa prometeu que nunca mais participaria de um festival no Brasil. Ela estava bem irritada por aqueles dias. E não era porque a música que defendera ficara apenas em terceiro lugar entre os concorrentes nacionais. Havia considerado as vaias para Nana Caymmi e para "Saveiros" uma selvageria. "Nenhum artista que faz seu trabalho com respeito, talento e competência merece ser agredido dessa maneira", explicou. "Isso não é festival de música, é um circo romano", comparou.

No curto período de tempo entre os dois festivais dos quais ela participara, o programa *Maysa para ver e ouvir* foi cancelado pela TV Record. A direção da emissora paulista achou que ela bebera demais durante a última gravação, logo no começo de setembro. A produção chegou a imaginar que ela despencaria de cima do palco na hora em que se aproximou perigosamente da borda. Naquela noite entrevistara o amigo Sérgio Porto, o Stanislaw Ponte Preta, e rasgara diante das câmeras as perguntas que lhe haviam sido encaminhadas pela produção. "Essas perguntas são muito ruins, deixa que eu mesma faço outras", comentou, com a língua enrolada e transformando o script em papel picado.

Responsável pelo som da TV Record, Zuza Homem de Mello estava lá e constatou que era impossível montar um programa completo, com os poucos trechos que poderiam ser aproveitados. "Maysa estava sem nenhuma condição de gravar. Ela chegou com uma garrafinha de bebida de cor âmbar, uísque ou conhaque, não sei dizer. Mal se sustentava em pé. No final, o clima era de velório. Sabíamos que não podíamos mandar aquilo para o ar", recordaria Zuza.

Depois daquela gravação malograda, Maysa tirou o vestido longo e verde com o qual se apresentara, vestiu uma camisa masculina, pôs calças jeans e chamou alguns amigos para terminar a noite em um restaurante italiano na alameda Santos, paralela à avenida Paulista. Tomou mais algumas boas doses e, antes de ir para casa encontrar Miguel, pediu que lhe comprassem uma embalagem de drops Dulcora, para disfarçar o hálito de bebida. Como já estava bem alta, os amigos a deixaram na porta do prédio em que passara a morar, na rua Itambé, próximo à Consolação. No dia seguinte ela recebeu um telefonema da emissora, comunicando a suspensão do programa.

O ambiente voltara a ficar pesado demais para Maysa no Brasil. E, desta vez, não era só para ela. Três dias antes da final internacional do FIC, após a vitória de candidatos oposicionistas nas eleições para governador em estados importantes como a Guanabara, o presidente da República, Castello Branco, decretara o Ato Institucional Nº 2, o AI-2. Com o documento, Castello extinguia os partidos políticos no país, impunha eleição indireta para a presidência, declarava o Poder Judiciário incompetente para julgar as decisões do Executivo e reabria o processo de cassações de adversários do regime militar. Maysa anunciou que recebera convite para uma temporada em Los Angeles e afivelou as malas. Disse que planejava depois voltar à Europa e, dessa vez, se fixar no litoral da Itália, onde também havia propostas para shows. Em entrevista à revista *Manchete*, deu uma declaração corajosa: "Eu preciso de sol. Descobri que o Brasil não tem mais sol. Parece que cassaram o sol no Brasil".

"Em uma manhã de sábado, o aeroporto a viu chegar, carregada de malas, mas só. Nenhum grupo de fãs. Apenas os amigos e parentes. Pouco depois, ela, suas malas e sua tristeza entraram num avião de destino bem distante", noticiou a *Intervalo*. Maysa não ia sozinha, mas era como se fosse. Os amigos que levaram Miguel e ela ao aeroporto viram os dois brigarem o tempo todo, desde a saída de casa até a sala de embarque. Aquele casamento, que começara já fazendo marola, passara a soçobrar. Mas, mesmo assim, ainda era um Jardim do Éden se comparado ao inferno em que iria se transformar dali a pouco, antes de chegar, definitivamente, ao fundo do poço.

13. TRISTEZA DE NÓS DOIS (1967-1968)

Quando a noite vem,
vem a saudade
do carinho seu.
(Durval Ferreira, Maurício Einhorn e Bebeto,
gravação de Maysa em 1968)

De volta à Europa, muitas vezes Maysa cantou em boates com as mãos cheirando a cebola. Miguel se orgulhava de ter uma artista em casa, mas fazia questão de vê-la na cozinha preparando o jantar antes que se vestisse para os shows. O amor tem seus mistérios e ela se submetia, sem reclamar, a tais caprichos. A relação entre os dois continuava dúbia. Em dado momento podiam ser vistos trocando beijos, abraços e juras de paixão eterna. Cinco minutos depois estavam aos socos e pontapés, a vociferar palavrões impublicáveis um contra o outro, a destilar rancores, confessar traições.

Como agravante, as finanças do casal não iam bem. Transações malsucedidas fizeram com que Miguel Azanza dilapidasse parte do patrimônio da família, deixando escorrer entre os dedos o que obtivera com a venda de ações da Star, fábrica de pistolas que fornecia armamento para a guarda civil espanhola e da qual o pai era um dos maiores acionistas. Para contornar a situação, Maysa, que ainda se ressentia de ter visto pilhas de dinheiro descendo pelo ralo da Guelmay, mais de uma vez precisou penhorar o anel de brilhantes que havia ganho no noivado com André Matarazzo.

Quando não lhes restava outra alternativa senão rir das próprias adversidades, fingiam se divertir, tentando adivinhar o paradeiro da jóia, a quem apelidaram de "El Niño". Ele poderia estar na feira, talvez na companhia telefônica ou, quem sabe, nas mãos do senhorio a quem deviam o aluguel. O anel propriamente dito jazia no cofre de um banco de penhores. O jogo consistia em saber qual das dívidas recentes ele havia ajudado a cobrir.

Além de recorrer a El Niño sempre que necessário, Maysa ganhava algum dinheiro com apresentações em casas noturnas. Mas nada parecido com o que um dia faturara no Brasil. As páginas quadriculadas dos cadernos espanhóis estavam repletas de anotações sobre contas a pagar. Computadas as despesas e as receitas, era preciso algum malabarismo para, pelo menos, empatar os números a cada final de mês. Apesar dos custos elevados de uma vida na Europa — e dos cachês mais modestos, pois Maysa não era nenhuma celebridade no Velho Mundo —, eles até poderiam se manter sem apertos, não fosse o estilo dissipador do casal e as costumeiras enrascadas monetárias de Miguel.

Na Itália, Maysa alugou uma casa em Milão e fez uma boa temporada em Viareggio, um dos mais belos trechos do litoral da Toscana. Ali, no início de 1967, acertou contrato para cantar na boate Bussola, na qual outro brasileiro, João Gilberto, apresentara-se cerca de três anos antes com seu banquinho e seu violão. Pela mesma época, foi convidada por Enio Morricone, o renomado autor de inúmeras trilhas sonoras para o cinema, para gravar duas músicas do filme *Ad ogni costo*, um *rififi* dirigido por Giuliano Montaldo com cenas gravadas no Rio de Janeiro e estrelado por Janet Leigh, Robert Hoffman e Klaus Kinski. Maysa cantou em italiano escorreito as canções "Dirgli solo no" e "Vai via malincolia", ambas de Morricone, que saíram em um compacto simples pela GTA Records — mais um disco internacional da cantora sobre o qual os brasileiros não teriam notícia.

Maysa, sempre tão criteriosa na escolha do repertório, não estava rejeitando serviço. Da fase milanesa também sairia outro compacto, lançado pela mesma GTA, que traria uma pérola *kitsch*, a versão italiana de "Can't take my eyes off you", lançada naquele ano por Frank Valli e que viria a receber centenas de gravações no mundo inteiro. De Diana Ross ao Trio

Esperança, de Gloria Gaynor a Sandra de Sá, do vanguardista japonês Sakamoto ao Scooby Doo (sim, o cachorro do desenho animado), muita gente arriscaria dar uma palhinha na música de Bob Gaudio e Bob Crewe, seja em interpretações melodramaticamente sinceras, seja para tirar sarro dos clichês da letra e do refrão pegajoso.

Do outro lado vinha uma versão de "Et maintenant", música do francês Gilbert Bécaud que Maysa gravou com um arranjo de gosto para lá de duvidoso. Não era, enfim, um disco do qual ela tivesse motivos suficientes para se orgulhar no futuro. Ao contrário do compacto anterior, este seria relançado no Brasil, em 1968, pela gravadora Copacabana, em tiragem limitada que pouca gente ouviu. Para a maioria dos fãs, tal fato não chegaria a representar uma lacuna digna de nota. Maysa cantando "Can't take my eyes off you" em italiano é uma dessas curiosidades que apenas os admiradores mais fundamentalistas ousariam tirar da prateleira de sua coleção para rodar na vitrola.

Em Milão ela fez boas amizades. Foi lá que se tornou íntima da cantora e atriz francesa de origem ítalo-germânica Caterina Valente, que àquela época fazia sucesso no mundo inteiro e, em 1963, havia gravado um disco com o brasileiro Luiz Bonfá, o autor de "Dia das rosas". Maysa também chegou a tentar conciliar a carreira de cantora com a de atriz, mas naquele momento teve de se contentar com uma participação bem pouco expressiva em *Il momento de la veritá*, do napolitano Francesco Rosi. Quem assistir ao filme com atenção vai notar a presença de Maysa como figurante em uma rápida cena, junto com outros amigos do diretor.

Não dava para negar: tudo aquilo era muito pouco para quem desfrutara da condição de estrela de primeira grandeza em seu país. No inverno de 1967, Maysa e Miguel Azanza voltaram a Madri para passar o Natal. Acabaram ficando por lá, em busca de melhores oportunidades. Ela logo gravaria um compacto simples pela RCA Victor espanhola, que sairia no ano seguinte e no qual estaria incluída a canção "Pálida ausência", do cantor, compositor, poeta, artista plástico e diretor de cinema Luís Eduardo Aute, então um jovem de 23 anos que apenas começava a gravar suas primeiras composições. No lado B vinha uma versão em castelhano de "Reza", de Edu Lobo e Ruy Guerra, gravada no Brasil por Elis Regina. Continuava sendo pouco, mas era algo mais animador que o infame disquinho italiano.

Maysa voltaria à Itália algumas vezes, para shows em casas noturnas e algumas apresentações esporádicas na televisão. Ainda em 1967, um canal de tevê italiano a chamou para participar de um especial sobre música brasileira. Apesar do título *Tempo di samba*, o programa reuniu Astrud Gilberto, ela e Roberto Carlos — que naquele ano ficou conhecido na Itália por ganhar o Festival de San Remo com a música "Canzone per te", de Sérgio Endrigo. Quando percebeu que nem a produção nem a apresentadora pareciam entender patavina de música brasileira, Maysa resolveu se divertir com a situação.

"Como se diz *ciao* em seu país?", quis saber a moça.

"No Brasil, para dizer *ciao*, a gente diz *saravá*", respondeu.

Dali por diante, "saravá" foi a palavra mais pronunciada da noite. Apesar da molecagem, a participação de Maysa acabou resultando na reedição italiana do disco *Barquinho*, rebatizado exatamente como *Tempo di samba*. Quanto ao programa, chegou a ser retransmitido na televisão brasileira em uma versão editada, com vários cortes. "Só depois soube que ele passou no Brasil. E a única pessoa cortada no teipe fui eu", queixou-se Maysa.

* * *

Em Madri, Miguel e Maysa alugaram um apartamento na rua Diego de León, no bairro Salamanca, a duas quadras da casa de Oren Wade, o tutor de Jayme. O casal continuava a alternar brigas com momentos de afetuosa cumplicidade. Maysa considerava Miguel um homem atraente, engraçado e romântico, apenas talvez um pouco verde demais para ela. "Encanta-me sua forma de ser, principalmente quando se esquece de fazer gênero e se mostra como realmente é. Mas falta-lhe um pouco de experiência, de vivência, de alguns anos a mais", escreveu no diário espanhol.

Ela, que sempre gostara de se envolver com homens mais velhos, chegava aos trinta anos sentindo a falta de uma companhia que lhe transmitisse maior segurança, alguém com quem pudesse conversar de modo aberto sobre seus desejos e angústias. Nos diários, garantia que amava Miguel de verdade. Mas lamentava que ele fosse "superficial" e ela, "intensa". Curiosamente, Maysa encontrou em Oren Wade, o amigo de infância do marido, três anos mais novo que ela, o parceiro ideal para desabafar e trocar confidências. "Nossas conversas começavam à noitinha e iam até alta madrugada. Contávamos nossos segredos um ao outro, discutíamos arte, música, literatura, a existência de Deus", recordaria Oren.

Um dos maiores divertimentos da dupla era conceber vidas imaginárias para pessoas que viam na rua, nos restaurantes, nas lojas. Maysa passava os olhos em volta e começava a criar histórias para quem estivesse no seu campo de visão. A mulher daquele garçom ali com uma bandeja na mão, por exemplo, estaria nesse momento em um quarto de hotel, nos braços do marido daquela mulher gorda que devorava um prato de *tortillas* na mesa ao lado. E o senhor apressado que saíra pela porta havia pouco era o amante secreto da mocinha sorridente que eles tinham visto pela manhã na floricultura. Oren e Maysa riam a valer, inventando ligações entre os personagens, elaborando uma intrincada rede de relações que, no final, envolvia todos em uma única trama.

Era Oren quem ajudava Maysa na pronúncia correta das versões em espanhol de músicas brasileiras que ela passara a incluir em suas apresentações no Whisky Jazz Clube, casa noturna inspirada no estilo dos bares de Nova Orleans, localizada na mesma rua Diego de León em que moravam. Maysa, Miguel e Oren também freqüentavam juntos o Olivier, ponto de encontro de artistas e intelectuais da cidade, com os quais logo se enturmaram. A cantora trabalhou com Juan Carlos Calderón e Pedro Iturralde, dois respeitáveis nomes da música contemporânea espanhola que experimentavam uma fusão de jazz e flamenco. Apesar de se tornar bem conhecida da elite artística de Madri, Maysa não obteve ali o que se pode propriamente chamar de sucesso. Quando verteu algumas músicas típicas da Espanha para o ritmo da Bossa Nova, foi repreendida pela platéia do Whisky Jazz Clube, que considerou aquilo um sortilégio.

Mas, segundo Oren, era o comportamento transgressivo da metade "Maysinha" o maior obstáculo para que ela engatilhasse uma carreira de verdade na Europa. No dia em que foi convidada por uma emissora de tevê local para cantar em um programa de variedades, ficou uma fera com o cenário que haviam preparado para a sua apresentação. A grande palmeira verde e o radiante sol amarelo pareceram-lhe mais apropriados aos "chicabuns" de uma Carmen Miranda do que ao tipo de música que cantava. Só faltavam as bananas e um balaio na cabeça, ironizou. Depois de muito custo, e como não havia outro jeito, acabou convencida pela produção a entrar no palco. Ao cantar, veio a surpresa. Durante a transmissão ao vivo, aproximou-se da tal palmeira e a empurrou com força, jogando-a ao chão, demolindo o cenário tropical.

* * *

As dificuldades com Miguel terminaram por aproximar Maysa cada vez mais de Oren. Em meio às longas jornadas de conversa noite adentro, os dois esboçaram um princípio de caso. Trocaram beijos e carícias. Maysa, arrebatada como sempre, propôs-lhe uma fuga da Espanha. Tomariam um avião no meio da noite e iriam para o México. Casariam por lá, viveriam felizes para sempre e nunca mais veriam Miguel.

Oren descobriu-se apaixonado de verdade pela mulher do melhor amigo, mas reprimiu o amor e sufocou os desejos. Teve medo de ferir Miguel Azanza, de trair a sua confiança, de jogar a vida pela janela ao se unir a uma pessoa imprevisível como Maysa. Não suportaria, particularmente, acordar de manhã um belo dia e vê-la transformada em Maysinha. A proposta era tentadora, mas uma história que começasse assim não poderia ter um final feliz, imaginou. Ainda por cima, havia Jayme. Um relacionamento entre eles poderia ser danoso para a cabeça do garoto. Era melhor esquecer tal maluquice. Foi o que tratou de fazer, sem que Miguel Azanza jamais soubesse do que se passara entre ele e a mulher naqueles dias em Madri.

Na prática, seria fácil para Maysa se separar de Miguel. Era só abrir a porta e ir embora. Eles jamais foram legalmente casados. Viúva de André Matarazzo, Maysa era livre, mas Miguel permanecia oficialmente unido à ex-mulher, Ana Gabriela. O divórcio ainda não era permitido na Espanha e a anulação, única possibilidade possível para desfazer a união nos rigores da lei, exigiria dispêndio de tempo e de dinheiro. Maysa se recusava a ter de pagar por isso com os suados cachês que recebia cantando na noite. Ana Gabriela também se negava a colocar uma única peseta que fosse em qualquer assunto que dissesse respeito a Miguel.

Maysa queria a liberdade, mas achava que não conseguiria viver sem Miguel. Angustiada, caía em depressão e afundava novamente no álcool. Só conseguia dormir por volta das quatro da manhã com a ajuda de dois comprimidos de Mandrix, indutor do sono muito utilizado na época e que depois teria seu potencial para o vício comprovado pelos médicos. Havia ainda os remédios para emagrecer, que provocam efeitos colaterais terríveis: boca seca, dor de cabeça, falta de ar, insônia, taquicardia, irritação, prisão de ventre, alterações de humor e crises de ansiedade. Conjugado com a bebida, o efeito das pílulas era devastador para o organismo de Maysa. Por duas vezes, em Madri, ameaçou recorrer ao suicídio. Em uma delas cortou os pulsos de modo superficial. Na outra, ingeriu uma dose elevada de comprimidos para dormir depois de colocar um disco para tocar e preparar a cena para que o marido a encontrasse já sem vida. Em uma das páginas do diário, chegou a deixar um último bilhete:

> Não culpem o Miguel.
> Fiz isso porque queria conhecer o outro lado.
> Lá, imagino, é melhor que aqui.
> Mas que dúvida atroz.
> Fazê-lo ou não?
> Melhor sim.
> Deus me perdoe.

Nas duas tentativas Miguel a salvou, levando-a para o hospital. Era isso justamente o que a confortava. Se ele não a amasse, deixaria que ficasse sem socorro. Em seus escritos, Maysa reconhecia de forma insistente que só precisava disso para ser feliz: ter a seu lado alguém que soubesse que a amava de verdade. No entanto, uma vida baseada nesses termos — receber provas de amor ou morrer — logo viraria um pesadelo, em que cada palavra ou silêncio dava margem para interpretações e desconfianças mútuas.

Como se não bastassem as dúvidas afetivas e as dificuldades financeiras, Maysa sentia falta de uma carreira mais sólida como a que largara para trás no Brasil. "Por lá, quanto mais gorda e mais bêbada eu estava, mais eles falavam no meu nome", dizia a Oren. Contudo, assegurava que não voltaria, sob hipótese alguma, a cantar em seu próprio país. Prometera a si mesma que, depois da selvageria que testemunhara nos festivais, nunca mais a veriam cantar em um palco brasileiro. Ficou ainda mais estarrecida quando soube que, em setembro de 1967, inconformado com as vaias que recebeu no III Festival da Record, Sérgio Ricardo quebrou o violão e o atirou em direção à platéia que o hostilizava. "Vocês são uns animais", gritou Sérgio Ricardo. Maysa concordava.

"Um artista precisa de aplausos para sobreviver", dizia Maysa. Por isso, no fim do primeiro semestre de 1968 planejou uma grande turnê pela América Latina, onde seus discos eram continuamente lançados e consumidos por um público fiel. Traçou um roteiro minucioso, que demandaria exatos seis meses para ser cumprido. Começaria pela Venezuela, chegaria ao Peru e, de lá, desceria para a Argentina. Faria então uma breve parada de descanso no Brasil — onde não cantaria, estava claro — e subiria para o México. Depois aterrissaria em Porto Rico e, por fim, na Colômbia. Depois daquela maratona, emendaria a turnê latina com uma passagem por Lisboa, onde também deixara um público cativo.

Estabeleceu os devidos contatos por telefone, acertou os termos de cada apresentação, reservou hotéis, comprou as primeiras passagens e preparou as malas. Feitas as contas, todos os cachês somados, descontadas as despesas da viagem, garantiriam um dinheiro razoável, que permitiria alguns meses de menos instabilidade financeira. Até mesmo o El Niño, quem sabe, poderia regressar de uma vez por todas para seu lugar na caixinha de jóias. Naqueles seis meses fora da Espanha, Miguel iria com ela, no papel de marido e empresário. Jayme, com doze anos, continuava no colégio interno.

Como mãe, Maysa tinha uma forma peculiar de encarar as coisas. Chegava a trapacear nas rodadas de Monopólio — o jogo de tabuleiro conhecido no Brasil como Banco Imobiliário — para que Jayme nunca conseguisse ganhar uma partida. "Ele precisa aprender desde pequeno que a vida não é fácil", justificava.

* * *

Maysa quase precisou comprar uma mala extra para acomodar a montanha de recortes de jornal que colecionou durante a turnê pela América Latina. Em todos os países por onde passou seu nome foi festejado pela imprensa e pelo público. No Peru, onde chegou em 16 de agosto, foi comparada a Brigitte Bardot, embora os repórteres fizessem a ressalva de que a semelhança entre as duas não era de natureza física, mas sim pelo fato de ambas serem campeãs mundiais em troca de namorados.

"Cada vez que encontra um novo amor, ela parece dizer: decifra-me ou te devoro. É a nova esfinge, moderna e musical, misteriosa e ardente. No número de paixões, além de Brigitte Bardot, só pode ser comparada a Marilyn Monroe", noticiou o jornal *El Comercio Gráfico*, de Lima, que a definiu como "a mulher mais sensual da terra de Pelé". "Que história é essa de que tive tantos amores quanto Brigitte Bardot?", divertia-se Maysa durante as entrevistas, magérrima, com 56 quilos, ao lado de um enciumado Miguel Azanza. "É mesmo muito atraente a brasileira Maysa. Todavia, ela mal pode falar à vontade com os jornalistas, porque o empresário — e marido — marca cada milímetro de seus passos", reparou a *Última Hora*, do Peru.

A exemplo de argentinos e uruguaios, os peruanos tiveram o privilégio de contar com uma edição nacional do lendário LP gravado pela Columbia norte-americana, *Maysa sings songs before dawn*. Com sua chegada ao país, a subsidiária local da RCA Victor também mandou prensar de imediato uma coletânea. O disco reunia vários sucessos como "Ne me quitte pas", "O barquinho", o afro-samba "Canto de Ossanha" e "Just in time". Incluía ainda uma gravação inédita de "Berimbau", de Vinicius de Moraes e Baden Powell, que ela havia gravado na Espanha e, adivinhem, também nunca foi lançada no Brasil.

Uma apresentação de Maysa na TV Panamericana, o Canal 5 de Lima, foi anunciada como um acontecimento nacional, com direito a anúncios de página inteira em todos os jornais da capital peruana. "Maysa é fabulosa", resumiu o jornal *El Ojo*. Mas o jornalista Guido Monteverde, que possuía uma das colunas mais lidas do país, a pegou no flagra: "Maysa Matarazzo atuou embriagada no Sky Room. Não conseguia nem colocar o microfone no lugar após tirá-lo do pedestal. Mesmo assim, interpretou suas canções de modo magistral. Eu fiquei encantado". Maysa também ficou, reservando um lugar especial para a nota em seu álbum de recortes.

Do Peru, embarcou em um vôo das Aerolineas Argentinas para o Aeroporto Internacional de Ezeiza, em Buenos Aires, causando surpresa geral aos jornalistas que a aguardavam no salão de desembarque. De início nenhum deles a reconheceu, por causa dos trinta quilos que perdera em relação a quando estivera ali com a turma da Bossa Nova. "Você é mesmo Maysa Matarazzo?", indagou-lhe um repórter, atônito. "Sim, sou eu mesma. Hoje me sinto como uma Judy Garland que renasceu das cinzas", sorriu, referindo-se à atriz de Hollywood que, no auge da fama, arruinara a vida e a carreira ao mergulhar no álcool e nas drogas. Indagada sobre como estava a vida no Brasil, soltou a queixa:

"Há tempos que não vou ao meu país. Não quero voltar para lá, pelo menos para cantar. Não existe respeito humano ali. Os brasileiros gostam de ver as pessoas caídas, rastejando no chão. Prefiro a Argentina".

Quando considerou a entrevista terminada, um jornalista tomou-lhe a frente com uma última pergunta: "Do que, afinal, você mais gosta na Argentina?". Maysa procurou desvencilhar-se e soltou uma resposta lacônica, continuando a andar: "Do que mais gosto é simplesmente estar aqui". O repórter continuou tentando barrar-lhe o caminho: "E do que você menos gosta em nosso país?". Ela ficou agoniada com aquela insistência, mas estava tão feliz com a turnê que procurou manter o bom humor, embora quase monossilábica: "Do que não gosto? De não estar aqui", respondeu.

Mas o jornalista estava caçando encrenca. Atreveu-se a fazer mais uma interrogação: "Maysa, apesar de você estar mais magra e mais bonita, por que continua com a mesma mania de andar despenteada?".

"Ando assim porque não gosto de ter trabalho com esse tipo de coisa. Agora me deixe passar que eu estou com pressa. E em vez de se preocupar com o meu cabelo, preocupe-se com o seu. Afinal, quem está ficando careca não sou eu."

Não restaram mais dúvidas. Aquela era mesmo Maysa.

* * *

Como previra, no fim de setembro de 1968 ela fez um intervalo na turnê para alguns dias de descanso no Brasil. Ficou na capital paulista junto com os pais, no apartamento da Rego Freitas. Como também planejara, evitou aparições públicas e contatos com a imprensa. Mas a *Folha de S.Paulo* a descobriu na cidade e, de tanto insistir, conseguiu convencê-la a conceder uma entrevista exclusiva. Maysa reconsiderou o voto de silêncio, abriu uma exceção e falou para o jornal. Tinha coisas engasgadas para desabafar.

Sim, admitiu que estava magoada com o Brasil. Não, ela não escutava música brasileira em sua casa na Espanha — ademais, ninguém escutava música brasileira na Espanha, frisou. Sim, ela continuaria a morar na Europa o resto da vida. Não, ela não gostou de nada do que ouviu no rádio desde que chegara a São Paulo. A única canção que chamou a sua atenção foi "Eu e a brisa", de Johnny Alf. "Acho que essa eu levo para gravar na Europa", comentou. Sobre o fato de o país inteiro estar comentando o show que Elis Regina fizera, no início do ano, no Olympia de Paris, tinha algo a declarar:

"Não entendo esta onda toda só porque Elis cantou lá. O Olympia é apenas um circo. Apresenta mais de oitenta atrações por dia. Aliás, cantei ali antes dela, em 1962. E isso ninguém comenta por aqui. Cantei no Blue Angel, de Nova York, e também ninguém comenta. Fui uma das lançadoras da Bossa Nova, mas ninguém comenta. Quem trouxe João Gilberto pela primeira vez para São Paulo fui eu, mas ninguém comenta. Sérgio Ricardo começou comigo, mas ninguém comenta. Um cantor ganha um festival internacional lá fora, com uma música de um estrangeiro, e é recebido aqui com festas [A referência era a Roberto Carlos, que ganhara o San Remo com a canção do italiano Sérgio Endrigo.] Ora, eu já divulguei lá fora a música brasileira mais do que qualquer outro por aqui, e isso também ninguém comenta. Eu não sei o que está acontecendo neste país".

Maysa descarregou a metralhadora giratória e foi embora. Continuou a turnê pela América Latina e, para fechar o ano, foi cumprir a agenda em Lisboa. Mesmo lá, prosseguiria sua catilinária contra o cenário musical brasileiro. Em entrevistas a jornalistas portugueses afirmou, entre outras coisas, que Chico Buarque era um rapaz de olhos bonitos e um excelente letrista, mas que suas melodias eram repetitivas e meras cópias do que Noel Rosa fizera décadas antes. A música de Roberto Carlos não poderia ser levada a sério e o iê-iê-iê era um subproduto, de quinta categoria, dos Beatles. E, para fechar, a música de protesto era apenas uma forma de alguns bobocas fazerem média com o público e esconderem a incapacidade de produzir algo mais refinado. "Para ouvir boa música brasileira hoje é preciso ir para os Estados Unidos: João Gilberto, Astrud e Tom Jobim estão lá", observou. "Quem sair por último do Brasil não deve esquecer de apagar a luz", sapecou.

* * *

No final daquele ano, ainda em Lisboa, Maysa foi convidada para uma experiência inédita em sua carreira: cantar na África acompanhada do Thilo's Combo, o grupo musical lusitano que estava fazendo uma revolução musical na terra do fado, agregando elementos do jazz e da Bossa Nova às sonoridades locais. O cachê não era lá grande coisa, mas ela não estava em condições de exigir seu peso em ouro. Durante um mês, de meados de janeiro até a segunda quinzena de fevereiro de 1969, enfrentaria uma maratona de shows em boates, teatros e clubes de Angola. "Em breve, teremos a magnífica cançonetista que o Brasil perdeu", festejou o jornal angolano *O Comércio*.

Ao descer do avião da TAP em Luanda e ser indagada sobre o que esperava do público africano, foi bem sincera: "Não tenho a mínima idéia. Não conheço a África nem sei muito sobre o seu povo". A respeito disso, Maysa calculou que ela e os africanos estariam mais ou menos empatados. Eles também não deveriam saber nada sobre aquela cantora brasileira que colocava os pés pela primeira vez no continente. A desconfiança cresceu quando, ainda no aeroporto, precisou explicar a um jornalista do *Diário de Luanda* que os estilos da Bossa Nova e do iê-iê-iê, dos quais ele ouvira falar vagamente, não tinham nada a ver um com o outro.

Mas o repórter é que estava mal informado. Por força da influência econômica e cultural da metrópole sobre a colônia — Angola só conquistaria a independência de Portugal seis anos depois, em 1975 —, os luandenses sabiam, sim, quem era Maysa. Tanto que, duas semanas antes da chegada, ela era capa da revista *Notícia*, principal publicação do país e que vivia sob a mira da rígida censura angolana. "Maysa vem a Luanda", dizia a chamada. Lá dentro, uma entrevista feita pela jornalista Edite Soeiro, a primeira mulher a exercer a profissão no país, constantemente convocada para prestar esclarecimentos aos censores por causa dos textos que escrevia e das calças compridas que teimava em usar.

Edite entrevistou a cantora em Lisboa, quando a turnê em Angola foi confirmada. Sem dúvida as duas se entenderam bem, pois a conversa rendeu oito páginas da revista. Incentivada pela jornalista, Maysa soltou o verbo: "Canto para botar pra fora o que tenho dentro de mim. Explico: 'Botar pra fora' é uma expressão feia, mas que se usa muito lá no Brasil. Tudo bem, posso substituí-la por outra, mais fácil de entender por aqui: vomitar. Canto para vomitar todas as coisas que estão em mim, que me saem pelos olhos, pelos dedos, pela boca".

Se soubesse da repercussão que teria a turnê no país, em vez de providenciar uma mala extra para guardar recortes de jornal Maysa teria levado a Angola um contêiner. Depois de cantar com casa cheia no Cine Avis, de Luanda, viajou 740 quilômetros ao sul, por terra, até chegar a Lobito, onde se apresentou em outro cinema apinhado de gente, o Flamingo. O sucesso foi tão grande que os luandenses mandaram-na chamar de volta, agora para atuar em um cinema ao ar livre, na periferia da cidade. O N'Gola, que cobrava preços populares, transbordou de gente que queria ver Maysa. "A seu jeito, o público do N'Gola é exigente. Assobia, pateia e grita quando não gosta do que está vendo", advertiu o jornal *O Comércio*. "Esperamos que o subúrbio compareça em força neste encontro que o porá frente a frente com um dos expoentes máximos da canção brasileira."

Maysa gelou. Temeu que se repetissem ali as cenas do Maracanãzinho e se preparou para o pior. Mas foi aplaudida calorosamente. "A assistência entusiasmada obrigou-a a ficar um pouco mais e a aplaudiu de pé, fato inédito naquela casa de espetáculo suburbana", registrou a revista *Noite e Dia*, de Luanda. Maysa ficou sensibilizada ao ver que, ao contrário do que ocorria com o público dos festivais no Brasil e das boates de luxo de Copacabana, os freqüentadores do cine N'Gola, mais habituados a assistir a comédias pastelões e filmes baratos de capa e espada, faziam um respeitoso silêncio enquanto ela cantava. "Se é verdade que a cidade gostou de Maysa, a cançonetista parece ter-se deixado enamorar pela cidade", disse o *Diário de Luanda* na edição de 12 de janeiro de 1969, dia da sua última apresentação no país. "O adeus desta noite poderá significar apenas um até breve. Oxalá assim aconteça", desejou o jornal.

Contudo, Maysa nunca mais voltaria à África. Não só isso. Até mesmo seus dias de Europa estavam contados. Ela só retornaria a Madri rapidamente, para cobrir os móveis de casa com lençóis brancos. Por obra do acaso, um encontro que tivera em Lisboa, antes da viagem a Angola, seria responsável por mais uma reviravolta em sua vida.

* * *

No salão principal do Hotel Dom Carlos, onde estava hospedada, Maysa esbarrou com um senhor histriônico, alto, magro e com óculos de armação escura. Era Flávio Cavalcanti, apresentador da TV Tupi. Ele estava em Portugal para gravar uma edição especial de *A grande chance*, concurso de calouros que inaugurou o primeiro júri da televisão brasileira e que deixava a concorrência comendo poeira na corrida pelos índices de audiência. Dizia-se à época que Flávio era capaz de leiloar a própria mãe, ao vivo, em troca de alguns pontos a mais no IBOPE. Em um de seus quadros mais famosos, quebrava discos na frente das câmeras. Quando Caetano Veloso lançou "Alegria, Alegria", em 1967, espatifou o vinil porque enxergou nas iniciais da frase "Sem lenço e sem documento" uma referência velada ao LSD e uma incitação ao uso da droga. "Isto é um insulto à família brasileira", bradou. Autoproclamado defensor da moral e dos bons costumes, derramava lágrimas de crocodilo ao apresentar casos bizarros em cena. Alguns ficariam célebres, como o da menina que ficou grávida do padrasto ou o do homem impotente que emprestava a mulher ao vizinho. Para provocar suspense antes de uma grande atração, tinha um bordão inconfundível: "Nossos comerciais, por favor!".

Flávio Cavalcanti era um sujeito contraditório. Conservador ferrenho, atacava no ar os homossexuais, o chamado "amor livre" e tudo que lhe cheirasse a desregramento moral ou subversão política. Contudo, teve sérios problemas com a censura quando colocou a irreverente Leila Diniz no júri de seu programa. Flávio chegou a esconder Leila em sua casa de Petrópolis quando os militares foram até a Tupi para prendê-la, depois de uma célebre entrevista, recheada de palavrões, que ela deu ao jornal *O Pasquim*, ainda naquele ano de 1969. No comando de seu circo eletrônico, ele era imbatível. Seus programas chegavam a picos de mais de 70% de audiência e representavam, sozinhos, um terço de todo o faturamento da rede.

Cara a cara com Maysa, a polêmica em pessoa, não ia perder uma oportunidade daquelas: depois de afastada por três anos dos nossos palcos e da tevê brasileira, um retorno da cantora de língua solta com certeza provocaria um bocado de barulho no país. De imediato Flávio Cavalcanti propôs-lhe o convite para uma apresentação especial, em que os microfones do programa estariam à sua inteira disposição — para ela cantar e, principalmente, para dizer o que lhe viesse à cabeça. Quanto mais gente do meio musical ela xingasse, melhor. Maysa riu e recusou a oferta. Estava decidida a nunca mais cantar no Brasil, explicou. Flávio insistiu. Propôs um quadro fixo só para ela: "Maysa bota a boca no trombone" ou qualquer coisa do gênero, intercalando músicas e comentários ferinos. Ela riu de novo, agradeceu a oferta e voltou a dizer "não". Desconsolado, o apresentador pegou o elevador do hotel e subiu para o quarto. No dia seguinte, voltou a abordá-la.

Ele havia conversado pelo telefone com o diretor-geral do programa, José Messias, e voltara com uma proposta alternativa: Maysa não precisava cantar. Queriam apenas que ela participasse do júri de *A grande chance*. "Como é que é?", indagou Maysa, surpresa. Flávio contou o plano: "Você prometeu que não ia mais *cantar* no Brasil, não foi? Pois bem. Você não precisa cantar. A gente coloca mais uma cadeira de jurado, você senta lá, avalia os candidatos e pronto. É uma forma de voltar de vez para o país, ganhar uma boa grana de cachê e não quebrar essa sua bendita promessa".

Maysa balançou. A oferta era tentadora para quem estava quase na lona. Diante das circunstâncias, não seria difícil arrastar Miguel com ela para o Brasil. Explicou a Flávio que tinha agendado a turnê em Angola, mas dali a cerca de um mês estaria livre de quaisquer outros compromissos.

"Tem certeza de que não preciso cantar?", perguntou.

"Tenho."

Maysa topou.

14. Estranho mundo feliz (1969)

De onde vem esta mágoa?
Tento aprender uma estrada,
a mulher convidada,
o abrigo, a chegada,
a verdade sem dor.
(Ruy Maurity e J. Jorge Miquinioty,
gravação de Maysa em 1969)

Maysa desembarcou no Galeão em pleno sábado de Carnaval, quando o Rio de Janeiro entoava os versos do samba-enredo do Salgueiro, escola que seria a grande campeã do ano: *Zum zum zum, zum zum zum, capoeira mata um*. Naqueles dias, só algo chamaria mais a atenção dos cariocas que o antológico refrão da vermelho-e-branco da Tijuca: as declarações de Maysa no aeroporto assim que pôs de novo os pés no Brasil. Todos queriam saber notícias do sucesso na Europa. "Gente, nenhum brasileiro faz sucesso na Europa. O único que se deu bem lá fora, de verdade, foi Sérgio Mendes. Mas esse não conta, porque faz um troço parecido com samba e Bossa Nova. É só música para gringo ouvir. O resto é puro chachachá", disse aos jornalistas.

Três anos antes, em 1966, todos já haviam visto Maysa magra, defendendo "Dia das rosas" no I Festival Internacional da Canção. Mas a imagem anterior, a da mulher de obesidade mórbida, com quase cem quilos, continuava tão forte que a lembrança guardada pelos brasileiros a respeito dela ainda era aquela. Tanto que os jornais destacaram exatamente a surpresa geral ao reencontrá-la tão esguia, de óculos escuros e um vestido preto que lhe realçava as formas do corpo. "A roupa escura é reminiscência dos meus tempos de gorda", explicou. "Eu usava preto para disfarçar o excesso de peso. Emagreci mais de trinta quilos, mas a minha cabeça continuou a ser a de uma mulher obesa. Às vezes, me olho no espelho e pergunto: será que esta sou eu?"

A silhueta estava sendo mantida à custa de uma dieta rigorosa e punhados de anfetaminas, inibidores de apetite. O sorriso também era novo: Maysa fizera um tratamento radical em Los Angeles, logo depois da última saída do Brasil, substituindo os dentes naturais, danificados pelo álcool e pela nicotina, por implantes.

Nos dias seguintes à sua volta, ela continuaria dando o que falar. Em entrevista à *Última Hora* queixou-se de ser marginalizada em seu próprio país, apesar de reconhecer que se sentia um pouco culpada pela situação. "O sucesso veio muito fácil para mim. Eu não estava preparada. A nova realidade — cantora, compositora, figura conhecida — conflitava com minha vida anterior. De certa forma, eu procurava me punir por achar que tudo o que fazia estava errado. Realmente eu queria me destruir", confessou. "A minha agressividade era minha defesa", concluiu.

Sobre ela, exatamente naquele ano Clarice Lispector escreveu: "Maysa é um símbolo de ressurreição. Fortemente deprimida quando deixou de cantar, não se esperava que tivesse força suficiente para refazer sua vida. E eis que surge uma mulher mais do que bonita, e mais forte do que antes. Reconstruir-se torna-se a mais importante palavra entre todas. Quem já se ergueu várias vezes das cinzas sabe como é, ao mesmo tempo, difícil e impossível a própria reconstrução".

Ela estava mais esbelta e mais disposta a conversar com a imprensa. Mas sua verve continuava a mesma. Outro jornalista perguntou se, com aquele retorno, ela estava cumprindo a profecia da música "Sabiá", de Chico Buarque e Tom Jobim, a grande vencedora no ano anterior do III Festival Internacional da Canção, cujos versos (*vou voltar/ sei que ainda vou voltar/ para o meu lugar...*) passaram a ser uma espécie de "Canção do exílio" dos anos de chumbo. Maysa disse que não. "Aliás, só ouvi essa música há cerca de uma semana. Achei bonita a melodia do Tom, mas a letra do Chico é bem fraquinha." Sobre Caetano Veloso, que provocava polêmica com seus cabelos encaracolados e com o Tropicalismo, tinha uma opinião formada: "Eu acho que Caetano se salva pelo seu próprio talento, pela inteligência de suas músicas que, algumas, eu gostaria de gravar. Só penso que ele não precisaria usar as roupas que usa".

Maysa jurava de pés juntos que só permaneceria seis meses no Brasil. Explicou que só voltara, por uns tempos, porque fora convidada por Flávio Cavalcanti para participar do júri de *A grande chance*. "Flávio foi a única pessoa que lembrou de mim por aqui, enquanto eu estive lá fora. Não podia recusar o pedido dele", justificou. O plano, dizia, era voltar para a Europa no segundo semestre. Pretendia dessa feita morar em Portugal, país que sempre a recebera de braços abertos e onde, poucos meses antes, saíra um disco dela, pela RCA Victor lusitana. Quanto à promessa de nunca mais voltar a cantar no Brasil, Maysa se fez de desentendida: "Nunca falei coisa parecida. Vocês inventaram isso. Por isso, agora tratem de desmentir".

* * *

Em março, a Tupi do Rio de Janeiro resolveu presentear Maysa com um programa só para ela, em horário nobre. *Maysa especial* ia ao ar todos os sábados, às 20h15, com participação fixa do ator Ítalo Rossi e direção de Carlos Alberto Lofler. Ela cantava e realizava entrevistas, enquanto Ítalo declamava poemas no intervalo entre as músicas. No dia da estréia, Maysa fez duetos e bateu papo com Elizeth Cardoso e Lúcio Alves. O colunista Artur da Távola, crítico de televisão da *Última Hora*, festejou a novidade. Para ele, era uma das primeiras vezes em que a tevê brasileira deixava de fazer rádio televisionado para descobrir a linguagem específica do veículo: "Alvíssaras (palavra dos meus tempos), legal, viva, até que enfim, quente, pra frente, saravá, bum-bum (barulho de foguetes), vi um programa de televisão. Eu disse um programa *de televisão* e não um programa *na televisão*, como habitualmente ocorre. Foi o *Maysa especial*, sábado passado, às oito e quinze, na TV Tupi".

Depois de já ter levado todos os amigos da velha guarda ao programa, Maysa aceitou o convite de Ítalo Rossi para um jantar especial em homenagem a ela no restaurante Jirau. A intenção de Rossi era apresentar a cantora a outras pessoas em evidência no país naquele momento — artistas, intelectuais e jornalistas. Maysa precisava saber que o Brasil não era o mesmo que deixara anos antes, ao zarpar para a Europa. Havia muita gente nova no pedaço. O Rio de Janeiro continuava lindo, como dizia a música de Gilberto Gil lançada naquele ano. Mas os tempos eram outros. E os personagens da fauna carioca também. Um de seus mais legítimos representantes era Carlinhos de Oliveira, o cronista que fez o inventário de toda uma geração diretamente do seu posto de vigília, a varanda do Antonio's — bar de Ipanema que foi, como ele, o símbolo do Rio de Janeiro dos anos 1960 e início dos 1970. Carlinhos seria entrevistado no programa de Maysa e o fato renderia mais uma de suas crônicas memoráveis, publicadas no caderno B do *Jornal do Brasil*, então o suplemento cultural de maior prestígio no país:

> Num estúdio da TV Tupi, sábado à noite. Em meio a cenários móbiles, câmeras e refletores apagados, Maysa ensaia o espetáculo que irá ao ar dentro de meia hora. Quando o produtor Carlos Alberto Lofler me convidou para ser entrevistado nesse programa, a primeira observação que fez foi: "Ela está morta de medo. Ela morre de medo de você". E enquanto tomávamos um drinque num barzinho da Urca, ele acrescentou: "Não diga coisas muito embaraçosas ou cruéis a respeito dela. Maysa é supertímida".
>
> Esse retrato não coincide em absoluto com a imagem que Maysa projeta na imaginação dos seus fãs. De modo que achei aquilo muito estranho; essa advertência reiterada, a me transformar de tímido atirador em algoz. Entretanto, ao vê-la no estúdio, verifiquei que Lofler tinha razão. Momentos antes de aparecer na televisão, Maysa se benzia, acendia um cigarro com mãos trêmulas, lamentava-se: "Como é que eu fui meter-me numa coisa dessas meu Deus!". Parecia pedir socorro a cada técnico presente, a cada músico que a acompanharia. Pensei que era sempre assim que ela se sentia antes de cantar para o público — sempre como da primeira vez, quando, ainda criança, renunciou a um casamento da alta sociedade para entregar-se à comunicação artística. Seu nervosismo se alastrava pelo estúdio. Ítalo Rossi, que com ela contracena, parecia também um estreante. Sentado num tamborete, à espera do sinal convencionado, comecei por minha vez a tremer.

Mas tudo correu bem. Na hora certa, tudo se pôs a funcionar. Sentei-me ao lado de Maysa e, para tirar de sua cabeça qualquer preocupação a respeito das diabruras que eu poderia fazer, comecei a representar certo personagem que tem o meu nome, mas que é tão-somente uma ficção por mim elaborada. Falei do meu amor por Gal Costa e (diante da câmera) pedi um beijo a Maysa. E assim penetramos docemente no reino da fantasia.

* * *

Os nostálgicos anos 1950 eram apenas uma imagem no retrovisor. Vivia-se uma nova era. A imprensa alternativa ocupava espaço nas bancas de jornais e revistas. O movimento estudantil ganhava as ruas. A esquerda festiva tomava chope, as mulheres tomavam a pílula. Muitos dos antigos ídolos do rádio foram tragados por tais mudanças — sucumbiram à força avassaladora dos novos tempos e submergiram em uma fase de cruel ostracismo. Não foi o caso de Maysa. No exato dia em que retornou ao Brasil, avisou: "Meu antigo repertório está surrado demais". Em plena revolução comportamental dos anos 1960, sua rebeldia parecia mais atual que nunca. Se na década anterior o espírito transgressor da cantora soava um tanto quanto deslocado de seu tempo, agora sim Maysa parecia uma mulher de sua época. "Antes dessa história de feminismo, eu já mandava na minha vida e não dependia de homem nenhum para me falar o que devia ou não fazer", ela dizia, desfilando sua nova silhueta em um ousado biquíni nas areias de Copacabana.

Maysa chegou a flertar, de relance, com a chamada Pilantragem, rótulo marqueteiro que o produtor Carlos Imperial encontrou para definir sua nova onda, que buscava unir "o balanço do samba ao molho do iê-iê-iê" — segundo as palavras de seu próprio idealizador. Por obra e graça de Imperial, ela gravaria um compacto para a Copacabana com a salsa-rock (!) "San Juanito". Carlos Imperial fazia qualquer coisa para virar notícia. Certa vez, ao ler em um jornal de fofocas que um travesti carioca chamado Valéria dizia estar grávido, foi até a redação para assumir a paternidade da criança. "Dize-me com quem andas e eu te direi quem és" — isso bem o sabia Maysa. Felizmente, a cantora logo se recuperou do mal súbito e foi cantar em outra freguesia.

Na contramão da Pilantragem, ela ainda chegou a planejar um *revival* da década anterior, em um espetáculo ao lado de Ítalo Rossi. Aproveitaria o formato do programa da Tupi — ela cantando, ele declamando — para reparar uma injustiça histórica. Era hora de devolver os nomes de Antônio Maria e Dolores Duran, defenestrados pelas novas gerações nos primeiros tempos da Bossa Nova, aos seus merecidos lugares na história da música popular brasileira. Maysa sempre considerou Maria e Dolores artistas sofisticados, injustamente rotulados de cafonas pela geração que veio a seguir cantando o amor, o sorriso e a flor. Para ela, os dois eram responsáveis por boa parte da modernização que resultaria no advento da própria Bossa Nova. Maysa, que passara a fazer sessões de psicanálise por aquela época, achava que Bôscoli, Menescal & Cia. haviam atacado Antônio Maria como uma reação tipicamente freudiana de quem desejava assassinar o próprio pai. Da parte dela, não havia nenhum rancor em relação às palavras ferinas da antiga crônica de *O Cruzeiro*, na qual o autor de "Ninguém me ama" a acusava de trair o samba-canção. Aquilo, segundo Maysa, era passado. O talento de Antônio Maria era maior que sua enorme língua.

Embora muita gente viesse a se esquecer disso depois, foi exatamente dessa tentativa de Maysa de ver com novos olhos a obra de Maria e Dolores que nasceu *Brasileiro: profissão esperança*. Por meio de uma colagem de poemas, crônicas, reminiscências e músicas, o espetáculo contaria a vida dos dois artistas e resgataria sua obra. Segundo a atriz Bibi Ferreira, o texto foi produzido praticamente a quatro mãos: por seu marido, o dramaturgo Paulo Pontes, e pela própria Maysa. "Ela escrevia suas lembranças de Antônio Maria e Dolores Duran em papeizinhos e eu os repassava ao Paulo. Ele recebia aquilo, datilografava e ia enxertando no trabalho", contaria Bibi. "Nessa época, por causa de uma reforma que estávamos fazendo em casa, eu havia me mudado para o Copacabana Palace e o Paulo havia ficado em nosso apartamento. Maysa me levava os papéis lá no hotel e eu os mandava no mesmo dia para ele."

O título do espetáculo era citação de uma frase antológica de Maria, que morrera de infarto do miocárdio cerca de cinco anos antes, em outubro de 1964: "Antônio Maria, brasileiro, cansado, 43 anos, cardisplicente. Profissão: esperança". Em abril de 1969, Maysa chegou a anunciar à imprensa que os ensaios começariam em poucos dias. No entanto, ela nunca levou para o palco a comovida homenagem aos amigos Maria e Dolores. Bibi Ferreira atribuiria isso a Miguel Azanza, que não pareceu muito animado com o projeto. "Como ele não era brasileiro, não soube dimensionar a importância de um espetáculo sobre Antônio Maria e Dolores Duran", observaria Bibi. No ano seguinte, sem Maysa, Ítalo Rossi dividiria a cena com Maria Bethânia na primeira montagem do texto, dirigida por Bibi Ferreira e encenada no Teatro Casa Grande, no Rio de Janeiro. Mais tarde, Paulo Gracindo e Clara Nunes repetiriam a dose, em uma temporada de enorme sucesso que seria gravada em disco.

Além das reticências do marido e empresário quanto a *Brasileiro: profissão esperança*, existia outro motivo para Maysa deixar de lado — temporariamente, ela imaginou — o projeto que tanto a entusiasmara. Havia outra grande idéia em gestação. Mas, em maio, quando esta viesse a público, faria tanto sucesso que seria impossível para a cantora se dedicar a outra coisa por um bom tempo. E quem achasse que conhecia bem a artista Maysa, não sabia da missa um terço. Mesmo que ela própria dissesse que o antigo repertório estava surrado, não se podia adivinhar o tamanho da surpresa que ela provocaria a seguir.

* * *

O barulho era ensurdecedor. Espalhadas pelas centenas de mesas da cervejaria Canecão, no bairro de Botafogo, no Rio de Janeiro, 2 mil pessoas conversavam em voz alta, pedindo novas rodadas de chope, gargalhando, arrastando cadeiras. De repente, as luzes se apagaram e uma grande tela iluminou o palco. Como se fosse mágica, o caos cessou de imediato. As primeiras imagens projetadas na tela mostravam uma Maysa gorda, vestida a rigor, que caminhava pela rua deserta à noite, com cara amarrada, em direção ao mar. Na cena imediatamente seguinte era manhã e fazia sol. Uma outra Maysa, magra e de roupa despojada, aparecia sorrindo na praia. Ao fundo, a voz do poeta Manuel Bandeira declamava os famosos versos louvando-lhe os olhos e a boca.

Ao final da projeção, tudo ficava novamente escuro e um facho de luz acompanhava a entrada da cantora. No fundo do palco, Maysa cantava: *Todos acham que eu falo demais, e que eu ando bebendo demais*. "Quando sua voz quente, rouca, inapelável se estendeu, abraçando o Canecão inteiro, houve o silêncio. Nem um som, nem o menor ruído, nem os gelos de milhares de copos ousavam sequer tilintar", narrou a revista *Visão*. A reação da platéia era exatamente um dos maiores receios dos que tentaram fazer Maysa desistir de cantar em um lugar enorme como o Canecão. O que esperar de um local em que a entrada, cobrada ao preço de dez cruzeiros novos — o equivalente a quatro cervejas —, dava direito, além de assistir ao espetáculo, a uma rodada de chope de graça?

"Não quero fazer mais showzinhos para deleitar meia dúzia de bacanas. Vamos acabar com essa história de que só grã-fino tem o direito de ouvir música boa. Quero cantar agora para todo mundo ver, até mesmo o bombeiro hidráulico lá de Cascadura."

Bem, se o bombeiro de Cascadura estava realmente no Canecão naquela noite, ele deve ter se arrepiado como todo mundo ao ver Maysa entrar em cena com aquelas pantalonas pretas de cetim e uma túnica de gaze, também negra, sensual e transparente. "Maysa está bonita, está linda", diria a crítica do *Jornal do Brasil*. No primeiro número, ela fazia um *pot-pourri* com alguns sucessos do passado: "Demais", "Meu mundo caiu" e "Preciso aprender a ser só". Quem, depois disso, achasse que ela mudara apenas de visual, teria a primeira surpresa da noite ao vê-la interpretar "Pra quem não quiser ouvir o meu canto", de César Roldão Vieira, jovem compositor de 25 anos que se destacara na terceira edição do FIC, em 1968. A música era um recado direto ao público: *Hoje eu só canto o meu dia/ há muito tempo eu devia ter decidido mudar*. Ao final da canção, ela tomava fôlego, agradecia as palmas e dizia:

"Quando nós ensaiamos este show, ensaiamos também uma coisa complicadíssima para dizer a vocês com respeito à saudade. Eu acho que saudade é algo bastante complicado para a gente complicar ainda mais. A única coisa que eu queria dizer é que vocês me recebam com o mesmo carinho com que eu volto pra vocês. Muito obrigada".

Maysa agradecendo ao público com sorrisos? Bebendo água nos intervalos entre as músicas? "Será que ela está doente?", perguntava o jornalista Ney Machado. Na coluna que passara a escrever na *Última Hora*, o jovem Nelson Motta tinha certeza de que não. "Uma Maysa linda como nunca, bem tratada, elegante e com uma bela presença em cena", dizia. O show prosseguiu com uma homenagem a Dolores Duran, em uma sentida interpretação para "Por causa de você", combinada com "Dindi", de Tom Jobim e Aloysio de Oliveira. Dali por diante, ninguém entendeu ao certo o que aconteceu, mas mesmo assim todo mundo gostou e aplaudiu a valer. Maysa cantou "Se você pensa", de Roberto e Erasmo Carlos, acompanhada de um balé moderno ao fundo. "Daqui pra frente, tudo vai ser diferente", cantava Maysa, dançando no palco.

A seguir, desapareceu por alguns minutos, voltou com um vestido branco e cantou "Ne me quitte pas", a música que ninguém mais lembrava que era de Jacques Brel, de tão associada a ela. Ao último acorde da canção francesa, um novo susto para os desavisados: dois bailarinos negros se aproximaram de Maysa, arrancaram-lhe o vestido e ela ficou de minissaia, com pernas gloriosamente à mostra. "Essa parte do corpo de Maysa nem o Bandeira conhecia, por isso não pôde louvar", comentou a *Última Hora*. "Ela está parecendo Jane Fonda em *Barbarella*", comparou Ney Machado. O Canecão caiu na gandaia com Maysa interpretando "Light my fire", sucesso de Jim Morrison incluído no álbum de estréia do grupo The Doors, lançado exatamente naquele ano, 1969. "Maysa vibra do princípio ao fim do show, vibração que consegue comunicar ao salão inteiro", comentou o colunista Zózimo Barroso do Amaral no *Jornal do Brasil*.

Durante o espetáculo — dirigido e coreografado por Nino Giovanetti, com produção musical de Paulo Moura e um total de trinta pessoas em cena, entre músicos e bailarinos — ela trocou de figurino cinco vezes. Ao lado das novidades e surpresas, cantava também clássicos como "Chão de estrelas" e "Se todos fossem iguais a você". Naquele momento, a grande dificuldade para a imprensa e para os fãs era definir Maysa. Ela, que já fora a musa da fossa e uma das pioneiras da Bossa Nova, colocara todos os rótulos em xeque. "A jovialidade de Maysa, inexplicavelmente, veio com o passar do tempo", constatou *O Globo*. A crítica, percebe-se, foi unânime. A revista *Veja* arriscou lapidar uma definição para a nova fase da cantora: Fossa Nova. Mas Abelardo Barbosa, o Chacrinha, na sua coluna da *Última Hora*, foi direto ao ponto: "Vai ser boa assim no inferno, sua danada!".

Maysa inaugurava ali uma nova época na história da música brasileira. Derrubara o preconceito de que bons artistas não podiam se apresentar em casas populares e para grandes platéias. Depois daquela sua temporada no Canecão, que duraria cerca de dois meses e atrairia uma média de mil espectadores por noite, isso se tornou moda. "Foi quebrado o tabu: qualquer artista nacional de primeiro time agrediria alguém que lhe propusesse cantar no Canecão mesmo a 10 milhões por noite. Agora está aberto o campo e todos têm, graças à coragem de Maysa, uma magnífica casa para apresentações", escreveu Nelson Motta na *Última Hora*. "Como o Canecão é maior, os preços podem ser menores, mas o faturamento será maior, resultando melhores salários para os artistas e uma verba muito mais generosa para a montagem de espetáculos. Enquanto os grandes artistas são acompanhados por trio ou quarteto, Maysa dá-se ao luxo de contar com uma magnífica orquestra de sopros e cordas regida por Paulo Moura, no melhor estilo dos grandes cartazes americanos", observou Nelson.

Caía por terra também a prevenção que muita gente boa tinha de ir a uma cervejaria para ver um show de música popular. Maysa lotou o Canecão de pessoas simples, que nunca haviam assistido a um único espetáculo na vida, mas também forçou a elite a ir vê-la. Assistir ao show do Canecão tornou-se programa obrigatório no Rio de Janeiro, inclusive para colunáveis. Marta Vasconcelos, a brasileira que ganhou o título de Miss Universo em 1969, foi fotografada a uma mesa da casa, rendendo homenagens a Maysa. O ex-presidente Juscelino Kubitscheck teve de voltar da porta junto com a mulher, dona Sara, porque não comprara ingresso antecipado e todas as mesas já estavam lotadas. O jornalista João Saldanha, técnico da seleção brasileira de futebol, foi aplaudido pela platéia ao ser reconhecido por trás de uma caneca de chope antes de a cantora entrar em cena. Julie London, que estava de visita ao Brasil, fez questão de cumprimentar Maysa nos camarins depois do show.

Pouco antes de assinar contrato com a cervejaria, ela adiou ou desistiu de todos os compromissos que havia agendado, o que incluía uma temporada na badalada boate Sucata, de Ricardo Amaral, que só seria cumprida alguns meses depois. "Eu aceitei o convite do Ricardo Amaral para cantar na Sucata, que estava no auge. Porém, eu já estava cansada de me apresentar em boate, para um público restrito, que paga milhões para ver um show e para falar enquanto o artista canta — aliás, diga-se de passagem, problema que nunca tive, porque simplesmente eu saio do palco e me calo quando alguém fala. Foi quando um dia me convidaram para ir a um local imenso que havia no Rio, uma espécie de cervejaria, para jantar. Lá fui eu. Então descobri o que realmente eu queria. Ali eu tinha a oportunidade de cantar para todas as faixas de público, inclusive para aqueles que assobiavam 'Ouça' na rua", escreveu Maysa nos apontamentos para a sua autobiografia. Em uma entrevista, arremataria: "Eu achava formidável ver uma dondoca como Tereza Souza Campos sentada ao lado do faxineiro do meu prédio".

* * *

Em junho daquele ano de 1969, começaria a circular nas bancas de todo o país um jornalzinho atrevido e bem-humorado que virou sinônimo de uma época: *O Pasquim*. Já na sua segunda edição, em julho, Maysa foi a entrevistada da semana em uma conversa desabusada com os jornalistas Jaguar, Tarso de Castro e Sérgio Cabral. "Esta é a Maysa de todos nós", dizia o título da matéria. "No bate-papo que se transformou essa entrevista, houve um pequeno senão: o protesto de Jaguar contra a ausência de uísque e a presença do cafezinho. No mais, foi uma conversa entre amigos, cheia de franqueza e cortada por risadas constantes", dizia o pequeno texto de abertura. Um dos segredos do sucesso de *O Pasquim* foi justamente aquele formato de entrevista praticamente sem edição, que destoava dos padrões assépticos e quadradinhos da grande imprensa. E ninguém melhor que Maysa para render uma boa controvérsia.

"Você conheceu a Ava Gardner lá na Espanha?", indagou Sérgio Cabral no início da conversa.

"Conheci, mas ela estava de pileque e eu também, de maneira que não deu pra gente se conhecer."

Quando Jaguar perguntou se, depois de lotar o Canecão, o próximo desafio seria encher o Maracanã, Maysa riu e informou que não. Levaria o show a São Paulo, para o Urso Branco. Não só era verdade como, aliás, na cervejaria de Aloysio de Oliveira é que, a despeito do título do disco, seria gravado ao vivo um dos álbuns mais famosos da cantora, *Canecão apresenta Maysa*. Mas, naquela hora, ela disse a Jaguar que não tinha certeza se a idéia daria muito certo:

"É que o paulista não vai entender eu cantando com as pernas de fora. E, depois, cantar para muita gente, num "Canecão" de São Paulo, eles não vão entender mesmo porque, vocês sabem, aquilo está cheio de Matarazzo".

A certa altura, Sérgio Cabral pediu para que Maysa desse notas, de zero a 10, como fazia com os calouros do programa de Flávio Cavalcanti, para alguns nomes da música popular brasileira citados por ele. Ela respondeu na bucha:

"Chico Buarque de Holanda, 5. Caetano Veloso, nem é 10, é mil. Gilberto Gil a mesma coisa. Ary Barroso, 7. Noel Rosa, 10. Dorival Caymmi é 100, eu amo Dorival. Roberto Carlos, quando não faz seus plagiozinhos como agora naquela música 'Sentado à beira do caminho', vai para o 5. Edu Lobo é 10 mesmo."

"Qual foi a sua dieta para emagrecer?", perguntou Sérgio a seguir.

"Foi parar de beber. Eu não perdi quilos, não, eu perdi litros, entendeu?"

A pergunta inevitável não podia faltar. E foi Tarso de Castro quem a fez:

"O que você acha da Elis Regina?"

"É um mau-caráter", tascou Maysa, que, mesmo sem ter nenhuma prova a respeito disso, sempre acusou Elis de ter colocado algo na bebida dela nos bastidores do Festival Internacional da Canção. "Elis é mais do que mau-caráter, pois nem isso ela é. Ela é uma coitada."

A resposta renderia muito pano para as mangas. Todos os jornais e revistas repercutiram a ferroada. "Maysa, você é uma das maiores cantoras românticas de todos os tempos. Cante!", sugeriu Nelson Motta na *Última*

Hora. Elis, furiosa, devolveu a pedrada com idêntica força: "Maysa foi um ídolo de minha adolescência. Fiz o possível e o impossível para agradar-lhe. Dor-de-cotovelo profissional ela não pode ter em relação a mim, porque é tanto ou mais cantora do que eu. Então só pode ser questão pessoal. O problema de Maysa não é com a cantora Elis Regina, é com uma pessoa que agora se chama Elis Regina Bôscoli".

No show que fazia no Teatro da Praia, Elis incluiu no script mais uma agulhada: jogava o cabelo no rosto, engrossava a voz, atirava um olhar lânguido para a platéia e fazia uma imitação de Maysa. Miéle entrava em seguida e, por sua vez, imitava Ítalo Rossi. Em vez de declamar versos de Carlos Drummond de Andrade, Bandeira ou Vinicius de Moraes, como fizera Rossi no *Maysa especial*, ele recitava, com a voz empostada: "Eu ontem fui à festa/ na casa do Bolinha/ Confesso não gostei/ Dos modos da Glorinha...".

Mas a entrevista de Maysa ao *Pasquim* não ficaria só no entrevero com Elis. Jaguar perguntou a ela o que a Espanha tinha de tão especial para que ela tivesse deixado o Brasil por tantos anos.

"Lá as pessoas não se incomodavam comigo nem eu com elas. Morei anos ali e não sei o nome dos meus vizinhos e nem eles o meu."

"Aqui se incomodam muito com sua vida?", provocou Tarso.

"Hoje, não. Mas antes era horrível. Antigamente me fotografavam fumando cigarro americano e depois aparecia a foto do jornal com a legenda: 'Maysa fumando sua maconhazinha'. Não escondiam nem o filtro do cigarro."

Mais adiante, Tarso de Castro batucaria na mesma tecla:

"O que você acha do tratamento da imprensa brasileira com você, hein?"

"Neste momento, carinhosíssimo, o que me assusta muito, porque de repente começa a dar aquele chute. Tomara que assim não seja, mas antes que dê eu me mando."

"Havia uma época em que se fazia uma campanha sistemática, escandalosa, contra você. Como é que começou isso?", quis saber Tarso.

"Acho que foi no primeiro pileque. Vai ver foi porque eu não convidei todos eles para tomar pileque junto comigo..."

O único momento da entrevista em que Maysa parou de atirar foi quando Sérgio Cabral pediu-lhe que falasse do disco que estava gravando por aqueles dias. Ela relaxou:

"Meu disco é quase todo com músicas inéditas, de bom gosto, sem apelação. Tem músicas de compositores que nunca gravaram. Tenho impressão que é um disco que vai marcar. Tem de Tibério Gaspar e Antônio Adolfo até um compositor que está aparecendo agora na música brasileira, que considero muito sério, muito bom, que é o Egberto Gismonti. Acho que é um disco sério, entende?"

Se era. Maysa estava para lançar um dos trabalhos mais sofisticados e musicalmente delicados de toda a sua carreira.

* * *

O disco saiu pela Copacabana e trazia na capa uma foto em preto-e-branco na qual Maysa aparecia ao lado do filho Jayme, então com treze anos de idade e ainda aluno do colégio interno espanhol. Na contracapa do LP, que marcava a volta da cantora aos estúdios de gravação do país depois de três anos de ausência, vinha um texto assinado por ela: "Sinceramente, eu não gosto da palavra volta. Ela insinua que a gente partiu, e eu nunca parti. Eu sou um pouco barco; barco de pesca que vai ali e já vem sem mesmo sair do horizonte nosso de cada dia. Eu nunca parti. Eu fui ali e já vim".

Como fizera com o álbum *Barquinho*, Maysa confiou o trabalho a uma nova e talentosa geração de compositores que, na maioria, ainda ensaiava os primeiros passos na carreira. Três composições eram assinadas pela dupla Tibério Gaspar e Antônio Adolfo, que em 1968 havia emplacado o primeiro grande sucesso com a toada "Sá Marina", gravada por Wilson Simonal. Adolfo tocava piano desde a adolescência no Beco das Garrafas e participara do grupo 3-D, com o qual gravara quatro discos. Mas foi o início de sua parceria com Tibério, a partir de 1967, que o projetou. Deles, Maysa gravou "Rosa branca", "Tema triste" e "Você nem viu". "Nós estávamos começando e Maysa era uma deusa para nós", diria Tibério Gaspar, que abandonaria o emprego de professor de matemática para se dedicar à música.

Antônio Adolfo apresentou Maysa ao irmão, Ruy Maurity, cantor e compositor que só gravaria seu primeiro disco no ano seguinte, 1970. Ela ouviu as músicas do rapaz e resolveu incluir duas delas no novo LP, "Estranho mundo feliz" e "Quebranto", parcerias com J. Jorge Miquinioty, o Zé Jorge. De Paulinho Tapajós e Arthur Verocai, nomes que começavam a despontar nos festivais de música, Maysa pescou a bela "Catavento". Outros achados do álbum são "Um dia" e "Indi", duas músicas do compositor e instrumentista Egberto Gismonti, que faria depois uma bem-sucedida carreira internacional e, naquele ano, 1969, lançava seu trabalho de estréia, pela Elenco. César Roldão Vieira, autor da faixa "Pra quem não quiser ouvir meu canto", resumiu o entusiasmo daquela turma de jovens talentos que Maysa reunia em seu disco: "Tive uma música gravada por Maysa. Posso querer mais alguma coisa na vida?", observou ele, à época.

O LP, de sonoridade suave, contou com arranjos e orquestrações elaboradas, sob a batuta de Antônio Adolfo, Lindolpho Gaya, Egberto Gismonti e Severino Filho. Era um disco absolutamente moderno e, visto em perspectiva, representava novo avanço na carreira de Maysa. Entretanto, acabou obscurecido pelo furor em torno do show do Canecão, o assunto que monopolizou as atenções da crítica e do público em relação a Maysa em 1969. Um ano que não terminaria antes de a cantora quebrar mais uma das promessas que havia feito a si mesma: a de nunca mais cantar em um festival.

* * *

Augusto Marzagão, o criador do Festival Internacional da Canção, foi pessoalmente à casa de Maysa para convencê-la a participar da quarta edição do evento, o IV FIC, que ocorreria no final de setembro e começo de outubro daquele ano. Como alguns dos grandes nomes dos festivais anteriores, a exemplo de Chico Buarque, Caetano Veloso e Gilberto Gil, haviam partido para o exílio, Marzagão temia um retumbante fiasco. Vários convidados estrangeiros inicialmente anunciados também não viriam, e muitos deles desistiram em cima da hora. O Beatle George Harrison, por exemplo, mandou avisar que não viajaria mais para um país no qual o embaixador norte-americano, Burke Elbrick, acabara de ser seqüestrado por um grupo de esquerda.

Na visita a Maysa, Marzagão levou no bolso do paletó um argumento irrespondível: ela seria homenageada pela organização do FIC. O Galo de Ouro para o melhor intérprete da fase internacional receberia justamente o nome de Troféu Maysa Monjardim. Foi por isso que, no dia 27 de setembro, ela pisou no palco armado no Maracanãzinho para defender a música "Ave Maria dos Retirantes", com arranjo de Rogério Duprat. A música era dos baianos Alcyvando Luz e Carlos Coqueijo, que haviam participado de outros festivais com canções interpretadas pelo MPB-4 e por Maria Creuza.

Mais uma vez, a grande vedete do FIC continuou sendo a vaia. Jorge Benjor, que ainda era Jorge Ben e cantou "Charles Anjo 45" com a participação do Trio Mocotó, recebeu uma das maiores de todas. Só ficou devendo para a monumental chuva de apupos dedicada a Jards Macalé, que cantou "Gotham City" vestido com um camisolão branco. Por prevenção, seguranças revistaram o público na entrada, para evitar o ingresso de ovos e tomates no ginásio. Mas ninguém se atreveu a hostilizar Maysa.

Mesmo assim, "Ave Maria dos Retirantes" ficou apenas em oitavo lugar na fase nacional, vencida pela cantora Evinha, com "Cantiga por Luciana" — música de Paulinho Tapajós e Edmundo Souto que também ganharia a disputa internacional. Foi um festival sem brilho, bastante criticado pela imprensa. Maysa saiu espinafrando. "É absurdo que a música brasileira, em seu estágio atual, tenha regredido a ponto de uma música como 'Cantiga por Luciana' ficar em primeiro lugar. Isso é a pior coisa que o Paulinho Tapajós já fez na vida. E este FIC não serviu para porcaria nenhuma", disse ela.

Uma das grandes sensações daquela insossa edição do FIC acabou sendo o figurino usado por Maysa: um vestido com a parte de cima transparente, o que deixou muito marmanjo de água na boca. A ala masculina presente ao Maracanãzinho aplaudiu de forma redobrada quando ela surgiu no palco com os seios quase à mostra, cobertos apenas por uma fina e translúcida camada de tecido. Os muitos binóculos da platéia nunca foram tão utilizados. Quem assistiu ao festival pela televisão gostou mais ainda: as câmeras capricharam no *zoom*. E, desta vez, não foi nos olhos.

Maysa participaria, dali a menos de dois meses, em novembro, como jurada do V Festival da TV Record. Mas o formato já dera mostras de esgotamento e o evento organizado pela emissora paulista só serviu para confirmar essa tese. Para tentar recuperar o interesse do público, a Record apelou. Introduziu, além do júri, um tribunal musical composto por duas bancadas, uma de acusadores, outra de defensores, a quem caberia debater a qualidade das músicas ao final de cada apresentação. Foi um festival, mas de impropérios.

Tom Zé, que cantou acompanhado dos Novos Baianos a composição "Jeitinho dela", de sua autoria, teve de ouvir do locutor Sílvio Luiz a seguinte ofensa: "Musicalmente, você é uma besta quadrada". Aracy de Almeida também não deixou barato para Miltinho, que cantou "Hoje é domingo", de Haroldo Barbosa e Raul Mascarenhas: "Esta música é uma verdadeira bagulhada. E estamos conversados", sentenciou a velha Araca. O comediante Pagano Sobrinho sentiu-se em casa e ironizou o decote da cantora Maria Odete, que cantara "Monjolo", de Dino Galvão Bueno e Eric Nepomuceno: "De fato, é preciso mesmo ter muito peito para cantar uma música dessas".

Maysa, que até ali se mantivera alheia ao circo, não resistiu quando viu Moacyr Franco cantar "Vem enquanto é tempo", dele e de Fernando Lona, destruindo uma guitarra elétrica com um pedaço de pau a fim de atrair a simpatia da ala que era contrária à presença do instrumento na música brasileira. "Quem nasceu para Moacyr Franco jamais chega a Rogério Duprat", esbravejou Maysa. E quando Martinho da Vila, para evitar ouvir desaforo, resolveu ir embora logo depois de cantar o seu "Samba do paquera", ela desceu a lenha: "Martinho da Vila é um compositor barato, vulgar, covarde e ordinário. Tão covarde que não teve coragem de ficar para ouvir o que o júri diria de sua música. Peço a São Paulo que não deixe essa praga entrar aqui. No Rio, ele já entrou".

Entre mortos e feridos, Paulinho da Viola foi o grande vencedor do festival com "Sinal fechado", uma canção de protesto sutil que tinha por tema a incomunicabilidade naqueles tempos de ditadura e AI-5. No "tribunal", Paulinho foi acusado de fazer música para ninar defuntos. Maysa saiu em sua pronta defesa: "É uma música — e uma letra — de uma imensa dignidade, algo que estava faltando neste festival".

No final das contas, o IV FIC e o V Festival da TV Record representaram, juntos, o fim melancólico de uma época de ouro da música brasileira. Nome de troféu em um e jurada no outro, Maysa saíra deles quase como uma instituição nacional. Ela, que sempre brigara com garras afiadas para conquistar o respeito da mídia para si e para o seu trabalho, tinha tudo para se sentir gratificada. Mas, ao contrário, achou que havia algo errado — e muito incômodo — naquela situação. A unanimidade era burra, já advertira Nelson Rodrigues. Maysa achou que era hora de repensar a vida. Seria esta a tal roda-viva de que falava Chico Buarque em sua famosa canção? Ela passara a ser mais uma engrenagem da grande máquina? Uma típica representante da indústria da música? Então talvez fosse hora de pular fora.

Seria exatamente o que ela, muito em breve, viria a fazer.

15. As praias desertas (1970-1972)

As praias desertas continuam
esperando por nós dois.
A este encontro sei que não devo faltar.
(Tom Jobim,
gravação de Maysa em 1970)

Em agosto de 1970, uma inexperiente repórter da TV Record conseguiu um furo histórico: cobrir o julgamento de Charles Manson, direto dos Estados Unidos, com exclusividade para o Brasil. Manson se autoproclamava a reencarnação do Messias e liderara uma comunidade alternativa que praticava o sexo grupal e incentivava o uso de drogas. Dizia decifrar mensagens ocultas nas letras do famoso *Álbum branco* dos Beatles e, um ano antes, protagonizara uma chacina: invadiu a mansão do diretor de cinema Roman Polanski e, com a ajuda de algumas de suas "discípulas", baleou, esfaqueou, enforcou e espancou cinco pessoas até a morte. Depois, utilizou o sangue delas para escrever mensagens apocalípticas nas paredes da casa. Uma das vítimas foi a atriz Sharon Tate, mulher de Polanski, grávida de oito meses. Os olhos do mundo inteiro estavam voltados para a Califórnia, onde Charles Manson finalmente sentaria no banco dos réus. O único jornalista brasileiro presente ao tribunal era aquela novata — uma "foca", no jargão do ofício — a serviço da Record. No crachá com a credencial lia-se o nome "Maysa Monjardim".

A cantora se transformara em repórter havia apenas três meses. No dia 12 de maio, a direção da emissora confiara-lhe a apresentação de uma edição do *Dia D*, show que mesclava reportagem, música e variedades, até então conduzido por Cidinha Campos, que acabara de deixar o programa. De início, o Canal 7 cogitou alternar vários convidados especiais para substituir Cidinha. Contudo, Maysa saiu-se tão bem entrevistando Maria Bethânia na primeira noite que, na semana seguinte, ela já era alçada à posição de titular da atração. De imediato passou a fazer, além das entrevistas em estúdio, reportagens externas.

Desde então, tomou gosto pelo furo. Em junho estava na Argentina cumprindo outra pauta quando recebeu e mandou para o Brasil, em primeira mão, a notícia do assassinato do general Pedro Aramburu, que em 1955 fora responsável por um golpe de Estado contra Perón. Em julho, em Lisboa, cobriu também com exclusividade os funerais do ditador António de Oliveira Salazar. Antes, depois de muita insistência, conseguiu quebrar o silêncio do marechal Eurico Gaspar Dutra, o ex-presidente da República que, aos 87 anos, estava recluso à sua casa, no Rio de Janeiro. "Se querem ver algo que ousa e é diferente do habitual, vejam o *Dia D*", indicava o crítico de tevê Arthur da Távola na *Última Hora*.

O programa era imprevisível. Uma semana mostrava Maysa sabatinando a hilária Dercy Gonçalves e, em outra, conversando com o sisudo almirante Augusto Rademaker, o vice do general Emílio Garrastazu Médici. Maysa tanto podia fazer uma matéria de comportamento, retratando o primeiro salão de beleza para homens no Brasil, como uma reportagem investigativa sobre o mistério de um navio pesqueiro chinês que aportara no Paraná com 21 tripulantes mortos a bordo. Diversidade era o lema. A lista completa de entrevistados do programa incluiria de Chacrinha ao então ministro dos Transportes, Mário Andreazza; do comediante Mazzaropi ao governador da Guanabara, Negrão de Lima; do governador Abreu Sodré, de São Paulo, ao estilista Clodovil. Maysa também não dispensava matérias pitorescas, a exemplo da que mostrou um grupo de pessoas que morava dentro de uma caverna e a do homem que jurava ter vindo de Netuno.

Por trás das câmeras do *Dia D* estava um dos segredos do sucesso do programa: o cinegrafista Laerte Rosa, considerado pelos colegas da Record um artista das lentes. Tão experiente quanto criativo, ele dava dicas preciosas a Maysa, que as seguia de forma quase religiosa. Laerte sugeria efeitos visuais, novos ângulos, ousadas perspectivas. "Isso é renovador. Isso é televisão", afirmava Artur da Távola, que continuava a se bater pelo fim do rádio televisionado. Chacrinha, que tinha sido entronizado pela imprensa e pelos tropicalistas como o papa da comunicação de massa no país, também aplaudia a repórter Maysa. Mas o Velho Guerreiro refletia um temor coletivo em sua coluna na *Última Hora*: "Sei lá, estou começando a desconfiar que ela está se empolgando muito com esse negócio de fazer reportagem para a televisão. E se ela esquecer de cantar? E aí, como é que vai ser?".

Os fãs da cantora podiam respirar aliviados, pois não iriam perdê-la para o jornalismo — nem mesmo quando ela desse outro passo em direção ao novo ofício e passasse a assinar, a partir de meados do ano, uma coluna na revista *Intervalo*. Entretanto, isso não significava que seus admiradores do palco e do disco estivessem resguardados de uma outra espécie de ameaça. "Fazer jornalismo era um velho sonho meu, mas o que quero mesmo é ser atriz. E, de certa forma, já sou. Cantando estou também representando. Mas espero, um dia, ser atriz de texto", ela confessou, em agosto, ao *Jornal do Brasil*.

No início do ano, em janeiro de 1970, Maysa estivera em turnê pelo México e se sentira tentada quando o ator, produtor e diretor Ernesto Alonso, conhecido por lá como *El Señor Telenovela*, com quase meia centena de folhetins eletrônicos no currículo, acenou com um convite para que participasse de seu próximo trabalho. A viagem rendera-lhe capas e pôsteres de revistas, além de extensas reportagens nas páginas dos jornais daquele país. Além disso, os mexicanos foram os primeiros a contemplar seus olhos verdes, em cores reais, quando ela cantou na televisão local, que fazia as primeiras transmissões coloridas com dois anos de vantagem sobre o Brasil. Mas nada daquilo a deixou mais feliz que a proposta de Ernesto Alonso. Ser atriz passara a ser uma idéia fixa de Maysa.

* * *

Como ela previra, a lua-de-mel com a mídia não durou muito tempo. Bastou baixar a guarda para que as bordoadas voltassem com força em sua direção. Um novo desentendimento com Ronaldo Bôscoli, agora por motivos profissionais, acendeu o primeiro rastilho de pólvora. Ao retornar do México, Maysa fechara contrato com Miéle e Bôscoli para um show, produzido pela dupla no Teatro da Praia, o mesmo lugar em que Elis Regina fizera uma temporada de sucesso no ano anterior. A propósito, as desavenças entre Elis Regina e Maysa pareciam ter sido colocadas em banho-maria. A turma do deixa-disso, o próprio Miéle à frente, havia entrado em ação e jogado água fria na fervura. Como uma demonstração pública de que aceitara desfraldar a bandeira branca, Maysa foi assistir ao show que Elis, com um barrigão de sete meses de gravidez, estava fazendo no Canecão, então já convertido em nova meca para a classe artística no Rio de Janeiro. Quando nascesse João Marcelo, o filho de Bôscoli e Elis, a família encorujada apareceria em uma cândida reportagem do *Dia D*.

Maysa, Bôscoli e Miéle posaram sorridentes para fotos, deram entrevistas e anunciaram a data da estréia do espetáculo que fariam juntos: 1º de março de 1970. Dias depois mudaram o calendário e corrigiram a informação: 15 de março. Veio nova correção: 30 de abril. Após três dias, mais uma retificação: 5 de maio. Quando todo mundo já estava achando aquilo meio esquisito, Maysa anunciou que riscara definitivamente o show no Teatro da Praia de seu caderno. Havia preferido repetir a dose do ano anterior e fazer nova temporada no Canecão, com um espetáculo dirigido por Wilton Franco sob regência musical de Luizinho Eça. Muita gente ficou de orelha em pé. Devia haver um imenso fogaréu por trás de toda aquela fumaça.

As labaredas não tardaram a aparecer. Ronaldo Bôscoli foi aos jornais e vociferou: processaria Maysa por quebra de contrato. Acusou-a de lhe dar um cano homérico, deixando-o com um bruto prejuízo nas mãos, pois arrendara o teatro e, sem show, ficaria inadimplente. Na coluna da revista *Intervalo*, Maysa deu sua própria versão para os fatos: depois de 65 dias, com todas as músicas já devidamente ensaiadas, cansara de esperar pelo texto do espetáculo que deveria ter sido preparado por Bôscoli e Miéle. "Eles podem estar acostumados a trabalhar na base do improviso. Mas eu, não. Não sou gênio como eles", cutucou.

A confusão poderia ter ficado por aí, em apenas mais um bate-boca entre Maysa e o ex-namorado, se o novo show no Canecão repetisse o êxito do anterior, de 1969. Mas o problema é que não repetiu. Boa parte da temporada coincidiu com a campanha da seleção brasileira no México, na primeira transmissão ao vivo de uma Copa do Mundo. A platéia, claro, minguou. Além disso, o espetáculo foi feito de afogadilho. A crítica preparou o pau. E bateu feio.

Um dos momentos mais questionáveis do show era quando Maysa cantava com o conjunto de cordas em playback. Para quem sempre se fizera acompanhar de grandes músicos ao vivo, parecia mesmo imperdoável. Teve-se ainda a idéia de incluir, no início do espetáculo, uma espécie de "jogo da verdade", em que pessoas da platéia faziam questionamentos à cantora. O resultado, diante do nível sofrível das perguntas, chegaria a ser constrangedor. Para completar a comédia de erros, ao final do espetáculo Maysa aparecia vestida com o uniforme da banda do Canecão. O esmerado figurino do show anterior mandara lembranças: "Isso é digno do mais vagabundo dos programas já feitos na televisão brasileira", escreveu o jornalista Luiz Carlos Maciel.

Diante da reação amarga da crítica e do comportamento morno do público, Maysa se viu obrigada a mudar o show no meio da temporada. Incluiu antigos sucessos de apelo garantido como "Ouça" e "Meu mundo caiu". Os aplausos subiram alguns decibéis, mas nem isso resolveu o caso, pois o pior estava por vir: a temporada foi tirada de cartaz antes da hora. Maysa disse que a cervejaria não cumprira o acordo, deixando de lhe pagar o acertado em contrato. "Essa não, Sr. Canecão", foi o título de uma de suas colunas na *Intervalo*. Era muita confusão para um show só. A fama de encrenqueira, que andava sumida, reapareceu.

A única boa notícia era a de que o astronauta Neil Armstrong, que no ano anterior deixara a marca de sua bota espacial tamanho 41 na superfície da Lua, tornando-se o primeiro homem a realizar tal proeza, estava no país e fora assistir à cantora no Canecão. Deixara até um bilhete para ela:

Querida Maysa,
Aceite por favor minha grande admiração.
Tudo de bom e que seja muito feliz.
Armstrong (Apolo 11)

* * *

Naquele início de década, assim como as calças boca-de-sino, o piche virou moda. A palavra "pichar" entrava no vocabulário nacional para definir a crítica violenta e debochada. Na televisão, o surgimento de programas polêmicos como "Quem tem medo da verdade?", de Carlos Manga, no qual toda semana personalidades eram postas no corredor polonês, ajudou a popularizar o estilo. Em 1970 surgia a revista *Amiga*, espécie de sucessora da velha *Revista do Rádio*, que encontrou também no piche uma de suas principais matérias-primas. "Sem liberdade de pichação, nenhum elogio é válido", dizia sem rodeios o lema da coluna de Carlos Imperial.

O formato não era novo. Já existiam revistas e programas especializados em fofoca do mundo artístico desde o início dos tempos, nos primórdios da chamada Era do Rádio. A diferença era que, dessa vez, todo mundo queria bancar a Candinha. Subjugada pela censura política, a imprensa encontrou no piche uma válvula de escape. E o artista que topava falar mal dos colegas em público ganhava mais fotos, refletores e manchetes. Um bom arranca-rabo e a ausência de compostura viraram garantia líquida de ibope. A arte da polêmica, antes um atributo de poucos e ousados, virou mercadoria fácil. Nunca os artistas se esculhambariam tanto, uns aos outros, como naquele comecinho dos anos 1970. Imperial, que além de "rei da Pilantragem" era também o "imperador do piche", seria capaz de, em entrevistas para a *Amiga*, fazer perguntas como esta: "Stênio Garcia, por que você insiste em usar essas roupas ridículas?". A patuléia adorava.

Uma figura explosiva como Maysa não podia ser deixada fora dessa rinha. Todo mundo, é lógico, quis tirar partido de sua língua ácida. E ela, sabia-se, não negaria fogo. No final de maio a *Manchete* publicou a matéria "Maysa no paredão", em que mais de uma dezena de artistas lançavam perguntas ferinas a ela. A cantora Eliana Pittman queria saber, por exemplo, o motivo de não ter mais incluído composições de sua autoria nos últimos discos. Insinuou ainda que Baby, guitarrista da noite de São Paulo e amigo de Maysa, era o autor de suas músicas "A sua fonte secou ou você perdeu o endereço do Baby, que tocava na boate Cave?", indagou. Maysa ficou irritadíssima: "A minha fonte de inspiração não secou, não. Estou voltando a compor e o Menescal, musicando. E se secou, isso é problema meu, não é seu. Agora, que Baby é quem fez minhas músicas, eu gostaria que provasse. Traga o Baby".

O jornalista José Itamar de Freitas, outro convidado, observava que Maysa era uma mulher inteligente e corajosa, incapaz de se curvar às inconveniências. Mas ponderava: "Isso não custa caro demais a um artista? Vale a pena ser independente e livre, Maysa, quando se é artista?". Não era uma pergunta agressiva, mas a primeira questão, feita por Eliana Pittman, tirara a artista do sério. "José Itamar, você acha que realmente uma pessoa é livre e independente quando tem que responder a uma coisa dessas? Acho que só se é livre quando existe a opção para poder dizer 'eu não quero responder' ou então 'quero que você se dane'".

Quando o cantor Antônio Marcos perguntou a Maysa se ela seguia rigorosamente os palpites da gravadora ao fazer um disco, recebeu um contravapor: "Olha, a condição *sine qua non* nos meus contratos é que me dêem plena e total liberdade de fazer o que acho certo. Ninguém melhor do que eu pode saber o que tenho vontade de cantar e o que não tenho. Isso é exatamente o que você tem de fazer, Antônio. Libertar-se. Sinto que você está perdido, procurando cantar só essas musiquinhas de parada de sucesso. Já observei você muitas vezes na tevê e noto uma incrível angústia. Parece que você quer falar de alguma coisa que não pode. Você precisa ter coragem e deixar de ser um cantor fabricado".

Ainda na matéria da *Manchete*, a cantora lírica Diva Pieranti também pichou, mas usou luvas de pelica e um certo eruditismo recorrendo à Grécia clássica: "Maysa, um artista deve fazer qualquer coisa para alcançar a popularidade? Por exemplo, extravagâncias como Alcebíades cortando a cauda de um cão ou Diógenes dormindo num tonel?". Maysa desabafou: "Desde que não entre em conflito com seu ego e não se desrespeite, tudo é válido. Eu jamais vou me render à máquina de despersonalidade, entende? Não estou querendo dizer que sou melhor do que os outros. E se achar, isso também é problema meu. Agora, estou sentindo que a minha convivência com tudo isso está começando a pifar. Olha, se eu não tivesse mesmo com muita vontade de fazer este novo show no Canecão, metia-me numa ilha deserta pra ler, ouvir música e criar base para ir mais adiante".

Era mais que um simples desabafo. Maysa estava começando a se encher, de verdade, daquela máquina de moer gente.

* * *

Enquanto a carreira descambava para uma nova crise, do mesmo modo a vida pessoal não ia nada bem. No final de junho, logo depois de completar catorze anos, Jayme decidira abandonar o colégio interno na Espanha. Nas férias de verão daquele ano, todos os colegas já haviam retornado para os seus respectivos lares e ele assistira sozinho, em uma grande sala da escola, à final da Copa do Mundo, na qual a seleção brasileira de Pelé, Tostão, Gérson e Jairzinho sagrou-se tricampeã, ao derrotar a Itália por 4 × 1. Dois dias depois, o garoto viajou para o Brasil e ficou bastante magoado ao constatar que a mãe não tinha ido pegá-lo no aeroporto. "Não lembro como cheguei em casa. Só sei que, quando ela abriu a porta do apartamento, falei que não voltaria mais para a Espanha, de jeito nenhum", recordaria Jayme, que decidiu ir morar sozinho em São Paulo, com o dinheiro que o pai deixara. Na capital paulista, passou a viver no mesmo prédio do tio, Cibidinho, casado com Dora Colaferri. Como mal falava o português, contratou um professor particular para retomar o convívio com a língua materna. Antes de completar quinze anos, o garoto obteve sua emancipação legal, concedida por Maysa.

* * *

Se a relação com o filho atravessava altos e baixos, o casamento com Miguel descera a ladeira de vez. A admiração profissional que Maysa sentia pelo câmera Laerte Rosa logo ganharia contornos de maior intimidade. Em meio às gravações do programa, Maysa e Laerte passaram a manter um tórrido caso de amor. Quando viajavam juntos para as reportagens do *Dia D*, dividiam uma única suíte de hotel. Na volta de Lisboa, depois da cobertura dos funerais de Salazar, só quando já trocavam arrulhos no avião é que se deram conta de que não haviam devolvido o carro alugado, abandonando-o na frente do hotel. "A cantora Maysa está de romance novo, com um companheiro de tevê", anunciou uma das primeiras notinhas a respeito do assunto.

Laerte Rosa não era nenhum Don Juan. Até ali, os colegas de Record tripudiavam de sua má sorte com as mulheres. "Antes de Maysa, ele só conseguia arranjar namorada feia", diria o amigo Cid Sandoval, à época também cinegrafista da emissora. Contudo, Laerte tinha fama de ser um exímio conversador, sempre com uma história fantástica na ponta da língua. Magro, cabeludo e de cavanhaque, fazia o estilo riponga: usava um chapéu de feltro e um inseparável colete com franjinhas de caubói. Homem sensível, profissional competente, pareceu um galã aos olhos de Maysa.

Na cobertura do julgamento de Charles Manson, ao lado de Laerte, Maysa não se preparou para entrevistar o advogado de defesa do acusado. Com a câmera pronta, o microfone ligado, fez uma única pergunta:

"O que o senhor tem a dizer sobre o caso?"

"A senhora poderia fazer uma indagação mais específica?", retrucou o entrevistado.

"Ah, fale qualquer coisa...", disse Maysa.

A "entrevista" foi ao ar na íntegra e a *Veja* repercutiu o vexame: "Maysa vem desenhando, nos últimos três meses, o perfil ainda indefinido da pessoa famosa que se decide a correr o risco de mudar de atividade e sofrer críticas, como qualquer principiante".

A revista mandou um repórter para entrevistá-la a respeito do assunto. "Diga qualquer coisa, Maysa", pediu o jornalista de *Veja*, no lugar da primeira pergunta. "Ahn?", surpreendeu-se ela. "Não entendo seu espanto. Afinal de contas foi assim que você iniciou a entrevista com o advogado de Charles Manson no Hall of Justice, de Los Angeles." Após aquela observação, seguiu-se o silêncio perplexo de Maysa. "Eu vi o teipe no Rio de Janeiro logo que cheguei de viagem e tive mesmo vontade de morrer", ela, por fim, confessou. "Se pudesse desligar o botão da minha televisão e tirar o programa do ar, teria tirado. Infelizmente a gente não viaja por conta própria, mas com o dinheiro dos outros. E o programa que dá ibope, não importa se bom ou ruim, eles levam ao ar. A tevê brasileira não existe para ser muito inteligente."

Para Maysa, o *Dia D* não era um fim em si mesmo. No fundo, queria ganhar experiência para fazer um filme em parceria com Laerte. Seria um longa-metragem sem história, com roteiro livre. "Vai ser um filme de longos silêncios, de mais de dez minutos cada um. Não tenho a menor idéia se o público vai compreender. Seria bom se compreendesse, mas se isso não acontecer, azar. Quero que o público se dane", anunciou. "No filme procurarei apenas viver todas as emoções do momento e, ao mesmo tempo, tentarei transmiti-las. Para conseguir isso, irei ao impossível. Não tenho medo de bebidas ou tóxicos. Só do LSD. Mas se for preciso..."

O filme nunca foi realizado. E o caso de Maysa com Laerte Rosa teve um trágico desfecho. Na madrugada do dia 9 de outubro de 1970 ele entrou em estado de coma, nos braços de Maysa, no quarto do Hotel Danúbio, na avenida Brigadeiro Luiz Antonio, em São Paulo, onde ficavam hospedadas as equipes a serviço da Record. Tomara um coquetel alucinógeno, misturando álcool e os comprimidos para emagrecer de Maysa. Foi demais para Laerte. Levado para o hospital, ficou internado algumas horas, durante as quais a cantora permaneceu ao seu lado o tempo todo, acompanhando cada bipe do aparelho que monitorava seus batimentos cardíacos. No início da tarde, o som intermitente transformou-se em um único ruído, contínuo e agudo. O coração de Laerte parara de bater.

No dia seguinte à morte do cinegrafista, Carlos Imperial informou em sua coluna que Miguel Azanza lhe telefonara para desmentir pessoalmente os boatos de que seu casamento com Maysa havia terminado. Os dois continuavam juntos e felizes, garantia Miguel. "Laerte morreu e, com ele, mais um pedaço de mim", anotou Maysa em seus escritos.

* * *

A cantora passou a ter saudades de si mesma. O disco lançado por ela naquele ano, pela Philips, significou um assumido recuo no tempo. Para fazer os arranjos do álbum *Ando só numa multidão de amores* — título tomado emprestado de um verso do poeta Dylan Thomas — Maysa chamou Roberto Menescal e Luizinho Eça, mas optou por um repertório que, em sua maioria, remetia aos primeiros tempos de carreira: "Este disco é um reencontro com minha verdade. Ano passado gravei autores jovens num disco moderninho, que não me satisfez. Com este é diferente. Essencialmente romântico, tem um pouco de tudo. Até boleros, que amo e não tenho vergonha de confessar".

Eram exatamente dois boleros que abriam o LP: "Molambo", de Jayme Florence e Augusto Mesquita, e "Yo sin ti", do mexicano Arturo Castro. "Não sou moderninha e não tenho mais vontade de ser. Acho importante eu não desacreditar no que sou. O moderninho imposto é horrível. Acho perfeitamente que se pode cantar um bolero pra frente. Burro é quem não acha", disse ao jornal *O Globo*. Maysa voltava a gravar obras de Antônio Maria ("Suas mãos"), Fernando Lobo ("Chuvas de verão") e Ary Barroso ("Três lágrimas"). Também retornou a Tom Jobim. Dele, o disco trazia "As praias desertas" — uma das primeiras composições com Vinicius — e uma soberba interpretação para "Bonita", com a letra original em inglês, lançada pelo próprio Tom em um disco norte-americano de 1964.

Após longo jejum, ela incluía duas músicas de sua própria autoria. Uma delas era "Me deixe só", parceria recente com Roberto Menescal, que também respondia pela produção do disco. "O que me faltava era coragem para mostrar as letras que eu vinha fazendo e guardando só para mim. Achava que minhas coisas estavam fora de época. Mas percebi que as pessoas é que hoje estão meio perdidas em termos de música — e não eu", explicou. A outra composição assinada por Maysa no álbum *Ando só numa multidão de amores* era exatamente a regravação de "Resposta", lançada no primeiro disco da carreira, catorze anos antes. Era, de fato, uma volta ao começo.

A capa do LP seria uma das mais expressivas de toda a discografia de Maysa: o seu rosto em retícula, em preto-e-branco, mas com os olhos verdes. "Um disco bonito mesmo, por fora e por dentro", elogiou a *Intervalo*. "Quem ainda não tem o álbum novo de Maysa deve comer formiga crua ou vender a vitrola", opinou *O Dia*. A gravadora apostou alto no trabalho e mandou publicar anúncios de página inteira em jornais e revistas: "A gente. A ternura. A lembrança. O ontem de hoje e de sempre. A alma, a dor. Maysa agora em discos Philips". Entretanto, em um ano em que os grandes sucessos da temporada seriam as patriotadas "Pra frente, Brasil", de Miguel Gustavo, e "Eu te amo, meu Brasil", de Dom e Ravel, o álbum passou quase despercebido pelo público. Poucos meses depois, a gravadora o tiraria de seu catálogo.

Maysa ficou tão desapontada que decidiu dar uma nova parada na carreira. Quando a Rede Globo a convidou para cantar no programa *Som Livre Exportação*, ela gracejou: "Só canto se me derem um papel na próxima telenovela". Para seu espanto, levaram a frase a sério. "Falei aquilo brincando. Qual não foi a minha surpresa quando me ligaram dizendo que Bráulio Pedroso, o autor da novela seguinte, queria ter um papo comigo", escreveu Maysa, em suas páginas de memórias.

Até ali, sua relação mais próxima com uma novela fora a inclusão de uma música cantada por ela — "Nosso caminho", de Fred Falcão e Arnoldo Medeiros — na trilha sonora de *Irmãos coragem*, de Janete Clair. É verdade que chegara a atuar, em um já distante 1958, na adaptação de um conto de Natal do escritor norte-americano O. Henry no programa *Noite de gala*, apresentado por Abelardo Figueiredo. Na juventude, participou durante alguns meses de um grupo de teatro amador dirigido pelo prestigiado Flávio Rangel, à época ainda um iniciante. Fora isso, naquele mesmo ano de 1970 atuaria no teleteatro *Elas por elas* com Bibi Ferreira e Rubens de Falco, dirigida por Sérgio Brito no programa *Bibi especial* apresentado pela TV Tupi em 18 de dezembro. Mas fazer uma novela inteira, e na Globo, emissora que a essa altura já era dona absoluta da audiência no gênero, era algo bem diferente. A sua grande chance de ser atriz, portanto, finalmente chegara.

* * *

Foi a primeira vez que uma novela brasileira precisou lançar mão da advertência: "Qualquer semelhança com pessoas vivas ou mortas ou com fatos reais terá sido mera coincidência". O aviso podia até se aplicar a várias situações de *O cafona*, trama escrita por Bráulio Pedroso que pretendia mostrar o artificialismo das convenções sociais e revelar o lado sórdido da vida burguesa. Mas a sentença, que se tornaria praxe dali por diante, não se enquadrava à personagem Simone, interpretada por Maysa. No caso, era impossível separar ficção e realidade.

Simone era uma mulher da alta sociedade, casada com um industrial paulista. Cansada da vida de *socialite*, larga o marido, troca São Paulo pelo Rio de Janeiro, cai de cara no uísque, transforma-se em uma devoradora de homens e, *touché*, torna-se uma notória transgressora dos bons modos. Mera coincidência uma conversa, constataram os telespectadores no conforto da poltrona. Maysa, todos perceberam, estava interpretando a si mesma. E embora aquele copo com o qual aparecia em cena só contivesse Guaraná, muita gente acreditou que ela estava biritando de verdade durante as gravações.

Maysa, que retocou o rosto na clínica do médico Ivo Pitanguy para aparecer melhor no vídeo, estava duplamente contente. Não só realizava o sonho de ser atriz como lavava a alma ao mostrar o drama da própria vida, na televisão, para milhões de pessoas em todo o país. "É uma pena que só agora, aos 34 anos, minha experiência humana venha a ser compreendida em um trabalho como este. Há uns treze anos, pessoas como eu eram rotuladas de transviadas, desajustadas e outros termos pejorativos. Hoje não. Ser assim agora é ser, na pior das hipóteses, um hippie", disse Maysa, no coquetel de apresentação do elenco à imprensa.

Levada ao ar no horário das 22 horas — então reservado para temas mais contundentes que as habituais xaropadas da "novela das oito" —, *O cafona* ficou em cartaz entre março e outubro de 1971, com direção de Daniel Filho e Walter Campos. Maysa contracenava com um time de profissionais formado por Tônia Carrero, Francisco Cuoco, Paulo Gracindo, Marília Pêra, Marco Nanini, Ary Fontoura, Renata Sorrah e Carlos Vereza. O autor, Bráulio Pedroso, vinha de uma bem-sucedida experiência no teatro. Escrevera, entre outras peças, *Isso devia ser proibido*, em parceria com Walmor Chagas, encenada pela atriz Cacilda Becker. Na tevê, provocara rebuliço ao romper com os dramalhões do gênero em *Beto Rockefeller*, que inaugurou a telenovela com crítica social. Em *O cafona*, repetia a dose, com ainda mais humor.

Era divertido descobrir as personalidades da vida real que haviam inspirado alguns dos personagens da história. Às vezes, isso ficava óbvio. Os jovens cineastas Cacá, Rogério e Julinho, interpretados respectivamente por Osmar Prado, Carlos Vereza e Marco Nanini, eram visivelmente decalcados das figuras reais de Cacá Diegues, Rogério Sganzerla e Júlio Bressane. Além dos nomes dos personagens entregarem, de cara, a verdadeira identidade do trio, havia ainda a referência ao filme *Matou a família e foi ao cinema*, obra de Sganzerla que na novela se transformava em *Matou o marido e prevaricou com o cadáver.* Além de curtir com a esquerda festiva, Pedroso fazia também uma sátira corrosiva ao movimento hippie. E muita gente graúda se viu caricaturada na galeria de novos-ricos e milionários falidos da novela.

O cafona foi a primeira telenovela da Globo a ter sua trilha sonora lançada em disco pela Som Livre, marca de fantasia da Sigla (Sistema Globo de Gravações Audiovisuais). Para embalar as aventuras e desventuras de seu personagem, Maysa colocou música em um de seus poemas mais recentes e o lançou em um compacto simples, com o título "Tema de Simone". A canção, curiosamente, ficou fora do LP oficial da novela. Durante todo o ano de 1971, aquela foi a única vez em que Maysa entrou em um estúdio de gravação para trocar o papel de atriz pelo de cantora. Houve só uma outra exceção, quando gravou mais um compacto simples, que trazia uma versão da melosa "Love story", de Carl Sigman e Francis Lai, música-tema do filme homônimo. Mas esse trabalho ela renegaria para o resto da vida.

Nos créditos do disco, "História de amor" era atribuída ao fotógrafo Paulo Garcez, que levou a fama pela canção mas estava completamente inocente em toda essa história. Quando André Midani, o homem forte da Philips, encomendou a versão de "Love story" ao jornalista e compositor Nelson Motta, este realizou o trabalho mas aprontou uma traquinagem. "Eu achava a música original breguíssima e não queria botar meu nome naquilo. Aí tive a idéia de pregar uma peça no meu amigo Garcez, um homem refinado, um verdadeiro lorde. Achei que ia ficar engraçado ele assinando uma cafonice daquelas", revelaria Nelson. "Para compensar a brincadeira, deixei que ele também recebesse os direitos autorais por mim."

De início, Maysa recusou-se a gravar a música por julgá-la inadequada ao seu repertório. A gravadora brandiu o contrato no ar e disse que ela estava obrigada a fazê-lo. Uma cláusula determinava que a Philips tinha direito a indicar gravações que julgasse oportunas. Maysa gravou "Love story" para não ter de pagar multa, mas, segundo ela, saiu do estúdio com sua carta de demissão já datilografada. "Não é uma questão de temperamento forte, apenas faço o que gosto, senão não tem sentido. Não quero entrar no esquema de gravar para ganhar dinheiro. Me parece muito melhor ganhar um pouco menos, mas viver bem comigo mesma, do que aceitar coisas desse tipo", diria depois.

O episódio reforçou o desejo de investir ainda mais na carreira de atriz. Em uma das cenas mais antológicas vividas por ela em *O cafona*, uma trôpega Simone era enxotada do Copacabana Palace. Como a locação foi realizada no hotel de verdade, muita gente que passava pela avenida Atlântica imaginou ter assistido à própria cantora ser escorraçada do famoso palacete branco. "Dá neles, Maysa!", gritavam os populares. Ela adorou. Ora, se imaginavam que estava sempre bêbada em cena, isso era um ótimo sinal. "Simular um porre é difícil pra burro, é mais fácil tomar um", dizia. "Um grande amigo me falou: 'Que pena, você voltou a beber. Seus pileques na novela me deixam penalizado'. Foi quando me convenci de que era mesmo uma grande atriz."

* * *

Em seu diário de 1971 Maysa escreveu: "Mais um passo na minha vida. Hoje, dia 3 para 4 de outubro, descobri realmente um mundo novo: o teatro". Naquela noite foram feitos os ajustes finais para a grande estréia, dali a quatro dias, do espetáculo *Woyzeck*, no qual ela faria uma das protagonistas. Maysa encarnaria o papel de Maria, a mulher do personagem-título, Franz Woyzeck, um barbeiro e soldado atormentado pela miséria e pela loucura vivido pelo ator Antônio Pedro. Era uma produção milionária para uma peça perturbadora e complexa. O autor, o alemão Georg Büchner, morrera em 1837, antes de completar 25 anos de idade. Deixara apenas fragmentos dispersos da obra, que seriam posteriormente compilados em versões mais atualizadas, à proporção que novos manuscritos foram sendo encontrados.

Ao contrário da divisão tradicional em atos e cenas, os vários quadros de *Woyzeck* possuem estrutura autônoma, compondo um caleidoscópio que implode os conceitos clássicos de ação, tempo e espaço dramatúrgicos. Ao mesmo tempo, a temática possui forte conotação social, com personagens proletários e marginalizados inspirados em uma história real, um rumoroso assassinato ocorrido na Alemanha em 1821: uma mulher foi esfaqueada por um soldado alucinado que dizia ter cometido o crime guiado por forças obscuras. Visto mais a fundo, o texto da peça era um drama profundamente existencial, que refletia sobre a angústia e a perplexidade humanas. Contudo, atraída pelo nome de Maysa nos anúncios, muita gente iria ao Teatro Casa Grande, onde o espetáculo entraria em cartaz, esperando assistir a mais um show da cantora. Quem sabe ela cantasse de novo de pernas de fora. O susto da platéia, portanto, foi enorme.

Não era a primeira vez que *Woyzeck* estava sendo montado no Brasil. Mais de vinte anos antes, em 1948, o diretor Ziembinski fizera a mesma experiência em uma adaptação para o texto original rebatizado de *Lua de sangue*. Naquele tempo, com a platéia às moscas, nove dias depois o espetáculo fora tirado de cartaz: a peça foi considerada arrojada demais para a época. O precedente histórico não assustou Maysa. Ressuscitou a Guelmay e investiu tudo que tinha em *Woyzeck*. Até a armação do cenário era feita em madeira de lei. Importou equipamentos, encomendou figurinos, alugou o teatro por quase seis meses, contratou vinte atores, um coro, tudo com dinheiro do próprio bolso.

A produção era assinada por Miguel Azanza e a direção foi confiada a Marinilda Pedroso, mulher de Braúlio Pedroso, o autor de *O cafona*. Cenários e figurinos eram de Joel de Carvalho. A música ficaria a cargo de Edu Lobo e Ruy Guerra, com regência de um maestro estreante: Guto Graça Melo. Para evitar possíveis mal-entendidos, Maysa advertiu os fãs de que aquele era um outro tipo de trabalho, bem diferente do que estava acostumada a fazer: "Meu público como cantora é aquele que bebe e curte uma fossa. Estou fugindo desse público, partindo para assumir uma coisa muito além de cantar", avisou em entrevista coletiva dias antes da peça. "Sei que pelo fato de ser cantora vão me exigir o dobro como atriz. Estou plenamente consciente desta expectativa. Sei que o teatro é muito sério. Não tenho direito de fazer bobagem." Em entrevista concedida ao Caderno B do *Jornal do Brasil* ela disse que o principal desafio era cantar dois tons acima do normal:

"Na peça, tenho que cantar em *mi*. Nunca imaginei cantar neste tom. Mas isto é bom porque não existe nada que dê espaço para a outra Maysa cantar do jeito que está acostumada. Gosto sempre de ter meu passaporte mental pronto. Quero ter aquela amplitude para que possa fazer tudo. Cansei de ser limitada pelo 'talvez' e pelo 'não pode ser'. Nunca tive consciência do que era 'sim'. Descobri que viver é um negócio bom."

Após um dos últimos ensaios, Maysa anotou em seu diário: "Nasceu em mim, antes apenas esboçada, Maria. Está sendo maravilhoso, brutal, gratificante". Porém, ela teve sérios problemas para decorar os diálogos e as letras quilométricas das músicas que compunham o espetáculo. Em um caderno à parte, ao reproduzir vários trechos da peça, fazia a ressalva: "Estas são frases que ainda não sei bem". Seguia-se mais de uma dezena de páginas manuscritas, com as partes que ainda não havia decorado.

Na antevéspera da estréia, o tom do diário era de quase desespero: "Ontem passamos duas vezes a peça e, em ambas, especialmente da primeira vez, foi um caos. Todo mundo desligado, um lixo". Ela própria ainda não havia se acertado com a personagem: "Amanhã, pretendo fazer um histórico sobre as situações e as emoções que devo buscar dentro de mim para fazê-la mais dura, mais doce, mais autêntica. Maria ainda está meio perdida em mim".

A imprensa parecia igualmente perdida. Menos de uma semana antes da estréia ainda se noticiava que Maysa faria um "novo show" no Teatro Casa Grande. Era difícil acertar o nome do espetáculo, que foi grafado pelos jornais com pelo menos três variações erradas: "Voivec", "Voivez", "Zoizec". Preocupada, a diretora Marinilda Pedrosa convocou a imprensa e explicou, de forma didática, quem era Georg Büchner e qual o significado da peça *Woyzeck*. A respeito da atuação de Maysa durante os ensaios, foi transparente: "Como atriz, Maysa tem que superar uma série de limitações. Sua atuação está sendo mais na raça do que na técnica. Em algumas cenas, ela precisa evoluir. Mas é uma mulher muito explosiva e se entrega muito. Além do mais, tem uma vivência que é fundamental para compor a personagem. Está crescendo a cada dia".

No dia 8 de outubro, o Teatro Casa Grande recebeu um bom público para a estréia. Os aplausos, porém, foram comedidos. E a cada nova apresentação, a platéia evaporava. A imprensa, por seu turno, considerou a montagem apenas pretensiosa. "As possibilidades oferecidas por Büchner são simplesmente jogadas pela janela. Nada funciona. Os cenários e figurinos de Joel de Carvalho (muito bonitos) pertencem, por certo, a um outro espetáculo, sério, inteligente, qualidades que não existem no da Casa Grande. As músicas de Edu Lobo e Ruy Guerra poderiam ser funcionais no espetáculo para o qual Joel fez os cenários e figurinos — um espetáculo que infelizmente não está em cartaz", escreveu Wilson Cunha.

"Este *Woyzeck* do Leblon é a delícia dos amadores. Uma confusão de fragmentos povoados por muita gente, com muita roupa e adereços para trocar, num cenário cheio de planos, pontes e alçapões. O resultado é uma festa no teatro, mas não um teatro em festa", observou Telmo Martino. "A única expressão que pode definir a peça é esta: meu mundo caiu", avaliou a *Tribuna da Imprensa*.

Guto Graça Melo não teria saudades da experiência. Segundo ele, o problema foi a estrutura pesada demais, grandiosa ao excesso, incompatível com um trabalho de difícil aceitação popular. "Foi um desastre", resumiria Guto. "Maysa me deu uma chance de ouro. Eu era muito jovem e ela foi a primeira pessoa a me chamar de maestro. Mas *Woyzeck* foi um passo em falso. Ela torrou todo o dinheiro que possuía em um projeto que não tinha como dar retorno financeiro à altura", diria ele.

Em algumas noites, havia mais gente em cima do palco que na platéia. Não houve outro jeito senão retirar a peça de cartaz. A temporada prevista para São Paulo também foi abortada. Maysa teve de arcar com um imenso prejuízo. Foi o maior fracasso de toda a sua vida. Pela segunda vez, cometera a imprudência de acreditar demais nos próprios sonhos, sem medir as conseqüências. "Foi um pesadelo", lamentou em seus escritos íntimos. Pouco mais tarde reconheceria isso, publicamente:

"Tudo não passou de uma experiência ridícula. Eu, como empresária e atriz, fui a grande culpada. A crítica até que poupou minha pessoa. Eu não merecia ser poupada. Sou virgem em teatro, não li nada, vi muito pouco, não por falta de interesse, mas por força das circunstâncias. E aí quis partir, direto, de *O cafona* para um autor como Büchner. Não dava pé. Fui pretensiosa e me estrepei. Perdi todo o dinheiro que tinha."

Em uma entrevista que daria no ano seguinte, ironizaria:

"Acho que as pessoas até imaginaram que era o show de um travesti: a Maysa Woyzeck."

* * *

O insucesso de *Woyzeck* abriu um rombo irrecuperável em sua conta bancária, mas não fez Maysa desistir da carreira da atriz. Em novembro de 1971 ela ainda trabalharia em um *Caso especial* na Globo, escrito e dirigido por Sérgio Cardoso e contracenando com Milton Gonçalves e Cláudio Cavalcanti. Chegou a ser anunciado que integraria o elenco do filme *Roleta russa,* de Bráulio Pedroso, no qual viveria a fotógrafa Nina. No entanto, o papel acabou sendo entregue à atriz Ítala Nandi. Ainda naquele ano Maysa emplacou a música "Palavras perdidas", de Reginaldo Bessa, na trilha sonora da novela *Bandeira 2*, de Dias Gomes, que havia substituído *O cafona*. Apesar de essa faixa ter entrado também no disco oficial do VI FIC, de 1971, Maysa não a defendeu no festival. Quem a cantou no evento foi Sônia Santos, que não pertencia ao elenco da Sigla e, por isso, não pôde participar do LP.

Maysa começaria o ano de 1972 cheia de esperança. Em seus diários, registraria: "Mais que nunca estou com vontade de fazer coisas. E vou fazê-las". Em seguida, anotou uma lista de desejos: "1) Desligar-me da Sigla e partir para a Odeon. 2) Possível participação em novela, caso me interesse o papel. 3) Gravação de 'O Disco', aquele que será a minha real volta à música. 4) Show em teatro. 5) Todo o sucesso que advirá deles. 6) Musical em

Em 1968, com os discos que gravara até ali: uma outra mulher, magra e disposta a recomeçar.

No King's Club de Buenos Aires, em 1960, com a turma da Bossa Nova: Luiz Carlos Vinhas, Maysa, Bebeto, Roberto Menescal e Hélcio.

No Blue Angel de Nova York, em 1961, quando tentava emplacar uma carreira nos Estados Unidos.

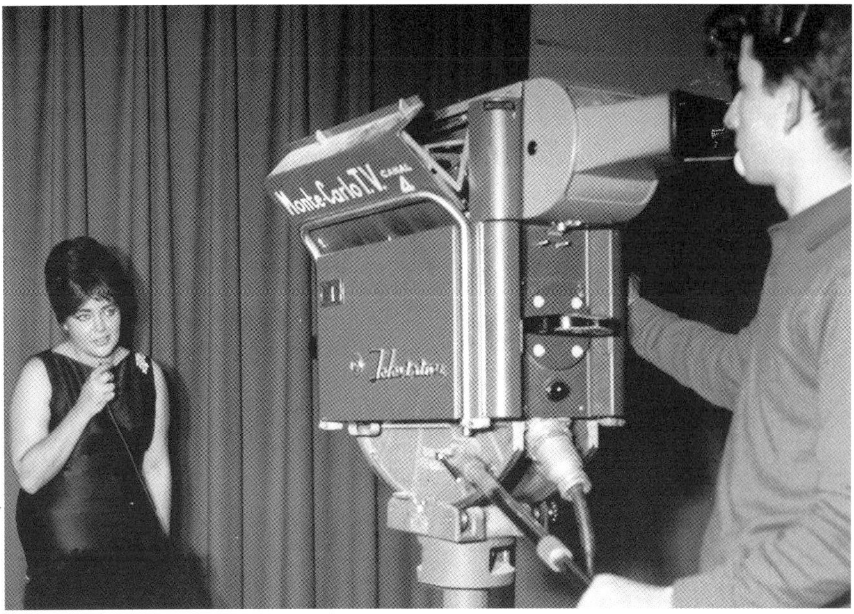

Maysa morou na Itália em 1967, onde cantou em boates e fez apresentações na tevê.

Em Paris, em programa de rádio de uma emissora local.

Em Madri, 1968, já se preparando para a volta ao Brasil .

No II Festival Internacional da Canção: melhor intérprete da fase nacional.

Em praia espanhola, 1968.

Um ano antes, quando morava em Madri.

Maysa e Ronaldo Bôscoli, 1961.

Com Miguel Azanza em Lisboa, 1967.

Ela e Carlos Alberto, no início dos anos 1970, em Maricá.

Antes de retornar ao Brasil, fez uma grande turnê pela América Latina. Na foto, canta na televisão mexicana.

De pernas de fora e roupa transparente, no show histórico no Canecão que marcou sua volta definitiva ao Brasil.

Cena da novela *O cafona* (1971), quando interpretou seu alter ego, Simone.

A repórter Maysa, no programa *Dia D*, transmitido pela TV Record de São Paulo.

Maysa, com o inseparável cigarro, e, abaixo, Sig, personagem-símbolo de *O Pasquim*, dá sua opinião sobre ela.

Cena de *Woyzeck*, de
George Büchner, produção
da própria Maysa.

Dona de brechó, em meados dos anos 1970.

No último show, na boate Igrejinha, em São Paulo, com Filomena Matarazzo e Milton Franco, 1975.

O carro de Maysa, depois do acidente na ponte Rio-Niterói.

Capas de alguns dos principais discos de Maysa entre 1956 e 1960: de deusa da fossa à pioneira da Bossa Nova.

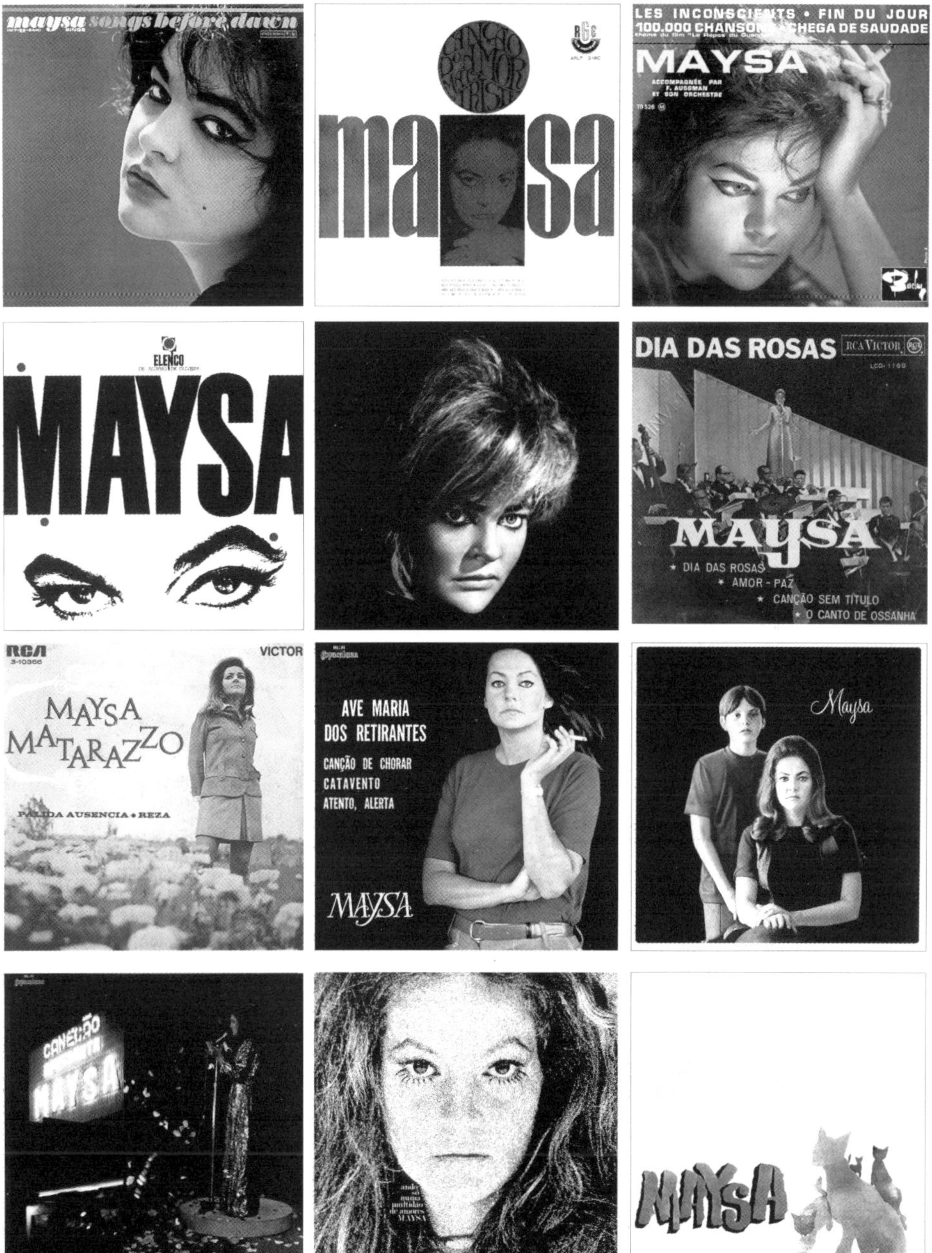

Discos internacionais e da segunda fase da carreira: uma Maysa mais madura, mas sem medo de experimentar o novo.

Maysa em sua casa,
em São Paulo.

cores na Globo. Por enquanto é só". Em outra página vinha a confissão de outro projeto, que nunca sairia do papel: "Se até junho as coisas não se decidirem aqui com respeito às novelas, vou partir para algo sério. E vou fazer. É pra valer. Será fácil. O apartamento ficaria alugado e com o dinheiro eu me mandaria, não sem antes tentar conseguir o *green card* (o visto permanente de imigração nos Estados Unidos)". Por fim, suspirava, quase adolescente: "Ouça bem, Maysa: você vai ver como tudo vai mudar... Você vai ser uma das estrelas maiores desse século. E não vai demorar muito, viu?".

Exatamente em junho, a Tupi a chamou para fazer a telenovela *Bel-Ami*, escrita por Ody Fraga e gravada em São Paulo com Joana Fomm e Fúlvio Stefanini no elenco. Apesar de ter o mesmo título de um famoso conto de Guy de Maupassant, a trama não tinha nenhuma relação com o escritor francês, a não ser o pseudônimo do personagem principal da novela — um alpinista social e mau-caráter que se torna colunista de jornal. Maysa fazia o papel de Márica, uma mulher caprichosa e endinheirada que ajudava o protagonista, vivido por Adriano Reys, a subir na vida. *Bel-Ami* não chegou nem a fazer cócegas na disputa pela audiência com a primeira versão de *Selva de pedra*, apresentada pela Globo no mesmo horário e estrelada pela então namoradinha do Brasil, Regina Duarte, e pelo galã Francisco Cuoco.

A instável Maysa largaria a novela antes do fim. Além de insatisfeita com a qualidade do trabalho, estava naquele momento envolvida com outro projeto pessoal: simplesmente esqueceu toda a lista de desejos que havia enumerado e foi construir uma casa na praia de Maricá, localizada a 65 quilômetros do Rio de Janeiro, vizinho a Niterói. A Barra da Tijuca, que sempre lhe servira de abrigo para fugir da cidade, começava a ser ocupada rapidamente. Maricá, à época um deserto paradisíaco, pareceu-lhe o lugar ideal para substituir o antigo refúgio. A construção seguiu lenta, pois o dinheiro, depois do malogro de *Woyzeck*, estava curto. Enquanto as paredes subiam, tijolo a tijolo, erguia-se nela também uma certeza: não haveria mais lugar para Miguel Azanza em sua vida. Em sua autobiografia inacabada, ela faria um jogo de palavras com o nome do último personagem que interpretara e o da praia deserta: "Márica, Maricá. Só vai mudar o acento. E todo o resto da minha vida".

16. HOJE É DIA DE AMOR (1972-1974)

Hoje é dia de esquecer tristeza,
hoje é dia de encontrar a flor.
(Luiz Bonfá e Maria Helena Toledo,
gravação de Maysa em 1974)

Foi nos corredores da Tupi, durante os intervalos da gravação de *Bel-Ami*, que Maysa conheceu pessoalmente o ator Carlos Alberto, galã da novela das sete da emissora e incensado pelas revistas especializadas como "um dos maiores salários da televisão brasileira". Bonitão, 47 anos, o herói de *Na idade do lobo* já havia despertado a curiosidade da cantora por outros motivos além da fama e do reconhecido charme pessoal. Membro graduado da mística Ordem Rosa-Cruz, ele oferecera, anos antes, seus serviços de "conselheiro espiritual" a Inah Monjardim, a mãe de Maysa, que padecia de uma enfermidade circulatória nas pernas. A família atribuía a cura de Inah à tal intervenção. "Tenho uma dívida de gratidão para com você", dissera-lhe Maysa, mostrando-se interessada em saber mais sobre o assunto.

O momento em que a cantora vivia, disposta a se recolher a Maricá por uns tempos, fez com que se mostrasse receptiva aos esoterismos de Carlos Alberto. Havia outra afinidade a aproximá-los: assim como Maysa, o ator vinha de uma série de relacionamentos fracassados. Sua primeira mulher, norte-americana, viajara com a filha para os Estados Unidos em 1954 e nunca mais dera notícias, deixando de responder às cartas e aos telefonemas. O segundo casamento, que lhe dera um segundo filho, também não fora longe. O terceiro, com a atriz Yoná Magalhães, ao lado de quem fizera par romântico em muitas novelas, tinha acabado de chegar ao fim. "Maysa era uma mulher como eu, cansada dos desapontamentos da vida. Eu a amei quase imediatamente", observaria ele.

Por coincidência, Maysa e Carlos Alberto estavam hospedados no mesmo hotel em São Paulo, por causa das gravações das respectivas novelas. Naquela mesma noite ficaram íntimos. Passaram a madrugada inteira no quarto de Maysa, conversando sobre misticismo, espiritualismo e amores falidos. Quando enfim se despediram, já era de manhã. "Maysa dizia em tom brincalhão, aos ouvidos incrédulos, que varamos toda a noite no quarto dela apenas conversando. E era verdade. Nosso primeiro encontro foi puramente espiritual", confirmaria Carlos Alberto.

Ao contrário da maioria dos homens do país, que dariam um braço para tocar uma mulher e um mito como Maysa, Carlos Alberto parecia saber bem pouco a respeito dela. Apesar de fazer parte do meio artístico, não era consumidor de notícias sobre a vida dos famosos. Nunca fora um ouvinte assíduo de música popular e sempre preferira os clássicos. Por isso, não acompanhava a carreira da cantora, apesar de já ter comprado alguns discos dela por pura curiosidade. "Não parece sintomático que, no dia em que resolvi comprar um disco de música popular, tenha sido o seu?", ele observou. Mais tarde revelaria: "Confesso que, fora isso, não sabia muito de Maysa. Desconhecia que ela havia saído do país, ignorava que houvesse voltado e que tivesse feito um show de sucesso no Canecão".

"Aliás, o que é Canecão?", teria perguntado quando Maysa lhe indagou se havia assistido ao espetáculo histórico.

"Mas o FIC você viu, não é?", Maysa insistiu.

"FIC?", interrogou Carlos Alberto, jurando não saber do que se tratava.

Um ano depois, Maysa recordaria o encontro para a revista *Sétimo Céu*: "A minha cara caiu no chão quando ele começou a falar do seu trabalho no teatro e em novelas. Sem querer, me vinguei, pois também nunca tinha visto nada dele. Mas a minha razão era muito mais lógica: eu estava morando na Europa no período em que ele descambou a fazer sucesso".

Para os dois, portanto, o encontro tinha um total sabor de descoberta. E isso, sem dúvida, contribuiu para o encanto recíproco.

Carlos Alberto era dono de um currículo acadêmico singular para um mocinho de telenovelas: morara doze anos nos Estados Unidos e lá obtivera o bacharelado em geologia, além do doutorado em literatura comparada e estética. Na volta ao Brasil, passou em primeiro lugar em um concurso público para professor estadual e dirigiu sedes regionais do Instituto Brasil-Estados Unidos (IBEU). Entrara para o teatro por intermédio do dramaturgo Paschoal Carlos Magno e, em 1954, ganhara o primeiro dos três Sacis de melhor ator na carreira pela atuação no filme *Rua sem sol*, de Alex Viany. A partir de 1964, quando contracenou com Jece Valadão e Joana Fomm em *O desconhecido*, descobriu um filão até então inusitado para ele: passou a fazer uma telenovela atrás da outra, tornando-se um dos atores prediletos de Glória Magadan, a exilada cubana que ajudou a consolidar os folhetins eletrônicos no Brasil.

Entre Maysa e Carlos Alberto, contudo, havia a sombra de Miguel Azanza. Mas não por muito tempo. Enlevada pelo ator, a cantora logo mandaria o marido embora, naquele início do segundo semestre de 1972. Bem antes disso, já se tornara público que a relação com o espanhol havia desmoronado por completo. Foi o que constatou, por exemplo, o músico José Roberto Bertrami, ao acompanhar Maysa em uma turnê à Argentina, em 1971. Bertrami, que dali a dois anos fundaria com Alex Malheiros e Ivan Conti o grupo Azymuth, testemunhou as desfeitas diárias que ela reservava para Miguel: "Depois dos shows, nós, os músicos, pegávamos dois carros para voltar para o hotel com Maysa. Mas ela não permitia que o marido fosse junto em nenhum deles. Mandava ele voltar sozinho, à pé. Ele, constrangido, obedecia".

Se no início da relação Miguel era quem dava as cartas, Maysa passara a assumir as rédeas do casamento — ou do que sobrara dele. Antes de separar-se do marido, de forma generosa juntou parte dos cachês que havia amealhado em duas temporadas de shows no Rio de Janeiro — uma na elegante uisqueria Number One, em Ipanema, outro na boate Fossa, em Copacabana — e montou para ele uma empresa de médio porte, uma *ship chandler*, companhia especializada em negociar suprimentos para embarcações. Para Maysa, que ainda não se reabilitara do insucesso de *Woyzeck*, o investimento era alto.

Nas mãos de um bom executivo, aquele seria um empreendimento promissor a médio prazo. Entretanto, Miguel Azanza, que já dera mostras suficientes de que não tinha nenhum traquejo empresarial, abriu falência em poucos meses, logo depois de retornar para a Espanha. Lá, o amigo Oren Wade voltou a encontrá-lo, completamente quebrado. Na falta de um trabalho mais qualificado, Miguel teve de apelar: descolou um emprego de mordomo na casa de um milionário espanhol. Mas até para isso precisou lançar mão de falsas referências profissionais: apresentou-se como ex-empregado de uma família abastada no Brasil, os Matarazzo. A mentira, mesmo tão cabeluda, colou.

Foi Oren quem o levou até o novo trabalho no primeiro dia, penalizado diante da situação insólita vivida pelo velho companheiro. Miguel, a seu lado, apenas ria, como se tudo não passasse de mais uma de suas muitas aventuras. Acabou demitido da mansão espanhola em questão de semanas por causa dos excessos com a bebida. Ainda chegou a tocar a campainha de Oren Wade algumas vezes, sempre para pedir dinheiro emprestado. Depois disso, desapareceu do mapa. Nem Maysa nem Oren jamais voltaram a ouvir falar de Miguel Azanza. Do longo romance, ficara apenas um poema inédito, escrito por Maysa:

> [...]
> Entrei em ti
> saí de ti
> sou pedaço de você
> sou pedaço de ninguém.

* * *

Depois do fim do casamento com Miguel, Maysa se sentia liberta de um peso morto. Por isso, resolveu celebrar o fato com uma viagem à Europa. Não tinha muito dinheiro em caixa, mas a ocasião merecia mais um sacrifício. Chamou para ir junto com ela a amiga que fizera a percussão no show do Number One, Naíla Andrade Rodrigues, então esposa de Guto Graça Melo e que depois passaria a se apresentar como Naíla Skorpio, nome artístico que faria referência a seu signo, Escorpião. As duas foram a Londres, passaram por Madri, visitaram Oren Wade, e depois seguiram para Paris. "Não lembro quase nada da viagem. A gente caía na farra, aprontava todas. É só disso que lembro", diria Naíla, que descobriu que estava grávida durante a viagem após sentir fortes enjôos no avião.

Em Londres, entre outras peripécias, as duas saíram sem pagar a hospedagem, depois de botar fogo no quarto por causa da já conhecida incompatibilidade entre os colchões de hotel e os cigarros de Maysa. Oren, contudo, ficou bem preocupado com a amiga. Ela, que estava bebendo muito, disse que passaria quinze dias em Paris. Dois dias depois voltou a Madri, sem Naíla. As duas haviam brigado.

"Parece mentira, mas também não lembro nada da nossa briga. Nós nos dávamos muito bem, éramos unha e carne. Sinceramente, não sei por qual motivo discutimos", diria Naíla Skorpio. O certo é que Maysa deixou a amiga sozinha em Paris e retornou para a casa de Oren Wade. "Ela estava completamente Maysinha, sem controle algum, gritava que era ela quem estava grávida e que, por isso, precisava de cuidados médicos", contaria Oren. Este procurou confrontá-la com a realidade: desde o parto de Jayme, Maysa não podia mais ter filhos. Complicações no pós-operatório da cesariana a deixaram estéril. Não podia estar grávida. Entretanto, Maysa insistia: ia ser mãe, tinha certeza.

"Está certo, então. Mas você não acha que está bebendo demais para quem imagina estar esperando um bebê?", ainda perguntou o amigo.

Maysa encarou a indagação como uma bofetada. Trêmula, suando frio, exigiu que ele ligasse imediatamente para Miguel Azanza.

"Não sei mais onde está Miguel, Maysa. E você está delirando", respondeu Oren.

"Pois então me mande embora para o Brasil! Preciso voltar para casa, para junto dos meus!", ela gritava.

Ao ver a amiga descontrolada, Oren passou a tarde inteira ligando para as companhias aéreas, tentando encontrar lugar nos próximos vôos que partiam de Madri para o Rio de Janeiro. No meio das ligações, Maysa tomava-lhe o aparelho das mãos e rugia:

"Tem que ser na primeira classe! Eu sou Maysa Matarazzo! E estou grávida!"

Finalmente, por volta das dez da noite, Oren conseguiu colocá-la em um vôo para o Brasil. Os dois mal se despediram no aeroporto: ela entrou na sala de embarque sem olhar para trás.

* * *

Apesar de Maysa e Carlos Alberto se referirem ao início de seu romance como um encontro instantâneo de almas gêmeas, a história não foi rigorosamente assim. Houve algumas trovoadas iniciais naquele céu que ambos pintaram de azul. Pouco antes de oficializarem o namoro, os dois chegaram a bater cabeça rapidamente. Em julho de 1972, quando o caso ainda não se tornara público, a cantora havia convidado o ator para produzir um show dela na boate Di Mônaco, em São Paulo. Além da produção, Carlos Alberto dividiria o palco com Maysa, declamando poemas e textos escritos especialmente para o espetáculo. Na data da estréia, marcada para 10 de agosto, Maysa convocou os jornalistas para anunciar que o início da temporada seria adiado por dois dias, pois Carlos Alberto acabara de ser dispensado do show. Não deu maiores explicações a respeito. Disse apenas que, em seu lugar, como produtor, assumiria André Valli, responsável por um espetáculo então recente de Marília Pêra. Para a direção, chamaria o ator Raul Cortez.

Dois dias depois, o show na Di Mônaco seria adiado pela segunda vez. Dessa feita, a cantora alegou que estava fortemente gripada e, por isso, não poderia cantar. "Tudo indica que estréie amanhã, se novas modificações — na sua saúde, na produção, na influência dos raios solares na cauda do crocodilo — não provocarem novo adiamento", comentou o *Diário da Noite*. Nos anúncios, publicados pelos jornais, Maysa aparecia em pose provocativa, com um copo de uísque na mão. "Muita gente quis inventar como eu era, agora vão saber como realmente sou", prometeu.

Quando o show entrou em cartaz, enfim, no dia 15 de agosto, foi algo arrasador. Ela entrava em cena com sapatos com plataformas de mais de vinte centímetros de altura e um vestido rosa-choque aberto na lateral, de cima a baixo. Na hora em que se sentava sobre o piano e cruzava as pernas, a platéia desfrutava de uma visão generosa de suas coxas inteiramente nuas. Com um copo na mão, recitava poemas e lançava impropérios ao microfone, além de citar trechos de algumas entrevistas que concedera à imprensa ao longo da carreira. Fazia uma imitação de Elis Regina cantando "Arrastão", rodopiando os braços como um ventilador enlouquecido, e ameaçava cantar "Detalhes", de Roberto e Erasmo Carlos. Após os primeiros versos da canção da dupla, lançava um sinal para o maestro Guto Graça Melo e parava de repente:

"Chega, não agüento mais essa música!", gritava.

A platéia, entre agredida e surpresa, não sabia o que fazer: se aplaudia, se vaiava, se quedava boquiaberta. Maysa desaparecia alguns instantes e voltava com um vestido preto, para iniciar a segunda parte do espetáculo. Detalhe: nos camarins, achara que a roupa estava lhe apertando os quadris e resolveu rasgar a saia nas laterais, arrebentando as costuras e improvisando um modelo semelhante ao anterior. O repertório era surpreendente para os fãs: cantava músicas de Milton Nascimento ("Nada será como antes"), Chico Buarque ("Atrás da porta") e Caetano Veloso ("A tua presença morena"), canções que jamais registraria em disco. Na interpretação obrigatória para "Ne me quitte pas", terminava de joelhos no palco sob o silêncio absoluto da platéia, que precisava se recompor durante alguns segundos antes de, finalmente, aplaudi-la.

Apesar do que a cantora dissera aos jornais, Carlos Alberto continuava na equipe. O desentendimento inicial fora contornado e, dali por diante, os dois seriam vistos sempre juntos. No show, era ele quem "soprava" as letras das músicas e poemas no ponto eletrônico, pois Maysa encontrava cada vez mais dificuldade em decorar o que quer que fosse. "Ela esquecia até mesmo os versos de canções antigas, que faziam parte do seu repertório de muitos anos", revelaria Carlos Alberto. Como o aparelhinho resolvia parar de funcionar exatamente nas horas de maior necessidade, ocorreram alguns pequenos desastres na temporada da Di Mônaco. Maysa, por exemplo, nunca conseguiu decorar a letra de "Atrás da porta" por completo. Se o ponto teimasse em enguiçar justamente ali, ela parava de cantar e dizia ao microfone:

"Carlos Alberto? Carlos Alberto? Fala mais alto que não estou ouvindo porra nenhuma!"

A platéia achava que a coisa toda fazia parte do texto e aplaudia. Mas a badalada temporada paulista na Di Mônaco foi interrompida em 12 de setembro, três dias antes do previsto em contrato. Maysa foi internada às pressas no Rio de Janeiro, por motivos nebulosos. Oficialmente, o diagnóstico foi laringite, uma suposta complicação da gripe mal curada que provocara o adiamento da estréia. Noticiou-se também que a cantora fora vítima de uma forte crise renal. Outras versões davam conta de uma inflamação no calcanhar, a mesma que quase a tirara, no início do ano, do show do Number One. Na época, Maysa fizera troça: "Vou cantar, sim. Não canto com o pé, mas com a boca e a alma".

Como não poderia deixar de ser, as suposições de mais uma tentativa de suicídio não demoraram a ser ventiladas. Entretanto, a verdade é que a artista estava internada para mais uma desintoxicação alcoólica. Quando saiu da clínica, em princípios de outubro, assumiu de vez o romance com Carlos Alberto. Prometeu, mais uma vez, deixar de beber. E, ao mesmo tempo, de cantar. Chegara ao seu limite. Escaldados, os amigos apostaram para ver qual das duas promessas ela quebraria primeiro.

* * *

Naquele ano de 1972, Maysa anunciou que faria o chamado "Artigo 99" — como se chamava à época o exame supletivo — para depois prestar vestibular para medicina ou jornalismo. Também informou que montaria a peça *Entre quatro paredes*, do existencialista francês Jean-Paul Sartre. Nem uma coisa nem outra. Em vez disso abriu uma loja, o Malé Lixo, na rua Djalma Ulrich, em Copacabana, onde vendia roupas e objetos usados por ela e por amigos. Maysa mais uma vez inovava, inaugurando um dos primeiros brechós brasileiros, tipo de negócio que só viria a se transformar em moda cerca de trinta anos depois. "Sei que vão dizer que estou na pior, mas não ligo. Acho minha loja a única no gênero, uma inovação", disse à revista *Amiga*, fazendo pose para fotos. Ao mesmo tempo, seus caderninhos se enchiam de anotações sobre as despesas de cada mês e as muitas dívidas que acumulava desde *Woyzeck*.

Enquanto a casa de Maricá continuava sendo erguida lentamente, Maysa e Carlos Alberto decidiram mudar de ares. Pegaram o carro e saíram estrada afora, sem destino certo. Tomaram a BR-116 e seguiram rumo a Minas Gerais. Foram parando em várias cidades, conhecendo lugares, sem pressa e sem ter aonde chegar. "Estamos fugindo da massificação que a vida estava nos impondo", dizia Maysa sempre que lhe indagavam os motivos daquela peregrinação a esmo. "Estamos em busca de nós mesmos, descobrindo um tempo que não dispúnhamos até então", completava Carlos Alberto. Após visitarem as cidades históricas de Minas, cogitaram se fixar em Belo Horizonte durante algum tempo. Ao longo de semanas, foram vistos passeando de mãos dadas pelas ruas e praças da capital mineira, de chinelos, com ar despreocupado.

O jornalista Wilson Frade, do *Estado de Minas*, informou aos conterrâneos: "Se eu lhes disser que Maysa, a maior cantora do Brasil, e Carlos Alberto, um dos grandes do teatro e da telenovela, estão aqui e vão residir em BH, vocês haverão de responder: é uma piada. Sim, porque não será fácil entender esses dois conhecidos artistas trocando a praça do Rio ou de São Paulo para se fixarem nesta cidade, que não lhes oferece as possibilidades daqueles dois centros, a não ser aquela hospitalidade com bolinhos de feijão, o nosso pão de queijo e o abraço amplo que todo mineiro dá a quem procura descobrir o que temos".

Pois na base do bolinho de feijão e do pão de queijo os dois foram ficando, mineiramente. Alvo da curiosidade local, recebiam convites para almoços e jantares em sua homenagem. Animados, começaram a fazer planos para uma vida nova. Primeiro, sondaram a TV Itacolomi sobre a possibilidade de um programa de variedades, apresentado por Carlos Alberto, com reportagens e entrevistas conduzidas por Maysa. Depois, planejaram levar para os palcos mineiros o espetáculo *Depois da queda*, de Arthur Miller. Falaram ainda da possibilidade de montar uma livraria ou um espaço cultural na cidade, o "Ponto de Encontro". "Vai ser um lugar para a reunião de artistas e intelectuais e todas as pessoas que se interessem em arte em geral. Teremos lá discos importados, livros, quadros e outras coisas. Aqui ainda não há uma casa deste tipo", explicou Carlos Alberto à imprensa de Belo Horizonte.

A "lua-de-mel mineira de Maysa e Carlos Alberto", como definiu a revista *O Cruzeiro*, rendeu fotos bucólicas do casal, sempre em *clics* sorridentes, trocando beijos e abraços. Ele apresentou seu cavanhaque novo ao público, substituindo o ar de galã por uma aparência mais alternativa. Ela nunca apareceu tantas vezes sorrindo para as lentes dos fotógrafos. "Não é cascata não, estamos felizes e chegamos para ficar", garantia Maysa. Ela até já tinha uma primeira pauta para o anunciado programa na televisão mineira: explorar a famosa Gruta do Carimbado, em São Thomé das Letras, centro de convergência dos esotéricos dos mais variados matizes, de teosofistas a caçadores de discos voadores. Segundo a lenda que corre na região, a gruta não teria fim. Faria uma ligação, por baixo da terra, com a cidade inca de Machu Picchu. "Na reportagem que farei, vou descobrir se isso é mesmo verdade. Se me perder lá dentro e não conseguir voltar mais, paciência", comentou Maysa, séria, ao *Estado de Minas*.

Depois de cerca de um mês em Minas Gerais, Maysa percebeu que nem ali estaria a salvo das fofocas que sempre cercaram o seu nome. Correu o boato em um jornal local que ela e Carlos Alberto haviam se estapeado na porta de uma boate de Belo Horizonte. "Maysa e Carlos Alberto brigam em público", noticiou a imprensa mineira. Foi o suficiente para que, desapontados, fizessem as malas e retornassem ao Rio de Janeiro. Mas o estrago estava feito. A informação foi repercutida pelo jornal carioca *O Globo* e virou voz corrente em todo o país: teria se estilhaçado o idílio do casal perfeito. Depois de dezesseis anos de carreira, após a montanha de maledicências publicadas a seu respeito, pela primeira vez na vida Maysa ameaçou acionar um jornal judicialmente. *O Globo* foi obrigado a conceder direito de resposta e publicar uma nota assinada pelo casal:

> Apoiados na Lei de Imprensa, vimos solicitar-lhe que seja retificado, com o mesmo destaque, a nota publicada no dia 10 de dezembro sob o título "Maysa

e Carlos Alberto saem no tapa". Esclarecemos que nas quatro semanas em que viajamos pelo estado de Minas Gerais não estivemos em nenhuma boate. Tampouco somos dados a "sair em bases de catiripapo". Curioso notar que a "informação" em pauta não especifica data, hora ou local. Por quê?

Atenciosamente.
Maysa Monjardim
Carlos Alberto S. Soares.

* * *

Os dois chegaram à conclusão de que só haveria um único lugar em que poderiam mesmo viver em paz: Maricá. Mantiveram os respectivos apartamentos no Rio de Janeiro mas, ainda que a casa de praia estivesse inacabada, passaram o ano de 1973 praticamente inteiro por lá. "Houve uma entrega total, com o pensamento fixo no 'vamos começar tudo outra vez'. Carlos havia se afastado da carreira artística voluntariamente. Eu também. Nós descobrimos um lugar afastado e nos refugiamos de tudo. A casinha de Maricá foi a verdadeira escola de nós dois juntos. Queríamos ficar apenas com a nossa verdade e a nossa essência", escreveu Maysa.

Diante do mar e local onde a luz elétrica ainda não chegara, a cantora redescobriu um antigo *hobby*: desenhar e pintar. Os rabiscos que fazia desde adolescente aos poucos foram se tornando sua ocupação principal. Durante horas, sempre com vestidos folgados e estampados, ela ficava envolta com suas tintas, telas e pincéis. Pintou dezenas de quadros que ainda não se atrevia a mostrar publicamente. Na maior parte deles, utilizava cores escuras e retratava rostos circunspectos. Mas também desenhava cenas do cotidiano, ela e Carlos Alberto deitados na cama, no chão da sala, em poses descontraídas. Cantar, prometia a si própria, nunca mais.

A ensolarada casa de praia, localizada no alto de uma duna, virou abrigo também para todos os vira-latas que vagavam a esmo pela região. Maysa recolhia especialmente os cachorros doentes, mutilados ou cegos. Davalhes comida, oferecia-lhes um lar. Agradecidos, eles não iam mais embora dali. Um deles, em meio a uma brincadeira mais entusiasmada com Maysa, acabou lhe mordendo o nariz, o que lhe deixaria uma grande cicatriz para o resto da vida. Apesar da dor, ela não viu problema nisso: a vaidade não era mais uma de suas características. As mãos também ficariam bem machucadas, pelo trabalho com madeira, depois que ela descobrisse a escultura como outra forma de expressão.

Nas poucas vezes em que foi notícia naquele ano, Maysa insistiu em ressaltar seu novo estilo de vida. Estava *zen*. Tinha maneirado na bebida — "ainda tomos meus tragos, porque parar de beber também é uma coisa burra" —, mas jurava que a notícia sobre o fim da carreira era para valer. Não queria mais saber do *show business*, da agitação das cidades grandes, de fofocas, de boates esfumaçadas, de fossa, de jornalistas. A revista *A Cigarra* publicou uma dessas raras entrevistas que concederia, naquele ano, à imprensa. Parecia, mesmo, a fala de uma outra mulher:

> Bom é não ter hora para nada, é acordar de manhã com os passarinhos cantando, é praia, é peixe tirado na hora, é viver no mar, porque eu sem mar não sou gente. Mesmo na minha época de zorra, eu tomava meu pileque, mas às sete da manhã estava na praia curtindo o porre ou começando outro. Eu tenho a impressão de que sempre vivi esta vida, aquela fase de zorra é como se nunca tivesse existido. Não estou dando uma de me isolar do mundo, é tudo tão mais completo, tão maior, dentro de uma vitalidade que o sol dá. Não sei bem explicar o que faço. Leio pra burro, pinto, ouço música, vivo.

O repórter quis saber se a Maysa agressiva e amarga havia morrido para sempre. Ela respondeu:

> Agressiva? Ninguém pisa no meu calo agora. Se me tratam bem, eu trato bem. Se me agridem, eu agrido. Apenas respondo — e isso é humano. Essa história de levar um bofetão e dar a outra face não é comigo. Eu não sou Cristo. Se o fato de você se defender, de ter respeito por você mesma, é ser agressiva, então eu sou muito agressiva. Creio em Krishnamurti, ele está certíssimo: não dê nome a nada, as coisas são, puramente são. [...] Se eu for para você com uma idéia preconcebida, está tudo errado. Atualmente,

> há um movimento muito grande de aceitação do homem pelo homem. O homem está descobrindo que é capaz de coisas que nem mesmo ele sabe. Quanto a mim, creio no que se pode explicar racionalmente, cientificamente. Não acredito em fantasminhas. Leio tudo e faço minhas deduções. Religião? Não. Tenho a minha filosofia de vida, sou Rosa-Cruz. E acredito no Karma, profundamente. Eu repetiria tudo o que fiz, porque era uma coisa pela qual eu tinha que passar.

Em maio de 1973, devidamente convertida à Ordem Rosa-Cruz, Maysa anunciou publicamente que estava grávida. Chegou a posar para a revista *Sétimo Céu* ao lado de Carlos Alberto, exibindo roupinhas do enxoval do bebê. Tinha certeza de que seria uma menina e já escolhera o nome para ela: Vida. Semanas depois, porém, mandou avisar à imprensa que perdera o bebê. "Não sei se acreditava que estava realmente grávida. Talvez fosse até uma gravidez psicológica, a necessidade de chamar a atenção, alguma coisa assim. Mas nós sabíamos que aquilo não era verdade. Maysa era realmente estéril, não podia ter mais filhos", garantiria a cunhada Dora Colaferri Monjardim. As complicações decorrentes do parto de Jayme provocaram uma obstrução definitiva nas trompas.

A idéia de uma nova maternidade, contudo, transformou-se em obsessão. Se não podia ter filhos de novo, queria ser madrinha do maior número possível de crianças. Quando sabia da notícia de alguma amiga grávida, logo se oferecia para batizar o futuro bebê. Nas duas vezes em que Dora Monjardim foi mãe — uma delas de uma menina chamada Maysa, em homenagem à cunhada —, ouviu dela o seguinte lembrete: "Você é quem teve o bebê, mas a criança vai ser minha filha, ainda que indiretamente".

Quando Marinella, a filha de Naíla e Guto Graça Melo, nasceu, Maysa ficou irritada ao saber que a garotinha seria afilhada de Marília Pêra, e não dela. Discutiu com Guto por causa disso e praticamente rompeu relações com o amigo. "Nossos contatos nunca mais foram os mesmos. Ela dizia que eu a tinha apunhalado pelas costas, que havia traído nossa amizade de forma covarde", lamentaria ele. "Maysa ficou tão transtornada com aquilo que me assustei. Sei que ela queria muito ser madrinha de minha filha, mas nunca imaginei que transformasse aquilo em uma tragédia pessoal."

* * *

No final de 1973 Flávio Cavalcanti chamou Maysa para compor novamente o júri de seu programa. Como precisava ganhar dinheiro para sobreviver, ela aceitou. Saía de Maricá quase que exclusivamente para participar da atração e retornava para o refúgio na praia. Mas, dessa vez, avisou a Flávio, o compromisso para não cantar tinha de ser levado a sério. Em um primeiro momento, o apresentador pareceu respeitar a decisão. Mas, na primeira oportunidade, como era bem de seu estilo, criou um suspense no ar e inquiriu-lhe, diretamente:"Maysa, por que você não quer mais cantar para o Brasil ouvir?".

A revista *O Cruzeiro* abriu três páginas para descrever a reação da artista à pergunta, disparada à queima-roupa. "Maysa chorou em colorido", foi o título da matéria. "Num programa de televisão em que fazia parte do júri, Maysa chorou, quando interrogada por que abandonara o canto. Vivendo angústias existenciais, decretou seu recesso, privando seu enorme público de enternecer-se com o calor de sua interpretação, o verde felino de seus olhos e a esplêndida seleção de seu repertório", escreveu o jornalista Afrânio Brasil Soares.

"Não pretendo entrar no esquema e por isso parei. Não aceito cantar o que me impõem. E disso não me afasto", ela explicou à revista.

Flávio remoeu o tema o quanto pôde. A produção do programa incentivava os telespectadores a escreverem centenas de cartas implorando pela volta de Maysa aos palcos brasileiros. Os colegas de júri, entre os quais o diretor José Messias, também não cansavam de fazer apelos lacrimosos a ela. Em videoteipes postos no ar ou em mensagens lidas durante o programa, personalidades da área musical — e até autoridades civis e militares — quase ficavam de joelhos para pedir que a cantora voltasse a cantar. O auditório fazia a sua parte. Toda noite gritava, em coro, com alto e bom som, o bordão da vez: "Canta, Maysa!".

Ela, porém, permanecia irredutível e fazia cara de zangada diante das câmeras. Muita gente desconfiava de que tudo não passava de mais uma armação do espalhafatoso Flávio Cavalcanti em busca de alguns pontinhos a mais na audiência. Entretanto, José Messias seria capaz de beijar os dedos em cruz para garantir que não. "Foi tudo de verdade. Não era nada combinado com ela", diria ele.

Em uma das edições do programa, quando o assunto já parecia caduco, Flávio fez um derradeiro apelo à cantora. Mandou reunir a correspondência que todos os programas e artistas da Tupi, juntos, haviam recebido nos últimos meses. Quando as cortinas de cena se abriram, as câmeras focalizaram a verdadeira montanha de cartas que se esparramava pelo palco. Flávio disse a Maysa que aquelas eram as mensagens enviadas à emissora apenas naquela semana, dos quatro cantos do Brasil, pedindo para que ela cantasse.

Era malhar em ferro frio. Maysa disse, pela enésima vez, que não cantaria. Além disso, aquele tema já lhe torrara demais a paciência. Era hora de virar o disco. Ou paravam com aquela insistência ou ela largava o júri. Flávio, com ar nervoso, tirou e colocou os óculos do rosto — um de seus cacoetes mais teatrais —, ergueu o dedo indicador no ar e soltou o famoso "Nossos comerciais, por favor". Na volta do intervalo, com o palco limpo, não tocou mais no assunto e anunciou que, a partir daquela noite, haveria um novo quadro: "A grande chance de pedir". Os telespectadores deveriam escrever cartas para o programa, em que diriam qual o seu maior desejo na vida. A produção se encarregaria de selecionar três cartas por noite e, com a ajuda dos patrocinadores, encontraria uma forma de satisfazê-los. Valia pedir qualquer coisa: uma casa, um carro, reencontrar um parente distante, uma máquina de costura, uma bicicleta, uma geladeira. Segundo Flávio informou, o quadro fora inspirado pelos muitos pedidos do gênero que, espontaneamente, sempre chegavam ao programa. Como existia uma demanda prévia, a atração iria ao ar pela primeira vez naquele exato momento.

A orquestra tocou o prefixo do novo quadro enquanto entrava em cena o primeiro participante: um homenzinho franzino, cujo maior sonho era possuir um caminhão. "Você sabe dirigir?", perguntou Flávio Cavalcanti. O rapaz, que não passava de um figurante, respondeu: "Não". Ainda se ouvia a gargalhada da platéia quando entrou o segundo figurante. Queria uma casa para abrigar a família. Na hora de chamar o terceiro, Flávio leu as fichas com as notas da produção e fez suspense: "O terceiro participante desta noite é o senhor Cau... Peraí. Não é possível que seja ele. Alô, produção? Tem certeza? É ele mesmo?". Seguiram-se alguns segundos de calculado suspense, após os quais Flávio retomou a palavra:

"Senhoras e senhores... vocês não vão acreditar...", disse ele, esticando a curiosidade dos telespectadores. "O próximo participante... nessa nossa estréia do quadro 'A grande chance de pedir'... é... ele... Cauby Peixoto!"

O auditório delirou. Flávio Cavalcanti perguntou de novo à produção — e agora ao próprio Cauby — se não estaria havendo algum engano. Ele estava no quadro certo? O cantor disse que sim, estava tudo correto. Ele também queria ter a grande chance de pedir, no programa, aquele que seria o maior sonho de sua vida. Flávio, fingindo surpresa, disse então que Cauby Peixoto fizesse o tal pedido, expressando-se da melhor forma que sabia fazer: cantando. Ele concordou, acenou para o maestro Cipó e começou, com a ajuda da orquestra e das quarenta vozes do coral da Tupi:

Se for preciso eu vou botar
meu bloco na rua,
cantando, pedindo
pra você cantar...

Mas se você não cantar
as noites vão ficar sem luar,
tudo fica sem sol,
tudo fica sem sal,
não vai ter futebol
nem vai ter Carnaval.

Canta, Maysa, o canto que a gente precisa.

O auditório, que havia recebido cópias impressas da música antes do programa, cantava junto. Flávio Cavalcanti, com os óculos nas mãos e os olhos encharcados, também cantava o refrão, repetido várias vezes, sempre com o tom uma oitava acima: *Canta, Maysa, o canto que a gente precisa...* A platéia aplaudia comovida, os jurados abraçavam Maysa. Flávio, gritando de entusiasmo, pedia:

"E agora, Maysa, você canta?"

Ela, também soluçando, disse que não podia.

O apresentador persistia:

"E se você cantasse para a gente uma música que, quando mocinha, na casa de seus pais, gostava de cantar com Silvio Caldas tocando violão?"

A ser verdade que Maysa estava inocente de toda aquela cena, o tiro foi certeiro. A dica sobre os antigos saraus domésticos fora passada ao diretor José Messias pelo jornalista Brício de Abreu, assíduo freqüentador das reuniões etílico-musicais na casa de Alcebíades Monjardim, o Monja. Quando Flávio terminou de fazer a pergunta, Silvio Caldas em pessoa apareceu em cena. A orquestra passou a tocar "Barracão", de Luís Antônio e Oldemar Magalhães: *Ai barracão, pendurado no morro, pedindo socorro*, entoou Silvio. Assim também, dona Maysa, já era covardia. Ela levantou de sua cadeira de jurada e foi para o centro do palco. Com o rímel borrando os olhos verdes, respirou fundo e, finalmente, cantou.

Poucas semanas depois, anunciou que lançaria um novo disco, a sair nos primeiros meses de 1974. Ninguém poderia imaginar que seria o último de sua carreira.

17. Até quem sabe? (1974-1976)

Vou me perder, vou me beber
pela cidade.
Até um dia, até talvez,
até quem sabe?
(Mercedes Chies, João Donato e Lysias Enio,
gravação de Maysa em 1974)

Nunca um disco de Maysa demorou tanto a ser gravado. Produzido por Aloysio de Oliveira, o trabalho levou praticamente um ano inteiro, se contado o intervalo entre o dia em que a cantora foi ao estúdio para gravar a primeira faixa, em janeiro de 1974, até a finalização do trabalho, em novembro. "Já em dezembro do ano passado, começamos a idealizar o disco, com muita calma, pois não gosto da pressa que caracteriza as gravações hoje em dia. Todo mundo só pensa em acabar logo e colocar o disco à venda. E eu não gosto de vender a minha arte", disse Maysa.

Ela, com certeza, passara a viver em outro ritmo. Durante todo esse tempo permaneceu em Maricá, alternando a casa de praia com o apartamento na rua Almirante Pereira Guimarães, no Rio de Janeiro. Só botava os pés na cidade quando era estritamente necessário — para participar das sessões de estúdio, por exemplo. Nesse ínterim, recebera algumas propostas, mas recusara todas. Até flertara com o convite de Paulo Gracindo para a nova montagem de *Brasileiro: profissão esperança*, mas nem isso resolveu topar, o que fez Clara Nunes assumir o posto. No segundo semestre, apareceu em alguns poucos programas de televisão, como o *Fantástico* e o *Moacyr Fran-*

co Show, ambos na TV Globo. E só. Nenhum espetáculo, nenhuma boate, nenhuma apresentação pública ao vivo. "Rasguei minha fantasia", dizia, citando o clássico de Lamartine Babo que resolvera incluir no repertório do novo disco, em roupagem mais suave, por sugestão de Aloysio de Oliveira.

Em novembro, quando foi anunciado que o LP estava prestes a chegar às lojas, Maysa recebeu no apartamento de Copacabana a visita do escritor Fernando Sabino. Ele decidira escrever um perfil da cantora para o *Jornal do Brasil* e fora até lá para entrevistá-la. A artista estava selecionando a dedo suas aparições na imprensa e considerou que aquele seria o caso de abrir uma exceção. Sabino, autor dos best-sellers *O encontro marcado* e *O homem nu*, era um dos escritores mais prestigiados do país e seu texto passaria ao largo dos lugares-comuns que se escreviam sobre ela. Na edição de 11 de novembro de 1974, os leitores do *JB* foram presenteados com o texto de Sabino. A narrativa era cinematográfica.

> Aperto o botão da campainha e espero. Tive que subir um lance de escada, o elevador não vem até aqui. É um prédio antigo, numa rua transversal de Copacabana. O vestíbulo é amplo — reparo que o papel de parede está descolado junto ao chão, mostrando uma cicatriz no reboco. Quando começo a acreditar que a campainha não esteja funcionando, a porta se abre:
>
> — Ela está para chegar a qualquer momento. Entre, por favor.
>
> É Leila, sua dedicada amiga e secretária. Sigo-a através de várias dependências, inclusive um quarto de dormir. O apartamento, de cobertura, me parece fino e comprido como um navio.
>
> — Não repara, estamos em obras.
>
> Ela me serve um uísque e me deixa à vontade. Enquanto espero, tenho tempo de reparar em tudo, mas estou inquieto, como diante de um mistério que terei de enfrentar de um momento para o outro. Vou até o terraço, que se prolonga em todo o comprimento da fachada, extenso e vazio como a plataforma de uma estação. Debruço-me na parte que dá para o mar, fronteira à janela do apartamento onde morou Augusto Frederico Schmidt. A lembrança do poeta morto me deprime, a altura me dá vertigem. Volto para a sala e continua a pesar-me uma sensação de insegurança, emanada dos próprios móveis que

me cercam, marcados pelo uso, dos quadros que cobrem as paredes, densos de sofrimento, dos livros na estante, todos de espiritismo e ciências ocultas (que mais tarde ficarei sabendo não serem dela). Meia-noite em ponto — hora fatídica das velhas histórias de assombração. Mal tenho tempo de acomodar-me e tomar meu uísque para sossegar o espírito: ela acabou de chegar.

De repente, tudo se ilumina. Como uma curva de estrada sob os faróis de um carro, a sala se acende. Tudo se ilumina com a presença magnética de uma mulher que acaba de entrar, fremente de simpatia, descontraída, aberta, comunicativa, e que se aproxima de mim pedindo desculpas pelo atraso. Sua maneira de me apertar as mãos me liberta instantaneamente da inquietação. Só sei que não vai ser fácil escrever sobre ela. Vejo apenas dois olhos diante de mim.

[...]

A boca de Maysa falando e eu escutando. Procuro em suas palavras um sentido lógico que complemente a emoção escolhida na sua voz de cantora. É estranho como a admiração à distância pode às vezes queimar etapas: não nos conhecemos senão indiretamente, através de amigos como Aloysio de Oliveira e Vinicius de Moraes — no entanto, nem um minuto é passado e ela já me fala sobre sua vida como se eu fosse um amigo de infância. Corremos o risco de só conversarmos sobre assuntos sobre os quais eu não poderia escrever.

— Por que não? Pode escrever sobre o que você quiser.

Ela vem de uma sessão de análise — a análise de grupo: parece embalada na franqueza ali exercida, prolongando-se em tudo o que me diz. Prefere análise individual:

— Já tenho os meus problemas, por que vou me chatear agüentando os dos outros? O que eu quero é viver a minha vida, amar, ser amada, fazer amor. Sofro de solidão, sou uma romântica.

[...]

O novo *long-play* que está lançando esta semana talvez seja o mais importante dos 25 que já gravou: representa a sua nova maneira de cantar e a sua verdadeira maneira de ser. Tentou o teatro, tentou a novela, tentou o show popular, com jogos de luz e pernas de fora, numa obstinada procura de renovação. Mas não encontrou como agora a verdadeira arte, despojada de artifícios, na voz nascida nota por nota, diretamente do coração. É ela própria que está ali autêntica, vivida e amadurecida. Não esconde idade: está com 38 anos feitos. Não tem medo de morrer. Tem medo é de enfrentar o público. Mesmo indiretamente, através de uma entrevista ou do que escrevam sobre ela. Hoje, por exemplo, pensou seriamente em inventar uma desculpa para adiar nosso encontro, dizer que o pai estava passando mal, ou que ela tinha ido para Maricá. Mas acaba conversando comigo até as quatro da manhã, e quando lhe digo, ao despedir-me, que não saberei como escrever sobre ela, sugere que eu ouça seu novo disco, preste atenção nas palavras:

— Eu estou toda ali.

* * *

A primeira recomendação do produtor Aloysio de Oliveira foi a de que Maysa voltasse a cantar em tons mais baixos do que vinha fazendo nos últimos LPS. Ela concordou. "Aí está o disco: um trabalho feito nos moldes de Aloysio, ou seja, paz, calma, amor", escreveu em suas anotações íntimas. Gravado pela Odeon, o álbum trazia na capa assinada por Cesar Villela uma aquarela com a silhueta de quatro gatos pintados em tom pastel pela própria cantora. O título, apenas *Maysa*. Na contracapa, mais uma pintura feita por ela, "Palhaço", um rosto de expressão forte e impresso em preto-e-branco — e de cores soturnas na tela original —, que contrastava com uma foto, também em P&B, mas de uma Maysa sorridente e de chapéu festivo.

Depois de a Elenco fechar as portas em 1968, o veterano Aloysio voltara a morar nos Estados Unidos e só retornara ao país em 1972. Desde então, planejara com Maysa a gravação desse álbum para a Odeon, pelo selo "Elenco", que passaria a coordenar. Para a cantora, era uma continuação do trabalho que gravara ao vivo no início da década anterior — sob a direção do mesmo Aloysio, no Au Bom Gourmet — antes de seu retorno definitivo de Madri. "Na verdade, não gostei de nada que fiz depois que voltei ao Brasil", observaria Maysa. "Não renego o show do Canecão, mas não me vejo mais cantando aquelas coisas e daquele jeito."

No fundo, por mais que ela assim o dissesse, não se tratava de um retorno aos tempos do espetáculo no Au Bom Gourmet. Este seria, sem dúvida, um de seus discos mais serenos. Os arranjos de Oscar Castro Neves (responsável pela base de violão, piano, baixo e bateria) e de Lindolpho Gaya (que entrou com as cordas, metais e percussão) conferiram ao LP uma suavidade única dentro de toda a discografia de Maysa. O disco começava com versões intimistas de dois sucessos carnavalescos, a marcha-rancho "Bloco da solidão", de Evaldo Gouveia e Jair Amorim, e "Agora é cinza", dos sambistas Bide e Marçal. Seguiam-se outras releituras de canções de Dolores Duran, Tom Jobim e Vinicius de Moraes. "São músicas de gente que estava junto comigo, quando comecei. Não se trata de um saudosismo burro, mas de um estado de espírito", salientava.

Havia, porém, algumas surpresas, como a inclusão de "Você abusou", um sucesso de 1971 da popularíssima dupla Antônio Carlos e Jocafi, cantada em ritmo mais lento por Maysa. Dela própria, apenas a participação na letra de "Não é mais meu", de Erlon Chaves e David Nasser, que havia sido um dos temas da novela *Eu compro esta mulher*, de 1966. Escrita por Glória Magadan, fora baseada no romance *O conde de Monte Cristo*, de Alexandre Dumas, com Carlos Alberto no papel principal, o do temperamental Frederico Adama. "Gravei essa música para fazer um carinho ao meu marido", explicou Maysa.

A cantora dispensou todos os protocolos típicos de um novo disco. Recusou-se a fazer lançamento oficial do álbum, resumindo-se a reunir amigos e jornalistas mais chegados em seu apartamento de Copacabana. Também não fez nenhum show para divulgar a chegada do trabalho ao mercado. "Só voltarei a ter uma vida artística mais ativa se puder fazer tudo com muita calma. Senão, fico apenas no disco, que está aí para quem quiser ouvir. É o que tenho para dar", desabafou.

* * *

Com o disco na praça, Maysa retornou à sua tranqüila rotina no paraíso recluso de Maricá. Ao acordar, costumava fazer longas caminhadas pela região. Em um desses passeios, surpreendeu-se ao avistar, ao longe, um automóvel parado na precária estradinha de terra que dava acesso à praia. A surpresa tinha razões de existir: eram poucos os que se arriscavam a conhecer a casa de Maysa naquele fim de mundo e, por isso, ela raramente recebia visitas. Pois dentro daquele carro, perdido, estava o pesquisador musical Ricardo Cravo Albin, que havia horas comia areia em busca da casa da cantora. Em meio às dunas, a imagem de Maysa, vestida de branco, recortada pelo mar azul ao fundo, aproximava-se lentamente. "Foi inesquecível. Ela vinha com uma taça de cristal em uma mão, uma garrafa de vinho na outra. Parecia uma cena de cinema, uma miragem. Aquela figura deslumbrante, magra, com aqueles olhos, o sol batendo nos cabelos ondulantes, a camisa de homem amarrada, a calça justa, pés nus, como convém a uma musa. Maysa chegou e, então, nos abraçamos", recordaria ele.

Ricardo Cravo Albin conhecera a cantora na década de 1960, quando ele, ainda um neófito no ramo, trabalhava na Rádio Roquette Pinto e, por meio de Vinicius de Moraes, conseguiu levá-la até seu programa. À época, Maysa ficara bem aborrecida por ser comparada, por Albin, a Julie London. "Eu não imito o estilo de ninguém, as outras é que gostam de me copiar", ela teria dito, rabugenta, no ar. Apesar desse rápido entrevero, tornaram-se amigos. Em 1965, quando o musicólogo fundou e passou a dirigir o Museu da Imagem e do Som (MIS), Maysa lhe telefonou, oferecendo-se para dar um depoimento para a série "Documentos para a posteridade" que a instituição estava organizando, colhendo testemunhos de várias personalidades da música brasileira.

"Ah, Maysa, não vai dar pé. Você é muito menina, ainda. Estamos pegando depoimentos de gente mais velha, como Pixinguinha, Donga, Ataulfo Alves...", explicou Cravo Albin.

Ela aceitou a justificativa e ainda pediu desculpas por ser tão oferecida. Meses depois soube que Chico Buarque havia dado um depoimento para o MIS. Imediatamente ligou para o amigo:

"Sou muito menina, não é, seu filho-da-puta? E o Chico Buarque, que é mais novo do que eu, é o quê? Quer saber de uma coisa? Não quero mais gravar porcaria nenhuma para o seu museu. A Aracy de Almeida tem razão: gravar depoimento para vocês é o mesmo que enfiar o pé na cova", brincou Maysa, repercutindo a frase da velha Araca, que se recusara a falar para a instituição desde que o sambista Heitor dos Prazeres, que estava com câncer no pâncreas, morreu três meses depois de narrar a história de sua vida para os gravadores do MIS.

No reencontro em Maricá, Maysa perguntou o que Cravo Albin estava fazendo ali. Ele explicou que estava pensando em comprar um terreno na região, para também construir uma casa. Ela respirou aliviada:

"Ah, que maravilha, Ricardo. E que coisa boa saber que você largou aquela droga do Museu da Imagem e do Som. Senão você ia me aporrinhar o tempo inteiro para gravar o tal depoimento."

Cravo Albin abraçou a velha amiga e comentou:

"Estou feliz por reencontrá-la. Mas acho que você deveria gravar, sim, um depoimento para o MIS. Está mais madura e é hora de contar sua história."

Sem desfazer o abraço, Maysa respondeu, rindo:

— Eu não vou dar depoimento coisa nenhuma. E nunca vou envelhecer, seu cretino. Vou ficar jovem para toda a vida.

* * *

Em maio de 1975, Janete Clair chamou Carlos Alberto para ser o protagonista da telenovela que estava começando a escrever para o horário das sete na Globo: *Bravo!* Depois de mais de dois anos afastado da tevê, recolhido a Maricá com a mulher, ele aceitou o convite, pois achou o papel tentador: viveria um maestro, Clóvis di Lourenço. Segundo a sinopse, era um gênio da música em crise que, apesar dos aplausos das platéias, julgava-se um fracasso por não conseguir concluir sua obra-prima, uma sonhada sinfonia a qual dedicara anos de vida. Antes de dar o "sim" definitivo, Carlos Alberto e Maysa debateram muito os prós e os contras de voltar à roda-vida da televisão. A favor existia o fato de fazer um trabalho que fora concebido praticamente sob medida para ele, pois Janete Clair sabia da afinidade que o ator tinha com a música clássica. Não seria, portanto, apenas mais um papel de galã de novela. Por outro lado, os dois sabiam que estariam expondo de novo suas imagens — e, em última análise, o próprio casamento — à bisbilhotice pública.

Foi exatamente o que aconteceu. Rapidamente as fofocas ressurgiram no curto período de tempo decorrido entre a notícia de que Carlos Alberto aceitara o papel e o início das gravações da novela, na qual Maysa faria uma participação especial. Antes mesmo do primeiro capítulo de *Bravo!* ir ao ar os jornais alardearam, com insistência, que eles estavam se separando. Informaram ainda que, por causa disso, a cantora tentara a milésima tentativa de suicídio.

"Está tudo bem entre mim e minha mulher", ainda tentou explicar Carlos Alberto à *Última Hora*. Em 14 de julho, no mesmo jornal, o colunista Eli Halfoun classificava como "maldade" o que estava se dizendo sobre o casal de artistas: "A publicação das notícias da separação do casal preocupou Carlos Alberto, não por ele, mas pelas conseqüências que começaram a causar em Maysa. No fundo de toda a agressividade que ela sempre demonstrou, existe a insegurança de uma mulher que só agora começou a encontrar o amor e a paz que precisava e merecia". Enquanto os jornais especulavam sobre o fim do casamento de Maysa, ela escrevia em seus cadernos cartas apaixonadas e ardentes ao marido, diretamente de Maricá:

> Oi, amor.
>
> Que tal se amanhã, depois da televisão, a gente nem esperasse chegar aqui, e eu fosse para tua casa e você me tirasse o vestido, me deixasse nuinha e partíssemos para um abraço imenso, cheio de beijos longos, e você me percorresse inteirinha, me penetrasse até a alma com teu corpo que eu adoro e desejo, numa carícia leve e, ao mesmo tempo, animal, pra que nós jamais pudéssemos esquecer o gozo que isso seria?
>
> Você topa?
>
> Depois faríamos a nossa viagem para cá mortos de cansaço físico, mais gostoso que pudéssemos, mais satisfeitos e plenos.
>
> Tenho uma terrível vontade de estar contigo, ouvindo o teu gemido, que é a coisa mais excitante que já ouvi, e te sentir inteirinho no meu corpo, despojados de qualquer timidez, entregues ao que der e vier.
>
> O que seria bastante maravilhoso, pois eu passarei as cinco horas da televisão esperando este momento.
>
> Tenho tanta vontade, Carlos, não sei esconder.
>
> Tua, Maysa.

* * *

Apesar do tom arrebatado daquela carta de amor, as coisas entre os dois não estavam indo tão bem. Maysa chegou a deixar isso manifesto em uma pungente entrevista que concedeu a Clóvis Levy, publicada pela revista *Ele & Ela*, naquele mesmo mês de julho de 1975. Nela, confessava que, apesar das sessões de análise, acordava sempre angustiada, com as mãos frias e com um desespero cravado no peito, sem nenhuma explicação plausível. Revelava também que continuava a beber, embora evitasse fazê-lo em público. "Agora, faço diferente, fico dentro de casa. Antes, eu ia para a rua, agredia meio mundo." Mas, ainda assim, em meio aos porres domésticos, pegava o telefone e ligava para os conhecidos, implorando por companhia. "As pessoas estão ficando cada vez mais sós, estão se separando cada vez mais, ficando cada vez mais ilhadas." Apesar da constatação, reconhecia que ela própria é que cultivara o isolamento nos últimos tempos. "Talvez eu assuste as pessoas. Eu geralmente acabo destruindo as amizades, destruindo aquele amor que estou querendo. Geralmente, as pessoas não gostam de bêbados."

Na entrevista, Maysa se assumiu como dependente do álcool: "Sei que sou uma pessoa doente em relação à bebida, disso não tenho a menor dúvida. Sou uma pessoa que não pode se dar ao luxo de beber dois uísques só e parar". Sobre as temporadas que passara em clínicas de desintoxicação, preferia evitar o assunto. "É verdade que você ficou amarrada na cama?", indagou-lhe Clóvis Levy. "Não quero falar sobre isso... não é uma coisa sobre a qual interesse falar..."

Isolada do mundo por escolha própria, contraditoriamente, seu maior pavor continuava a ser a solidão. E, mesmo ao lado de Carlos Alberto, isso continuava a ser um problema: "O relacionamento está difícil, porque nós dois tivemos uma vida muito tumultuada. Então, nós temos muitos machucados pelo corpo inteiro. De vez em quando a gente se agride muito, às vezes até sem querer. Então dói profundamente, dói e há um medo que a gente volte a encontrar aquelas situações do passado, aquelas pessoas, aquelas coisas ruins da nossa vida. E a gente, então, se recolhe como uma ostra".

Naqueles dias, Maysa chegara a escrever uma letra de música para Carlos Alberto. Lançou mão do tema principal da novela *Bravo!*, composto pelo maestro Júlio Medaglia, e pôs nele versos dedicados ao marido: "Se eu pudesse/ me faria a tua estrada/ num só caminho em que chegasses/ para ficar/ sem mais as tristes idas/ que às vezes se arrependem de perdões", dizia certo trecho do poema.

Além de autor da melodia, Júlio Medaglia respondia pela pesquisa musical da novela e foi quem orientou Carlos Alberto nas cenas em que ele aparecia regendo uma orquestra inteira, no Teatro Municipal do Rio de Janeiro. Com o auxílio de Júlio, o ator, que já tinha familiaridade com as salas de concerto, dispensou a utilização de um dublê. Júlio Medaglia fez elogios rasgados à facilidade com que Carlos Alberto incorporou os movimentos com a batuta e a desenvoltura com que desempenhava o papel de regente. O problema foi que Maysa, no meio de todo esse processo, iria se descobrir atraída pelo maestro de verdade.

Após uma recepção oferecida pela cantora Gal Costa em sua casa no Rio de Janeiro, no morro do Vidigal — onde depois seria erguida uma das maiores favelas cariocas —, Maysa e Júlio Medaglia se aproximaram definitivamente. Como ambos eram casados, evitaram aparições públicas juntos. Durante algum tempo Maysa viveu uma vida dupla, sem conseguir encontrar forças para se separar de Carlos Alberto, conforme se pode constatar pelas anotações que deixou em seus diários. Estava confusa, em dúvida sobre toda aquela situação. Dividia sua enorme capacidade de amar entre dois homens diferentes, ambos sedutores, e pelos quais nutria sentimentos aparentemente antagônicos, mas igualmente intensos. Carlos Alberto representara para ela o porto seguro, a vida serena de Maricá. Júlio era o artista da música, uma presença marcante, como a lhe lembrar a todo instante a possibilidade de uma retomada da carreira, que, apesar de adormecida, era parte fundamental de sua vida.

A situação ficou insustentável e o casamento com Carlos Alberto não resistiu. A separação, contudo, não foi uma decisão fácil. Ambos saíram torturados do episódio. Maysa carpiu a sua dor silenciosamente em cartas e anotações que jamais chegariam às mãos do ex-marido. Em uma delas, desmoronava:

Querido, estou, eu juro, desesperadamente tentando entender um pouco de tudo que está acontecendo, mas não consigo, Carlos. Juro que não posso. É tudo tão estranho, terrível, tão horrível quanto estar escrevendo esta carta e saber que não vou mandá-la, que não a lerás, que não posso nem mesmo dela dizer o que vai dentro de mim, do vazio que talvez pela primeira vez na minha vida eu sinto, de tudo que você levou consigo, e que não sei se saberás guardar como eu estou guardando a tua lembrança. E como dói esta quase certeza de não mais conseguir pensar em voltarmos a ter a nossa vida, o nosso amor juntos.

Pode parecer coisa de adolescente, mas estou escrevendo essa carta com o "Anônimo veneziano" tocando a meu lado, entrando por dentro de mim de uma maneira que quase me rasga inteira, me abre de alto ao chão e não consigo mais chorar, nem mesmo pensar. Eu tenho a exata impressão de que nada disso é comigo, conosco. Que foi que houve com a gente? Que foi que fizeram conosco? Agora mesmo tocou o telefone, são 9h10 da noite de segunda-feira. Eu não quis atender pensando justamente que fosse você, pois isso só me faria sofrer mais e mais e mais — e eu acho que não dá para agüentar, sabe, meu amor?

Eu confesso que pela primeira vez na minha vida não sei como atuar, se te avisar das coisas nossas em comum, como em Maricá, se mandar que Leila te comunique, se falar contigo ao telefone, se sumir, se desaparecer. Não sei mais nada, querido. Não sem nem mesmo continuar escrevendo. Eu não sei mais nada.

Maysa.

* * *

Os clientes da boate Igrejinha, localizada na rua Santo Antônio, esquina com a Treze de Maio, no Bexiga, em São Paulo, não sabiam, mas aquela era uma despedida. Estariam testemunhando a última temporada que Maysa faria na vida. A partir do dia 18 de novembro de 1975, uma terça-feira, e durante todo um mês, ela apresentaria naquela casa noturna um show dirigido pelo dramaturgo, jornalista e psiquiatra Roberto Freire. A exemplo das primeiras apresentações que fizera na capital paulista quase duas décadas antes, toda a renda do espetáculo de estréia, inclusive os cachês da cantora e dos músicos, seria doada a uma instituição de caridade — a Associação Santa Terezinha, destinada a abrigar filhos de portadores de hanseníase. Na primeira noite da apresentação de Maysa, até os garçons da Igrejinha concordariam em doar suas gorjetas à entidade filantrópica.

Pouco antes da estréia, ela reuniu a imprensa para uma coletiva, a fim de divulgar o espetáculo. Chegara para a entrevista vestida de negro, um cigarro entre os dedos da mão esquerda, um gravador portátil na direita. Estava sem maquiagem nenhuma e o rosto mostrava as cicatrizes de acne juvenil, que a pintura sempre disfarçara. A marca deixada pela mordida do cãozinho em Maricá também estava evidente. Sentou, chamou para acomodar-se ao seu lado o músico Paulo Moura — que tocaria com ela no show da Igrejinha —, e esperou pelas perguntas. Começou falando baixo, pausadamente. "Estou muito alegre. É a mais pura alegria de viver que tomou conta de mim em toda a minha vida. Não sei por que estou tão alegre, tão feliz. É como um amor, nada forçado. Estou esquecendo que existo, estou rindo, transando. Todos podem ser uns chatos, que não me importo mais."

Os repórteres perceberam que ela só responderia às perguntas que lhe interessavam. Disse que não queria mais fazer recapitulações de sua carreira. "Isso não tem a mínima importância", observou. "Ih, outra vez vocês querem saber do show do Canecão? Mas já aconteceu há tanto tempo, que besteira... Mostrei as pernas porque estava com vontade, senti necessidade de fazer algo meio Broadway, mas chega, já passou." Sim, ia voltar a cantar, anotassem de uma vez por todas, porque precisava ganhar dinheiro para viver. "Mas o bom é ganhar dinheiro com um maluco como o Paulo Moura ao meu lado. É um maluco sem preconceitos. Me ligo muito a esse tipo de pessoa. Podemos fazer muitas coisas juntos, em benefício da música popular brasileira."

Quando um dos jornalistas interrogou-lhe se, aos 39 anos, voltando a cantar em boates, para um público pequeno, sentia-se mais madura, ela desconversou: "Que pergunta pouco inteligente, não há outra coisa para a gente conversar? Madura? O que é ser madura? Juro que pensei que vocês fossem mais criativos. O que acontece, meu amor, é que não ocorreu de me sentir antes pronta para isso, pronta para me expor num palquinho de boate para cinqüenta pessoas. O que existe, sabe, é que sou assim... Sou assim, entende?".

Maysa bebeu vodca durante a entrevista e parecia um pouco confusa, registrariam os jornais nos dias seguintes. "Ao mesmo tempo em que ri, ameaça chorar. Troca de palavras e de assunto a todo momento e insiste em falar de uma grande alegria, indefinida, que estaria tomando conta de seu ser", diria a *Folha de S.Paulo*. "A voz melosa, pastosa, antes e depois da vodca. Unha presa nos dentes, cigarro entre os dedos, cuidado descuidado com a cara", descreveria o *Shopping News*. No meio da coletiva, ela pegou o gravador e pediu aos repórteres para que, em vez de fazerem aquelas "perguntas tolas", ouvissem uma música que havia trazido em uma fita cassete. Pressionou o botão *play* e sorriu. "Vocês estão ouvindo esta seresta? Fui eu e Júlio Medaglia que fizemos, é linda, não é?", indagou. "Eu acho lindo, tenho vontade de cantar", observou, para logo em seguida começar, de fato, a cantarolar: "Vou me embora/ vou de encontro a tua vida/ me soltar pra que me faças tua ilha/ vou descansar meu peito imenso em tua força e por fim/ mostrar-te o quanto sou capaz só por te ter...".

Maysa explicou que gravara, na televisão, o tema de uma música feita por Júlio Medaglia para um *Caso especial*, intitulado *Ilha no espaço*, baseado na obra do escritor Osman Lins. Achara aquilo tão bonito que resolvera colocar uma letra em cima. O resultado era a canção intitulada "Nós", que os repórteres estavam ouvindo saída do alto-falante fanhoso do pequeno gravador. "Existem razões pessoais para eu gostar tanto dessa música", disse. Um repórter ousou lhe interromper e pediu para ela cantar a parceria anterior que havia feito, nos mesmos moldes, com Júlio Medaglia, com o tema da novela *Bravo!*. "Não, essa não. Nada disso... Aquela música é uma droga, não existe... Não tem mais nada a ver comigo", descartou.

"E o passado, Maysa, de que lhe valeu?", alguém perguntou.

"Meu passado foi maravilhoso, apesar de tudo. Foi uma vitamina para a minha vida. Teve uma importância tão grande que eu gostaria que não fizesse um futuro, mas foi feito. Eu quero nascer hoje. Nova... É imbecil, isso... Nova... é... O que é ser nova? Estou perdida nas palavras e isso é imbecil. Esses puritanos..."

* * *

No fim de semana que antecedeu o show na Igrejinha, Maysa foi atração de dois programas diferentes na televisão. No sábado, a Bandeirantes levou ao ar um novo episódio da série *Documentos*, que a cada edição enfocava um artista. A atração daquela noite foi justamente Maysa, entrevistada em seu apartamento de Copacabana por uma jovem Pink Wainer, então com 21 anos, filha de Danuza Leão e Samuel Wainer. Pink se assustou com a agressividade que Maysa demonstrou durante a maior parte da conversa. "Um dos conceitos do programa era fazer um histórico da vida do entrevistado. Maysa não parecia muito disposta a falar sobre isso. Eu era muito novinha e confesso que fiquei com muito medo dela", recordaria. Um dos únicos momentos de descontração foi quando Maysa ofereceu uísque ao seu cachorrinho basset em um copo longo. "O bichinho enfiou aquele focinho comprido que se ajustava perfeitamente ao formato do copo e bebeu junto com a dona", relembraria Pink.

No domingo, a Cultura exibiu um programa histórico, o *Estudos*, dirigido pelo provocador Antonio Abujamra. "Eu quero hoje arrancar o coração e a alma desta mulher", comentou Abujamra ao cenografista Heraldo de Oliveira. O *Estudos* era para ter sido, na verdade, mais um episódio da série *Ensaio*, um dos mais tradicionais e bem-sucedidos programas musicais da televisão brasileira. A sugestão fora feita por Júlio Medaglia a Fernando Faro, produtor e diretor da atração. No último momento, Faro, que também era assessor da presidência da emissora, foi comunicado de que haveria uma reunião importante exatamente no horário da gravação com Maysa. Assim, não haveria outro jeito senão arranjar um substituto. A escolha recaiu sobre Abujamra. "Eu o orientei a fazer as mesmas marcações, as mesmas pausas, a mesma luz, as mesmas perguntas *em off*, tudo igual aos programas que eu fazia", recordaria Faro.

Assim foi feito. Mas os telespectadores não devem ter entendido por qual motivo Maysa foi entrevistada sentada no chão, com toda a fiação do estúdio exposta ao lado dela, a carpintaria do cenário inteiramente à vista das câmeras. Houve até quem considerasse que aquilo fora proposital, que Abujamra optara por uma espécie de "anticenário", uma estética de fratura exposta para desnudar a alma da entrevistada, como prometera nos bastidores. Não foi bem assim.

Maysa já chegou alterada à emissora e, antes de entrar em cena, tropeçou em alguns equipamentos. Foi ao chão e não mais se levantou. Fixou-se em meio aos fios e, com a língua enrolada, disse que ninguém mais a tiraria dali. Poderiam começar a gravar. Houve um princípio de pânico na equipe do programa, mas Abujamra teve uma idéia salvadora: mandou os técnicos mudarem a luz para aquele ponto e mandou começar a gravação ali mesmo. O resultado foi tão original que precisaram encontrar outro título para o programa. Aquilo não era o *Ensaio*. Era outra coisa, ainda mais arrojada. Foi assim que surgiu o novo título, *Estudos*.

A gravação consumiu um tempo além do normal, pois muitas cenas, sabia-se, não poderiam ir ao ar. Nos *takes* que ficaram de fora, Maysa falava palavrões, bebia conhaque entre uma resposta e outra, dizia frases desconexas. Poucas vezes a imagem de um artista foi explorada, ao mesmo tempo, de forma tão sensível e com tanta atrocidade. Os closes mostravam as imperfeições que o tempo plantara em seu rosto machucado, as manchas de nicotina nos dentes, os dedos amarelados e as unhas sujas, tanto pelo cigarro quanto pelo trabalho na pequena horta, em Maricá. Os cabelos tinham aparência de palha, estragados pelas muitas tinturas e pela ausência absoluta de cuidados. Os poros da face oleosa despontavam sob a luz direta e o *zoom* radical acentuava a devastação. A testa, exageradamente enrugada para uma mulher de 39 anos, carregava-lhe a expressão e passava uma atmosfera de sofrimento. Mas os olhos, intensamente verdes, brilhavam por baixo das pálpebras cansadas. "Foi lindo, foi cruel, foi sofrido", escreveu a jornalista Helena Silveira na *Folha de S.Paulo*.

* * *

Na penumbra do palco, apenas um piano, uma bateria e um contrabaixo. A voz de Maysa se ouvia *em off*, até o primeiro *spot* se acender e iluminar o seu rosto. Era um recurso já batido, mas sempre eficiente. Apenas na quarta música a luz mostrava a cantora de corpo inteiro. "Apesar de seus versos familiares aos espectadores, ninguém se atreve a fazer coro à sua voz, porque a cada música interpretada corresponde sempre a sensação de estar ouvindo-a pela primeira vez", comentou a *Folha da Tarde* a respeito do show na boate Igrejinha. "Maysa intensa, exata, perfeita. E romântica", definiu o jornal paulista.

Ela começava cantando "Se todos fossem iguais a você" e, à altura do verso "a esperança divina de amar em paz", indagava: "Isso existe, amor em paz?". Depois, era inevitável. Vinha a seqüência dos velhos sucessos de sempre, "Ouça", "Meu mundo caiu", "Fim de caso", "Por causa de você", "Castigo", "Chão de estrelas" e, lógico, "Ne me quitte pas". Depois cantava "Tema de Simone" e "Nós", a seresta que tinha letra dela sobre a melodia de Júlio Medaglia. Era um show curto, com pouco mais de trinta minutos de duração. Era como se Maysa, de volta a São Paulo, cantando novamente em uma boate para o público paulista em um show beneficente, fechasse um ciclo de sua vida. Na platéia, Filomena Matarazzo Suplicy, irmã de André Matarazzo, uma das poucas pessoas da família do ex-marido com quem Maysa mantinha uma relação de sincera amizade, aplaudia efusivamente.

O jornalista Roberto Trigueirinho, em uma crítica publicada pelo paulistano *Shopping News*, sintetizou a reação dos presentes: "Acho que queria enxergá-la bêbada, sonhava muito com uma sapatada na cara, com a maravilha, idiota maravilha, de ouvi-la errar todas as letras, tons inteiros, sequer pisar nos três metros de palco. A luz branca, feixe de bisturi, dissecante, me mostrou primeiro a cara de Maysa. Cara marcada, arranhada, muito machucada, enrugada pela emoção, pelo já vivido. No meio, parado, espelho d'água pra gente se olhar, o verde-cinza, triste e agoniado, dos olhos. Daí, ela cantou. [...] Ela pediu, exigiu, gritou, atirou sapato na minha cara, disse palavrões e ternuras, bebeu quantas e tais águas quis, foi *jeune fille* e velha caquética, agressiva, mansa, nada mais teve importância. Lá atrás, finalmente, eu enxergava onde estava o universo de Maysa".

* * *

Três meses depois do final da temporada na boate Igrejinha, Maysa tomou uma decisão radical em sua vida. Internou-se em uma clínica para introduzir no corpo uma pastilha de Antabuse, uma substância química utilizada para o tratamento do alcoolismo crônico. O medicamento inibe a produção de uma das enzimas naturais responsáveis pela metabolização do álcool no organismo do paciente. Maysa sabia exatamente o que isso significava: se insistisse em beber a partir dali, mesmo que em pequenas doses, passaria a sofrer graves conseqüências físicas que podiam ir da sensação de calor na face, dores de cabeça latejantes, náuseas, vômitos, falta de ar, palpitações e confusões mentais até depressão respiratória, arritmia cardíaca e convulsões. Em alguns casos, o uso de álcool durante o tratamento com Antabuse pode levar à morte.

Como a substância não elimina o desejo de beber, é preciso alto grau de determinação para largar o vício. Por isso, muitas vezes os pacientes submetidos a esse tipo de tratamento ficam expostos a um conflito psicológico avassalador: por um lado, sabem que sofrerão com as violentas crises de abstinência; por outro, estarão impedidos de ingerir bebidas alcoólicas sob pena de sofrerem mal-estares horríveis e correrem riscos imprevisíveis, atentando até mesmo contra a própria existência. Ainda se for ministrado por via oral, resta a possibilidade de interromper bruscamente o uso da medicação. Mas, uma vez introduzido o Antabuse no corpo, não há como se libertar do dilema.

"O assunto hoje é muito sério", escreveu Maysa em seu diário já no leito da clínica. "Amanhã, 6 de março de 1976, o dr. Gabriel Rodrigues vai me colocar em cima do púbis, subcutaneamente, uma pastilha que me proibirá de beber álcool durante um ano. Acho que isso será uma mudança na minha vida, no sentido geral, pois acho que o que a estraga é nada mais que a bebida. É ela que me faz maltratar as pessoas a quem mais amo e a mim mesma, além de arruinar minha carreira de cantora e de artista." Na véspera, Maysa chegara a sair da clínica e, horas depois, voltar trazendo bebida para o quarto. "Confesso que estou meio agoniada, embora ainda em tempo de voltar atrás, coisa que tenho certeza, não farei. Sei de todos os riscos, de todas as implicações, da força de vontade que terei de ter e do que acontecerá, caso eu venha a beber. Estou disposta a correr esses riscos e colocar a pastilha. Tenho fé em Deus e em mim mesma que saberei modificar a minha vida e não mortificá-la, como tenho feito até hoje. A operação será amanhã, às dez ou onze horas da manhã."

Antes de dormir, Maysa continuou a escrever: "Quero daqui a alguns anos abrir este caderno, ler isso e me lembrar que estava sentada ao lado de minha vitrolinha, em frente à tevê de papai, na clínica São Vicente, com a saia vermelha e preta da peça que fiz, com uma blusinha e um colete de crochê com franjas pretas. São oito horas da noite do dia 5. Estou com maria-chiquinha no cabelo, louca que Júlio chegue. Leila acaba de sair daqui, papai e mamãe também vieram e trouxeram lindas flores silvestres. Leila trouxe três rosas. Sinto um imenso calor. Sei que serei corajosa amanhã e não uma inconsciente. Eu preciso parar de beber e assim vou conseguir. Creio que, no momento, é a única maneira. Só espero que Julinho venha hoje, pois morro de vontade de vê-lo e de beijá-lo, antes de tomar tal atitude".

No dia seguinte, às onze da manhã, Maysa tomou um pré-anestésico e foi levada para a sala de cirurgia. Estava nervosa, mas o sedativo logo a nocauteou. A intervenção não demorou mais que alguns minutos. Quando recobrou a consciência, ela pegou a caneta e o caderninho sobre o criado-mudo da clínica. Ainda sonolenta, escreveu:

> Coloquei o meu futuro dentro de mim. Um futuro lindo, branco e sem fim, cheio de esperanças e desejos satisfeitos, não só para mim, mas para todos os que me cercam. A pastilha de Antabuse já está dentro do meu ventre, da minha pele, tal qual um filho, uma filha, a nova Maysa que está sendo parida desde o momento em que acordei e vi o sol brilhar lá fora. Hoje talvez seja o dia mais importante da minha vida. Meu coração transborda de amor e de alegria.

18. Morrer de amor (1977)

Eu só queria morrer de muito amor.
(Oscar Castro Neves e L. Fiorini,
gravação de Maysa)

Maysa levantou da cama pela última vez naquele 22 de janeiro de 1977 particularmente amorosa. Era sábado. Passara a noite no apartamento de Copacabana na companhia de seu passarinho de estimação. Antes de seguir viagem para Maricá, resolvera almoçar com os pais, que tinham trocado havia pouco tempo São Paulo pelo Rio de Janeiro. Levou consigo o bichinho e, ao encontrar Monja e Inah, pediu que cuidassem dele por uns dias. Depois do almoço, recostou-se ao lado do pai no sofá, deu-lhe um beijo e deitou a cabeça em seu colo. "Monja, eu te amo." Repetiu o mesmo gesto e a mesma frase para Inah.

Alcebíades Monjardim notou na filha o ar cansado. Maysa andava mesmo varando noites em claro. Um dos resultados dos remédios que tomava para emagrecer era a terrível insônia que a perseguia nos últimos meses. Monja recomendou à filha que não enfrentasse a estrada para Maricá naquele estado. Melhor seria dormir ali no sábado e, depois de acordar mais disposta, pegar o rumo da praia. A filha não deu ouvidos aos conselhos paternos. Argumentou que, no domingo, o tráfego estaria mais pesado, com a volta dos banhistas de fim de semana que viriam aos borbotões da Região dos Lagos, do outro lado da ponte Rio-Niterói. Além disso, o amigo Ricardo Cravo Albin confiara-lhe o dinheiro para pagar a semana de trabalho dos operários que estavam construindo a casa dele em Maricá. Não poderia deixar os homens esperando, de mãos abanando. Dito isso, pegou o molho de chaves de sua Brasília azul e deu um novo beijo de despedida em Monja e Inah. Apesar do aspecto exausto, parecia serena. E, principalmente, estava sóbria.

Maysa evitava o álcool desde que colocara a pastilha de Antabuse sob a pélvis. Ainda assim, não eram poucos os que juraram tê-la visto completamente bêbada depois da cirurgia. Não estavam de todo errados. A cantora trocara o efeito da bebida pelo "barato" provocado por doses excessivas de medicamentos, que lhe causavam vertigens e tonturas. Passara a ingerir compulsivamente comprimidos de Minifage e Lasix. O primeiro, um poderoso inibidor de apetite, provocava de vista turva a dependência química. O outro, na verdade, era um remédio para insuficiência renal, cujo efeito diurético atraía consumidores ávidos por perder líquidos e, portanto, peso. Por causa deles, Maysa tinha surtos de embotamentos e delírios. Até pessoas muito próximas a ela interpretavam aquilo como mais um de seus porres monumentais.

Os últimos meses na vida da artista tinham sido tormentosos. Para os que acreditassem em predestinação, ela parecia ter organizado um minucioso ritual de despedida. Em setembro, depois de uma briga com Júlio Medaglia, fora até Vitória, onde havia anos não pisava, para reencontrar primos e amigos de infância e adolescência. Não avisou a ninguém e apareceu do nada, de surpresa. Dissera que passaria apenas o feriado do Dia da Independência na cidade mas acabou ficando por lá mais de um mês. O primo Sérgio Sarkis tomou um susto ao vê-la bater à porta, com os cabelos desgrenhados, o sorriso nervoso congelado no rosto, a blusa preta completamente coberta por cinzas de cigarro. Outro primo, Jayme Figueira, alugou para ela uma casa na Praia da Costa, onde Maysa armou um cavalete, comprou tintas e fez alguns quadros. Dizia aos parentes capixabas que largara a música de vez. Agora, só queria saber da pintura. E ficaria morando naquela casa para sempre.

Fiel a seu estilo, logo descumpriu a promessa. Passadas quatro semanas, disse que estava cansada daquela casa na Praia da Costa. Queria mudar-se para outro local, mais perto do centro da cidade. Atônito, Jayme teve dificuldade para convencer o proprietário do imóvel a rasgar o recém-assinado contrato de locação. Resolveu, então, instalar a prima em uma suíte do Hotel Helal, na avenida Jerônimo Monteiro, com vista para o mar de Vitória. Estava certo de que a poeira baixara, pelo menos até a manhã em que recebeu o telefonema de um amigo, muito nervoso. Do outro lado da linha, o rapaz contava que acabara de ver Maysa no topo de uma pedra na praia da ilha do Frade, sozinha, ameaçando jogar-se lá de cima. Jayme Figueira largou o telefone, entrou desesperado em seu carro e, após cruzar a cidade a toda a velocidade, encontrou a prima tranqüila, os olhos verdes cravados sob a linha do horizonte. Ao perceber a preocupação estampada no rosto de Jayme, Maysa contou que, de fato, tentara se matar mais uma vez. Mas havia desistido da empreitada naquele exato instante, ao vê-lo correndo em sua direção. Fora ele quem a salvara, dissera. Como já havia ocorrido tantas outras vezes, a suposta tentativa de suicídio era apenas uma forma de chamar atenção para si.

A partir dali, todos os dias, para se certificar de que mais nada de errado ocorreria, Jayme Figueira passou a tomar o café-da-manhã com Maysa no hotel. Entretanto, logo depois, em outra manhã do início de outubro, ao chegar cedinho ao Helal o recepcionista lhe informou que a cantora havia ido embora, com todas as malas, telas, tintas e pincéis. Partira na Brasília azul de madrugada e deixara apenas uma carta ao primo. Com o coração aos pulos, Jayme abriu o envelope e leu as duas páginas manuscritas no papel timbrado do hotel. "Queria que você soubesse que, pela primeira vez, evitou que o desespero pela injustiça me levasse a atos impensados. Uma coisa eu te prometo: toda vez que me sentir infeliz, pensarei em teu gesto, em teu carinho sem limite e partirei para a frente, como hoje, embora triste", dizia a mensagem.

* * *

Depois de sair de Vitória de forma tão inesperada quanto chegara, a cantora voltou ao Rio de Janeiro às vésperas do casamento de Jayme Monjardim com a italiana Georgia. Mãe e filho haviam feito as pazes, mas estiveram perto de romper novamente. Maysa era radicalmente contra a idéia de ver o rapaz casado tão jovem, com apenas vinte anos de idade. Mas sabia que ele nunca a perdoaria se não aparecesse na igreja: ao longo de toda a vida, Jayme guardaria a carta em que a mãe se desculpava por não participar da celebração de sua primeira comunhão, por estar ocupada com suas obrigações profissionais.

Sem querer aprontar uma nova desfeita, Maysa foi ao casamento de Jayme e Georgia. Mas estava duplamente incomodada — primeiro, com o destino do filho; segundo, por ser obrigada a encontrar os parentes do ex-marido. Ela fez questão de deixar claro seu desagrado. Escolheu um vestido vermelho berrante e calçou sapatos com enormes saltos plataforma. Assim, ficaria mais alta que todos os convidados e poderia olhar para eles de cima. Não penteou os cabelos e pôs uma maquiagem agressiva, com os olhos sombreados de escuro. Na igreja, sua figura altiva e exótica destoava da sobriedade geral.

Quando Jayme e Georgia partiram para a lua-de-mel, Maysa os acompanhou até o aeroporto. Os dois tomaram a escada rolante a caminho da sala de embarque e, depois de trocarem abraços, ela permaneceu lá embaixo, séria, olhando fixamente para eles. Jayme observava sua mãe cada vez mais distante. A imagem diminuía, ficava para trás, em meio à agitação dos passageiros que arrastavam malas de um lado para o outro, até desaparecer de seu campo de visão. Mãe e filho nunca mais voltariam a se encontrar.

* * *

Poucos dias depois, Maysa decidiu reler cada um de seus antigos diários. Na última página de um deles, um dos primeiros, de 1954, escrito ainda nos tempos de solteira, deixou sua última anotação:

> Hoje é novembro de 1976. Sou viúva, tenho quarenta anos. Casei meu filho há uns dias e sou uma mulher só. O que dirá o futuro?

Maysa estava buscando algo que ela própria parecia não saber ao certo o que era. Como fizera anos antes com Carlos Alberto pelo interior de Minas Gerais, redescobrira o prazer de entrar no carro, colocar um cassete no toca-fitas e sair estrada afora. Na manhã de 10 de dezembro de 1976 estava em Curitiba, descansando na casa de uma amiga, Rose Rogoski, depois de mais um trecho desse seu *road movie* particular, quando o jornalista Aramis Millarch, então crítico de música do jornal *O Estado do Paraná*, pediu-lhe para que desse um longo depoimento ao microfone de uma emissora de rádio local, a Ouro Verde. Como já conhecia o trabalho de Millarch, um dedicado pesquisador de música brasileira, Maysa aceitou o convite. E deu sua última entrevista.

Foram quase duas horas de conversa, em que ela passou a limpo sua trajetória, relembrou o início da carreira, comentou os seus discos, um a um, e terminou por falar sobre a vida naquele exato instante. "Eu me sinto muito só, até mesmo no plano profissional, no contexto da música brasileira. As ilhas estão muito longe. E como as pessoas não se aproximam de mim, eu também não me aproximo delas. Parece que cada um vive a sua solidão, na sua ilha própria." Revelou que um de seus maiores desejos era comprar um trailer e percorrer o Brasil inteiro. "Agora, tenho uma liberdade incrível, voltei a guiar o meu carro e tenho andado por aí, com as minhas fitinhas gravadas lá em casa."

Quanto à carreira, estava em compasso de espera: "Eu tenho me afastado da vida musical porque a coisa começou a se tornar muito multinacional e eu não consigo ver o meu trabalho dessa maneira. Acho que eu não sei ser programada como um computador — gravar isso, aquilo porque vai vender. Todo mundo diz que vou morrer de fome. Não vai acontecer isso. O que me alimenta é a arte e não o dinheiro que vem da arte, entende?".

* * *

No final da tarde de 21 de janeiro de 1977, uma sexta-feira, Maysa foi até o Teatro Fênix, no Rio de Janeiro, para gravar uma participação especial no programa *Sandra e Miéle*, campeão de audiência no horário. Tratava-se de um show de música, dança e humor apresentado pela exuberante Sandra Bréa e por Luiz Carlos Miéle, com direção de Augusto César Vanucci e transmitido pela Rede Globo. Ao entrar no estúdio, a cantora deu mostras de que não estava em condições de se apresentar. Leila, a secretária, explicou que Maysa passava mal. Tinha pressão baixa, sentia tonturas e calafrios. O produtor do programa, Fernando de Almeida, ficou preocupado e resolveu adiar a gravação por algumas horas. Encaminhou-a para o camarim e disse que esperariam o tempo que fosse necessário para que se recuperasse do mal-estar.

"Eu vou ficar bem, eu vou ficar bem", ela repetia.

A noite chegou, Maysa tomou banho nos toaletes do teatro com a ajuda de Leila, mas a indisposição não passou. Fernando de Almeida foi até Vanucci e avisou que, infelizmente, não daria para gravar o número com Maysa. Continuava quase desacordada, balbuciando palavras incompreensíveis. Miéle, pesaroso, procurou Leila nos camarins e disse que o melhor a fazer era cancelar a gravação. Para que Maysa não se sentisse ofendida, combinaram uma pequena mentira: diriam que o programa daquela semana seria dedicado exclusivamente à música brasileira e ela, puxa vida, era uma pena, havia trazido apenas o playback de "Ne me quitte pas".

"Você volta aqui na semana que vem. Aí a gente grava algo bem bacana", despistou Miéle.

Alguns minutos depois, o produtor Fernando de Almeida estava lá fora, tomando um pouco de ar durante um intervalo das gravações, quando viu um carro passar em alta velocidade, na contramão, pela rua Lineu de Paula Machado, onde ficava o Teatro Fênix. Era a Brasília de Maysa. Fernando quase não acreditou quando viu a própria Maysa ao volante, com Leila fazendo cara de assustada no banco do carona, o automóvel quase desgovernado, ameaçando abalroar tudo o que estava pela frente. Por sorte, não vinha nenhum outro veículo no sentido contrário. O produtor voltou para o estúdio e, lívido, contou o que acontecera. Todos ficaram desassossegados, torcendo para que nada pior acontecesse com a cantora naquela noite.

A noite, aliás, seria longa. Maysa jantou na casa de Monja e depois ainda rumou em direção ao Chiko's Bar, que funcionava às margens da Lagoa Rodrigo de Freitas. Disse ao pai que queria encontrar Luizinho Eça para combinar os detalhes de uma possível turnê no México. Retomaria a carreira, prometia. O jornalista Renato Sérgio, da *Manchete*, acabara de chegar ao Chiko's quando soube que Maysa estava ali e não parecia bem.

Ele procurou a amiga, mas ela não estava mais lá. "Fui e só vi um corredor largo e vazio, por onde tinha acabado de sair, de sumir, com todas as suas carências", escreveria mais tarde Renato Sérgio, ao recordar o episódio. Foi a última noite de Maysa.

* * *

"Monja, eu te amo."

Alcebíades Monjardim contaria mais tarde que sentiu um mau pressentimento ao ver a filha se despedir de forma tão carinhosa, com um abraço tão apertado, antes de partir para Maricá depois do almoço naquele fim de tarde de sábado. Foi com um aperto no peito que viu Maysa seguir sozinha para a casa de praia em sua modesta Brasília. Nas últimas semanas, ela tentara convencer alguns amigos a fazer-lhe companhia, mas todos tinham compromissos e não puderam se desvencilhar deles para acompanhá-la.

O caminho entre Copacabana e Maricá passava pela ponte Rio-Niterói, uma obra de treze quilômetros de extensão com altura de até setenta metros no vão central. A obra havia sido inaugurada cerca de dois anos antes, no governo do então presidente Emílio Garrastazu Médici. Quando a Brasília azul, de placa FJ 5505, começou a percorrer a ponte, faltavam pouco mais de dez minutos para as seis horas da tarde.

Maysa vestia calça Lee, blusa amarela e pisava fundo no acelerador com suas botas marrons. A Brasília corria a mais de cem quilômetros por hora. O vento invadia o veículo. Ela trafegava com o vidro esquerdo, ao lado do volante, totalmente aberto. O da direita, fechado. Essa configuração dos vidros, aparentemente banal, provocou um forte vácuo no interior da Brasília e comprometeu sua estabilidade. E foi assim que às 17h50 o carro alcançou a altura da chamada "emergência dez", o décimo ponto em que a mureta de concreto que divide os dois sentidos da ponte dá lugar a um cabo de aço para tornar possível o retorno em casos de emergência. Exatamente ali, Maysa tentou desviar de um outro veículo. Foi atingida por uma lufada de vento forte, algo comum àquela hora do dia sobre a ponte.

Maysa perdeu o controle da Brasília. O automóvel chocou-se contra o cabo de aço. Em seguida, bateu de frente, com violência, na quina de concreto armado onde recomeçava a mureta. O capô do carro esborrachou-se, invadindo a cabine. Depois, o veículo ainda rodopiou pela pista, batendo os dois lados no muro de proteção. A frente da Brasília azul transformou-se em um amontoado de ferros retorcidos. Com a intensidade da batida, o volante foi parar à altura do banco traseiro.

Dois patrulheiros rodoviários tiraram a cantora das ferragens. Ela tinha o tórax afundado, costelas quebradas, lesões na cabeça e múltiplas fraturas expostas, espalhadas pelas pernas e pelos braços. No caminho até o Hospital Antonio Pedro, em Niterói, o turbulento, apaixonado, transgressor e por vezes insano coração de Maysa parou de bater. Nos destroços do carro, um exemplar do disco *Ando só numa multidão de amores* destacava-se em meio às ferragens. Enquanto a noite cobria a ponte Rio-Niterói, a foto reticulada de Maysa em preto-e-branco, com seu decantado par de olhos verdes, ficou ali, iluminada pelas luzes vermelhas dos carros da polícia e de resgate, como uma testemunha silenciosa da tragédia.

Maysa Figueira Monjardim, aquela mulher que só disse o que pensava e só fazia o que gostava, estava morta. E se alguém não quisesse entendê-la, pois que falasse. Maysa jamais se importou com a maldade de quem nada sabe.

Epílogo

Durante todo o tempo em que o corpo de Maysa foi velado na sala 5 da capela da Real Grandeza, no Cemitério São João Batista, no Rio de Janeiro, seu caixão permaneceu fechado. Apesar de a imprensa ter noticiado à época que o rosto da artista havia escapado ileso do acidente, isso não era verdade. Até mesmo os pais não a viram sem vida. Antes do velório, ainda no Instituto Médico Legal, a cunhada Dora Monjardim providenciara que o corpo fosse inteiramente coberto de rosas vermelhas e o caixão, lacrado. Apenas o visor de vidro permaneceu aberto, mas ainda assim não se podia olhar diretamente o rosto, protegido por um fino lenço de seda.

Cerca de mil pessoas se acotovelaram para acompanhar o enterro no jazigo perpétuo 245-C, na quadra 30 do São João Batista. Por causa do grande número de fãs e curiosos, dona Inah teve dificuldade de seguir o cortejo e passou mal. A seu lado, Monja era um dos mais inconformados. Dizia que, no dia anterior, ainda pedira para a filha não viajar para Maricá. Se tivesse insistido, o desfecho fatídico poderia ter sido evitado.

Amigos, familiares e artistas misturavam-se aos anônimos — gente simples, muitos vindos da praia, de chinelos, enrolados em toalhas e em traje de banho —, que acenavam e choravam a morte da autora de "Meu mundo caiu". Júlio Medaglia pedia comovido aos jornalistas que o poupassem de dar entrevistas. Estava emocionado demais para falar algo. Na bolsa de Maysa, os policiais haviam encontrado uma carteira da Rádio Roquette Pinto com o nome dele. Ligaram imediatamente para o maestro, que foi o primeiro a receber a notícia do acidente.

O filho, Jayme Monjardim, estava cabisbaixo e silencioso. Acabara de retornar da lua-de-mel com Georgia e soubera do desastre na fazenda de um amigo, onde estava hospedado. Tomava banho quando o rádio começou a tocar "Ouça" na voz de Maysa. Ao final da música, viera a informação: sua mãe acabara de morrer.

O cantor e compositor Billy Blanco, que não conseguiu chegar perto da sepultura por causa do grande número de pessoas, comentou: "Maysa é como as cigarras. Morreu ao entardecer, mas seu canto será eterno". A atriz Tônia Carrero, com voz trêmula, comparou o desaparecimento da amiga à morte também precoce de Janis Joplin. "A diferença é que a cantora americana não se recuperou de suas angústias e morreu por excesso de droga. Maysa estava lutando para superar as suas. Até deixara de beber." Os exames feitos durante a autópsia confirmavam: não havia vestígios de álcool em seu sangue. Ela, que tantas vezes dirigira sua pequena Brasília azul após ingerir litros inteiros de uísque, morrera sóbria.

Leila estava inconsolável. Fora ela que levara para o hospital o longo vestido branco de mangas compridas com o qual Maysa foi sepultada. "Ela morreu na hora errada. Só agora estava começando a viver uma fase de estabilidade emocional", lamentava. Durante o sermão, diante do túmulo, o capelão Joaquim de Araújo encomendou a alma da artista: "Agora, no céu, Maysa terá a tranqüilidade que talvez não tenha conseguido aqui na terra".

Sob o sol escaldante, o corpo de Maysa Figueira Monjardim finalmente desceu à sepultura às 13h30 daquele domingo, 23 de janeiro, em pleno verão carioca. Só meia hora depois o público começou a se dissipar, deixando que a família permanecesse sozinha com a sua saudade.

* * *

Em meio a seus papéis particulares, Maysa deixou dezenas de poemas inéditos. Entre eles, um de seus últimos escritos soava como um desabafo:

Eu estava com medo
Olhava o mundo com grande terror.

Agora estou alegre, estou contente,
Giro pelo mundo vendo gente
Mas essa gente me faz feliz.

É o sinal do tempo para que eu não esqueça
Que isso é só uma trégua
Da dor que eu já conheço.

E na volta da dor a mim, depois da paz deslumbrada
Por fim me fará louca
Espantosamente louca
E pedra atirarei pelos caminhos
Por onde terei que arrrastar meu corpo
Para que me machuquem antes de que outras.

As mais duras
Abram minha cabeça
E descubram minha inocência.

Agradecimentos

Para escrever este livro, pesquisei em cerca de 100 mil recortes de jornais e revistas: entrevistas, artigos, críticas, notas, reportagens. Textos em português, inglês, francês, italiano, espanhol. Os recortes, fornecidos pela família da cantora e que foram colecionados pela própria Maysa, fizeram o mapeamento completo de sua trajetória artística. Também tive acesso irrestrito aos diários íntimos dela. Escritos confessionais, anotações sobre o cotidiano, a vida familiar, os romances, os bastidores de carreira, a forma singular de uma mulher incomum ver o mundo. Havia também uma tentativa inacabada de autobiografia, poemas, letras de músicas, algumas delas inéditas. Desabafos de amor e de ódio, declarações de guerra e pedidos de trégua à vida. Maysa por Maysa.

Com base no material saído dos baús da cantora, fui atrás de parentes, amigos, ex-namorados, ex-maridos, conhecidos, parceiros, músicos, produtores, enfim, gente que conviveu direta ou indiretamente com ela. Fiz cerca de duzentas entrevistas, com mais de meia centena de pessoas. A maior parte das conversas foi feita pessoalmente, algumas poucas pelo telefone, nos dois casos sempre com a ajuda do gravador. Como novas informações iam surgindo durante a pesquisa — uma história sempre puxa outra —, muitos entrevistados foram ouvidos mais de uma vez. Todos, sem exceção, receberam-me com entusiasmo, embora alguns deles inicialmente se confessassem receosos de trazer à tona episódios vividos por uma mulher transgressora como Maysa. Contudo, acabaram contagiados pela idéia de contribuir para um resultado que fosse fiel à biografada, um livro que a mostrasse como sempre fizera questão de aparecer aos olhos do público: intensa, sem retoques, sem meios-tons, de corpo inteiro.

A cada um dos entrevistados, citadas nominalmente na seção seguinte deste volume, o meu muito obrigado e meu constrangido pedido de desculpas por torrar-lhes a paciência nas muitas vezes em que os procurei para checar informações, cotejar datas, conferir nomes, ou simplesmente para que contassem novamente uma mesma história, a fim de que eu pudesse encontrar detalhes novos ou solucionar as inevitáveis contradições entre as fontes.

Ao longo do tempo em que permaneci imerso na realização deste livro, abdiquei de outros trabalhos e ocupações. Isso só foi possível porque *Maysa: só numa multidão de amores* contou com o apoio estratégico do Ministério da Cultura, por meio da Lei Rouanet. Uma vez aprovado o projeto no MinC, encontrei, de imediato, por parte da direção do BicBanco, meu patrocinador, a acolhida e o entusiasmo necessários para viabilizá-lo financeiramente.

O trabalho de produção executiva a cargo da BrazilBizz, conduzida sob a batuta segura de Mona Gadelha e Maira Sales, garantiu-me também a tranqüilidade para que eu me dedicasse integralmente ao livro, sem preocupações de ordem burocrática em relação à tramitação e execução de todas as fases do projeto.

Pela dedicação e amizade a toda prova, Afonso Celso Machado Neto e Fernando Morais merecem um parágrafo à parte nos agradecimentos deste livro que, no final das contas, não existiria sem as suas generosas colaborações.

Uma biografia como esta é, necessariamente, uma obra coletiva. Durante a fase de apuração de material e entrevistas, contei com o trabalho dedicado e competente de alguns colegas jornalistas, que me ajudaram a desvendar várias passagens até então obscuras na vida de Maysa. Na Europa, a amiga Neide Oliveira rastreou, com seu raro talento para farejar pistas apenas sugeridas aqui e ali, a trajetória de Maysa no velho continente, especialmente na Espanha. Na Argentina, o mesmo trabalho ficou a cargo de Bruno Lima. Aqui no Brasil, no Rio de Janeiro, uma velha amiga, Karine

Rodrigues, fez uma série de entrevistas impecáveis, de onde vieram informações fundamentais para este trabalho.

Para organizar a discografia de Maysa, contei com a ajuda inestimável dos colecionadores Sérgio Ximenes e Carlos Nolf, além do trabalho de garimpo adicional e minucioso feito pelas jornalistas Fernanda Medeiros e Lia Baron.

Na Editora Globo, Sandra Espiloto sempre foi uma entusiasta assumida de Maysa e, também, deste trabalho. Escudada no talento e na eficiência de Joaci Pereira Furtado e Ronald Polito, foi Sandra quem transformou o calhamaço de papel sulfite que deixei sobre a sua mesa neste volume caprichado que os leitores agora têm nas mãos.

Desde o início, há dois anos, logo que anunciei estar trabalhando na biografia de Maysa, recebi a ajuda de uma série de pessoas que, espontaneamente, prontificaram-se a me ajudar na coleta de material adicional — revistas, discos, vídeos — em sebos ou em seus próprios acervos particulares. A elas, fãs de Maysa em particular e pesquisadores de música brasileira em geral, cabe aqui o meu agradecimento: Cláudio Laitano Santos, Dogival Barros Gomes, Francisco Millarch, Mauro Silveira e Simon Khoury.

Minha gratidão vai também para Antônio Sérgio Ribeiro, que me pôs à inteira disposição sua inigualável coleção de revistas dos anos 1950, 1960 e 1970. E para Sérgio Ximenes, que me presenteou com várias gravações raríssimas, em áudio e em vídeo, da cantora. Thaís Matarazzo Cantero, por sua vez, confiou-me os originais de sua alentada monografia sobre a artista, uma pesquisa rigorosa em coleções de jornais e revistas que me foi de muita utilidade e complementou os recortes guardados pela própria Maysa.

Obrigado também a Cláudia Albuquerque, Kelsen Bravos, Pablo Uchoa e Vessillo Monte, que leram capítulos específicos deste livro à medida que foram sendo escritos, dando palpites e fazendo os comentários precisos de sempre. Não por uma questão de praxe, mas por absoluta justiça, vale dizer que os prováveis problemas que permaneceram neste volume são culpa absolutamente minha, pois continuo o mesmo turrão que às vezes insiste em negar ouvidos a essas feras do texto.

De Florianópolis, o amigo Thiago Mello acompanhou toda a realização deste livro, executando a tarefa de tratamento das imagens e de reconstituição de fotos históricas. Mais que isso, além de ler os originais e indicar preciosas sugestões, foi um interlocutor paciente, sempre disposto a ouvir minhas dúvidas, anseios e preocupações em relação ao andamento do trabalho. Porém, sobretudo, impressionou-me pelo conhecimento — e pela paixão — a respeito da vida e da obra de Maysa.

Em minhas viagens para o livro, tive anfitriões por quem serei eternamente grato. No Rio de Janeiro, Almir Torquato Dantas me acolheu em seu apartamento em Botafogo. Em Vitória, Victor Gentilli e sua mulher, Rachel, estenderam-me o tapete vermelho e me fizeram tantos rapapés que penso ter abusado, pois confesso que cheguei mesmo a imaginar que estava em minha própria casa.

Há, ainda, uma enorme dívida de gratidão com outras pessoas que, de um ou outro modo, tiveram participação decisiva na realização deste livro. Pelas sugestões, incentivos, dicas, apoios, ajudas e guaridas, o meu muito obrigado a Adriana Brockmann, Airton Chaves, Alexandre Pavan, Antônio Carlos Pavon, o 'AC', Arnaldo DeSouteiro, Carlos Alberto Afonso, Cesar Roale, Cláudia Trombini, Cláudio Willer, Christiano Câmara, Daniel Piza, Denise Dahdah, Denise Gianoglio, Edênio Nobre, Edinha Diniz, Edivan Gomes, Edson Rossi, Edvaldo Filho, Erika Palomino, Fernanda Gurgel do Amaral, Flávia Marreiro, Geraldo Soares, Ivone Bispo da Silva, José Roberto Santos Neves, Jackson Araújo, João Noro, Joaquim Ferreira dos Santos, Jota Pompílio, Juliano Santos, Jurandi Frutuoso, Leonardo Pinto, Luiz Amorim, Malu Alencar, Marcelo Ferroni, Marcus Vinicius Medina, Maria José Aguiar Fontes, Mário Magalhães, Mônica Figueiredo, Oswaldo Carvalho, Paula Neiva, Paulo César de Araújo, Rafael Oliveira, Rick Regis, Rodrigo de Almeida, Ruy Castro, Sergio Oliveira, Sergio Ripardo, Tania Menai, Teté Ribeiro, Thiago Marques, Tom Cardoso e Tom Hennigan.

Também não poderia deixar de registrar o carinho e a atenção que recebi, ao longo de todo este tempo, dos cerca de 2.600 companheiros — pela última contagem, quando estava colocando o ponto final neste livro — da comunidade sobre Maysa no espaço virtual do site de relacionamento Orkut (http://www.orkut.com/Community.aspx?cmm=64556). Ali, descobri que existe toda uma legião de fãs, ávidos por trocar informações e saber mais sobre ela.

Por fim, exatamente pela necessidade da merecida ênfase, cabem aqui alguns agradecimentos especiais. O primeiro, para meus filhos Ícaro e Nara. O segundo, para Adriana, minha mulher, que se viu obrigada a me dividir ao longo de dois anos com Maysa. Não só por isso, mas pelo companheirismo e pelo amor imenso, este livro é dedicado a ela.

Por último, o meu muito obrigado à caçula Emília, um toquinho de gente de dois anos e meio que só há bem pouco tempo parece ter compreendido por que seu pai sempre passa os dias no escritório, com a porta trancada, batucando nas teclas de um computador. Soube que, um dia desses, brincava com sua boneca predileta quando explicou o mistério para ela: "Bonequinha, o papai não pode ficar com você agora. Ele está escrevendo o livro da Maysa".

Preciso dizer a Emília que a hora de brincar comigo finalmente chegou.

São Paulo, verão de 2007,
no trigésimo aniversário de morte de Maysa.

Entrevistados

Abelardo Figueiredo
Alberto Dines
Aloísio de Carvalho
Antonio Abujamra
Antônio Sérgio Ferreira Brandão
Besita Suplicy
Bibi Ferreira
Cariê Lindenberg
Carlos Alberto
Carlos Lyra
Carlos Manga
Cauby Peixoto
Cid Sandoval
Claudete Soares
Cyro Del Nero
Djenane Machado
Duilio Marzio
Dora Colaferri Monjardim
Evaldo Gouveia
Fernando Barbosa Lima
Fernando de Almeida
Fernando Faro
Filomena Matarazzo Suplicy
Flávio Ramos
Givon Machado
Guto Graça Melo
Heraldo Domingues de Oliveira
Hermínio Bello de Carvalho
Ítalo Rossi
Jayme Figueira
Jayme Monjardim
João Antônio Botezzelli (Pelão)
Jorge Goulart
Jorge Mautner
José Carlos Colaferri
José Messias
José Roberto Bertrami
José Scatena
Josefina Costa
Júlio Medaglia
Leda Demasi
Luiz Carlos Miéle
Manoel Carlos
Maria Teresa Monteiro
Marina Helena Vieira de Barros
Marlene Maria Lucas de Oliveira
Miguel Vaccaro Netto
Naíla Skorpio

Nelson Motta
Oren Wade
Paulo Machado de Carvalho Filho
Pink Wainer
Raul Giudicelli
Ricardo Cravo Albin
Roberto Menescal
Ronald Matarazzo Suplicy
Salvador Tredicci
Sérgio Ricardo
Sergio Sarkis
Susana Guzner
Tibério Gaspar
Vera Barreto Leite
W. Rodrigues Poso
Walter Silva (Pica-Pau)
Zuza Homem de Mello

Discografia

A relação a seguir (elaborada com a indispensável colaboração de jornalistas e colecionadores de música brasileira, devidamente citados nos agradecimentos deste livro) é a discografia mais exaustiva de Maysa publicada até hoje. No entanto, como muitas coletâneas lançadas em outros países estão há décadas fora de catálogo, o trabalho de garimpar todos os álbuns com músicas de Maysa pelo mundo afora é uma tarefa sujeita a inevitáveis lacunas. Teremos prazer de, nas próximas edições, adicionar novas informações que nos cheguem e que possam vir a tornar a lista ainda mais completa.

78 RPM

RGE – 10047 (1957)
"Ouça" (Maysa) / "Segredo" (Fernando César)

RGE – 10056 (1957)
"Adeus" (Maysa) / "Resposta" (Maysa)

RGE – 10057 (1957)
"Escuta, Noel" (Maysa) / "O que" (Maysa)

RGE – 10074 (1957)
"Se todos fossem iguais a você" (Tom Jobim/Vinicius de Moraes) / "Tarde triste" (Maysa)

RGE – 10083 (1958)
"Meu mundo caiu" (Maysa) / "Bouquet de Izabel" (Sérgio Ricardo)

RGE – 10087 (1958)
"Felicidade infeliz" (Maysa) / "Não vou querer" (Maysa)

RGE – 10097 (1958)
"Por causa de você" (Dolores Duran/Tom Jobim) / "Franqueza" (Denis Brean/Osvaldo Guilherme)

RGE – 10099 (1958)
"Eu não existo sem você" (Tom Jobim/Vinicius de Moraes) / "No meio da noite" (Aloysio Figueiredo/José Marques da Costa)

RGE – 10117 (1958)
"Suas mãos" (Antônio Maria/Pernambuco) / "Mundo vazio" (Amauri Medeiros/Antônio Bruno)

RGE – 10157 (1959)
"Exaltação ao amor" (Tom Jobim/Vinicius de Moraes) / "Noite de paz" (Dolores Duran)

RGE – 10159 (1959)
"Recado" (Luís Antônio/Djalma Ferreira) / "Esse nosso olhar" (Sérgio Ricardo)

RGE – 10193 (1959)
"A felicidade" (Tom Jobim/Vinicius de Moraes) / "Manhã de Carnaval" (Luiz Bonfá/Antônio Maria)

RGE – 10197 (1959)
"Só Deus" (Jair Amorim/Evaldo Gouveia) / "A noite de nós dois" (Fernando César/Otello Zuccolo)

RGE – 10230 (1960)
"Voltei" (Maysa/Henrique Simonetti) / "Vem comigo" (Maysa/Henrique Simonetti)

RGE – 10238 (1960)
"Solidão" (Antônio Bruno) / "Cheiro de saudade" (Djalma Ferreira/Luís Antônio)

RGE – 10262 (1960)
"Alguém me disse" (Jair Amorim/Evaldo Gouveia) / "Meditação" (Tom Jobim/Newton Mendonça)

RGE – 10272 (1960)
"Ri" (Luís Antônio) / "Estou pensando em ti" (Raul Sampaio/Benil Santos)

Columbia – 3160 (1961)
"O barquinho" (Roberto Menescal/Ronaldo Bôscoli) / "Dois meninos" (Roberto Menescal/Ronaldo Bôscoli)

RGE – 10308 (1961)
"I love Paris" (Cole Porter) / "Besame mucho" (Consuelo Velazquez)

RGE – 10475 (1962)
"Canção do amor mais triste" (Edson Borges) / "Mil flores" (Chico Feitosa/Marcos Vasconcellos)

Compactos

Maysa
RGE EP – 90.000 (1959)
"Get out of town" (Cole Porter) / "Chanson d'amour" (Heinz Gietz/Kurt Feltz) / "Malatia" (Armando Romeo)/ "Uska dara" (folclore turco)

Ouça... Maysa
RGE EP – 90.014 (1959)
"Ouça" (Maysa) / "Noite de paz" (Durando) / "Recado" (Luís Antônio/Djalma Ferreira) / "O que é que falta" (Daisy Amaral)

Com carinho de Maysa
RGE EP – 90.048 (1959)
"Cheiro de saudade" (Luís Antônio/Djalma Ferreira) / "Meditação" (Tom Jobim/Newton Mendonça) / "Solidão" (Antônio Bruno) / "Dindi" (Tom Jobim/Aloysio de Oliveira)

Felicidade
RGE EP – 90.074 (1959)
"Manhã de Carnaval" (Luiz Bonfá/Antônio Maria) / "Só Deus" (Jair Amorim/Evaldo Gouveia) / "Felicidade" (Tom Jobim/Vinicius de Moraes) / "Hino ao amor (Hymne a l'amour)" (Marguerite Monnot/Edith Piaf/Vrs. Odair Marsano)

Adorável Maysa
RGE EP – 80.074 (1960)
CD – RGE – 80074
"Besame mucho" (Consuelo Velazquez) / "I love Paris" (Cole Porter) / "Quem quiser encontrar o amor" (Geraldo Vandré/Carlos Lyra) / "Rindo de mim" (Maysa)

Estou pra dizer adeus
RGE EP – 80.091 (1960)
"Estou pra dizer adeus" (Raul Sampaio/Benil Santos) / "Chão de estrelas" (Silvio Caldas/Orestes Barbosa) / "Quizás, quizás, quizás" (Oswaldo Farres) / "Murmúrio" (Luís Antônio/Djalma Ferreira)

Grandes Sucessos de Maysa em 45 r.p.m
RGE Antar Argentina – FP 45-131 (1960)
"Eu sei que vou te amar" (Tom Jobim/Vinicius de Moraes) / "Por causa de você" (Tom Jobim/ Dolores Duran) / "Suas mãos" (Antônio Maria/Pernambuco) / "Meu mundo caiu" (Maysa)

Raízes
RGE CS 70.011 (1961)
"Raízes" (Denis Brean/Osvaldo Guilherme) / "Chão de estrelas" (Silvio Caldas/Orestes Barbosa)

Barquinho
Columbia – 33160 (1961)
"O barquinho" (Roberto Menescal/Ronaldo Bôscoli) / "Dois meninos" (Roberto Menescal/ Ronaldo Bôscoli)

Favela
RGE – 80.137 (1962)
"Favela" (Joraci Camargo/Hekel Tavares) / "Round midnight" (B. Hanighen/T. Monk/ C.Williams) / "Mil flores" (Marcos Vasconcellos/Chico Feitosa) / "What's new" (B. Haggart /J. Burke)

Maysa em Bossa Nova
RGE – 80.171 (1962)
"Nós e o mar" (Roberto Menescal/Ronaldo Bôscoli) / "Louca de saudade" (Denis Brean) / "Ah, se eu pudesse" (Roberto Menescal/Ronaldo Bôscoli) / "Fim de noite" (Chico Feitosa /Ronaldo Bôscoli)

Maysa
RGE Fermata Argentina – 3 EFR 10 (1962)
"Favela" (Hekel Tavares/Joracy Camargo) / "Louca de saudade" (Denis Brean) / "A mesma rosa amarela" (Capiba) / "Recado" (Djalma Ferreira/ Luiz Antônio)

Maysa
Barclay França – 70526 (1963)
"Les inconscientes" (Michel Magne/Eddy Marnay) / "Fin du jour" (Michel Magne/Eddy Marnay) / "100.000 chansons" (Michel Magne/Eddy Marnay) / "Chega de saudade" (Tom Jobim/Vinicius de Moraes)

Maysa Canta en Castellano
RGE Fermata Argentina – 3 F 0387 (1963)
"Besame mucho" (Consuelo Velazquez) / "Quizás, quizás, quizás" (Osvaldo Farres)

Maysa
RGE Fermata Argentina – 3 EFR 31 (1963)
"Manhã de Carnaval" (Luiz Bonfá/Antônio Maria) / "A felicidade" (Tom Jobim/Vinicius de Moraes) / "Murmúrio" (Djalma Ferreira/Luiz Antônio) / "Mil flores" (Chico Feitosa/M. de Vasconcelos)

Maysa
Elenco CE – 10 (1964)
"Fim de noite" (Chico Feitosa/Ronaldo Bôscoli) / "Por causa de você" (Tom Jobim/Dolores Duran)

Tristeza
RCA Victor – LC 6224 (1966)
"Tristeza" (Haroldo Lobo/Niltinho) / "Canção sem título" (Maysa)

Dia das rosas
RCA Victor – LC 1168 (1967)
"Dia das rosas" (Luiz Bonfá/Maria Helena Toledo) / "Canto de Ossanha" (Baden Powell/ Vinicius de Moraes) / "Amor – paz" (Maysa/Vera Brasil) / "Canção sem título" (Maysa)

*Ad ogni costo** GTA Italia – PO 40061 (1967)
"Dirgli solo no" (Pantagruele) / "Vai via Malinconia" (Bardotti/Morriconi)
* Trilha original do filme *Ad ogni costo* (Itália), *A qualquer preço* (Brasil)

Maysa Matarazzo – Reza
RCA Victor Portugal – TP 447 (1968)
"Reza" (Edu Lobo/Ruy Guerra) / "Chão de estrelas" (Silvio Caldas/Orestes Barbosa) / "Tristeza de nós dois" (Durval Ferreira/Maurício Einhorn/Bebeto) / "Dia de vitória" (Marcos Valle/Paulo Sérgio Valle)

Maysa Matarazzo – Pálida ausência
RCA Victor Espanha – 3-10366 (1968)
"Pálida ausência" (Luiz Eduardo Aute)/ "Reza" (Edu Lobo/Ruy Guerra)

Et maintenant
Copacabana – BR 1337 (1968)
"Et maintenant" (G. Maniscalco/L. Straniero/G. Bécaud) / "Per ricominciare" (Parazzini/ Crewe/Gaudio)

Et maintenant
GTA PON-NP 40063 – Itália (1968)
"Et maintenant" (G. Maniscalco/L. Straniero/G. Bécaud)/ "Per ricominciari" (Parazzini/ Crewe/Gaudio)

Maysa
CBS Portugal – 6478 (1968)
"Você e eu" (Carlos Lyra/Vinicius de Moraes) / "Dois meninos" (Ronaldo Bôscoli/Roberto Menescal) "Eu e o meu coração" (Inaldo Villariam/Antônio Botelho) /"Cala meu amor" (Tom Jobim/Vinicius de Moraes)

Canto de fé
Copacabana – BR 831 (1969)
"Canto de fé" (Nonato Buzar/William Prado) / "Estranho mundo feliz" (Ruy Maurity/José Jorge Miquinioty)

San Juanito
Copacabana – BR 846 (1969)
"San Juanito" (J. Roberto/Fábio/Dumont/C. Imperial) / "Para quem não quiser ouvir meu canto" (César Roldão Vieira)

Ave Maria dos Retirantes
Copacabana – BR 3574 (1969)
"Ave Maria dos Retirantes" (Carlos Coqueijo/Alcivando Luz) / "Canção de chorar" (Nonato Buzar/Chico Anísio) / "Catavento" (Arthur Verocai/Paulinho Tapajós) / "Atento, alerta" (Egberto Gismonti/Paulo Sérgio Valle)

Love story
Philips – BR 6069 005 (1971)
"História de amor (Theme from *Love story*)" (F. Lai/C. Sigman/Vrs. Paulo Garcez) / "Homem de bem" (César Costa Filho/Aldir Blanc)

Tema de Simone
Philips – BR 6069 012 (1971)
"Tema de Simone" (Maysa) / "Depois de tanto tempo" (Nelson Motta/Dori Caymmi)

Palavras, palavras
RCA – 101.0129 (1972)
"Palavras, palavras (Parole, parole)" (L. Chiosso/G. Del Re/G. Ferrio/Vrs. Maysa) / "What are you doing the rest of your life" (Michel Legrand/A. Bergman/M. Bergman)

Palavras, palavras
RCA 991.0111 (1972)
"Palavras, palavras (Parole, parole)" (L. Chiosso/G. Del Re/G. Ferrio/Vrs. Maysa)*
*Os dois lados contêm a mesma música.

Para sempre Maysa
RGE – 301.0183 (1977)
RGE CS 06 (1977)*
"Ouça" (Maysa) / "Franqueza" (Osvaldo Guilherme/Denis Brean)
* Disco promocional, com "Ouça" nos dois lados.

Sinfonia do Rio de Janeiro
Continental 1.15.101.096 (1980)
"Morro" (Tom Jobim/Billy Blanco) / "Copacabana" (João de Barro/Alberto Ribeiro)

Maysa
Fonomat Portugal – RGDP (sem data)
"Se todos fossem iguais a você" (Tom Jobim/Vinicius de Moraes) / "Meu mundo caiu" (Maysa) /"Bronzes e cristais" (Alcyr Pires Vermelho, Nazareno de Brito) / "Bouquet de Izabel" (Sérgio Ricardo)

Maysa Matarazzo
London Globe Portugal GEB 3003 (sem data)
"Quem quiser encontrar amor" (Carlos Lyra/Geraldo Vandré) / "Raízes" (Denis Brean/Osvaldo Guilherme) / "Besame mucho" (Consuelo Velazquez) / "É fácil dizer adeus" (Tito Madi)

Maysa
Orfeo Argentina – EP 40008 (sem data)
"Se todos fossem iguais a você" (Tom Jobim/Vinicius de Moraes) / "Meu mundo caiu" (Maysa) / "Un jour tu verras" (Van Parys/Mouloudji) / "Get out of town" (Cole Porter)

Maysa – Orquestra Dirigida por Jack Pleis
Orfeo Argentina – 13.104 (sem data)
"A noite do meu bem" (Dolores Duran) / "The end of a love affair" (Edward C. Redding) / "La barca" (Roberto Cantoral) / "I'm a fool to want you" (Herron/Sinatra/Wolf)

Canta Maysa
Orfeo Argentina – 13.109 (sem data)
"O barquinho" (Roberto Menescal/Ronaldo Bôscoli) / "Lágrima primeira" (Ronaldo Bôscoli / Roberto Menescal) / "Você e eu" (Carlos Lyra/Vinicius de Moraes) / "Depois do amor" (Normando Santos/Ronaldo Bôscoli)

Maysa con la Orquestra RGE
RGE Fermata Argentina – 3 F 0095 (sem data)
"É fácil dizer adeus" (Tito Madi) / "Raízes" (Denis Brean/ Osvaldo Guilherme)

Maysa Matarazzo
Antar Tlefunken Uruguai – P0111 (sem data)
"Ouça" (Maysa) / "Adeus" (Maysa)

Los 4 Grandes del Brasil – com Maysa, Agostinho dos Santos, Miltinho e Rosana Toledo
RGE Fermata Argentina – 3 EF 16 (sem data)
Maysa na faixa "Eu não existo sem você" (Tom Jobim/Vinicios de Moraes)

LPs e CDs

*Convite para ouvir Maysa**
LP 10' – RGE – RLP 0013 (1956)
CD – RGE – 4122/2 (1998)**
CD 2 em 1 – Som Livre – 0489-2 (2006)
"Marcada" (Maysa) / "Não vou querer" (Maysa) / "Agonia" (Maysa) / "Quando vem a saudade" (Maysa) / "Tarde triste" (Maysa) / "Resposta" (Maysa) / "Rindo de mim" (Maysa) / "Adeus" (Maysa)
* Lançado também em CD no Japão
** Inclui ainda "Ouça" (Maysa), "O que" (Maysa), "Voltei" (Maysa/ Henrique Simonetti) e "Vem comigo" (Maysa/Henrique Simonetti).

*Maysa**
LP 10' – RGE – RLP 0015 (1957)
CD 2 em 1 – Som Livre – 0489-2 (2006)
"Se todos fossem iguais a você" (Tom Jobim/Vinicius de Moraes) / "Ouça" (Maysa) / "Escuta, Noel" (Maysa) / "To the end of the earth" (N. Sherman/J. Sherman) / "O que" (Maysa) / "Franqueza" (Osvaldo Guilherme/Denis Brean) / "Segredo" (Fernando César) / "Un jour tu verras" (Van Parys/Mouloudji)
* Lançado também em CD no Japão.

Convite para ouvir Maysa Nº 2
LP – RGE – XRLP 5013 (1958)
CD – RGE – 4123/2 (1998)
"Meu mundo caiu" (Maysa) / "No meio da noite" (José Marques da Costa/Aloysio Figueiredo) / "Bronzes e cristais" (Nazareno de Brito/Alcyr Pires Vermelho) / "Por causa de você" (Dolores Duran/Tom Jobim) / "Bom dia, tristeza" (Adoniran Barbosa/Vinicius de Moraes) / "Felicidade infeliz" (Maysa) / "Bouquet de Izabel" (Sérgio Ricardo) / "Mundo novo" (Maysa) / "E a chuva parou" (Ribamar/Esdras Pereira da Silva/Victor Freire) / "Caminhos cruzados" (Tom Jobim/Newton Mendonça) / "Meu sonho feliz" (Nanai) / "Diplomacia" (Maysa)

The sound of love
LP – United Artists USA – UAS 6034 (1959)
"Meu mundo caiu" (Maysa) / "No meio da noite" (José Marques da Costa/Aloysio Figueiredo) / "Bronzes e cristais" (Nazareno de Brito/Alcyr Pires Vermelho) / "Por causa de você" (Dolores Duran/Tom Jobim) / "Bom dia, tristeza" (Adoniran Barbosa/Vinicius de Moraes) / "Felicidade infeliz" (Maysa) / "Bouquet de Izabel" (Sérgio Ricardo) / "Mundo novo" (Maysa) / "E a chuva parou" (Ribamar/Esdras Pereira da Silva/Victor Freire) / "Caminhos cruzados" (Tom Jobim/Newton Mendonça) / "Meu sonho feliz" (Nanai) / "Diplomacia" (Maysa)
*Reedição do LP *Convite para ouvir Maysa Nº 2*, de 1958.
* Lançado também em CD no Japão.

Convite para ouvir Maysa Nº 3
LP – RGE – XRLP 5027 (1958)
CD – RGE – 4124/2 (1998)
"Mundo vazio" (Antônio Bruno/Amaury Medeiros) / "Saudades de mim" (Maysa) / "Candidata a triste" (Paulo Tito/Ricardo Galeno) / "É preciso dizer adeus" (Tom Jobim/Vinicius de Moraes) / "Eu não existo sem você" (Tom Jobim/Vinicius de Moraes) / "Pedaços de saudade" (Edson Borges) / "Fala baixo" (Maysa/Henrique Simonetti) / "Suas mãos" (Pernambuco/Antônio Maria) / "As praias desertas" (Tom Jobim) / "Maria que é triste" (Maysa/Henrique Simonetti) / "Bom é querer bem" (Fernando Lobo) / "Conselho" (Osvaldo Guilherme/Denis Brean)

Convite para ouvir Maysa Nº 4
LP – RGE – XRLP 5045 (1959)
CD – RGE – 4125/2 (1998)
"Você" (Maysa/Henrique Simonetti) / "Pelos caminhos da vida" (Tom Jobim/Vinicius de Moraes) / "Noite de paz" (Dolores Duran) / "Exaltação ao amor" (Tom Jobim/Vinicius de Moraes) / "Tema da meia-noite" (Nazareno de Brito) / "Nego malandro do morro" (Maysa) / "Amargura" (Alberto Ribeiro/Radamés Gnattali) / "Deserto de nós dois" (Maysa/Henrique Simonetti) / "Toda tua" (Maysa) / "Outra vez" (Tom Jobim) / "Malatia" (Armando Romeo) / "Dois amigos" (Ary Barroso)

Maysa é Maysa... É Maysa, é Maysa!
LP – RGE – XRLP 5068 (1959)
"Só Deus" (Jair Amorim/Evaldo Gouveia) / "O que é que falta" (Daisy Amaral) / "A felicidade" (Tom Jobim/Vinicius de Moraes) / "Hino ao amor (Hymne a l'amour)" (Marguerite Monnot/Edith Piaf/Vrs. Odair Marsano) / "E daí" (Miguel Gustavo) / "Manhã de Carnaval" (Luiz Bonfá/Antônio Maria) / "Viver em paz" (Dalton Vogeler) / "Eu sei que vou te amar" (Tom Jobim/Vinicius de Moraes) / "A noite de nós dois" (Fernando César/Otello Zuccolo) / "Castigo" (Dolores Duran) / "Pela rua" (Ribamar/Dolores Duran) / "Recado" (Luís Antônio/Djalma Ferreira)

Voltei
LP – RGE – XRLP 5078 (1960)
"Meditação" (Tom Jobim/Newton Mendonça) / "Alguém me disse" (Jair Amorim/Evaldo Gouveia) / "Carinho e amor" (Tito Madi) / "Voltei" (Maysa/Henrique Simonetti) / "Sincopado triste" (Macedo Neto/Hianto de Almeida) / "Qualquer madrugada" (Hianto de Almeida/Chico Anísio) / "Solidão" (Antônio Bruno) / "Cheiro de saudade" (Djalma Ferreira/Luís Antônio) / "Dindi" (Tom Jobim/Aloysio de Oliveira) / "Vem comigo" (Maysa/Henrique Simonetti) / "Cantiga de quem está só" (Jair Amorim/Evaldo Gouveia)

Maysa canta sucessos
LP – RGE – XRLP 5100 (1960)
"Ri" (Luís Antônio) / "Noite chuvosa" (Fernando César/João Leal Brito "Britinho") / "O amor e a rosa" (Pernambuco/Antônio Maria) / "Sonata sem luar" (Vinícius de Carvalho/Freddy Chateaubriand) / "Chora tua tristeza" (Luvercy Fiorini/Oscar Castro Neves) / "Ternura perdida" (Aloysio Figueiredo/Inah Monjardim) / "Estou pensando em ti" (Benil Santos/Raul Sampaio) / "O menino desce o morro" (Vera Brasil/De Rosa) / "A canção dos seus olhos" (Pernambuco/Antônio Maria) / "Samba triste" (Baden Powell/Billy Blanco) / "Um novo céu" (Fernando César/Ted Moreno) / "Diplomacia" (Maysa)

*Maysa e os grandes sucessos**
LP – SBA – SBA – 032 (1960)
"Só Deus" (Jair Amorim/Evaldo Gouveia) / "O que é que falta" (Daisy Amaral) / "A felicidade" (Tom Jobim/Vinicius de Moraes) / "Hino ao amor (Hymne a l'amour)" (Marguerite Monnot/Edith Piaf/Vrs. Odair Marsano) / "E daí" (Miguel Gustavo) / "Manhã de Carnaval" (Luiz Bonfá/Antônio Maria) / "Viver em paz" (Dalton Vogeler) / "Eu sei que vou te amar" (Tom Jobim/Vinicius de Moraes) / "A noite de nós dois" (Fernando César/Otello Zuccolo) / "Castigo" (Dolores Duran) / "Pela rua" (Ribamar/Dolores Duran) / "Recado" (Luís Antônio/Djalma Ferreira)
*Reedição do LP *Maysa é Maysa... É Maysa, é Maysa!*, de 1959.

Maysa sings songs before dawn
LP – Columbia USA – CS 8426 (1961) – Estéreo
LP – Columbia USA – CL 1626 (1961) – Mono
"You better go now" (Robert Graham/Bickley Reichner) / "Something to remember you by" (Howard Dietz/Arthur Schwartz) / "The end of a love affair" / "Night of my love (A noite do meu bem)" (Dolores Duran) / "If I forget you" (Irving Caesar) / "Ne me quitte pas" (Jacques Brel) / "When your love has gone" (Eina Swan) / "Mean to me" (Fred Ahlert/Roy Turk) / "The man that go away" (Harold Arlen/Ira Gershwin) / "Autumn Leaves" (Kosma/Prevert/Mercer) / "I'm a fool to want you" (J. Wolf/Frank Sinatra/J. Herron) / "La barca" (Roberto Cantoral)

*Maysa**
LP – Orfeo – Argentina – 048 (1961)
"La noche de mi amor (A noite do meu bem)" (Dolores Duran) / "Puedes irte ya (You better go now)" (B. Reichner/R. Graham) / "Algo por que recordarte (Something to remember you by)" (Dietz/Schwartz) / "No me abandones (Ne me quitte pas)" (Jacques Brel) / "Si yo te olvido (If I forget you)" (Irving Caesar) / "Fin de un asunto amoroso (The end of a love affair)" (Edward C. Redding) / "La barca" (Roberto Cantoral) / "Cruel conmigo (Mean to me)" (Roy Turk/Fred Ahlert) / "Cuando tu amor se haya ido (When your lover has gone)" (E. A. Swan) / "Las hojas muertas (Autumn leaves) (Les feuilles mortes)" (Kosma/Prevert/Mercer) / "Soy un tonto por quererte (I'm a fool to want you)" (Herron/Sinatra/Wolf)/ "Mi hombre se ha ido ahora (My man's gone now)" (Harold Arlen/Ira Gershwin)
* Reedição de *Maysa sings songs before dawn* (as músicas foram dispostas em ordem diferente e com títulos traduzidos para o espanhol)

*Maysa**
LP – Orfeo – Uruguai – 10.048 (1961)
"La noche de mi amor (A noite do meu bem)" (Dolores Duran) / "Puedes irte ya (You better go now)" (B. Reichner/R. Graham) / "Algo por que recordarte (Something to remember you by)" (Dietz/Schwartz) / "No me abandones (Ne me quitte pas)" (Jacques Brel) / "Si yo te olvido (If I forget you)" (Irving Caesar) / "Fin de un asunto amoroso (The end of a love affair)" (Edward C. Redding) / "La barca" (Roberto Cantoral) / "Cruel conmigo (Mean to me)" (Roy Turk/Fred Ahlert) / "Cuando tu amor se haya ido (When your lover has gone)" (E. A. Swan) / "Las hojas muertas (Autumn leaves) (Les feuilles mortes)" (Kosma/Prevert/Mercer) / "Soy un tonto por quererte (I'm a fool to want you)" (Herron/Sinatra/Wolf)/ "Mi hombre se ha ido ahora (My man's gone now)" (Harold Arlen/Ira Gershwin)
* Reedição de *Maysa sings songs before dawn* (as músicas foram dispostas em ordem diferente e com títulos traduzidos para o espanhol)

*Maysa Matarazzo**
LP – CBS Peru – ES 8181 (1961)
"La noche de mi amor (A noite do meu bem)" (Dolores Duran) / "Puedes irte ya (You better go now)" (B. Reichner/R. Graham) / "Algo por que recordarte (Something to remember you by)" (Dietz/Schwartz) / "No me abandones (Ne me quitte pas)" (Jacques Brel) / "Si yo te olvido (If I forget you)" (Irving Caesar) / "Fin de un asunto amoroso (The end of a love affair)" (Edward C. Redding) / "La barca" (Roberto Cantoral) / "Cruel conmigo (Mean to me)" (Roy Turk/Fred Ahlert) / "Cuando tu amor se haya ido (When your lover has gone)" (E. A. Swan) / "Las hojas muertas (Autumn leaves) (Les feuilles mortes)" (Kosma/Prevert/Mercer) / "Soy un tonto por quererte (I'm a fool to want you)" (Herron/Sinatra/Wolf)/ "Mi hombre se ha ido ahora (My man's gone now)" (Harold Arlen/Ira Gershwin)
* Reedição de *Maysa sings songs before dawn* (as músicas foram dispostas em ordem diferente e com títulos traduzidos para o espanhol)

Maysa, amor... e Maysa
LP – RGE – XRLP 5121 (1961)
"Estou pra dizer adeus" (Raul Sampaio/Benil Santos) / "Quem quiser encontrar o amor" (Geraldo Vandré/Carlos Lyra) / "Quizás, quizás, quizás" (Oswaldo Farrés) / "Chorou, chorou" (Luís Antônio) / "I love Paris" (Cole Porter) / "Raízes" (Denis Brean/Osvaldo Guilherme) / "Murmúrio" (Luís Antônio/Djalma Ferreira) / "Besame mucho" (Consuelo Velazquez) / "É fácil dizer adeus" (Tito Madi) / "Chão de estrelas" (Silvio Caldas/Orestes Barbosa)

Barquinho
LP – Columbia – 37161 (1961)*
CD – Columbia – 866.016/2-476406 (2000)
"O barquinho" (Ronaldo Bôscoli/Roberto Menescal) / "Você e eu" (Carlos Lyra/Vinicius de Moraes) / "Dois meninos" (Roberto Menescal/Ronaldo Bôscoli) / "Recado à solidão" (Chico Feitosa) / "Depois do amor" (Normando/Ronaldo Bôscoli) / "Só você (Mais nada)" (Paulo Soledade) / "Maysa" (Luiz Eça/Ronaldo Bôscoli) / "Errinho à toa" (Roberto Menescal/Ronaldo Bôscoli) / "Lágrima primeira" (Ronaldo Bôscoli/Roberto Menescal) / "Eu e o meu coração" (Inaldo Villarin/Antônio Botelho) / "Cala meu amor" (Tom Jobim/Vinicius de Moraes) / "Melancolia" (Luiz Eça/Ronaldo Bôscoli)
*Relançado em 1977 pelo selo Entre da mesma gravadora – 104380.

Canção do amor mais triste
LP – RGE – XRLP 5180 (1962)
CD – Som Livre – 0505-2 (2006)
"Favela" (Joraci Camargo/Hekel Tavares) / "A mesma rosa amarela" (Capiba/Carlos Pena Filho) / "Nós e o mar" (Roberto Menescal/Ronaldo Bôscoli) / "Fim de noite" (Chico Feitosa/Ronaldo Bôscoli) / "Round midnight" (B. Hanighen/T. Monk/C.Williams) / "Canção do meu amor" (Caetano Zamma) / "Canção do amor mais triste" (Edson Borges) / "Água de beber" (Tom Jobim/Vinicius de Moraes) / "O amor que acabou" (Chico Feitosa/Luis Fernando Freire) / "Mil flores" (Marcos Vasconcellos/Chico Feitosa) / "Louca de saudade" (Denis Brean) / "Ah, se eu pudesse" (Roberto Menescal/Ronaldo Bôscoli)

Maysa
LP – Elenco – ME 08 (1964)
CD – Mercury – Polygram – 526957 (1995)
CD – Universal – 0731452695727 (2003)
"Demais" (Tom Jobim/Aloysio de Oliveira); "I've got you under my skin" (Cole Porter) / "Por causa de você" (Tom Jobim/Dolores Duran) / "La barca" (Roberto Cantoral) / "Bom dia, tristeza" (Adoniran Barbosa/Vinicius de Moraes) / "Quem quiser encontrar o amor" (Carlos Lyra/Geraldo Vandré) / "Fim de noite" (Chico Feitosa/Ronaldo Bôscoli) / "O amor que acabou" (Chico Feitosa/Luis Fernando Freire) / "Dindi" (Tom Jobim/Aloysio de Oliveira) / "Bouquet de Izabel" (Sérgio Ricardo)

Maysa
LP – RCA Victor – BBL 1363 (1966)
CD – BMG/RCA – V.100.017 (1993)
CD – RCA/BMG – 74321913112 (2002)
Fantasia de trombones para "Demais" (Tom Jobim/Aloysio de Oliveira), "Meu mundo caiu" (Maysa) e "Preciso aprender a ser só" (Marcos Valle/Paulo Sérgio Valle) / "Canto livre" (Bené Nunes/Dulce Nunes) / "Just in time" (Styne/Green/Comden) / "Canto de Ossanha" (Baden Powell/Vinicius de Moraes) / "As mesmas histórias" (Edu Lobo) / "Ne me quitte pas" (Jacques Brel) / "Tristeza" (Haroldo Lobo/Niltinho)/ Fantasia de cellos para "Primavera" (Vinicius de Moraes/Carlos Lyra), "Eurídice" (Vinicius de Moraes) e "Canção do amanhecer" (Edu Lobo/Vinicius de Moraes) / "Canção sem título" (Maysa) / "Morrer de amor" (Oscar Castro Neves/Luvercy Fiorini)

*Maysa volume 2**
LP – Premier – PRLP 1038 (1968)
"Estou pra dizer adeus" (Raul Sampaio/Benil Santos) / "Quem quiser encontrar o amor" (Geraldo Vandré/Carlos Lyra) / "Quizás, quizás, quizás" (Oswaldo Farrés) / "Chorou, chorou" (Luís Antônio) / "I love Paris" (Cole Porter) / "Raízes" (Denis Brean/Osvaldo Guilherme) / "Murmúrio" (Luís Antônio/Djalma Ferreira) / "Besame mucho" (Consuelo Velazquez) / "É fácil dizer adeus" (Tito Madi) / "Chão de estrelas" (Silvio Caldas/Orestes Barbosa)
* Reedição do LP *Maysa, amor... e Maysa*, de 1961.

*Tempo di samba**
LP – CBS 524861 – Itália (1967)
"O barquinho" (Ronaldo Bôscoli/Roberto Menescal) / "Você e eu" (Carlos Lyra/Vinicius de Moraes) / "Dois meninos" (Roberto Menescal/Ronaldo Bôscoli) / "Recado à solidão" (Chico Feitosa) / "Depois do amor" (Normando/Ronaldo Bôscoli) / "Só você (Mais nada)" (Paulo Soledade) / "Maysa" (Luiz Eça/Ronaldo Bôscoli) / "Errinho à toa" (Roberto Menescal/Ronaldo Bôscoli) / "Lágrima primeira" (Ronaldo Bôscoli/Roberto Menescal) / "Eu e o meu coração" (Inaldo Villarin/Antônio Botelho) / "Cala meu amor" (Tom Jobim/Vinicius de Moraes) / "Melancolia" (Luiz Eça/Ronaldo Bôscoli)
*Reedição do LP *Barquinho*, lançado em 1961.

*Maysa**
LP – Premier – PRLP 1014 (1967)
"Favela" (Joraci Camargo/Hekel Tavares) / "A mesma rosa amarela" (Capiba/Carlos Pena Filho) / "Nós e o mar" (Roberto Menescal/Ronaldo Bôscoli) / "Fim de noite" (Chico Feitosa/Ronaldo Bôscoli) / "Round midnight" (B. Hanighen/T. Monk/C.Williams) / "Canção do meu amor" (Caetano Zamma) / "Canção do amor mais triste" (Edson Borges) / "Água de beber" (Tom Jobim/Vinicius de Moraes) / "O amor que acabou" (Chico Feitosa/ Luis Fernando Freire) / "Mil flores" (Marcos Vasconcellos/Chico Feitosa) / "Louca de saudade" (Denis Brean) / "Ah, se eu pudesse" (Roberto Menescal/Ronaldo Bôscoli)
* Reedição do LP *Canção do amor mais triste*, de 1962.

Maysa
LP – Copacabana – 11573 (1969)
CD – EMI – 583816 2 (2003)
"Para quem não quiser ouvir meu canto" (César Roldão Vieira) / "Estranho mundo feliz" (Ruy Maurity/José Jorge Miquinioty) / "Catavento" (Arthur Verocai/Paulinho Tapajós) / "Rosa Branca" (Antônio Adolfo/Tibério Gaspar) / "Tema triste" (Antônio Adolfo/Tibério Gaspar) / "Eu e o tempo" (Durval Ferreira/Flávia) / "Um dia" (Egberto Gismonti) / "Imensamente" (Flávia Alvim/Hedya) / "Canto de fé" (Nonato Buzar/William Prado) / "Indí" (Egberto Gismonti/Arnoldo Medeiros) / "Quebranto" (Ruy Maurity/José Jorge Miquinioty) / "Você nem viu" (Antônio Adolfo/Tibério Gaspar)

Canecão apresenta Maysa (ao vivo)
LP – Copacabana – CLP 11582 (1969)
CD – Movieplay – ABW 81548 (1992)
CD – EMI – 583816 2 (2003)
"Demais" (Tom Jobim/Aloysio de Oliveira); "Meu mundo caiu" (Maysa); "Preciso aprender a ser só" (Marcos Valle/Paulo Sérgio Valle) / "Para quem não quiser ouvir meu canto" (César Roldão Vieira) / "Por causa de você" (Tom Jobim/Dolores Duran); "Dindi" (Tom Jobim/Aloysio de Oliveira) / "Se você pensa" (Roberto Carlos/Erasmo Carlos) / "Ne me quitte pas" (Jacques Brel) / "Light my fire" (Morrinson/Manzarek/Krieger/Densmore) / "Chão de estrelas" (Silvio Caldas/Orestes Barbosa) / "Tarde triste" (Maysa); "Meu mundo caiu" (Maysa); "Ouça" (Maysa) / "Eu e a brisa" (Johnny Alf) / "Dia de vitória" (Marcos Valle/Paulo Sérgio Valle) / "Dia das rosas" (Luiz Bonfá/Maria Helena Toledo) / "Se todos fossem iguais a você" (Tom Jobim/Vinicius de Moraes)

*A personalidade de Maysa**
LP – Premier PRLP 1086 (1969)
LP – Premier 307.3030 (1969)
"Ri" (Luis Antônio) / "Noite chuvosa" (Fernando César/João Leal Brito "Britinho") / "O amor e a rosa" (Pernambuco/Antônio Maria) / "Sonata sem luar" (Vinícius de Carvalho/Freddy Chateaubriand) / "Chora tua tristeza" (Luvercy Fiorini/Oscar Castro Neves) / "Ternura perdida" (Aloysio Figueiredo/Inah Monjardim) / "Estou pensando em ti" (Benil Santos/Raul Sampaio) / "O menino desce o morro" (Vera Brasil/De Rosa) / "A canção dos seus olhos" (Pernambuco/Antônio Maria) / "Samba triste" (Baden Powell/Billy Blanco) / "Um novo céu" (Fernando César/Ted Moreno) / "Diplomacia" (Maysa)
*Reedição do LP *Maysa canta sucessos*, de 1960.

Ando só numa multidão de amores
LP – Philips – 765 116 L (1970)
CD – Philips – 848 272 2 (1990)
"Molambo" (Jayme Florence "Meira"/Augusto Mesquita) / "Yo sin ti" (Arturo Castro) / "Me deixe só" (Roberto Menescal/Maysa) / "Chuvas de verão" (Fernando Lobo) / "Três lágri-

mas" (Ary Barroso) / "Assim na terra como no céu" (Roberto Menescal/Nonato Buzar/Paulinho Tapajós)/ "Eu" (Marcos Valle/Paulo Sérgio Valle) / "Suas mãos" (Pernambuco/Antônio Maria) / "Bonita" (Tom Jobim/Vrs. Ray Gilbert) / "Resposta" (Maysa) / "Que eu canse e descanse" (Marcos Valle/Paulo Sérgio Valle) / "As praias desertas" (Tom Jobim) / "Quando chegares" (Carlos Lyra)

*Maysa**
Série Econômica
LP – Fontana 6485 104 (1978)
"Molambo" (Jayme Florence "Meira"/Augusto Mesquita) / "Yo sin ti" (Arturo Castro) / "Me deixe só" (Roberto Menescal/Maysa) / "Chuvas de verão" (Fernando Lobo) / "Três lágrimas" (Ary Barroso) / "Assim na terra como no céu" (Roberto Menescal/Nonato Buzar/Paulinho Tapajós)/ "Eu" (Marcos Valle/Paulo Sérgio Valle) / "Suas mãos" (Pernambuco/Antônio Maria) / "Bonita" (Tom Jobim/Vrs. Ray Gilbert) / "Resposta" (Maysa) / "Que eu canse e descanse" (Marcos Valle/Paulo Sérgio Valle) / "As praias desertas" (Tom Jobim) / "Quando chegares" (Carlos Lyra)
* Reedição do LP *Ando só numa multidão de amores*, de 1970.

Maysa
LP – Evento/Odeon SE 11004 (1974)
CD – EMI 837822 2 (1996)
"Bloco da solidão" (Jair Amorim/Evaldo Gouveia) / "Agora é cinza" (Alcebíades Barcelos "Bide"/Armando Marçal) / "Não sei (No other love)" (Russell/Weston/Vrs. Aloysio de Oliveira) / "Castigo" (Dolores Duran); "Fim de caso" (Dolores Duran) / "Não é mais meu" (Erlon Chaves/Maysa/David Nasser) / "Morrer de amor" (Luvercy Fiorini/Oscar Castro Neves) / "Você abusou" (Antônio Carlos/Jocafi) / "Rasguei a minha fantasia" (Lamartine Babo) / "O grande amor" (Tom Jobim/Vinicius de Moraes) / "Os olhos da madrugada" (Carlos Lyra) / "Até quem sabe?" (Mercedes Chies/Lysias Ênio/João Donato) / "Hoje é dia de amor" (Maria Helena Toledo/Luiz Bonfá)

*Maysa e os grandes sucessos**
LP – Beverly BLP 80710 (1983)
"Só Deus" (Jair Amorim/Evaldo Gouveia) / "O que é que falta" (Daisy Amaral) / "A felicidade" (Tom Jobim/Vinicius de Moraes" / "Hino ao amor (Hymne a l'amour)" (Marguerite Monnot/Edith Piaf/Vrs. Odair Marsano) / "E daí" (Miguel Gustavo) / "Manhã de Carnaval" (Luiz Bonfá/Antônio Maria) / "Viver em paz" (Dalton Vogeler) / "Eu sei que vou te amar" (Tom Jobim/Vinicius de Moraes) / "A noite de nós dois" (Fernando César/Otello Zuccolo) / "Castigo" (Dolores Duran) / "Pela rua" (Ribamar/Dolores Duran) / "Recado" (Luís Antônio/Djalma Ferreira)
* Reedição do LP *Maysa é Maysa... É Maysa, é Maysa!*, de 1959.

Coletâneas

Os grandes sucessos de Maysa
LP – RGE – XRLP 5042 (1959)
LP – Premier – PRLP 1061 (1968)
CD – Som Livre 4288-2 (2002)*
"Ouça" (Maysa) / "Meu mundo caiu" (Maysa) / "Por causa de você" (Tom Jobim/Dolores Duran) / "Adeus" (Maysa) / "No meio da noite" (Aloysio Figueiredo/José Marques da Costa) / "Suas mãos" (Antônio Maria/Pernambuco) / "Franqueza" (Osvaldo Guilherme/ Denis Brean) / "O que" (Maysa) / "Se todos fossem iguais a você" (Tom Jobim/Vinicius de Moraes) / "Resposta" (Maysa) / "Conselho" (Denis Brean/Osvaldo Guilherme) / "Felicidade infeliz" (Maysa)
*Inclui ainda "O barquinho" (Roberto Menescal/Ronaldo Bôscoli) e "Eu e a brisa" (Johnny Alf).

A música de Maysa
LP – RGE – XRLP 5173 (1960)
"Ouça" (Maysa) / "Marcada" (Maysa) / "Tarde triste" (Maysa) / "Adeus" (Maysa) / "Diplomacia" (Maysa) / "Nego malandro do morro" (Maysa) / "Meu mundo caiu" (Maysa) / "Agonia" (Maysa) / "Não vou querer" (Maysa) / "Quando vem a saudade" (Maysa) / "Resposta" (Maysa) / "Rindo de mim" (Maysa)

Ternura... é Maysa
LP Cartaz – LPC 5099 (1965)
LP – SBA 004
"Meditação" (Tom Jobim/Newton Mendonça) / "Alguém me disse" (Jair Amorim/Evaldo Gouveia) / "Carinho e amor" (Tito Madi) / "Qualquer madrugada" (Hianto de Almeida/ Chico Anísio) / "Cheiro de saudade" (Djalma Ferreira/Luís Antônio) / "Dindi" (Tom Jobim/ Aloysio de Oliveira) / "Cantiga de quem está só" (Jair Amorim/Evaldo Gouveia) / "Noite de paz" (Dolores Duran) / "Dois amigos" (Ary Barroso) / "Amargura" (Alberto Ribeiro/Radamés Gnattali) / "Bom dia, tristeza" (Adoniran Barbosa/Vinicius de Moraes) / "Bouquet de Izabel" (Sérgio Ricardo)

Eu não existo sem você
LP – Premier RGE – PRLP 1104 (1969)
"Eu não existo sem você" (Tom Jobim/Vinicius de Moraes) / "Fala baixo" (Maysa/Henrique Simonetti) / "É preciso dizer adeus" (Tom Jobim/Vinicius de Moraes) / "Saudades de mim" (Maysa) / "As praias desertas" (Tom Jobim) / "Exaltação ao amor" (Tom Jobim/Vinicius de Moraes) / "Toda tua" (Maysa) / "Tema da meia-noite" (Nazareno de Brito) / "Pelos caminhos da vida" (Tom Jobim/Vinicius de Moraes) / "Candidata a triste" (Paulo Tito/Ricardo Galeno)

A personalidade de Maysa
LP – Premier – 307.3030 (1969)
"Ri" (Luís Antônio) / "Noite chuvosa" (Fernando César/João Leal Brito "Britinho") / "O amor e a rosa" (Pernambuco/Antônio Maria) / "Sonata sem luar" (Vinícius de Carvalho/Freddy Chateaubriand) / "Chora tua tristeza" (Luvercy Fiorini/Oscar Castro Neves) / "Ternura perdida" (Aloysio Figueiredo/Inah Monjardim) / "Estou pensando em ti" (Benil Santos/Raul Sampaio) / "O menino desce o morro" (Vera Brasil/De Rosa) / "A canção dos seus olhos" (Pernambuco/Antônio Maria) / "Samba triste" (Baden Powell/Billy Blanco) / "Um novo céu" (Fernando César/Ted Moreno) / "Diplomacia" (Maysa)

Dois na fossa – Maysa & Tito Madi
LP – RCA 107.0226 (1975)
CD – BMG M60021 (1993)
Músicas interpretadas por Maysa:
Fantasia de trombones para "Demais" (Tom Jobim/Aloysio de Oliveira), "Meu mundo caiu" (Maysa) e "Preciso aprender a ser só" (Marcos Valle/Paulo Sérgio Valle) / "Ne me quitte pas" (Jacques Brel) / "Canção sem título" (Maysa) / Fantasia de cellos para "Primavera" (Vinicius de Moraes/Carlos Lyra), "Eurídice" (Vinicius de Moraes) e "Canção do amanhecer" (Edu Lobo/Vinicius de Moraes) / "Just in time" (Styne/Green/Comden) / "Morrer de amor" (Oscar Castro Neves/Luvercy Fiorini)
*Extraídas do LP *Maysa*, de 1966.

Para sempre Maysa
LP duplo – RGE 308.5005 / 6 (1977)
Disco 1: "Marcada" (Maysa) / "Não vou querer" (Maysa) / "Agonia" (Maysa) / "Tarde triste" (Maysa) / "Resposta" (Maysa) / "Rindo de mim" (Maysa) / "Adeus" (Maysa) / "Chão de estrelas" (Silvio Caldas/Orestes Barbosa) / "Eu não existo sem você" (Tom Jobim/Vinicius de Moraes) / "Suas mãos" (Antônio Maria/Pernambuco) / "Conselho" (Denis Brean/Osvaldo Guilherme) / "Ah, se eu pudesse" (Roberto Menescal/Ronaldo Bôscoli) / "Segredo" (Fernando César) / "Candidata a triste" (Ricardo Galeno/Paulo Tito)
Disco 2: "Ouça" (Maysa) / "Bronzes e cristais" (Nazareno de Brito/Alcyr Pires Vermelho) / "Bom dia, tristeza" (Adoniran Barbosa/Vinicius de Moraes) / "Meu mundo caiu" (Maysa) / "Se todos fossem iguais a você" (Tom Jobim/Vinicius de Moraes) / "Bouquet de Izabel" (Sérgio Ricardo) / "Franqueza" (Denis Brean/Osvaldo Guilherme) / "Un jour tu verras" (Van Parys/Mouloudji) / "Besame mucho" (Consuelo Velazquez) / "I love Paris" (Cole Porter) / "Malatia" (Armando Romeo) / "Chanson d'amour" (Heinz Gietz/Kurt Feltz) / "Uska dara" (folclore turco) / "Quizás, quizás, quizás" (Oswaldo Farrés)

Bom é querer bem
LP – Premier – RGE 307.3333 (1978)
"Bom é querer bem" (Fernando Lobo) / "Mundo vazio" (Antônio Bruno/Amaury Medeiros) / "Você" (Maysa/Henrique Simonetti) / "Sonata sem luar" (Vinícius de Carvalho/Freddy Chateaubriand) / "Ri" (Luís Antônio) / "Favela" (Joraci Camargo/Hekel Tavares) / "Voltei" (Maysa/Henrique Simonetti) / "Solidão" (Antônio Bruno) / "O menino desce o morro" (Vera Brasil/De Rosa) / "Nego malandro do morro" (Maysa) / "Vem comigo" (Maysa/Henrique Simonetti) / "A mesma rosa amarela" (Capiba/Carlos Pena Filho)

Maysa – Série Retrospecto – Vol. 3
LP – RGE 303.0064 (1979)
"Ouça" (Maysa) / "As praias desertas" (Tom Jobim) / "What's new" (B. Haggart/J. Burke) / "Cheiro de saudade" (Djalma Ferreira/Luís Antônio) / "Favela" (Joraci Camargo/Hekel Tavares) / "Nós e o mar" (Roberto Menescal/Ronaldo Bôscoli)/ "To the end of the earth" (N. Sherman/J. Sherman)/ "O amor e a rosa" (Pernambuco/Antônio Maria) / "Murmúrio" (Luís Antônio/Djalma Ferreira) / "Exaltação ao amor" (Tom Jobim/Vinicius de Moraes) / "O menino desce o morro" (Vera Brasil/De Rosa) / "E daí" (Miguel Gustavo)

A arte do encontro – Vol. 4 Maysa e Maria Creuza
Músicas interpretadas por Maysa:
LP – RGE 310.6004 (1981)
"Pelos caminhos da vida" (Tom Jobim/Vinicius de Moraes) / "Caminhos cruzados" (Tom Jobim/Newton Mendonça) / "Eu não existo sem você" (Tom Jobim/Vinicius de Moraes) / "Dindi" (Tom Jobim/Aloysio de Oliveira)/ "Manhã de Carnaval" (Luiz Bonfá/Antônio Maria) / "Outra vez" (Tom Jobim)

Presença de Elis Regina e Maysa
LP Duplo – Epic/CBS 138754/5 (1981)
Músicas interpretadas por Maysa:
Disco 2: "O barquinho" (Ronaldo Bôscoli/Roberto Menescal) / "Melancolia" (Luiz Eça/Ronaldo Bôscoli) / "Eu e o meu coração" (Inaldo Villarin/Antônio Botelho) / "Lágrima primeira" (Ronaldo Bôscoli/Roberto Menescal) / "Maysa" (Luiz Eça/Ronaldo Bôscoli) / "Só você mais nada" (Paulo Soledade) / "Você e eu" (Carlos Lyra/Vinicius de Moraes) / "Cala meu amor" (Tom Jobim/Vinicius de Moraes) / "Dois meninos" (Roberto Menescal/Ronaldo Bôscoli) / "Depois do amor" (Normando/Ronaldo Bôscoli) / "Recado à solidão" (Chico Feitosa) / "Errinho à toa" (Roberto Menescal/Ronaldo Bôscoli)

Convite para ouvir Maysa
LP Duplo – RGE 334.6009 (1988)
CD RGE – 8516 2 (1995)
Disco 1: "Se todos fossem iguais a você" (Tom Jobim/Vinicius de Moraes) / "É preciso dizer

adeus" (Tom Jobim/Vinicius de Moraes) / "Bom dia, tristeza" (Adoniran Barbosa/Vinicius de Moraes) / "Bouquet de Izabel" (Sérgio Ricardo) / "Conselho" (Denis Brean/Osvaldo Guilherme) / "Ouça" (Maysa)/ "Eu não existo sem você" (Tom Jobim/Vinicius de Moraes) / "Chora tua tristeza" (Luvercy Fiorini/Oscar Castro Neves) / "Felicidade infeliz" (Maysa) / "As praias desertas" (Tom Jobim)
Disco 2: "Por causa de você" (Tom Jobim/Dolores Duran) / "Água de beber" (Tom Jobim/ Vinicius de Moraes) / "Franqueza" (Denis Brean/Osvaldo Guilherme) / "Chão de estrelas" (Silvio Caldas/Orestes Barbosa) / "Tarde triste" (Maysa) / "Meu mundo caiu" (Maysa) / "Noite de paz" (Dolores Duran) / "Suas mãos" (Antônio Maria/Pernambuco) / "Bronzes e cristais" (Alcyr Pires Vermelho/Nazareno de Brito)/ "Nós e o mar" (Roberto Menescal/ Ronaldo Bôscoli)

Demais
CD – RCA 10024 (1989)
"Demais" (Tom Jobim/Aloysio de Oliveira) / "Meu mundo caiu" (Maysa) / "Preciso aprender a ser só" (Marcos Valle/Paulo Sérgio Valle) / "As mesmas histórias" (Edu Lobo) / "Just in time" (Styne/Green/Comden) / "Canção sem título" (Maysa) / "Dia das rosas" (Luiz Bonfá/Maria Helena Toledo) / "Canto de Ossanha" (Baden Powell/Vinicius de Moraes) / "Ne me quitte pas" (Jacques Brel) / "Primavera" (Carlos Lyra/Vinicius de Moraes) / "Canção do amanhecer" (Edu Lobo/Vinicius de Moraes)/ "What are you doing the rest of your life" (Michel Legrand/A. Bergman/M. Bergman) / "Canção do amanhecer" (Edu Lobo/Vinicius de Moraes)/ "Morrer de amor" (Oscar Castro Neves /Luvercy Fiorini)

Tom Jobim por Maysa – Viva Maysa
CD – RGE 342 6089 (1993)
"Eu sei que vou te amar" (Tom Jobim/Vinicius de Moraes) / "A felicidade" (Tom Jobim/Vinicius de Moraes) / "Por causa de você" (Tom Jobim/Dolores Duran) / "Dindi" (Tom Jobim/ Aloysio de Oliveira) / "Água de beber" (Tom Jobim/Vinicius de Moraes) / "Exaltação ao amor" (Tom Jobim/Vinicius de Moraes) / "É preciso dizer adeus" (Tom Jobim/Vinicius de Moraes) / "Se todos fossem iguais a você" (Tom Jobim/Vinicius de Moraes) / "Eu não existo sem você" (Tom Jobim/Vinicius de Moraes) / "Meditação" (Tom Jobim/Newton Mendonça) / "Pelos caminhos da vida" (Tom Jobim/Vinicius de Moraes) / "As praias desertas" (Tom Jobim) / "Outra vez" (Tom Jobim)

Acervo especial – Maysa
CD – BMG Ariola V 100.017 (1993)
"Demais" (Tom Jobim/Aloysio de Oliveira); "Meu mundo caiu" (Maysa); "Preciso aprender a ser só" (Paulo Sérgio Valle/Marcos Valle) / "Canto de Ossanha" (Vinicius de Moraes/Baden Powell) / "As mesmas histórias" (Edu Lobo) / "Dia das rosas" (Luiz Bonfá/Maria Helena Toledo) / "Canção sem título" (Maysa) / "Just in time" (Styne/Green/Comden) / "Amor – paz" (Maysa/Vera Brasil) / "Ne me quitte pas" (Jacques Brel) / "Tristeza" (Haroldo Lobo/Nil-

tinho) / "What are you doing the rest of your life" (Michel Legrand/A. Bergman/M. Bergman) / "Canção do amanhecer" (Edu Lobo/Vinicius de Moraes); "Eurídice" (Vinicius de Moraes); "Primavera" (Vinicius de Moraes/Carlos Lyra) / "Canto livre" (Bené Nunes/Dulce Nunes) / "Morrer de amor" (Oscar Castro Neves/Luvercy Fiorini)

Maysa
CD duplo – RGE 8083 2 (1996)
Disco 1: "Se todos fossem iguais a você" (Tom Jobim/Vinicius de Moraes) / "Ouça" (Maysa) / "Franqueza" (Denis Brean/Osvaldo Guilherme) / "Meditação" (Tom Jobim/Newton Mendonça) / "Dindi" (Tom Jobim/Aloysio de Oliveira) / "Chão de estrelas" (Silvio Caldas/Orestes Barbosa) / "Manhã de Carnaval" (Luiz Bonfá/Antônio Maria) / "A Felicidade" (Tom Jobim/Vinicius de Moraes) / "Quem quiser encontrar o amor" (Geraldo Vandré/Carlos Lyra) / "Eu não existo sem você" (Tom Jobim/Vinicius de Moraes) / "É preciso dizer adeus" (Tom Jobim/Vinicius de Moraes) / "Meu mundo caiu" (Maysa) / "Por causa de você" (Tom Jobim/Dolores Duran) / "Eu sei que vou te amar" (Tom Jobim/Vinicius de Moraes)
Disco 2: "To the end of the earth" (N. Sherman/J. Sherman) / "Un jour tu verras" (Van Parys/Mouloudji) / "Besame mucho" (Consuelo Velazquez) / "I love Paris" (Cole Porter) / "Quizás, quizás, quizás" (Oswaldo Farrés) / "What's new" (B. Haggart /J. Burke) / "Get out of town" (Cole Porter) / "Chanson d'amour" (Heinz Gietz/Kurt Feltz) / "Malatia" (Armando Romeo) / "Uska dara" (folclore turco) / "Hino ao amor (Hymne a l'amour)" (Marguerite Monnot/Edith Piaf/Vrs. Odair Marsano) / "Round midnight" (B. Hanighen/T. Monk/C.Williams)

Bossa Nova por Maysa
CD Ans Brasil – B000007WBC (1997)
"A felicidade" (Tom Jobim/Vinicius de Moraes)/ "Nós e o mar" (Roberto Menescal/Ronaldo Bôscoli)/ "Ah, se eu pudesse" (Roberto Menescal/Ronaldo Bôscoli) / "Samba triste" (Baden Powell/Billy Blanco) / "Cheiro de saudade" (Djalma Ferreira/Luís Antônio) / "Fim de noite" (Chico Feitosa/Ronaldo Bôscoli) / "Quem quiser encontrar o amor" (Geraldo Vandré/Carlos Lyra)/ "Chora tua tristeza" (Luvercy Fiorini/Oscar Castro Neves) / "A mesma rosa amarela" (Capiba/Carlos Pena Filho) / "Carinho e amor" (Tito Madi) / "Caminhos cruzados" (Tom Jobim/Newton Mendonça)

Maysa
CD (caixa com 4 CDs) – RGE 9402 2 (1998)
Disco 1: "Ouça" (Maysa) / "Marcada" (Maysa) / "Adeus" (Maysa) / "O que" (Maysa) / "Resposta" (Maysa)/ "Não vou querer" (Maysa) / "Agonia" (Maysa) / "Quando vem a saudade" (Maysa) / "Tarde triste" (Maysa) / "Rindo de mim" (Maysa) / "Voltei" (Maysa/Henrique Simonetti) / "Vem comigo" (Maysa/Henrique Simonetti)
Disco 2: "Meu Mundo caiu" (Maysa) / "No meio da noite" (Aloysio Figueiredo/José Marques da Costa) / "Bronzes e cristais" (Alcyr Pires Vermelho/Nazareno de Brito) / "Por causa de você" (Tom Jobim/Dolores Duran) / "Bom dia, tristeza" (Adoniran Barbosa/Vinicius de

Moraes) / "Felicidade infeliz" (Maysa) / "Bouquet de Izabel" (Sérgio Ricardo) / "Mundo novo" (Maysa) / "E a chuva parou" (Ribamar/Esdras Pereira da Silva/Victor Freire) / "Caminhos cruzados" (Tom Jobim/Newton Mendonça) / "Meu sonho feliz" (Nanai) / Diplomacia (Maysa)

Disco 3: "Mundo vazio" (Amaury Medeiros/Antônio Bruno) / "Saudades de mim" (Maysa) / "Candidata a triste" (Paulo Tito/Ricardo Galeno) / "É preciso dizer adeus" (Tom Jobim/Vinicius de Moraes) / "Eu não existo sem você" (Tom Jobim/Vinicius de Moraes) / "Pedaços de saudade" (Édson Borges) / "Fala baixo" (Maysa/Henrique Simonetti) / "Suas mãos" (Antônio Maria/Pernambuco) / "As praias desertas" (Tom Jobim) / "Maria que é triste" (Maysa/Henrique Simonetti) / "Bom é querer bem" (Fernando Lobo) / "Conselho" (Denis Brean/Osvaldo Guilherme)

Disco 4: "Você" (Maysa/Henrique Simonetti) / "Pelos caminhos da vida" (Tom Jobim/Vinicius de Moraes) / "Noite de paz" (Dolores Duran) / "Exaltação ao amor" (Tom Jobim/Vinicius de Moraes) / "Tema da meia-noite" (Nazareno de Brito) / "Nego malandro do morro" (Maysa) / "Amargura" (A. Ribeiro/G. Gnattali) / "Deserto de nós dois" (Maysa/Henrique Simonetti) / "Toda tua" (Maysa) / "Outra vez" (Tom Jobim) / "Malatia" (Armando Romeo) / "Dois amigos" (Ary Barroso)

Bis – Maysa

CD duplo – EMI Music 530278 2 (2000)

Disco 1: "Eu sei que vou te amar" (Tom Jobim/Vinicius de Moraes) / "Recado" (Luís Antônio/Djalma Ferreira) / "Meditação" (Tom Jobim/Newton Mendonça) / "Alguém me disse" (Jair Amorim/Evaldo Gouveia) / "Hino ao amor (Hymne a l'amour)" (Marguerite Monnot/Edith Piaf/Vrs. Odair Marsano) / "Castigo" (Dolores Duran) / "Morrer de amor" (Oscar Castro Neves/Luvercy Fiorini) / "Até quem sabe?" (Mercedes Chies/Lysias Enio/João Donato) / "Não sei (No other love)" (Russell/Weston/Vrs. Aloysio de Oliveira) / "Os olhos da madrugada" (Carlos Lyra) / "Quebranto" (Ruy Maurity/José Jorge Miquinioty) / "Um dia" (Egberto Gismonti) / "Light my fire" (Morrinson/Manzarek/Krieger/Densmore) / "Demais" (Tom Jobim/Aloysio de Oliveira); "Meu mundo caiu" (Maysa); "Preciso aprender a ser só" (Marcos Valle/Paulo Sérgio Valle)

Disco 2: "Dindi" (Tom Jobim/Aloysio de Oliveira) / "A felicidade" (Tom Jobim/Vinicius de Moraes) / "Bom dia, tristeza" (Adoniran Barbosa/Vinicius de Moraes) / "Manhã de Carnaval" (Luiz Bonfá/Antônio Maria) / "O grande amor" (Tom Jobim/Vinicius de Moraes) / "Bloco da solidão" (Jair Amorim/Evaldo Gouveia) / "Você abusou" (Antônio Carlos/Jocafi) / "Agora é cinza" (Alcebíades Barcelos "Bide"/Armando Marçal) / "Ne me quitte pas" (Jacques Brel) / "Meu mundo caiu" (Maysa); "Ouça" (Maysa); "Tarde triste" (Maysa) / "Se todos fossem iguais a você" (Tom Jobim/Vinicius de Moraes) / "Eu e a brisa" (Johnny Alf) / "Hoje é dia de amor" (Maria Helena Toledo/Luiz Bonfá) / "Tema triste" (Antônio Adolfo/Tibério Gaspar)

Simplesmente Maysa
CD (coletânea com 4 CDs) – Globo Disk 00982 (2000)
CD – Som Livre 0098/0099 (2000)
Disco 1*: "Ouça" (Maysa) / "Felicidade infeliz" (Maysa) / "Molambo" (Jayme Florence "Meira"/Augusto Mesquita) / "Bronzes e cristais" (Alcyr Pires Vermelho/Nazareno de Brito) / "Besame mucho" (Consuelo Velazquez) / "Carinho e amor" (Tito Madi) / "Suas mãos" (Antônio Maria/Pernambuco) / "Outra vez" (Tom Jobim) / "O menino desce o morro" (Vera Brasil/ De Rosa) / "Depois do amor" (Normando/Ronaldo Bôscoli) / "Un jour tu verras" (Van Parys/ Mouloudji) / "Eu e a brisa" (Johnny Alf) / "Estou pra dizer adeus" (Raul Sampaio/Benil Santos) / "Noite de paz" (Dolores Duran) / "Se você pensa" (Roberto Carlos/Erasmo Carlos)
* As músicas "Eu e a brisa" e "Se você pensa" foram gravadas ao vivo.
Disco 2*: "A mesma rosa amarela" (Capiba/Carlos Pena Filho) / "É fácil dizer adeus" (Tito Madi) / "Light my fire" (Morrinson/Manzarek/Krieger/Densmore) / "Marcada" (Maysa) / "Murmúrio" (Luís Antônio/Djalma Ferreira) / "Bom dia, tristeza" (Adoniran Barbosa/Vinicius de Moraes) / "Raízes" (Denis Brean/Osvaldo Guilherme) / "Quizás, quizás, quizás" (Oswaldo Farrés) / "Eu sei que vou te amar" (Tom Jobim/Vinicius de Moraes) / "Você" (Maysa/Henrique Simonetti) / "Hino ao amor (Hymne a l'amour)" (Marguerite Monnot/ Edith Piaf/Vrs. Odair Marsano) / "Sincopado triste" (Macedo Neto/Hianto de Almeida) / "As praias desertas" (Tom Jobim) / "Se todos fossem iguais a você" (Tom Jobim/Vinicius de Moraes) / "Chão de estrelas" (Silvio Caldas/Orestes Barbosa)
* A música "Light my fire" foi gravada ao vivo.
Disco 3*: "Franqueza" (Denis Brean/Osvaldo Guilherme) / "Dindi" (Tom Jobim/Aloysio de Oliveira) / "O amor e a rosa" (Pernambuco/Antônio Maria) / "A felicidade" (Tom Jobim/Vinicius de Moraes) / "I love Paris" (Cole Porter) / "Demais" (Tom Jobim/Aloysio de Oliveira); "I've got you under my skin" (Cole Porte) / "A noite de nós dois" (Otello Zuccolo/Fernando César) / "Exaltação ao amor" (Tom Jobim/Vinicius de Moraes) / "Meu mundo caiu" (Maysa) / "Tarde triste" (Maysa) / "Quem quiser encontrar o amor" (Geraldo Vandré/Carlos Lyra) / "Segredo" (Fernando César) / "Nós e o mar" (Roberto Menescal/Ronaldo Bôscoli) / "Por causa de você" (Tom Jobim/Dolores Duran) / "Manhã de Carnaval" (Luiz Bonfá/Antônio Maria)
As músicas "Demais" e "I've got you under my skin" foram gravadas ao vivo.
Disco 4*: "Conselho" (Denis Brean/Osvaldo Guilherme) / "E daí?..." (Miguel Gustavo) / "Eu não existo sem você" (Tom Jobim/Vinicius de Moraes) / "Meditação" (Tom Jobim/ Newton Mendonça) / "La barca" (Roberto Cantoral) / "Voltei" (Maysa/Henrique Simonetti) / "O barquinho" (Ronaldo Bôscoli/Roberto Menescal) / "What's new" (B. Haggart /J. Burke) / "Bouquet de Izabel" (Sérgio Ricardo) / "Resposta" (Maysa) / "Três lágrimas" (Ary Barroso) / "Ne me quitte pas" (Jacques Brel) / "Negro malandro de morro" (Maysa) / "Cheiro de saudade" (Djalma Ferreira/Luís Antônio) / "Adeus" (Maysa)
* As músicas "La barca" e "Ne me quitte pas" foram gravadas ao vivo.

Quatro em um – Vol. 13
CD – BMG/RCA 74321837332 (2001)
Músicas interpretadas por Maysa*:
"Demais" (Tom Jobim/Aloysio de Oliveira) / "Meu mundo caiu" (Maysa) / "Preciso aprender a ser só" (Marcos Valle/Paulo Sérgio Valle) / "Canto de Ossanha" (Baden Powell/Vinicius de Moraes) / "Tristeza" (Haroldo Lobo/Niltinho) / "Morrer de amor" (Oscar Castro Neves/Luvercy Fiorini)
*Também participaram desta gravação Lúcio Alves, Tito Madi e Milton Banana.

Retratos – Maysa
CD – EMI Brasil – 866358 2 (2004)
"Ne me quitte pas" (Jacques Brel) / "Por causa de você" (Tom Jobim/Dolores Duran) / "Chão de estrelas" (Silvio Caldas/Orestes Barbosa) / "Eu e a brisa" (Johnny Alf) / "Dia de vitória" (Marcos Valle/Paulo Sérgio Valle) / "Dia das rosas" (Luiz Bonfá/Maria Helena Toledo) / "Se todos fossem iguais a você" (Tom Jobim/Vinicius de Moraes) / "Um dia" (Egberto Gismonti) / "Dindi" (Tom Jobim/Aloysio de Oliveira) / "Bloco da solidão" (Jair Amorim/Evaldo Gouveia) / "Castigo" (Dolores Duran) / "Fim de caso" (Dolores Duran) / "Morrer de amor" (Oscar Castro Neves/Luvercy Fiorini) / "O grande amor" (Tom Jobim/Vinicius de Moraes) / "Até quem sabe?" (Mercedes Chies/ Lysias Ênio/João Donato)

O talento de Maysa
CD EMI Music 577163 2(2004)
"Ne me quitte pas" (Jacques Brel) / "Tarde triste" (Maysa); "Meu mundo caiu" (Maysa); "Ouça" (Maysa) / "Eu e a brisa" (Johnny Alf) / "Bom dia, tristeza" (Adoniran Barbosa/Vinicius de Moraes) / "Eu sei que vou te amar" (Tom Jobim/Vinicius de Moraes) / "Dindi" (Tom Jobim/Aloysio de Oliveira) / "Demais" (Tom Jobim/Aloysio de Oliveira); "Meu mundo caiu" (Maysa); "Preciso aprender a ser só" (Marcos Valle/Paulo Sérgio Valle) / "Se todos fossem iguais a você" (Tom Jobim/Vinicius de Moraes) / "Pra quem não quiser ouvir meu canto" (César Roldão Vieira) / "Quebranto" (Ruy Maurity/José Jorge Miquinioty) / "Bloco da solidão" (Jair Amorim/Evaldo Gouveia) / "Agora é cinza" (Alcebíades Barcelos "Bide"/Armando Marçal) / "Castigo" (Dolores Duran) / "Você abusou" (Antônio Carlos e Jocafi)

Novo millennium
CD Universal BR – 60249823667 (2005)
"Suas mãos" (Antônio Maria/Pernambuco) / "Bonita" (Tom Jobim)/ "Bom dia, tristeza" (Adoniran Barbosa/Vinicius de Moraes) / "Dindi" (Tom Jobim/Aloysio de Oliveira) / "Por causa de você" (Tom Jobim/Dolores Duran) / "Meu mundo caiu" (Maysa) / "As praias desertas" (Tom Jobim) / "Demais" (Tom Jobim/Aloysio de Oliveira) / "I've got you under my skin" (Cole Porter) / "Molambo" (Jayme Florence "Meira"/Augusto Mesquita) / "You sin ti" (Arturo Castro) / "La barca" (Roberto Cantoral) / "Três lágrimas" (Ary Barroso) / "Assim na terra como no céu"

(Roberto Menescal/Nonato Buzar/Paulinho Tapajós) / "Resposta" (Maysa) / "Fim de noite" (Chico Feitosa/Ronaldo Bôscoli) / "Ne me quitte pas" (Jacques Brel) / "Quem quiser encontrar o amor" (Carlos Lyra/Geraldo Vandré) / "Ouça" (Maysa) / "Hino ao amor (Hymne a l'amour)" (Marguerite Monnot/Edith Piaf/Vrs. Odair Marsano) / "Eu" (Marcos Valle/Paulo Sérgio Valle)

Participações

Favoritos da TV
RGE XRLP 5001 (1957)
"Nego malandro do morro" (Maysa)

Rio, Cidade Maravilhosa
Continental LPP 3095 (1960)
"Sinfonia do Rio de Janeiro (A Montanha – o Sol – o Mar)" (Tom Jobim/Billy Blanco) / "Copacabana" (João de Barro/Alberto Ribeiro)

Boleros e guaranias
RGE XRLP 5114 (1961)
"Besame mucho" (Consuelo Velazquez)

As 14 mais – Vol. V
Columbia LPCB 37180 (1961)
"O barquinho" (Roberto Menescal/Ronaldo Bôscoli)

*Le repos du guerrier**
Barclay França – 70473 (1962)
Maysa canta a faixa "100.000 chansons" (Michel Magne/Eddy Marnay)
*Trilha do filme *O repouso do guerreiro*, de Roger Vadim.

Sucessos da Bossa Nova
Entré/CBS 4014 (1963)
"O barquinho" (Roberto Menescal/Ronaldo Bôscoli) / "Você e eu" (Carlos Lyra/Vinicius de Moraes)

O melhor da Bossa
RGE XRLP 5267 (1965)
"Nós e o mar" (Roberto Menescal/Ronaldo Bôscoli)

Viva o Festival da Música Popular Brasileira – II Festival da Música Popular Brasileira
Artistas Unidos/Rozenblit LP 70000 (1966)
"Amor – paz" (Maysa/Vera Brasil)

Grande parada Elenco Nº 2
Elenco ME-40 (1967)
"Por causa de você" (Tom Jobim/Dolores Duran)

14 maiorais Nº 13
Copacabana CLP 11585 (1969)
"Tarde triste" (Maysa); "Meu mundo caiu" (Maysa); "Ouça" (Maysa)

Apoteose (O show dos shows)
RGE XRLP 5345 (1970)
Outras Edições: 303.6232
"Nós e o mar" (Roberto Menescal/Ronaldo Bôscoli)

Irmãos Coragem – Trilha sonora da novela da Rede Globo
Philips R 765.119 L (1970)
Outras Edições: Som Livre 403.6234 (1981)
"Nosso caminho" (Fred Falcão/Arnoldo Medeiros)

História da Música Popular Brasileira – Jair Amorim/Evaldo Gouveia
Abril Cultural Fascículo 015 (1970)
"Cantiga de quem está só" (Jair Amorim/Evaldo Gouveia)

IV Festival Internacional da Canção Popular Nacional – As favoritas
Som Livre SIG 1005 (1971)
"Palavras perdidas" (Reginaldo Bessa)

Bandeira 2 – Trilha sonora da novela da Rede Globo
Som Livre SIG 1007 (1971)
"Palavras perdidas" (Reginaldo Bessa)

Máximo de sucessos – Nº 5
Philips 6349 008 (1971)
"História de amor (Theme from *Love story*)" (F. Lai/C. Sigman/Vrs. Paulo Garcez)

Máximo de sucessos – Nº 4
Philips R 765.127 L (1971)
"Chuvas de verão" (Fernando Lobo)

Som Livre Exportação Nº 2
Forma FE 1019 (1971)
"Homem de bem" (César Costa Filho/Aldir Blanc)

História da Música Popular Brasileira – Vinicius de Moraes
Abril Cultural Fascículo 024 (1971)
"Bom dia, tristeza" (Vinicius de Moraes/Adoniran Barbosa)

História da Música Popular Brasileira – Billy Blanco
Abril Cultural Fascículo 032 (1971)
"Sinfonia do Rio de Janeiro" (Tom Jobim/Billy Blanco)

História da Música Popular Brasileira – Capiba / Nelson Ferreira
Abril Cultural Fascículo 044 (1972)
"A mesma rosa amarela" (Capiba)

O Fino da Bossa – Vol. 1
Premier/RGE 307.3177 (1973)
"Nós e o mar" (Roberto Menescal/Ronaldo Bôscoli)

Sempre sucesso – Vol. 2
Premier/RGE 307.3205 (1974)
"Se todos fossem iguais a você" (Tom Jobim/Vinicius de Moraes)

Tom Jobim e Billy Blanco – Série Ídolos MPB Nº 7
Continental 1.19.405.007 (1974)
"Sinfonia do Rio de Janeiro" (Tom Jobim/Billy Blanco)*
* Participam da gravação Os Cariocas, Jamelão, Maysa, Albertinho Fortuna, Ted Moreno, Risadinha, Nelly Martins e Luely Figueiró.

MPB espetacular – Vol. 2
RCA Camden 107.0219 (1975)
"Canto de Ossanha" (Baden Powell/Vinicius de Moraes)

Raízes – Denis Brean & Osvaldo Guilherme – Série Grandes Autores
RCA Camden 107.0225 (1975)
"Raízes" (Denis Brean/Osvaldo Guilherme)

Bossa Nova – Sua história, sua gente
Caixa com 3 LPs – Philips 9299 218/20 (1975)
Disco 3: "Demais" (Tom Jobim / Aloysio de Oliveira)

Som brasileiro
Odeon SMOFB 3869 (1975)
"Até quem sabe" (Mercedes Chies/Lysias Ênio/João Donato)

A Bossa de ontem é de sempre
Entré/CBS 104326 (1975)
"O barquinho" (Roberto Menescal/Ronaldo Bôscoli) / "Depois do amor" (Normando/Ronaldo Bôscoli)

Estúpido cupido – Trilha sonora da novela da Rede Globo
Som Livre 403.6095 (1976)
"Meu mundo caiu" (Maysa)

FM stéreo 2
Fontana/Philips 6470 558 (1976)
"Molambo" (Jayme Florence "Meira"/Augusto Mesquita)

FM stéreo 3
Fontana/Philips 6470 559 (1976)
"Bonita" (Tom Jobim)

A música de Ary Barroso
Fontana/Philips 6470 561 (1976)
"Três lágrimas" (Ary Barroso)

FM stéreo 6
Fontana/Philips 6470 594 (1976)
"Resposta" (Maysa)

As grandes cantoras da MPB
Som/Copacabana SOLP 40798 (1977)
"Tarde triste" (Maysa); "Meu mundo caiu" (Maysa); "Ouça" (Maysa)

Amor canto primeiro
Som Livre 403.6158 (1978)
"Sonata sem luar" (Vinícius de Carvalho/Fredy Chateaubriand)

"Velha" Bossa Nova
RCA Camden 107.0298 (1978)
"Demais" (Tom Jobim/Aloysio de Oliveira); "Meu mundo caiu" (Maysa); "Preciso aprender a ser só" (Paulo Sérgio Valle/Marcos Valle)

Tributo à saudade
GTA GTA 043 (1978)
"Ouça" (Maysa)

O fino da fossa
Clack/Bandeirantes Discos BR 33.005 (1978)
"Meu mundo caiu" (Maysa)

Nova História da Música Popular Brasileira – Capiba / Nelson Ferreira
Abril Cultural HMPB 35 (1978)
"A mesma rosa amarela" (Capiba/Carlos Pena Filho)

Nova História da Música Popular Brasileira – Adoniran Barbosa / Paulo Vanzolini
Abril Cultural HMPB 49 (1978)
"Bom dia, tristeza" (Adoniran Barbosa/Vinicius de Moraes)

Nova História da Música Popular Brasileira – Sérgio Ricardo
Abril Cultural HMPB 38 (1978)
"Bouquet de Izabel" (Sérgio Ricardo)

Nova História da Música Popular Brasileira – Juca Chaves / Billy Blanco
Abril Cultural HMPB 50 (1978)
"Sinfonia do Rio de Janeiro" (Billy Blanco/Tom Jobim)*
*Participaram desta gravação Jamelão, Os Cariocas e Maysa.

Malu Mulher – Trilha sonora do seriado da TV Globo
Som Livre 403.6196 (1979)
"Dois meninos" (Roberto Menescal/Ronaldo Bôscoli)

Roberto & Erasmo nas vozes de
GTA GTA 066 (1979)
"Se você pensa" (Roberto Carlos/Erasmo Carlos)

O fino do samba-canção
Clack/Bandeirantes Discos BR 33.044 (1979)
"Meu mundo caiu" (Maysa)

Saudade & Fossa
Seta SMLP 25.086 (1980)
"Castigo" (Dolores Duran) / "Meu mundo caiu" (Maysa) / "Ouça" (Maysa)

De cigarro em cigarro
Som Livre 409.6050 (1981)
"Meu mundo caiu" (Maysa)

Testamento – A música e a poesia de Vinicius de Moraes Vol. 2
RGE 303.6002 (1981)
Outras Edições: 303.6080
"Bom dia, tristeza" (Vinicius de Moraes/Adoniran Barbosa)

Sucessos inesquecíveis da MPB
Fontana/Philips 6488 138 (1981)
"Chuvas de verão" (Fernando Lobo)

Testamento – A música e a poesia de Vinicius de Moraes Vol.3
RGE 303.6014 (1982)
Outras Edições: 303.6081
"Água de beber" (Tom Jobim/Vinicius de Moraes)

Nova História da Música Popular Brasileira – Série Grandes Compositores – Adoniran Barbosa / Paulo Vanzolini
Abril Cultural s/n (1983)
"Bom dia, tristeza" (Adoniran Barbosa / Vinicius de Moraes)

Os maiores sucessos do samba-canção
Fontana/Philips 818 349-1 (1984)
"Chuvas de verão" (Fernando Lobo)

Bambolê – Vol. II – Trilha sonora da novela da Rede Globo
Som Livre 406.0004 (1987)
"Eu não existo sem você" (Tom Jobim/Vinicius de Moraes)

Anos Dourados – Trilha sonora da minissérie da Rede Globo
Som Livre 402.0045 (1988)
"Franqueza" (Osvaldo Guilherme / Denis Brean)

Grandes autores – Ary Barroso
Polygram 838 337-1 (1989)
"Três lágrimas" (Ary Barroso)

Grandes compositores – Série Inesquecível – Dolores Duran
RGE 320.6075 (1990)
"Noite de paz" (Dolores Duran) / "Pela rua" (Dolores Duran/Ribamar)

Grandes compositores – Série Inesquecível – Evaldo Gouveia e Jair Amorim
RGE 320.6088 (1990)
"Alguém me disse" (Evaldo Gouveia/Jair Amorim) / "Só Deus" (Evaldo Gouveia/Jair Amorim) / "Cantiga de quem está só" (Evaldo Gouveia/Jair Amorim)

Grandes compositores – Série Inesquecível – Raul Sampaio e Benil Santos
RGE 320.6097 (1990)
"Estou pensando em ti" (Raul Sampaio/Benil Santos) e "Estou pra dizer adeus" (Raul Sampaio/Benil Santos)

Grandes compositores – Série Inesquecível – Luís Antônio
RGE 320.6111 (1990)
"Murmúrio" (Djalma Ferreira/Luís Antônio) / "Cheiro de saudade" (Djalma Ferreira/Luís Antônio) / "Chorou chorou" (Luís Anônio)

Vinicius 90 anos
Disco duplo
Som Livre 5010-2 (2003)
"Água de beber" (Tom Jobim/Vinicius de Moraes)

Kaleidoscópio Elenco
Elenco SE 1001 (Sem data)
"Fim de noite" (Chico Feitosa/Marcos Vasconcellos)

Kaleidoscópio N° 2
Elenco SE 1002 (Sem data)
"Fim de noite" (Chico Feitosa/Marcos Vasconcellos)

Bibliografia

ARAÚJO, Paulo César de. *Roberto Carlos em detalhes*. São Paulo: Planeta, 2006.

AUGUSTO, Sérgio. *Este mundo é um pandeiro: a chanchada de Getúlio a* JK. São Paulo: Companhia das Letras, 1989.

BOECHAT, Ricardo. *Copacabana Palace: um hotel e sua história*. Rio de Janeiro: DBA/Melhoramentos, 1998.

BÔSCOLI, Ronaldo. *Eles e eu: memórias de Ronaldo Bôscoli*. Depoimentos a Luiz Carlos Maciel e Ângela Chaves. Rio de Janeiro: Nova Fronteira, 1994.

CABRAL, Sérgio. *Eliseth Cardoso: uma vida*. Rio de Janeiro: Lumiar, s.d.

CABRAL, Sérgio. *Nara Leão: uma biografia*. Rio de Janeiro: Lumiar, 2001.

CARDOSO, Tom; ROCKMANN, Roberto. *O Marechal da Vitória: uma história de rádio,* TV *e futebol*. São Paulo: A Girafa, 2005.

CARVALHO FILHO, Paulo Machado. *Histórias... que a história não contou — Fatos curiosos em 60 anos de Rádio e* TV. São Paulo: Companhia Editora Nacional, 2006.

CASTRO, Ruy. *Chega de saudade: a história e as histórias da Bossa Nova*. São Paulo: Companhia das Letras, 1990.

CASTRO, Ruy. *Ela é carioca: uma enciclopédia de Ipanema*. São Paulo: Companhia das Letras, 1999.

COUTO, Ronaldo Costa. *Matarazzo*. 2 vols. São Paulo: Planeta, 2004.

CRAVO, Jorge. *O caçador de bolachas perdidas: as incríveis incursões de um brasileiro pelo front da música popular e do futebol nos anos 40 e 50*. Rio de Janeiro: Record, 2002.

FAOUR, Rodrigo. *Revista do Rádio: cultura, fuxicos e moral nos anos dourados*. Rio de Janeiro: Relume-Dumará/Prefeitura do Rio de Janeiro, 2002.

MATARAZZO, Thaís. *Maysa*. (mimeo.)

MIÉLE, Luiz Carlos. *Poeira de estrelas: histórias de boemia, humor e música*. Rio de Janeiro: Ediouro, 2004.

MELLO, Zuza Homem de. *A Era dos Festivais: uma parábola*. São Paulo: Editora 34, 2003.

MESSIAS, José. *Somos uma soma de pessoas*. Rio de Janeiro: Kades, 2006.

MOTA, Nelson. *Noites tropicais: solos, improvisos e memórias musicais*. Rio de Janeiro: Objetiva, 2001.

NEVES, José Roberto Santos. *Maysa*. Vitória: Contexto, 2004.

SANTOS, Joaquim Ferreira dos. *Feliz 1958: o ano que não devia terminar*. 6. ed. Rio de Janeiro: Record, 1998.

SANTOS, Joaquim Ferreira dos. *Um homem chamado Maria*. Rio de Janeiro: Objetiva, 2006.

SERGIO, Renato. *A alma de uma cidade: reminiscências & lorotas – lugares, fatos e personagens cariocas*. Rio de Janeiro: Ediouro, 2000.

SEVERIANO, Jairo; MELLO, Zuza Homem de. *A canção no tempo: 85 anos de músicas brasileiras*. São Paulo: Editora 34, 1977.

SILVA, Walter. *Vou te contar: histórias de música popular brasileira*. São Paulo: Códex, 2002.

Jornais

A Tarde
Correio da Manhã
Correio Paulistano
Crítica
Diário Carioca
Diário da Manhã
Diário da Noite
Diário de Notícias
Diário de S. Paulo
Diário do Povo
El Nacional (Argentina)
Folha da Noite
Folha da Tarde
Folha de S.Paulo
Gazeta Esportiva

Imprensa Popular
Jornal do Brasil
Jornal do Commercio
Luta Democrática
Notícias de Hoje
O Dia
O Estado de S. Paulo
O Globo
O Jornal
O Tempo
Shopping News
Tribuna da Imprensa
Última Hora

Revistas

A Cigarra
Amiga
Confidencial
Escândalo
Eu Canto
Fatos & Fotos
Fatos & Fotos — Gente
Ilusão
Intervalo
Manchete
Mundo Ilustrado
Notícia (Angola)
O Cruzeiro
Platéia (Portugal)
Radio Melodias
Radiolândia
Revista do Rádio

Revistas dos Fans
Vamos Cantar
Veja
São Paulo na TV
Sétimo Céu
Visão

Internet

Dicionário Cravo Albin da Música Popular Brasileira:
http://www.dicionariompb.com.br

Instituto Memória Musical Brasileira:
http://www.jornalmusical.com.br

Sombras:
http://www.sombras.com.br

Créditos das imagens

Todos os esforços foram feitos para determinar a origem das imagens deste livro. Infelizmente, nem sempre isso foi possível. Teremos prazer em creditar as fontes, caso se manifestem, nas próximas edições.

Primeiro caderno de imagens:

Páginas 1 a 7: Acervo da família
Página 8: Acervo da família/Acervo do autor
Página 9: Acervo da família/Acervo do autor
Página 10: Acervo do autor
Página 11: Acervo da família
Página 12: *O Cruzeiro*.
Página 13: *O Cruzeiro*/Acervo da família/Acervo do autor
Página 14: *O Cruzeiro*/Revista do Rádio
Página 15: *O Cruzeiro*/Revista do Rádio
Página 16: *O Cruzeiro*.

Segundo caderno de imagens:

Página 1: *Manchete*
Páginas 2 a 9: Acervo da família
Página 10: *O Cruzeiro*/*O Pasquim*
Páginas 11 a 13: Acervo da família
Páginas 14 e 15: Acervo do autor
Página 16: Acervo da família

Índice onomástico

O Autor

Lira Neto, jornalista, nasceu em Fortaleza em 1963. Nos anos 1970 e 1980 publicou poesia alternativa e pertenceu à chamada "geração mimeógrafo". Mora em São Paulo e tem artigos, reportagens e entrevistas editadas em vários jornais e revistas brasileiros, como *Aventuras da História*, *Contigo!*, *KEY*, *Sexy*, *VIP*, *Folha de S.Paulo*, *O Estado de S. Paulo*, e no site *No Mínimo*. É autor, entre outros livros, de *Castello: a marcha para a ditadura* (2004) e *O inimigo do rei: uma biografia de José de Alencar* (2006), pelo qual recebeu o Prêmio Jabuti 2007 de melhor biografia.

ESTE LIVRO, COMPOSTO NA FONTE FAIRFIELD E PAGINADO PELA NEGRITO PRODUÇÃO EDITORIAL, FOI IMPRESSO EM PÓLEN SOFT 70G NA YANGRAF, SÃO PAULO, BRASIL, NO OUTONO DE 2009,